Hamburger Kunsthalle

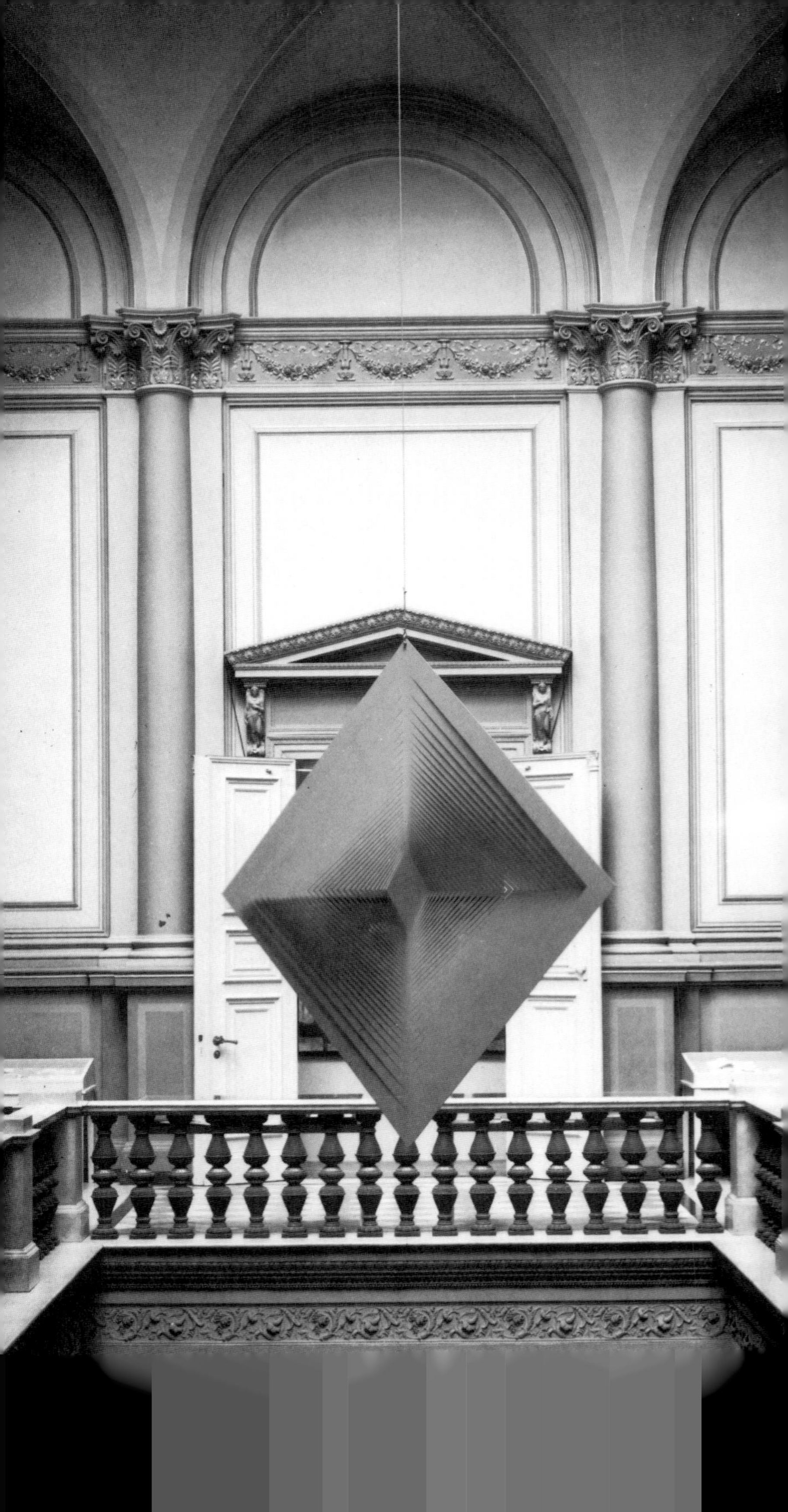

Hamburger Kunsthalle

Prestel

Hamburger Kunsthalle
Glockengießerwall
2000 Hamburg 1
Tel. (040) 248251

Öffnungszeiten:
dienstags bis sonntags von 10-17 Uhr
Kupferstichkabinett und Bibliothek:
dienstags bis samstags von 10-17 Uhr
Besichtigung von Zeichnungen und Graphik nach vorheriger Vereinbarung
dienstags bis samstags ab 13 Uhr

Führungen: sonntags 11 Uhr

Der vorliegende Führer durch die Sammlungen zeigt eine repräsentative Auswahl der im Besitz des Museums befindlichen Werke. Sollten Sie öfter in unser Haus kommen, empfehlen wir Ihnen, Mitglied im Kreise der »Freunde« der Hamburger Kunsthalle zu werden. Über die vielen Vorteile solcher Mitgliedschaft informiert Sie
Freunde der Kunsthalle e. V.
Glockengießerwall
2000 Hamburg 1
Tel. 040/335244
dienstags bis freitags 10-13 Uhr

Herausgeber: Werner Hofmann

Redaktion: Helmut R. Leppien, Sigrun Paas

Verfasser der Texte:

Reinhold Happel	RH
Günter Hartmann	GHa
Erwin Heizmann	EH
Werner Hofmann	WH
Hanna Hohl	HH
Sigmar Holsten	SH
Gisela Hopp	GH
Helmut R. Leppien	HRL
Morena Nebelthau	MN
Sigrun Paas	SP
Eckhard Schaar	ES
Hans Werner Schmidt	HWS
Georg Syamken	GS
Christiane Vierhufe	CV
Karl-Heinz Weidner	KHW

Fotos: Kleinhempel (Walford)

Förderer des Museumsführers

Beiersdorf AG, Hamburg
Dipl.-Ing. Werner Blohm, Hamburg
Nikolaus Broschek, Hamburg
Deutsche Bank Aktiengesellschaft, Hamburg
Dresdner Bank Aktiengesellschaft, Hamburg
Ernst Nolte (Hauswedell & Nolte), Hamburg
Gruner + Jahr (AG & Co), Hamburg
Landeszentralbank in der Freien und Hansestadt Hamburg
Otto Versand, Hamburg
rotring-werke Riepe KG, Hamburg

Dieser Bildführer enthält 688 Abbildungen, davon 232 in Farbe

Satz, Druck und Bindung:
Passavia Druckerei GmbH Passau

ISBN 3-7913-0701-0

Inhalt

Erdgeschoß

- A Garderobe, Toiletten, Kasse
- B Verkaufsstand
- C Haupttreppe zum Obergeschoß
- D Kupferstichkabinett, Bibliothek
- E Treppe zum Sockelgeschoß: Kunst heute
- F Aufgang zum Obergeschoß und zum Café
- G Altes Treppenhaus; Aufgang zum Obergeschoß

- 1 Demonstrationsraum
- 2–12, 21–27 Malerei in Hamburg
- 13 Münzen, Medaillen, Plastik
- 14–19 Europäische und amerikanische Kunst um 1960 bis heute

Sockelgeschoß

- 28–36 Kunst heute

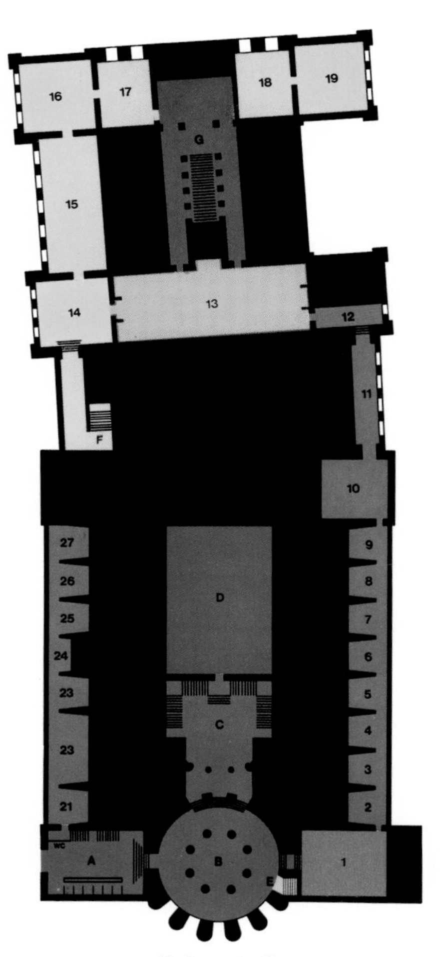

Erdgeschoß

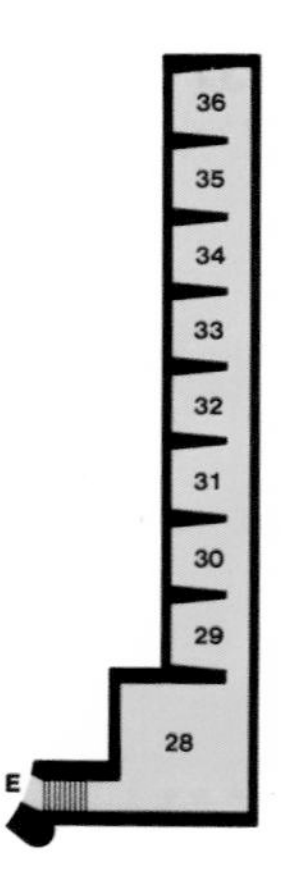

Sockelgeschoß

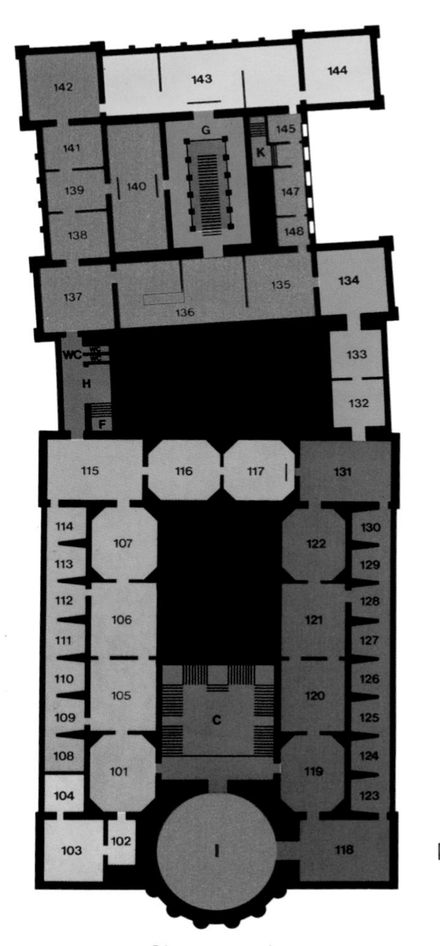

Obergeschoß

Dachgeschoß

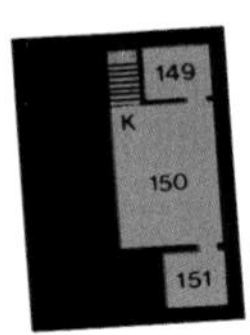

K	Treppe zwischen Ober- und Dachgeschoß
149–151	Arp und die Surrealisten

Obergeschoß

C	Haupttreppe
F	Abgang zum Erdgeschoß
G	Altes Treppenhaus: Abgang zum Erdgeschoß
H	Café, Toiletten
I	Kuppelsaal: Ausstellungen
K	Aufgang zum Dachgeschoß: Arp und die Surrealisten
101–117	Alte Meister
102–104	Mittelalter: Die Meister Bertram und Francke
101, 105–117	Europäische Malerei vom 16. bis zum 18. Jahrhundert
118–134	Kunst des 19. Jahrhunderts
118–131	Deutsche Kunst des 19. Jahrhunderts
132–134	Französische Kunst des 19. Jahrhunderts
135–151	Kunst des 20. Jahrhunderts
135–142, 145–148	Europäische Kunst von 1900 bis 1945
143–144	Europäische und amerikanische Kunst von 1945 bis heute

Die Hamburger Kunsthalle

Bürgerinitiativen haben in Hamburg viel bewirkt. Auch die Kunsthalle zählt zu den kulturellen Einrichtungen, die den Willen von Einwohnern dieser Stadt widerspiegeln. 1817 wurde, vom patriotischen Gegenwartsbewußtsein getragen, der ›Kunstverein in Hamburg‹ ins Leben gerufen, eine Institution, die sich sowohl dem Ausstellen wie dem Sammeln widmete: schon damals zeichnete sich dieser bis heute wirksame Wechselbezug ab. Auch der Ort, an dem 1850 die erste ›Öffentliche Städtische Gemälde-Galerie‹ gezeigt wurde, wirkte traditionsbildend: die Börsen-Arkaden kündigen die lange Zeit fruchtbare Verbindung von Kunst und Kapital an, sie stehen stellvertretend für die Kunstfreunde unter Hamburgs Kaufleuten, denen unsere Sammlung viele gewichtige Stiftungen und Zuwendungen verdankt. Es genügt, die Namen Amsinck, Behrens, Beit, Campe, Heine, Huth, Lüders, Schröder, Schwabe und Weber zu nennen. Doch dazu kamen immer wieder Spenden, die kein berühmter Name schmückt. So wurde der Kaufpreis für Liebermanns ›Netzflickerinnen‹ 1889 von Hörerinnen Lichtwarks aufgebracht.

Fast zwei Jahrzehnte verstrichen, ehe am 30. August 1869 die vom Kunstverein auf der Alsterhöhe errichtete Kunsthalle dem Senat und der Öffentlichkeit übergeben wurde. Die beiden Architekten – Hude und Schirrmacher – kamen aus Berlin. Von den Baukosten – 300 000 Mark banco – wurden zwei Drittel aus Spenden gedeckt, den Rest brachte der Senat auf. ›Kunsthalle‹: das Wort deutet die Abkehr vom ›Museum‹ an, es weist in die Richtung, die zu den jedweder Aktivität offenen ›Kunsträumen‹ unserer Tage führt, dennoch ist es mehrsinnig, weil es – in Hamburg wie in Bremen und Karlsruhe – zwei Aufgabenbereiche miteinander verschränkt, das Ausstellen und das Sammeln, das Aufspüren und das Bewahren.

Wenn Zielstrebigkeit über die Zukunft eines kulturellen Vorhabens entscheidet, dann fällt die eigentliche Geburtsstunde der Kunsthalle in das Jahr 1886, als Alfred Lichtwark (1852-1914) mit ihrer Leitung betraut wurde. Er fand den kurz zuvor erweiterten ›Altbau‹ in der Gestalt vor, die er noch heute aufweist: ein durchaus repräsentatives Gebäude, in dem sich die Prachtentfaltung der Gründerjahre mit der hanseatischen Verhaltenheit verbindet. Lichtwark kannte die Welt, und er wollte Hamburg der Welt erschließen. Dies auf doppelte Weise: er wollte die Tradition der Stadt für die Kunstgeschichte entdecken und zeitgenössische Persönlichkeiten von

Rang nach Hamburg holen. Beides gelang. Seit Lichtwark wissen wir, daß es über Jahrhunderte eine Malerei in Hamburg gab, zum andern öffnete der Kunsthallendirektor seiner Vaterstadt das ›Tor zur Welt‹, das sie auf ihrem Wappen so merkwürdig verschlossen vorzeigt. Durch seine Tatkraft, auf Spürsinn gestützt, gelangten Meister Bertram und Meister Francke mit ihren Altären in die Kunsthalle; er entdeckte die hamburgische Spielart des Barock und die bürgerlichen Realisten des Vormärz, vor allem aber Philipp Otto Runge, den großen Einzelgänger, dessen umfangreicher Nachlaß damals noch bei den Erben lagerte. 1905 erwarb er fünf Bilder von Caspar David Friedrich (darunter das »Eismeer«) und setzte damit einen entscheidenden Beitrag zu einer der folgenreichsten Wiederentdeckungen der neueren Kunstgeschichte. Als Mitgestalter der ›Jahrhundertausstellung‹ in der Berliner Nationalgalerie entwarf er 1906 ein ›Musée imaginaire‹ der deutschen Malerei von 1775 bis 1875, das heute noch Gültigkeit hat.

Dem gründerzeitlichen Geschmacksverfall stellte Lichtwark die goethesche Forderung nach der charakteristischen Form entgegen. Auf diesen Maßstab gestützt, hielt er unter den Zeitgenossen Ausschau für seine ›Sammlung von Bildern aus Hamburg‹, ein Vorhaben, dem wir hervorragende Auftragsarbeiten von Liebermann und Uhde, Kalckreuth, Trübner, Slevogt und Corinth, aber auch die Hamburg-Ansichten von Bonnard und Vuillard verdanken.

Die Ankäufe, von Stiftungen ergänzt, machten bald einen Neubau notwendig. Lichtwark entwickelte den Baugedanken gemeinsam mit dem Baudirektor Albert Erbe. Beide nahmen den offenen Stilbruch in Kauf. Der ›Neubau‹, nüchtern und zugleich pathetisch, blickt zum Hauptbahnhof, der ›Altbau‹ auf das parkartige Alsterufer, das nach 1945 den Verkehrsplanern geopfert werden mußte.

Lichtwark starb 1914. Sein Nachfolger Gustav Pauli (1866-1938) konnte den Neubau erst 1919 eröffnen. Der Horizont, den er den Sammlungen erschloß, fügte sich organisch den von Lichtwark gezogenen Kraftlinien ein: er reicht von Munch zu den deutschen Expressionisten, fügt aber auch dem 19. Jahrhundert wesentliche neue Schwerpunkte hinzu. Manets ›Nana‹ und Feuerbachs ›Bianca Capello‹ wurden gleichzeitig 1924 erworben – eine Koinzidenz, die man programmatisch nennen möchte, da sich in ihr die Stärke unserer Gemäldegalerie im 19. Jahrhundert abzeichnet, das Gleichgewicht zwischen Deutschen und Franzosen, aber auch zwischen ›reinen Malern‹ und idealistischen Gedankenmalern. Diese Dialektik verhilft zu neuen Einsichten, sie ist überdies hilfreich besonders dann, wenn die Mittel nur punktuelle Ankäufe zulassen. So wurden Burne-Jones (Abb. 170) und Fantin-Latour (Abb. 171) nicht zuletzt im Hinblick auf Leibls ›Drei Frauen in der Kirche‹ (Abb. 150) erworben. Mag sein, daß die Gegenüberstellung auch zu den Kunstgriffen einer pädagogischen Museumsarbeit zählt, die sich in mehrfacher Hinsicht auf Lichtwark, den ›praeceptor Germaniae‹, berufen kann – man denke an den Schlachtruf ›Makartbouquet und Blumenstrauß‹. Jedenfalls hat Pauli den erzieherischen Auftrag des Museums sehr ernst genommen. Er gründete den Verein ›Freunde der Kunsthalle‹, für dessen Veranstaltungen er den großen

Vortragssaal zwischen Alt- und Neubau errichten ließ.

Wie ›anstößig‹ Pauli sammelte, erwies sich, als die neuen Machthaber, die ihn 1933 vorzeitig entlassen hatten, 1937 zur Tat schritten und die ›Säuberung‹ der deutschen Museen von ›entarteter Kunst‹ anordneten. Die 74 damals beschlagnahmten Gemälde, darunter Kokoschkas ›Windsbraut‹ und Marcs ›Mandrill‹, gehen sämtlich auf sein Konto. Das Kupferstichkabinett büßte etwa 1200 Arbeiten ein.

Carl Georg Heise (1945-55), der 1920 gesagt hatte, »Das Museum muß abnehmen – und die Kunst wird wachsen«, nahm sich des Wiederaufbaus mit dem leidenschaftlichen Engagement an, das jede Faser seiner Persönlichkeit prägte. Es gelang ihm, die von Munch ausgehende expressionistische Konstante wieder herzustellen, darüber hinaus Beckmann, Klee und Kandinsky der Sammlung einzufügen. Aber auch er festigte deren »Standbein« im 19. Jahrhundert durch Erwerbungen aus dem Kreis der Nazarener. Heise blickte über die Grenzen des musealen Reviers hinaus. 1953 organisierte er die Ausstellung ›Plastik im Freien‹ an der Alster, die zur ›Kunst im öffentlichen Raum‹ herausforderte: leider wurde das hohe Niveau dieses Impulses später preisgegeben.

Alfred Hentzen (1955-69) sah seinen Weg »durch die Vorgänger deutlich vorgezeichnet«, doch setzte er sehr persönliche Wegmarken: durch seine Ankäufe (Claude Lorrain, Strozzi, Boucher und Fragonard) wurden das 17. und 18. Jahrhundert von ihrer Zwischenaktsrolle befreit und der Epochenfolge ebenbürtig eingefügt. Bei den Zeitgenossen richtete sich der Blick vornehmlich auf die Ecole de Paris und deren Ausstrahlungen, aber auch auf große Einzelgänger wie Moore, Giacometti und Wols. Hentzen erkannte frühzeitig die Preisentwicklung und ergriff die Initiative zu einer Stiftung, in der privates Mäzenatentum und Öffentliche Hand zusammenwirken sollten. Der 1956 gegründeten ›Stiftung zur Förderung der hamburgischen Kunstsammlungen‹, in deren Aufkommen sich die Kunsthalle mit dem Museum für Kunst und Gewerbe teilt, ist es zu danken, daß wenigstens hie und da die Ankaufsdefizite wettgemacht werden konnten, die sich aus dem zu geringen staatlichen Etat ergeben.

Hentzens Nachfolger steht seit fünfzehn Jahren vor der schier unlösbaren Aufgabe, angesichts der Preisexplosion auf dem Kunstmarkt das internationale Niveau der ihm anvertrauten Sammlung zu wahren und zugleich ein durchdachtes Ausstellungsprogramm zu entwerfen, das wissenschaftliche mit allgemein interessierenden Fragestellungen verbindet. Beiden Aufgaben sind durch den knappen Etat und die Raumnot Grenzen gezogen, die von Jahr zu Jahr enger werden, beide werden so gehandhabt, daß neben der Gemäldegalerie auch die anderen zwei großen Abteilungen des Hauses, das Kupferstichkabinett und die Sammlung der Plastik, Münzen und Medaillen gebührend zu Wort kommen. Die Sammlung der Zeichnungen, Druckgraphiken und illustrierten Bücher hatte in Ernst Georg Harzen (1790-1863) ihren Schrittmacher. Sein Vermächtnis legte den Grundstock zu einem Bestand, der heute mehr als 100 000 Blätter umfaßt und zu den vollständigsten seiner Art im deutschen Sprachraum zählt. Auch hier kommt die

Gegenwart zu ihrem Recht: die Sammlung von Künstlerbüchern erschließt Ausdrucksformen zwischen Bild, Text und herkömmlicher Illustration – vergleichbar der von unserem Museumspädagogen im Treppenhaus des Altbaues eingerichteten ›Phonothek‹, die neueste Künstlerschallplatten anbietet.

Plastik bis 1800 ist im Museum für Kunst und Gewerbe zu sehen, für die Zeit danach ist die Kunsthalle zuständig. Sie verfügt heute über einen Bestand, der dem zunehmenden Gewicht der dritten Dimension in der Kunst unseres Jahrhunderts Rechnung trägt. Dabei geht es nicht bloß um die Plastik im herkömmlichen Sinn, sondern um Zwischenbereiche der Multimaterialität, deren Darstellung in der Abteilung ›Vom Bild zum Material, vom Material zum Objekt‹ (im Sockelgeschoß) versucht wird.

Es war schon immer die Aufgabe dieses Hauses, aus der Not der knappen Mittel seine Strategien zu entwickeln. Unsere Schwerpunkte müssen Bezugspunkte sein, so intensiv aufgeladen, daß sich aus ihnen immer wieder neue Fragestellungen und neue Einsichten in das künstlerische, geistige und gesellschaftliche Gefüge Europas vom Mittelalter bis in die Gegenwart ergeben.

Werner Hofmann

Meister von Rimini
1 Die Kreuzigung Christi; Der Tod Mariä 1320/30
Malerei auf Holz; 2 Tafeln 63x32,5;
Inv. 756, 757

Die beiden kleinformatigen Tafeln, die von der Hand eines anonymen Meisters der ›Schule von Rimini‹ stammen, waren einst Bestandteile eines Hausaltars (Seitenflügel eines Triptychons?), dessen Mitteltafel wahrscheinlich eine thronende Madonna mit Kind oder die Krönung Marias zeigte. Aufgestellt in Privathäusern wohlhabender Bürger und Adliger sowie in Klöstern, dienten solche Hausaltäre der persönlichen Andacht. Das Interesse der Gläubigen an großer Anschaulichkeit eröffnete den Künstlern die Möglichkeit, hier die Vielfalt ihrer Kunst darzulegen. So zeigen die Hamburger Tafeln das hohe Niveau, mit dem der Rimini-Meister durch geschickte Figurengruppierung, sensible Farbwahl und feinen Pinselstrich die umfangreichen, komplexen Szenen bewältigt hat. Stilistisch bewegt er sich in der Nachfolge Giottos, ohne allerdings dessen plastische Ausdruckskraft zu erreichen. Auch Übernahmen von Motiven sind zu finden, etwa das Kruzifix, das einem aus der Giottowerkstatt bekannten Typus entlehnt ist. Die Kreuzigung ist hinterfangen vom Goldgrund und so der irdischen Sphäre schon fast enthoben, in der oberen Bildhälfte dominiert der gekreuzigte Christus, umgeben von Engeln, die das seinen Wunden entströmende Blut in Schalen auffangen. Links wirft Maria, vergeblich von einer Begleiterin getröstet, in ihrem Schmerz die Arme empor, während dahinter Longinus mit seiner Lanze und der Knecht mit dem Essigschwamm ehrfürchtig zum sterbenden Gottessohn emporblicken. Zu Füßen des Kreuzes kniet Maria-Magdalena, und rechts wendet Johannes sein verzweifeltes Antlitz Christus zu. Hinter ihm drängen sich berittene Söldner, Edelleute und schaulustiges, debattierendes Volk. In der unteren Bildzone bricht zu beiden Seiten der um den Leibrock Christi würfelnden Soldaten die Erde auf: Teuflische Gestalten kommen hervor, Tote entsteigen geöffneten Gräbern, und schließlich ist links (unter Maria) der zerrissene Vorhang des Tempels von Jerusalem zu sehen. Ganz der ausführlichen Schilderung des Matthäus-Evangeliums folgend, hat hier der Rimini-Meister auch Ereignisse, die nicht am Ort der Kreuzigung geschahen, in die Darstellung aufgenommen, um dem Betrachter die außerordentliche Bedeutung des Opfertodes Christi für das Seelenheil des Menschen eindringlich vor Augen zu führen. – Der Tod der Maria: Umgeben von den trauernden Jüngern Christi liegt die Verstorbene aufgebahrt unter einem reich verzierten, rot-goldenen Tuch. Jesus hat die Seele seiner irdischen Mutter in Form eines gewickelten Säuglings in Empfang genommen (Bildmitte) und bringt sie in Begleitung von Engeln in den Himmel (Giebelfeld). Unten versuchen drei Ungläubige, das Tuch vom unbefleckten Leib der Toten herunterzureißen, aber ihre Hände erstarren. Die Himmelfahrt der Seele Marias und die durch das Wunder bewahrte Reinheit ihres Körpers versinnbildlichen die herausragende Stellung der Gottesmutter in der Hierarchie der Heiligen. RH

1 a

1 b

2

Kölnischer Meister
2 Hausaltar mit der Kreuzigung Christi
um 1350
Malerei auf Holz; 50x36 und zweimal 50x18; Inv. 325

Das Programm des Hausaltars in Triptychonform ist ganz auf Christus ausgerichtet. Der geöffnete Altar zeigt auf dem linken Flügel oben die Verkündigung Mariens und unten die Geburt Christi, auf dem rechten Flügel oben die Auferstehung des Herrn und unten das Jüngste Gericht mit Christus als Weltenrichter. Im Zentrum des Altars befindet sich die Kreuzigung Christi. Vor dem punzierten Goldgrund stehen unter dem Kreuz links die hl. Klara, Johannes und Maria, rechts Longinus, der hl. Franziskus und Paulus. Zu Füßen Christi kniet in der Tracht des Klarissenordens die Stifterin des Altars. Wohl auf ihren Wunsch sind die beiden Ordensheiligen Klara und Franziskus dem Kreuzigungsgeschehen hinzugefügt worden. Im geschlossenen Zustand zeigt der Altar außen Christus als Schmerzensmann, umgeben von den Leidenswerkzeugen, ein damals in Köln beliebtes Andachtsmotiv. RH

Aachener Meister
3 Maria mit dem Kinde und den heiligen Rittern Cyriacus und Pancratius
um 1380
Malerei auf Holz; Mitteltafel 55,5x34, Flügel je 55,5x17; Inv. 791

Dieser Hausaltar diente der privaten Andacht eines Gläubigen. Die Mitteltafel zeigt Maria sitzend auf einer brokatverzierten Bank vor einem Goldgrund, in den Nimben und Engel einpunziert sind. Die bekrönte Gottesmutter ist in einen roten Mantel gehüllt, unter dem sich die Rundungen ihrer Knie deutlich abzeichnen. Sie hält das Kind eng an sich geschmiegt, was ihre innige Beziehung zu ihm betont. Auf den Seitenflügeln ist links der hl. Cyriacus mit Buch und Schwert, rechts der hl. Pancratius in pelzgefüttertem Mantel dargestellt. Der Rahmen ist abwechselnd mit Vierpässen aus vergoldetem Holz und quadratischen Kästchen zur Aufnahme von Reliquien verziert. MN

3

4a

4b

Meister Bertram (um 1340-1414/15)
4 Der Hauptaltar von St. Petri in Hamburg um 1380
Malerei auf Holz; 180x720 (ausgeklappt); Inv. 500

Der mehrteilige Flügelaltar, 1383 im Chor der Petrikirche zu Hamburg aufgerichtet, gilt nicht nur als Hauptwerk Meister Bertrams, sondern darüber hinaus als bedeutendes Zeugnis früher Tafelmalerei des nördlichen Europa im 14. Jahrhundert. Erst zu Beginn des 20. Jahrhunderts hatte man den Altar, der sich damals noch in der mecklenburgischen Dorfkirche Grabow befand, als das Werk des aus Minden stammenden, aber hauptsächlich in Hamburg tätigen Meisters Bertram identifiziert. Als wenig später auch die lange verschollenen Außenflügel unter zwei Gemälden des späten 16. Jahrhunderts wiederentdeckt und freigelegt worden waren, konnte das bedeutende Werk fast vollständig rekonstruiert werden. Der Petri-Altar zeigt die typische Form eines gotischen aufklappbaren Wandelaltars mit Figurenschrein. – Je nach Bedeutung der kirchlichen Feiertage wurden die unterschiedlichen Ansichten gezeigt. Zum normalen sonntäglichen Gottesdienst klappte man die bemalten Außenflügel auf, wohingegen der geöffnete Schrein nur an besonders hohen Festtagen zu sehen war. Das umfangreiche Bild- und Figurenprogramm, das sicherlich Theologen festgelegt haben, thematisiert die christliche Heilslehre. Die 24 Szenen der ehemaligen Außenflügel zeigen in vier Abschnitten (I-IV) zu je sechs Bildern Ereignisse aus der Schöpfungsgeschichte, dem Alten und Neuen Testament. – Die obere Reihe fortlaufend von links nach rechts beschreibt: I. *Schöpfungsgeschichte*: 1. Trennung von Licht und Finsternis, 2. Scheidung der Wasser und Schaffung des Himmels, 3. Erschaffung der Gestirne, 4. Erschaffung der Pflanzen, 5. Erschaffung der Tiere, 6. Erschaffung Adams; II. *Leben Adams und Evas:* 7. Erschaffung Evas, 8. Der Baum der Erkenntnis, 9. Sündenfall Adams und Evas, 10. Strafrede Gottes, 11. Vertreibung aus dem Paradies, 12. Adam und Eva bei der Arbeit. – Untere Reihe: III. *Szenen aus dem Leben der Vorväter Christi*: 13. Das Opfer Kains und Abels, 14. Kain erschlägt seinen Bruder Abel, 15. Bau der Arche Noah, 16. Opferung Isaaks, 17. Isaak und Esau, 18. Isaaks Segen; IV. *Szenen aus dem Leben Jesu*: 19. Verkündigung, 20. Geburt Christi, 21. Anbetung der Könige, 22. Darstellung im Tempel, 23. Der bethlehemitische Kindermord, 24. Ruhe auf der Flucht nach Ägypten. – Die Malerei Meister Bertrams, die von der böhmischen Kunst der zweiten Hälfte des 14. Jahrhunderts geprägt ist, zeichnet sich durch eine klare lineare Komposition und die Erfassung der Plastizität der Figuren und der Gegenstände aus. Obwohl in den Fliesen, der Architektur oder den Landschaftsausschnitten Natur und Perspektive angedeutet scheinen, bleibt der theologische Inhalt Grundlage des Bildgefüges: Das geistlich Bedeutende beherrscht die Darstellung, Pflanzen, Tiere und Architekturdetails dienen als Attribute der Kennzeichnung des Geschehens. So tritt in den Schöpfungsszenen Gott als monumentale Gestalt in Erscheinung. Gottvater verweist auf die Scheidung der Wasser- und Wolkenringe, in deren Zentrum das Antlitz Jesu erstrahlt. Von erstaunlicher Realitätsnähe sind

4

4c

4d

die sicherlich nach Musterbuchvorlagen entstandenen vielfältigen Tierdarstellungen des 5. Schöpfungstages. – Ob die 79 zum Großteil vollplastischen Bildwerke des Schreins von der Hand Meister Bertrams stammen, kann nicht mit Sicherheit gesagt werden. Denn es zeigten sich sowohl in der Gewandbehandlung als auch in der Figurenauffassung Unterschiede zu den gemalten Tafeln. Die dargestellten Propheten, Apostel, Heiligen und Märtyrer stehen unter reich geschnitzten vergoldeten Baldachinen. Den Mittelteil des Schreins beherrscht die Kreuzigungsszene. In der Predella rahmen zu beiden Seiten fünf Kirchenheilige die Verkündigung Mariens. Die Bildwerke im einzelnen: *Linker Flügel*; obere Reihe (von links nach rechts) sechs Heilige: Ursula, Gereon, die Heiligen Drei Könige, Maria Magdalena; untere Reihe: die Propheten Hosea, Daniel, Ezechiel, Jeremias, Jesaias und der Apostel Thomas. *Mittelteil*: obere Reihe: die Heiligen Apollonia, Agathe, Agnes, Cäcilie, Christine, Dorothea, Margarete, Katharina, Barbara und Gertrud; untere Reihe: die Apostel Bartholomäus, Jacobus d. J., Johannes, Andreas, Petrus, Paulus, Jacobus d. Ä., Matthias, Philippus und Matthäus; in der Mitte die Kreuzigung Christi mit Maria und Johannes. *Rechter Flügel*; obere Reihe: die Heiligen Elisabeth, Michael, Stephanus, Erasmus, Laurentius und der Prophet Micha; untere Reihe: Die Apostel Simon und Judas Thaddäus sowie die Propheten Joel, Amos, Obadja und Jonas. *Predella*: die Kirchenlehrer Origines, Ambrosius, Augustinus, Hieronymus, Gregorius, der Engel der Verkündigung und Maria, Johannes der Täufer, Dionysius, Chrysostomus, Bernhard von Clairvaux und Benediktus. In der *Bekrönung* finden sich Halbfiguren in Medaillons. Sie verkörpern links und rechts ein weiteres Mal zehn Propheten und in der Mitte die fünf törichten und klugen Jungfrauen. Jüngst hat Ch. Beutler festgestellt, daß die Kreuzigungsszene erst 1596 in den Altar eingefügt worden ist und in keinem thematischen Zusammenhang mit den übrigen Figuren steht. Ursprünglich befand sich dort wohl, wie es vergleichbare Altäre des 14. Jahrhunderts zeigen, die Szene der Triumphhochzeit Christi mit Maria. Das Figurenprogramm war dann eine Verbildlichung des Hohen Liedes: Die klugen und törichten Jungfrauen verweisen auf die Ankunft des Bräutigams (Christus). Die Apostel und Propheten dienten Christus, die Heiligen hingegen Maria als ›Trauzeugen‹. Die geschnitzte ›Triumphhochzeit‹ kündete in Gegenüberstellung zur gemalten ›sündigen Welt‹ von der Herrlichkeit und Ewigkeit Gottes. Der Austausch dieser Szene kann als Spätfolge der Reformation (in Hamburg seit 1528) bezeichnet werden. Denn mit der Berufung auf die Bibel (Wort Gottes) und der Betonung des Predigtgottesdienstes verlor der Bildaltar seine frühere zentrale Bedeutung. 1595 nahm man die äußeren Altarflügel ab und überließ sie dem niederländischen Maler Gilles Coignet als Maltafeln. Ein Jahr später wurde die Kreuzigungsszene in den Figurenschrein eingefügt. Das Kruzifix stammt aus dem 13. Jahrhundert, die Figuren der Maria und des Johannes aus dem 14. Jahrhundert, der mit dem Einbau beauftragte Bildschnitzer Jörg Rogge fertigte den Kalvarienberg und den Totenschädel 1596 an. Die Szene verweist auf den Opfertod Christi und seine zentrale Rolle als Erlöser der Menschheit und gehört im Sinne der reformatorischen Kreuzestheologie zu den gebräuchlichen protestantischen Bildthemen. RH

Die Scheidung der Wasser — aus 4a

Ruhe auf der Flucht 4d

Meister Bertram (um 1340-1414/15)
5 Der Buxtehuder Altar 1400/10
Malerei auf Holz; 108x386; Inv. 501
Der Flügelaltar ist ursprünglich für den Chor eines Frauenklosters gefertigt worden. Daraus erklärt sich die Thematik der Bilder, die das Leben Marias behandeln. Ihr wurde in Nonnenklöstern als Beschützerin und Vorbild immer eine besondere Verehrung entgegengebracht. Der Bilderzyklus beginnt mit der Le-

gende ihrer Eltern, zeigt ihre Mutterschaft und die Kindheit Christi und endet mit der triumphalen Krönung der Gottesmutter. Die Darstellungen im einzelnen: *Außenseiten*: Tod der Maria; Krönung Marias. *Innenseite*: Die 16 Szenen des aufgeklappten Altars von links nach rechts durchgehend in zwei Reihen: *Obere Reihe*: 1. Das zurückgewiesene Opfer Joachims, 2. Die Verkündigung an Joachim, 3. Die Begegnung Joachims und der hl. Anna an der goldenen Pforte, 4. Die Geburt der Maria, 5. Die Verkündigung der Maria, 6. Die Heimsuchung, 7. Die Geburt Christi, 8. Die Verkündigung an die Hirten. – *Untere Reihe*: 9. Die Beschneidung Christi, 10. Die Anbetung der Könige, 11. Die Darbringung im Tempel, 12. Der bethlehemitische Kindermord, 13. Die Flucht nach Ägypten, 14. Der zwölfjährige Christus im Tempel, 15. Die Engel besuchen Maria, 16. Die Hochzeit zu Kana. – Seit dem Beginn der sich ausbreitenden Marienverehrung im frühen 13. Jahrhundert sind Darstellungen des Marienlebens in der Plastik und Malerei, etwa Giottos berühmte Fresken in der Arena-Kapelle in Padua (um 1305), bekannt. Die Darstellungen gehen – abgesehen vom Neuen Testament – zurück auf die apokryphen Evangelien und auf mittelalterliche Dichtungen und Legenden. – Die kinderlose Ehe des hl. Joachim und der hl. Anna wurde als große Schande angesehen, so daß sogar Joachims Opfergabe vom Hohenpriester zurückgewiesen wird (1). Aus Gram zieht sich Joachim in die Einsamkeit zu seinen Schafen zurück (2). Dort erscheint ihm ein Engel und befiehlt ihm, zu seiner Frau zurückzukehren, da ihm ein Kind verheißen sei. An der ›Goldenen Pforte‹ treffen Joachim und Anna zusammen (3) und wenig später wird Maria geboren (4). Die 15. Szene zeigt Maria, die, in ihre Strickarbeit vertieft, bei dem lesenden und spielenden Christusknaben sitzt. Die hinzutretenden Engel tragen die Leidenswerkzeuge, Kreuz, Nägel, Lanze, Dornenkrone usw., so daß die Darstellung als Hinweis auf den künftigen Kreuzestod Christi zu deuten ist. Dieses Bild geht sehr wahrscheinlich zurück auf die Visionen der hl. Birgitta von Schweden (1307-1373), die im 14. und 15. Jahrhundert weithin bekannt waren. Im Vergleich zum Petri-Altar zeigt das Buxtehuder Retabel bei aller stilistischen Verwandtschaft einen deutlichen Wandel in der Auffassung der Malerei: Eine Vereinheitlichung des Raumes ist angestrebt, in dem sich die Figuren bewegen. Die Situationsschilderung lebt von der Freude am Detail, insbesondere in der Vorführung modischer, kostbarer Trachten. Aber auch eine Steigerung der Dramatik ist zu erkennen, etwa in der 1. Szene, in der Joachims Opfer auf Grund der Kinderlosigkeit seiner Ehe vom Hohenpriester mit abwehrend ausgestrecktem Arm zurückgewiesen wird und jener sich betroffen abwendet. Ebenso ist in diesem Zusammenhang der Gesichtsausdruck der verzweifelten und trauernden Mutter im ›Bethlehemitischen Kindermord‹ bemerkenswert. All dies läßt erkennen, daß der Meister des Buxtehuder Altars von der französisch-burgundischen Kunst geprägt ist, die um 1400 in Europa ständig an Einfluß gewann. Bei aller Kunstfertigkeit der Malerei fehlt jedoch im Vergleich zu anderen Werken Meister Betrams hier seine prägende Handschrift, so daß der Altar heute nicht mehr als eigenhändige Arbeit, sondern als die eines Werkstattmitarbeiters gilt. RH

Der zwölfjährige Christus im Tempel 5a

Die Verkündigung an die Hirten 5b

Der Besuch der Engel 5c

Martertod des Heiligen Thomas von Canterbury 6a

Meister Francke (um 1385- nach 1436)
6 Thomas-Altar 1424-1436
Malerei auf Eichenholz; acht Tafeln je ca. 99x89, Mitteltafel 83,8x84,5; Inv. 490-498
Im Jahre 1424 gab die Brüderschaft der Englandfahrer, eine Vereinigung von Kaufleuten, die vornehmlich mit den Britischen Inseln Handel trieb, bei Meister Francke ein Altarretabel für ihre Kapelle in der St. Johanniskirche in Auftrag. Mit der Stiftung des Altars und seiner Ausführung durch den bedeutendsten Maler der norddeutschen Gotik suchte die Kaufmannschaft ihre Stellung im öffentlichen Leben zu betonen. – Über Meister Francke ist nur wenig bekannt; er war möglicherweise Dominikanermönch im St. Johannis-Kloster zu Hamburg. Als ein führender Vertreter des internationalen ›weichen Stils‹ weist seine Malerei vor allem französisch-burgundische und altniederländische Einflüsse auf. Das Programm des nur in Teilen erhaltenen Retabels läßt sich nach einem Kupferstich aus der ›Hamburger Kirchengeschichte‹ (1723-31) von Nicolaus Staphorst rekonstruieren. Demnach zeigt der doppelflügelige Wandelaltar bei einmal geöffneten Flügeln acht Tafeln mit je vier nebeneinanderliegenden Szenen aus der Mariengeschichte und aus der Leidensgeschichte des hl. Thomas von Canterbury, dem Patron der Englandfahrer. Die obere Reihe begann links mit der Darstellung der Verkündigung, gefolgt von der Geburt Christi, der Anbetung der Hl. Drei Könige und der Darbringung im Tempel. Die untere Reihe zeigte hintereinander den hl. Thomas im Gebet, seine Verhöhnung, den Martertod und zuletzt die Verehrung des Heiligen durch König Ludwig VII. von Frankreich. Die Tafeln der Außenflügel sind heute verloren, ebenso die Predella, die wahrscheinlich Christus mit den zwölf Aposteln zeigte. Die Feiertagsseite des Retabels (Zustand bei geöffneten Innenflügeln) war der Passion Christi gewidmet. Auf dem linken Innenflügel war die Geißelung und darunter die Kreuztragung dargestellt, auf dem rechten Flügel folgten Auferstehung und Grablegung. Von der Mitteltafel mit der Kreuzigung ist nur ein Ausschnitt mit den weinenden Frauen und Johannes erhalten. – Die Brüderschaft hatte ihrer besonderen Verbindung zu England Ausdruck gegeben, indem sie den hl. Thomas von Canterbury zu ihrem Schutzheiligen erwählt hatte. Thomas Beckett (1118-1170), Erzbischof von Canterbury, verteidigte im Investiturstreit kirchliche Privilegien gegenüber König Heinrich II., der ihn schließlich in seiner Kathedrale ermorden ließ. In Analogie zum Opfertod Christi stellt Francke das Martyrium des hl. Thomas, der als Streiter für die Rechte der Kirche sein Leben hingab, dar. Auf rotem, mit goldenen Sternen besetztem Grund wird die Ermordung des Heiligen durch königliche Ritter geschildert. Blutüberströmt kniet er betend auf dem Boden, neben ihm liegt die Mitra mit dem abgeschlagenen Teil seines Hauptes. Während einer der derb charakterisierten Ritter zum nächsten Schlag ausholt, weichen Thomas' Begleiter, drei Mönche, erschrocken zurück. Für die Darstellung des Martyriums scheint Francke Anregungen aus der Pariser Buchmalerei (Boucicaut-Meister) bezogen zu haben. Auch für die Bilderfindung der Geburt Christi gibt es keine Vorbilder in der zeitgenössischen deutschen Malerei. Unter dem Einfluß der Visionen der hl. Birgitta von Schweden bricht Francke die ikonographische Überlieferung: Maria wird nicht mehr auf ihrem Lager ruhend gemalt, Joseph wird ganz fortgelassen. Die Gottesmutter kniet vor einer Erdhöhle und betet das nackt auf dem Boden liegende Kind an, während im Hintergrund der Engel den Hirten die frohe

Auferstehung 6c

Frauengruppe der »Kreuzigung« (Fragment) 6b

Die Weihnacht 6d

Botschaft verkündet. Über der durch Felskulissen gegliederten und mit Bäumen bestandenen Landschaft erscheint Gottvater segnend in den Wolken. Die Strahlen, die von seinem Mund auf das Kind herabgehen, deuten die Geburt als Fleischwerdung des Wortes. In dem Versuch einer tiefenähnlichen Gestaltung der Landschaft kündigt sich bereits die neue, der Wirklichkeit zugewandte Kunstepoche an. Das Gewicht liegt bei Franckes Komposition nicht auf erzählender Ausschmückung, sondern eher auf der symbolischen Bedeutung der Menschwerdung Christi, die den Betrachter zu andächtiger Kontemplation auffordert. Das Teilstück des Kalvarienbergs mit den trauernden Frauen und Johannes zeigt in der geschwungenen Linienführung der grazilen Figuren deutlich den Einfluß höfisch-eleganten Stils aus Burgund. Ausdrucksträger ist die ineinander verwobene Gestik Marias und Magdalenas. Francke geht es nicht um die perspektivisch und anatomisch korrekte Schilderung der Wirklichkeit, sondern um den religiösen und geistigen Gehalt seiner Szenen. So werden z. B. in der ›Auferstehung‹ die dicht um den Sarg lagernden Soldaten sinnfällig der Leere des Sarkophags, dem Christus entsteigt, gegenübergestellt. MN

7

Meister Francke (um 1385- nach 1436)
7 Christus als Schmerzensmann
um 1435
Malerei auf Eichenholz; 92,5x67; Inv. 499

Der ›Schmerzensmann‹ gilt als das späteste der erhaltenen Werke von Meister Francke. Es zeigt den dornenbekrönten Christus vor einem von drei Engeln gehaltenen Brokatvorhang. Seine rechte Hand betont die klaffende Brustwunde, die Linke läßt das blutende Nagelmal sehen. Das Zeigen der Wunden soll den Betrachter an den Opfertod Christi erinnern und zu mitleidender Andacht bewegen. Verglichen mit den Figuren des Thomas-Altars ist der Körper des Schmerzensmannes doch wirklichkeitsgetreuer wiedergegeben. Die perspektivischen Verkürzungen sind gut beobachtet, die Gliedmaßen haben durch stärkere plastische Durchformung an Volumen gewonnen. Die unteren beiden Engel tragen neben dem Vorhang auch Schwert und Lilie, die Sinnbilder für den Zorn und die Gnade Gottes. Hierdurch wird zum ersten Mal in die Darstellung des leidenden, durch sein Opfer die Menschheit erlösenden Christus ein Hinweis auf das Jüngste Gericht mit einbezogen. MN

8

Meister der Ursulalegende
8 Maria mit dem Kind und Johannes dem Täufer 1480/90
Malerei auf Holz; 43,8x37,2; Inv. 759
Der Meister der Ursulalegende war neben Hans Memling einer der führenden Maler in Brügge. Die kleine Tafel wird ihm zugeschrieben. Maria, deren anmutiges Gesicht überaus fein und sensibel ausgeführt ist, widmet sich ganz dem nach der Nelke greifenden Christusknaben. Die Nelke und das Lamm des Täufers weisen symbolisch auf den Leidensweg Christi voraus. Den Hintergrund bildet eine detailliert geschilderte Landschaft. Zwischen Bergen erscheint blauweiß schimmernd die Ansicht des himmlischen Jerusalems als Symbol der paradiesischen Heilserwartung. RH

Ein Künstler aus dem Umkreis Jan Gossaerts
9 Thronende Maria mit dem Jesuskind und Heiligen 1510/20
Malerei auf Holz; 81,6x66,5; Inv. 751
Maria thront mit dem Kind in einer offenen Halle, die den Blick auf Gebäude und Landschaft freigibt. Links von ihr kniet die Heilige Katharina und empfängt von Christus den Verlobungsring, das Zeichen ihrer mystischen Hochzeit. Rechts hält Maria Magdalena der Madonna ein aufgeschlagenes Gebetbuch. Auffällig an diesem qualitätvollen Werk, das man lange Jan Gossaert selbst zugeschrieben hat, ist die Zurschaustellung weltlicher Prachtentfaltung. Die detaillierte Ausführung verzierter Brokatstoffe, Hermelinmäntel und kostbarer Kopfbedeckungen dient als Ausdruck der hohen Stellung der Heiligen. RH

9

10

Danziger Meister in der Nachfolge Hermen Rodes
10 Der Heilige Kaiser Konstantin um 1484
Malerei auf Holz; 128,5x50,5; Inv. 773
Um 1484 gab der Danziger Patrizier und Bürgermeister Johannes Ferber einen Altar in Auftrag, der in einer Seitenkapelle der Marienkirche Aufstellung fand. Von dem Altar, der mit Gemälden und reichem Schnitzwerk ausgestattet war, hat sich unsere Tafel erhalten, die den jungen Kaiser Konstantin (288 bis 337) zeigt. Senkrechte, parallel angelegte einfache Faltengebung bestimmt seine ruhige Erscheinung. Er steht in goldschimmernder Rüstung vor einer sanft bewegten Hügellandschaft, in den Händen Szepter und Reichsapfel als Zeichen der kaiserlichen Macht. Der goldene Nimbus läßt ihn als Heiligen erscheinen und zeigt, obwohl er nur in der oströmischen Kirche als solcher verehrt wurde, das hohe Ansehen dieses ersten christlichen Kaisers, der 324 das Christentum zur Staatsreligion erhoben hatte. Verweist der umgehängte Hermelinmantel auf den reinen Glauben und die Unbestechlichkeit Konstantins, so kennzeichnet die Rüstung ihn als christlichen Ritter. Die Maiglöckchen zu seinen Füßen deuten an, daß seine Taten dem Heil der Welt dienen. RH

Hans Holbein d. Ä. (1460/65-1524) und sein Gehilfe Leonhard Beck (um 1480-1542)
11 Die Darbringung Christi im Tempel
1500/1501
Malerei auf Holz; 167x151; Inv. 327
1501 vollendete Hans Holbein einen großen Doppelflügelaltar für das Dominikanerkloster zu Frankfurt. Die Festtagsansicht zeigte vier Marienszenen, zu denen die Hamburger Tafel gehört. Maria reicht dem Hohenpriester das nackte Kind, ganz wie es das Gesetz, wonach jeder erstgeborene Sohn Gott als Eigentum darzubringen war, befahl. Im Gefolge Marias fallen Josef sowie eine vornehm gekleidete Frau mit modischer Spitzhaube auf. Charakteristisch für Holbeins Kunst, die unverkennbar Einflüsse der altniederländischen Malerei zeigt, ist die ›feierliche‹ Stille seiner Bilder. Sie beruht auf der Unterordnung der gesamten Farbpalette unter eine harmonisierende ›Lichtregie‹, die den hellen Vordergrund in den dunkler gehaltenen Hintergrund übergehen läßt und so die ausgewogene einheitliche Räumlichkeit und Stimmung schafft. RH

11

Hans Burgkmair (1473-1531)
12 Christus am Ölberg 1505
Malerei auf Tannenholz; 92x63; Inv. 394
Dieses Fragment einer Ölberg-Darstellung zeigt Christus im Gebet auf dem Boden kniend, umgeben von einer felsigen, mit Sträuchern bestandenen Landschaft. Die zusammengepreßten Hände und das hilfesuchend gen Himmel gewandte Antlitz sind, Todesangst spiegelnd, mit blutigen Schweißtropfen bedeckt. Am linken Bildrand ist noch ein Teilstück des Engels mit dem Leidenskelch zu erkennen, ein Hinweis auf das Abendmahl und die Kreuzigung. Wie ein in italienischem Privatbesitz erhaltenes weiteres Bruchstück des Altarbildes zeigt, befand sich ursprünglich rechts im Hintergrund die dicht zusammengedrängte Gruppe der schlafenden Jünger. Die seelische Not Christi wird durch die spitzen, splitternden Felsformen unterstrichen. Charakteristisch für die Spätgotik ist das noch unvermittelte Nebeneinander der Bildelemente. MN

12

Hans Leonhard Schäuffelein
(um 1480- um 1540)
13 Christus am Ölberg um 1506/07
Malerei auf Nadelholz; 123x134,5; Inv. 151
Das Tafelfragment mit der Szene des Ölbergs gehörte wahrscheinlich zu einem in der Werkstatt Holbeins begonnenen Altarretabel, das Schäuffelein während eines Aufenthaltes in Augsburg vollendete. Es zeigt Christus, der inmitten seiner schlafenden Jünger auf dem Boden kniet und in Vorahnung seines Martertodes zu Gottvater betet. Rechts neben ihm sitzt Petrus, links Johannes und Jacobus. Am Rand der oben beschnittenen Tafel ist Judas zu erkennen, der zusammen mit den Häschern in den Garten eindringt, um Christus gefangen zu nehmen. Verglichen mit Darstellungen desselben Themas bei Schäuffeleins Lehrer Dürer wird hier der Ausdruck der Todesangst Christi weniger deutlich. Die zu großen Figuren sind noch nicht in die Natur eingebunden, der Bildraum bleibt flach; so gehört der ›Ölberg‹ zur frühen Schaffensphase Schäuffeleins. MN

13

14

Lucas Cranach d. Ältere (1472-1553)
14 Die Kurfürsten von Sachsen: Friedrich der Weise, Johann der Beständige und Johann Friedrich der Großmütige
nach 1532
Malerei auf Holz; 68x131; Inv. 606
Auf dem Bildnistriptychon hat sich Johann Friedrich (rechts) von seinem Hofmaler Lucas Cranach in die Reihe seiner Vorgänger Friedrich und Johann stellen lassen, um seinem Anspruch auf die sächsische Kurwürde, die ihm von Kaiser Karl V. bei seinem Regierungsantritt verweigert wurde, Ausdruck zu verleihen. Zugleich spiegeln die charaktervollen Porträts, deren Wirkung auf der Betonung markanter Gesichtszüge beruht, das Selbstverständnis der deutschen Fürsten als souveräne Herrscher wider. Die Verse rühmen sie als Schirmherren des Landes und der jungen lutherischen Kirche. RH

16

15

Barthel Beham (1502-1540)
15 Die Vergänglichkeit des Irdischen (Vanitas) 1540
Malerei auf Pappelholz; 58,5x42; Inv. 328
Die Allegorie der Vanitas sollte den Betrachter moralisierend auf die Vergänglichkeit und Eitelkeit des irdischen Lebens hinweisen. Die Darstellung der halbentblößten jungen Frau führt die Verlockungen des Sinnlichen vor Augen. Das menschliche Leben, verkörpert in den drei Lebensaltern – Kind, Weib, Greisin –, ist in jeder Phase vom Tode bedroht. Angesichts eines sicheren Endes und des Jüngsten Gerichts wird der Betrachter ermahnt, die christlichen Gebote zu befolgen. Denn die in der Vase neben der Frau stehende Lilie, das Zeichen für göttliche Gnade, verheißt demjenigen, der sich vor Gott bewährt hat, das ewige Leben im Jenseits. Die Idealisierung von Figur und Landschaft im klassischen Stil zeigt italienischen Einfluß. MN

17

Ein Schüler Lucas Cranachs d. Ä., der Meister des Döbelner Hochaltars (um 1500 - ca. 1550)
16 Der heilige Georg im Kampf mit dem Drachen
Malerei auf Holz; 60,5 x 40,5; Inv. 298
Der Legende nach erlöst der hl. Georg in heldenhaftem Kampf die libysche Stadt Silena (im Hintergrund links) aus der Gewalt eines Drachens, dem man, wie die Knochenreste auf dem Kampfplatz eindringlich belegen, Tiere und Menschen hatte opfern müssen. Das wundersame Ereignis veranlaßte die Einwohner, sich zum christlichen Glauben zu bekehren. In solchen Darstellungen hat man im Spätmittelalter die Hoffnung auf himmlische Hilfe vor den im damaligen Europa häufig auftretenden Pestepidemien zum Ausdruck gebracht: Im Zeichen des Kreuzes besiegt Georg den Drachen, das Symbol der Pest. RH

Jan Massys (um 1500-1575)
17 Flora 1559
Malerei auf Holz; 113 x 112; Inv. 755
Auf einer niedrigen steinernen Bank ruht die schöne Frau und hält in ihrer erhobenen Rechten zierlich drei Nelkenblüten. Die ihr beigegebenen Attribute – Blumenstrauß, Nelken, das Pfauenpaar auf der Brüstung – lassen sie sowohl als Göttin des Frühlings (Flora) wie als Göttin der Liebe erscheinen. Kostbarer Schmuck steigert den Reiz, den ihr vom durchsichtigen Gewand kaum verhüllter Körper ausstrahlt. Aus der anspielungsreichen, aber auch vornehm ›kühlen‹ Darstellung spricht die Kenntnis der verfeinerten Kunst des Hofes von Fontainebleau. Dort hat sich Massys – als Protestant von 1544 bis 1558 aus seiner Vaterstadt Antwerpen verbannt – während seines Exils wahrscheinlich aufgehalten. Die Stadtansicht im Hintergrund zeigt Antwerpen, die führende Handelsmetropole in der zweiten Hälfte des 16. Jahrhunderts, auf deren ›Blüte‹ und Wohlstand Flora verweisen soll. RH

18

Isaak Soreau (1604-?)
18 Fruchtstilleben um 1640
Öl auf Holz; 59,5 x 84,5; Inv. 170
Isaaks Großvater war 1554 wohl seines reformierten Glaubens wegen von Antwerpen nach Frankfurt gezogen. Der Enkel wuchs in Hanau auf, wo seit 1597 geflüchtete Niederländer eine eigene Siedlung gebildet hatten. Alle seine Stilleben geben mit geringen Varianten die gleichen Früchte und Blumen wieder, auch in derselben Art: Um die in Körben und Schüsseln gehäuften Früchte sind verschiedene andere gestreut, sorgsam vereinzelt, um ihren Symbolgehalt zur Geltung zu bringen. Solche Früchte und Blumen waren früher mit gleicher Deutung Madonnendarstellungen beigefügt. Der reformierte Künstler drückte die Passion Christi und deren Erlösungssinn nur noch mit den überlieferten Symbolen aus, da für ihn der Gottessohn nicht darstellbar war. Auch die klare farbige Durchgestaltung der Details, die Wassertropfen auf den Rosenblättern wie Perlen glänzen läßt, hat der Kostbarkeit des verschlüsselten religiösen Gehalts gegolten. GH

19

Girolamo Muziano (1528-1592)
19 Waldige Berglandschaft um 1590
Öl auf Leinwand; 126x100,8; Inv. 388
Muziano, meist mit Altarwerken beschäftigt, gründete seinen Ruhm jedoch auf Landschaftsfresken. Mit ihnen brachte er in Rom als erster die Landschaft als Bildgattung zur Geltung, nachdem er sie in Venedig schätzen gelernt hatte. Da die Fresken untergegangen sind, geben nur wenige Gemälde, Zeichnungen und Stiche nach seinen Werken heute noch einen Eindruck von diesem Zweig seiner Kunst. Es scheint, als bevorzugte er dem Wuchs der Bäume entsprechend das Hochformat, während die von ihm beeindruckten Niederländer bald der Dehnung des Horizonts mit breitgelagerter Komposition folgten. Im Hamburger Bild gab Muziano einem Baum durch einen aufragenden Felsen steile Höhe, so daß sein Laub ganz vom Himmel umhüllt ist. Am rechten Bildrand zieht ein noch mächtigerer Baum die Vordergrundkulisse bis zum oberen Bildrand. In seinem Schutz lagert am unteren Rand neben dem aufblitzenden Wasser eines Baches eine Familie. Alle drei Personen sind städtisch gekleidet, vielleicht Bewohner der Burg, deren Türme links vor fernen Bergen hochragen. Kein Weg zeigt an, wie sie in die Wildnis geraten sind. Aber auch dies gehört zur Phantastik der Komposition, die der Künstler frei gestaltete. GH

Roelant Savery (1576-1639)
21 Waldesdickicht nach einem Sturm um 1620/1630
Öl auf Eichenholz; 42x78; Inv. 163
Roelant Savery malte neben Paradiesgärten mit Vorliebe unwegsame, zerklüftete Gegenden oder solche, die durch einen Sturm verwildert wurden. Offensichtlich hat eine Reise nach Tirol, die ihm Kaiser Rudolph II. von Prag aus ermöglichte, diese Neigung gefördert. Aber auch nach 1619, als sich Savery in Utrecht niederließ, wurden ihm weiterhin solche Motive abgenommen. Im Hamburger Bild verstellen umgestürzte Stämme den ganzen Vordergrund, insbesondere nach links hin, wo aus dem Dunkel glimmende Raubtieraugen einem eingeklemmten Reh zugewandt sind. Rechts weist ein umgestürzter Stamm mit seinem Wipfel auf eine türkisfarbene Lichtung im Hintergrund. Diese bildet in der ungewöhnlich langgestreckten Komposition ein Zentrum der Tiefe, von stehengebliebenen Baumstämmen gerahmt. Dagegen scheinen die Durchblicke an den Seiten dem Betrachter näher. Aber die Tiefe bleibt unzugänglich entrückt und ihre verhältnismäßig heitere Ruhe nur zu ahnen. Die überlebenden Tiere – im Vordergrund rechts – sind noch verstört. Obwohl Menschen im Bilde nicht sichtbar werden, möchte man gleichnishaft Anspielungen auf die Sturmeslast im menschlichen Leben vermuten. GH

Abraham Bloemaert (1564-1651)
20 Verfallener Bauernhof 1629
Öl auf Leinwand; 91,5x135,5; Inv. 732
Es ist nicht auf den ersten Blick zu erkennen, daß die Darstellung von religiösem Sinn durchdrungen ist. Zunächst gewahrt man das verfallene Gehöft, dessen Bewohner sich scheu zurückhalten. Reich sind auch nicht die vorn lagernden Wanderer, denen sich eine Hausiererin zuwendet. Doch der links im Hintergrund mit dem begleitenden Engel vorbeieilende Tobias verändert die Szene. Der Betrachter wird zu Armut lindernden Maßnahmen gemahnt, wie sie Tobias' Vater unternommen hatte. Wie als Belohnung konnte der Sohn durch des Engels Beistand nicht nur ein Blindheit heilendes Medikament von der Reise mitbringen, sondern auch Reichtum und eine Schwiegertochter. Der beispielhafte Sinn biblischen Geschehens wird als gültig in jeder Gegenwart deutlich. GH

20

21

Johann König (1586-1642)
22 Abraham bewirtet die drei Männer
Öl auf Kupfer; 18,7 x 27,7; Inv. 768
Die Gäste, die Abraham vor seinem Zelt im Freien bewirtet, sind eine Erscheinung Jahwes in dreierlei Gestalt, eine der Offenbarungen Gottes als Trinität: dementsprechend gleich gekleidet in goldene Gewänder und weiße Mäntel. Mit Verwunderung hört Abrahams Frau Sara, im Zelt versteckt, daß sie trotz ihres Alters gebären werde. Bisher unfruchtbar wie das kahle Geäst hinter ihr, wird sie Nachkommenschaft erhalten wie der mächtige Baum, der sein reiches Laub über den weissagenden Männern entfaltet. Wie Adam Elsheimer, der in Italien über seinen Tod 1610 hinaus Einfluß hatte, bevorzugte König sorgfältig auf Kupfer in kleinem Format ausgeführte Malereien, die den kostbaren Inhalt der Darstellungen prunkstückhaft zur Geltung bringen konnten. GH

22

Joos de Momper d. J. (1564-1635)
23 Dorf im Winter
Öl auf Eichenholz; 44 x 73; Inv. 663
Landschaften von Joos de Momper waren zu seiner Zeit in Antwerpen überaus beliebt, insbesondere Gebirgszüge mit Blick in die Weite. Da es eine Variante unseres Bildes im Prado gibt, kann angenommen werden, daß auch die Dorfansicht Anerkennung fand. De Momper wählte keinen namentlich bestimmten Ort, er dachte ihn vielmehr nach seiner Phantasie. Dabei mag er indessen Eindrücke seiner Gegend verarbeitet haben. Der Blick des Betrachters wird von rechts und von links durch je einen Straßenzug zu seiten eines zugefrorenen Baches in die Tiefe geführt, vorbei an einem hohen Mühlengebäude, das durch eine Baumgruppe zusätzlich betont ist. Giebelhäuser mit verschneiten Dächern umgeben den weiten Platz, der dem geschäftigen oder müßigen Treiben der Dorfleute Raum gibt. Jan Brueghel d. Ä. hat die Personen ins Bild des Kollegen gefügt – in einer damals üblichen Arbeitsteilung. GH

23

24

Jan van Goyen (1596-1656)
24 Landschaft mit Bauernhof 1632
Öl auf Eichenholz; 28,6x41,5; Inv. 607
Van Goyen gehört führend zu jenen Malern in Holland, die in ihren Landschaften mit feinen Tonabstufungen Atmosphäre einzufangen suchten. Besonders liebte er die feuchtigkeitsgetränkte und entsprechend nuancenreiche Luft an Gewässern, deren Farben auch die der Gegenstände prägte. Nicht zufällig wurde er nach langer Vergessenheit zur Zeit der Vorimpressionisten in Frankreich wiederentdeckt. – Das hier dargestellte Gehöft liegt nahe der Meeresküste, die links in der Ferne wahrzunehmen ist. Nicht nur farbig nimmt es darauf Bezug, sondern auch formal: Es liegt wie vom Wind gedrückt am Boden, bleibt unterhalb der Bilddiagonalen, die seinen Stand im Bild hätte festigen können. Allein die Brunnenstange greift darüber hinaus, wie um die Anstrengungen deutlich zu machen, denen die Bewohner des Hauses ausgesetzt sind. Alle Personen vor dem Gehöft erscheinen wie dieses selbst gebeugt, von den Lasten des Daseins bedrückt. Damit wollte van Goyen keineswegs soziale Mißstände anprangern. Lasten waren von Gott auferlegt. Dem Begüterten sollte eine solche Darstellung nur vor Augen halten, daß ein jeder ›die Winde des Schicksals‹ zu fürchten habe.
GH

Salomon van Ruysdael (um 1600/03-1670)
25 Flußufer 1632
Öl auf Eichenholz; 33,6x50,5; Inv. 627
Salomon van Ruysdaels Geltung hat immer im Schatten derjenigen seines genialen Neffen gestanden. Nur langsam entwickelte sich seit der Mitte des vorigen Jahrhunderts ein Bewundererkreis für seine stillere Bildwelt. Wie van Goyen liebte er es, die Atmosphäre seiner Landschaften mit zarten Tonabstufungen zu verlebendigen. Mit seinen kühleren, silbrigen Nuancen erreicht er indes eine größere Heiterkeit der Ausstrahlung, im Einklang mit der Ausgewogenheit aller kompositorischer Mittel. Die Schwingung des Flußufers in die Tiefe wird fortgesetzt von der Diagonalen in der Fläche. Diese setzt zwar erst dort ein, wo ein ragender Busch die weiteste Vorbuchtung des Ufers betont, nutzt aber zur Unterstreichung der Raumtiefe den im Wasser gespiegelten Umriß des Ufers. Diese Buschspiegelungen haben wolkenhaften Charakter. Zusammen mit den aufwärts treibenden Wolken des Himmels bewirken sie, daß dem Land jeder Eindruck von Schwere fehlt. Auch der Akzent der Boje bleibt schwebend. GH

25

26

Willem van de Velde d. J. (1633-1707)
26 Stille See um 1660
Öl auf Leinwand; 43x50,5; Inv. 226
Der Maler dieses ›Schiffsstillebens‹ gehörte einer verzweigten Künstlerfamilie an, deren berühmtester Vertreter der jüngere Bruder Willems wurde, Adriaen van de Velde, ein Genremaler von unglaublichem Erfindungs- und Gestaltungsreichtum der Motive. Willem wandte sich wie der Vater Schiffsdarstellungen zu. Während der Ältere indessen vor allem für die Funktion eines Schiffes und historische Schlachtenbilder Interesse hatte, wurde für den Jüngeren die Seelandschaft bedeutsam, das Leben in verschiedenen Wasserfahrzeugen, den Bewegungen von Wasser, Licht und Wind ausgesetzt. Er zog das Format des Hamburger Bildes weit über die Masten in die Höhe, um einem zusammenfassenden Wolkengebilde Geltung zu verschaffen. Dieses wölbt sich am höchsten über der Tiefe zwischen den beiden Schiffsgruppen, im Lichteinklang mit den Segeln der linken Gruppe von Kuttern, während sich zum braunrötlichen Segel rechts ein Kontrast bildet. Das lichte Blau des Himmels fängt beide Farbrichtungen zum Dreiklang auf, Grundlage der Bildharmonie.
GH

Jan van der Heyden (1637-1727)
27 Pavillon beim Huis ten Bosch, der Residenz des Statthalters in s'Gravenhage
Öl auf Eichenholz; 22x29; Inv. 77
Van der Heyden malte überaus klar und detailliert – in einem Stil, der sich für die Wiedergabe von Bauten eignete. Dennoch war er nicht in so strengem Sinn Architekturmaler wie etwa Saenredam. Er suchte solche Motive nicht nur nahe seinem Wohnsitz in Amsterdam, sondern auch in entlegeneren Orten wie in Den Haag. Im Hamburger Bild ist ein spielerischer, rings umrankter Gartenpavillon groß ins Bildzentrum gerückt, vor das eigentliche Schloß im Hintergrund rechts. Nur gemessen am Pendant links in der Tiefe bleibt das Verhältnis gewahrt. Dem geometrischen Stil des Gartens entspricht die schnurgerade bildparallel geführte Hecke vor der Anlage. Über ihren Streifen sieht man ein vornehm gekleidetes Paar hinwegragen – dort, wo auch die Architekturen ihre Kuppeln in die Höhe recken. Der links sich bückende Gärtner hingegen bleibt im Heckenband gefangen. GH

27

Jacobus Vrel (Mitte des 17. Jahrhunderts)
28 Läden in einer holländischen Stadt
Öl auf Eichenholz; 50x38,5; Inv. 228
Waren die zeitgenössichen Maler in Holland bemüht, Tiefe in ihre Räume aller Art einzufangen, so gab Vrel immer nur begrenzte Winkel

28

wieder, ob es sich um eine Wohn- oder Straßenecke handelt wie hier. Der Maler schien bemüht, dem engen Gesichtskreis ärmerer Bürger, wie sie in einem solchen Haus Unterschlupf suchen, Ausdruck zu geben. GH

Jacob Isaacksz. van Ruisdael (1628/29-1682)
29 Winterlandschaft
um 1660
Öl auf Eichenholz; 27x32; Inv. 154
Ruisdaels Winterlandschaften sind voll Düsternis, nicht Anlaß zu quirliger Bewegung auf dem Eis wie bei Joos de Momper. Zwar befinden sich im Vordergrund unseres Bildes zwei Kolfspieler. Sie scheinen aber innezuhalten, wie von der Bedrückung erfaßt, die Eis und Kälte allem Leben auferlegen. Die Landschaft ist nicht in Eisesstarre verwandelt, vielmehr scheint sie sich gegen deren Umklammerung zu wehren. Vor allem das sandfarben aufleuchtende Gemäuer und das Geäst des Baumes dahinter kämpfen gegen die Düsternis des Himmels an. In solchem Drängen ist etwas von dem Leben enthalten, das im Frühjahr erneut aufbricht. Doch ist das Bild durch kein Pendant zum Jahreszeitenzyklus ergänzt. Für sich genommen kann es als ein Symbol der Schicksalswidrigkeiten schlechthin verstanden werden, die es zu bestehen gilt. Trümmer und Baumstümpfe im Vordergrund machen deutlich, daß manches Leben dem Winter erliegt. Ruisdael verzichtete auch in seinen sommergrünen Landschaften selten, auf die Vergänglichkeit des Irdischen hinzuweisen. GH

29

30

Jacob Isaacksz. van Ruisdael (1628/29-1682)
30 Landschaft mit Hütten unter Bäumen 1646
Öl auf Eichenholz; 71,8x101; Inv. 159
Schon in diesem frühen Bild gestaltete Ruisdael die Landschaft als von Naturmächten beherrscht, in der der Mensch nur Statist ist. Die Behausung rechts ist von Gebüsch und dem Geäst einer knorrigen Eiche überwuchert. Davor leuchtet eine verwitterte, alte Weide durch warme Farben, insbesondere die rindenlose gelbliche Stelle des Stammes. Sie bildet damit eine Ausnahme in der von kühlem Licht bestimmten Umwelt. Selbst der Dünenstreifen links hinten schimmert weißlicher. Es überrascht, hier zwei Bäume ungebeugt von Meereswinden sich emporheben zu sehen. GH

Allart van Everdingen (1621-1675)
31 Hügelige Landschaft wohl nach 1650
Öl auf Leinwand; 72,8x102,2; Inv. 56
Everdingen reiste in den vierziger Jahren nach Skandinavien. Viele seiner Werke sind von den dort empfangenen Eindrücken geprägt und erstaunten seine Zeitgenossen. Jacob van Ruisdael ließ sich insbesondere von seinen Darstellungen machtvoller Wasserfälle beeindrucken und anregen. Das Zentralmotiv der Hamburger Landschaft mutet holländisch an. Aber die Riesentannen am linken Rand der Vordergrundrampe, denen ein Wolkenturm im rechten Teil des Himmels antwortet, führen gewaltige Maßstäbe ins Bild ein, wie sie Everdingen im Norden erlebt haben mag. Darum verwundern auch nicht die Gebirgs-Silhouetten im Hintergrund. GH

31

32

Claude Lorrain (1600-1682)
32 Aeneas' Abschied von Dido in Karthago 1675/76
Öl auf Leinwand; 120x149,2; Inv. 783
Dido steht in der Mitte des Bildes dort, wo die Hafenausfahrt den Horizont erkennen läßt. Fragend weist ihre vom Abendlicht betonte Linke auf die bereitgehaltenen Schiffe. Aeneas reagiert zögernd. Machtvoll zugeordnet sind ihm Tempel und Triumphbogen – frei nach Vorbildern des Forum Romanum gestaltet. Sie sind wie Verkörperungen der göttlichen Forderung, Rom zu gründen. Schon ruinenhaft verweisen sie auf den Unbestand der zukünftigen Stadt wie auch der gegenwärtigen Liebesverbindung. Von deren Harmonie zeugt vielleicht der links hochragende Tempel. Die Trennung erhält auch mit der beginnenden Verdüsterung des Himmels nur verhalten Ausdruck. GH

Jean-François Millet (1642-1679)
33 Landschaft
Öl auf Leinwand; 49,5x75; Inv. 305
Millet ist vor allem durch seine Landschaften berühmt geworden. Obwohl er niemals eine Reise nach Italien unternommen hatte, überlieferte er die dort von Poussin und dessen Schüler Gaspar Dughet entwickelte Kompositionsweise. Seine Bäume, Berge und Architekturen erinnern unbestimmt an die Umgebung Roms. Auch unser Werk trägt die herben Züge der Campagna. Steinige Hügel bestimmen die Farbigkeit. Gebüsch duckt sich hier und da in den Niederungen. Nur links ragt ein Baum in den Himmel, der aber den Eindruck weiter Öde nicht nehmen kann. Eine Landschaft so darzustellen, war ungewöhnlich im 17. Jahrhundert, auch in Millets Werk. GH

33

34

Hermann Saftleven (1609-1685)
34 Küchenstilleben in einem Bauernhaus 1634
Öl auf Eichenholz; 53x46,6; Inv. 776
Der Künstler ist später vor allem als Landschaftsmaler bekannt und geschätzt worden. Mit Vorliebe führte er Kompositionen nach Eindrücken einer Reise entlang Rhein und Mosel aus, deren Skizzen er frei verwertete. Nur kurze Zeit in seiner Jugend malte er eine Reihe von Dachbodenecken mit zu Gerümpel verkommenen, ehemals kostbaren Gegenständen. In unserem Bild hat der Raum selber einen zerfallenen Charakter und ist mit seinen Balken- und Bretterbruchstücken nicht zu definieren. Kaum ist der Standpunkt des Alten auszumachen, der grinsend aus einer düsteren Luke von oben auf das Durcheinander herabschaut. Links vorne läßt von der Seite hereinfallendes Licht die ineinandergeworfenen Messingkrüge, -töpfe und -schalen aufleuchten, faszinierend noch unter Lumpen und neben zerbrochenen Tonkrügen, sowie zerrissenen Schuhen. Ihr Glitzern erinnert an ihre ehemalige Schönheit und deren Vergänglichkeit. Die Holländer wurden im 17. Jh. nicht müde, hierfür Symbole zu finden. GH

Ein Künstler aus dem Umkreis Willem Kalfs
35 Stilleben mit Brot und Weinglas
Öl auf Eichenholz; 53,5x40,5; Inv. 73
Früher wurde das Bild Willem Kalf zugeschrieben. Sein Nachahmer hat es meisterhaft verstanden, die strenge Symmetrie des langstieligen Weinglases in dem Bogen einer Nische durch den auf der Sockelplatte nach links verschobenen Metallteller in Spannung zu versetzen. Diese Spannung wird zwar vermindert durch die Brötchen, die am Fuß des Glases die Mitte betonen. Sie bleibt aber so weit wirksam, dem in einem Drachenkopf mündenden gewundenen Stiel des Glases Dynamik verleihen zu können. Das rechts liegende Messer erhöht die Spannung. Der Bogen der Nische verleiht den von ihm umfaßten Gegenständen sakralen Charakter. Wein und Brot weisen wohl auf das Abendmahl. Insbesondere das von der Nische reflektierte Rot des Weines macht seinen Sinn anschaulich. Unter ihm windet und beugt sich die Schlange des Glasstieles, Zeichen der überwundenen Erbsünde. Aber auch das schon zerteilte Brot wird auf der blitzenden Schale als etwas Besonderes dargeboten. Und der seinerseits spiegelnde Marmor der Sockelplatte tut ein übriges, die auf ihm präsentierten Dinge hervorzuheben. So veranschaulichten sich die Calvinisten in Holland in dinghafter Verschlüsselung die ihnen wesentlichen Glaubensinhalte – nicht um Kirchen damit auszustatten, sondern um sie in ihrer häuslichen Umgebung allzeit gegenwärtig zu haben. GH

35

David Teniers d. J. (1610-1690)
36 Hexenküche um 1640/50
Öl auf Eichenholz; 64,2x48,5; Inv. 780
David Teniers malte nur die ovale Innendarstellung. Die üppige, von Waldpflanzen umrankte Kartuschenrahmung überließ er einem heute unbekannten Stillebenmaler, wie es damals im Umgang mit spezialisierten Kollegen üblich war. Er zog seine kleine Szene sogar bewußt hinter die Ornamentgegenstände zurück, um eine Atmosphäre der Unwahrscheinlichkeit zu schaffen. Gewiß zeigen Pilze und Brombeeren den Ort an, wo die Hexe ihr höllisches Gebräu kochen läßt. Gleichwohl wirkt er entrückt. So flüchtig, wie die Gestalten der Nacht auftauchen, scheinen sie auch verschwinden zu können. Man möchte einen neuen Unterton der Ironie gewahren, während bei früheren Verbildlichungen höllischen Unwesens der Betrachter von Schauder ergriffen wird. So verwandelte Teniers das Erbe, das er als katholischer Maler in Antwerpen und verheiratet mit Anna Brueghel, übernahm. GH

36

Pieter de Hooch (1629-1684)
37 Der Liebesbote um 1669
Öl auf Leinwand, auf Holz aufgezogen; 57x53; Inv. 184
Pieter de Hooch wurde berühmt durch seine heiter-besinnlichen Szenen aus dem häuslichen Leben wohlsituierter holländischer Bürger. Meist ließ er sie in Wohnräumen sich abspielen, deren Abgeschiedenheit er stets durch einen Blick in weitere Räume oder den eines Hofes relativierte. In diesem Bild treffen die beiden handelnden Personen aus zwei verschiedenen Hintergrundräumen kommend in einer Diele zusammen. Die Dame hat den eben erst verlassenen engeren Wohnbereich noch hinter sich, der Bote die Straße, deren Licht durch den Türrahmen eindringend die Szene erhellt. Das Gesicht des Boten selber gerät in den Schatten, während er den Brief mit beiden Händen zu überreichen sich anschickt. Die Dame bleibt zurückhaltend, ein Hündchen, Zeichen ehelicher Treue, an die Taille drückend. Doch kommt ein weiteres kläffend hinzu und klärt den Betrachter über die wankelmütige Stimmung der Herrin auf. Die Absicht des Briefes erfährt auf jeden Fall eine Enthüllung durch die Darstellung des Bildes an der Wand über dem Boten: die Liebesvereinigung Lots mit einer seiner Töchter, Detail einer Komposition von Goltzius. Pieter de Hooch ließ den Ausgang der Geschichte offen. Doch fand er mit Hilfe eines Dreiklangs – Blau, Gelb, Rot – eine Atmosphäre der Übereinstimmung, die die Gemalte gewünscht haben mag. GH

37

38

39

Pieter Pietersz (um 1543-1603)
38 Susanna Taymon 1600
Öl auf Holz, auf Leinwand übertragen; 114x83,9; Inv. 1
Einer mündlichen Überlieferung zufolge ist das Bild beschnitten und waren ursprünglich Ehemann und Kind der Dargestellten zugesellt. Allerdings geht von der strengen Haltung der Frau keine Hinwendung zu Angehörigen aus. Links oben handelt ein calvinistischer Leitspruch sinngemäß von Güte und Vergebung. Die Dargestellte ist indessen eher von Selbstzucht und unduldsamer Beschränkung auf das Buch im Schoß geprägt. Die Großzügigkeit lebensgroßen Formats und kostbarer Kleidung hat wiederum eine andere Quelle, die von der Stellung des Gatten bestimmt gewesen sein mag. Der aus dem katholischen Antwerpen stammende, in Amsterdam tätige Maler wußte dem Repräsentationsbedürfnis ebenso gerecht zu werden wie der Haltung calvinistischer Glaubensstrenge. GH

Anton van Dyck (1599-1641)
39 Bildnis eines Herrn um 1619
Öl auf Eichenholz; 110x87; Inv. 793
Van Dyck hat schon in jungen Jahren virtuos zu malen verstanden und als Mitarbeiter in Rubens' Werkstatt eigenen Ruf besessen. In dieser Zeit, bald nach seiner Aufnahme in die Lukas-Gilde 1618, wird er den Auftrag zu unserem Bild erhalten haben. Der Dargestellte war von hohem Rang. Das bezeugt nicht nur die kostbare Kleidung, sondern auch der hinter dem Gesicht nach links geschwungene tiefrote Vorhang, der sich über der herrisch in die Hüfte gestützten Rechten bauscht. Die Baumwipfel im Durchblick rechts bewirken den Eindruck, der Herr sitze hoch erhoben. Damit ist in übertragenem Sinn die hohe gesellschaftliche Stellung gemeint, vielleicht verbunden mit Landbesitz. Entsprechend distanziert ist der Blick über den breiten Tellerkragen hinweg auf den Betrachter. Doch verstand es Van Dyck, zugleich den Zügen etwas Edles zu geben und die Überlegenheit des Dargestellten auch auf solche Art zu begründen. GH

Floris van Schooten
(nachweisbar 1605-1655)
40 Frühstücksstilleben um 1620/30
Öl auf Eichenholz; 52x82,5; Inv. 75
Der Maler wußte die Eßwaren mit warmer und weicher Farbgebung von den kühl und hart wiedergegebenen Geräten zu unterscheiden und variierte den Kontrast im ganzen Bild, das darum bei aller Tonigkeit reich durchgebildet wirkt. Am lebendigsten gestaltet ist der Braten, der sich über den Hauptteil des Bildes wölbt und sich selbst den Zinnbecher im Vordergrund links und den Käseberg rechts untertan macht. Nicht von allen im 17. Jahrhundert zu Stilleben arrangierten Gegenständen ist eine symbolträchtige Aussage überliefert. So mag hier nur eine derbe bürgerliche Wohlhabenheit gefeiert sein. Die durchgehend nach oben gestreckten oder gerundeten Formen lassen indes die Vermutung zu, daß ein Dank für die täglichen Grundlagen des Lebens damit verbunden wurde. GH

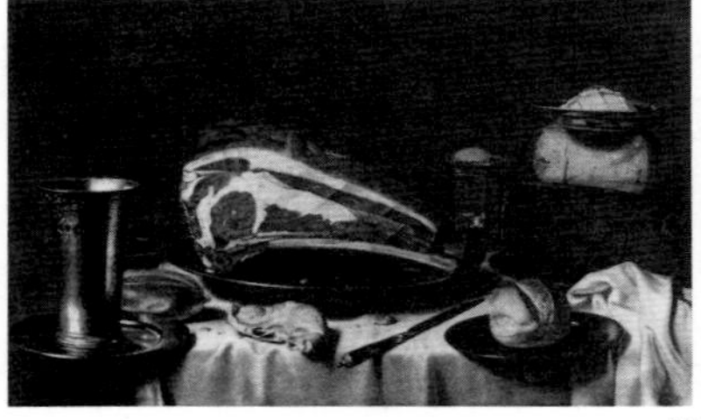

40

41

42

Gerard Terborch (1617-1681)
41 Nicolaes Pancras, Bürgermeister von Amsterdam (1622-1678) 1670
Öl auf Leinwand; 39x31; Inv. 617
Terborch hatte mit seinen Bildnissen in kleinem Format, aber sensibler Ausführung einen solchen Ruf erlangt, daß seine Auftraggeber diese Darstellungsweise offenbar erwarteten. Der Amsterdamer Bürgermeister übt allein durch seine massige dunkle Erscheinung im Dreiviertelbildnis Autorität aus. Das von zurückhaltendem Ernst geprägte Gesicht gibt dieser Autorität verantwortliches Gewicht. Es steht an formaler Betonung zurück hinter der Helligkeit der weißgebauschten Hemdärmel, welche dem Griff der Rechten um das spanische Rohr jede Schwere nimmt. Dieses Rohr steht der Diagonalen des unteren Quadratbildteils nahe, so daß die Augen auf der Höhe der oberen Kante des gedachten Quadrats bei aller Unbestimmtheit des Blicks die Überlegenheit auch über das Zeichen der Regentschaft bewahren. – In einem Pendant war einst die Ehefrau des Bürgermeisters wiedergegeben, im Bildfeld nach rechts gerückt so wie die Gestalt des Gatten nach links. GH

Rembrandt Harmensz. van Ryn (1606-1669)
42 Maurits Huyghens, Sekretär des Staatsrats 1632
Öl auf Eichenholz; 31,2x24,6; Inv. 87
In diesem Bildnis verrät nichts repräsentative Absichten. Die Darstellung ist ganz von den offenen, leuchtenden Zügen des Gesichts beherrscht, deren von innen geprägte Kostbarkeit von der äußeren des weißen Spitzenkragens vorgetragen wird. Der Blick trifft den Betrachter, als sei er ein Freund. In Wirklichkeit war mit dem Freund der Maler Jacques de Gheyn gemeint, dessen Bildnis Rembrandt im gleichen Jahr wahrscheinlich als Pendant gestaltete und das sich heute im Dulwich College Museum, London, befindet. De Gheyn hat beide Bilder besessen und sie in seinem Testament Maurits Huyghens vermacht. 1632 begann für Rembrandt die Zeit glänzender Aufträge in Amsterdam. Doch ist das anspruchslose Bildnis weniger Zeugnis für die Karriere als für den persönlichen Freundschaftskreis, der aber auch Rembrandts Laufbahn förderte. Zu ihm gehörte auch Maurits' berühmterer Bruder Constantin, Diplomat, Dichter, Gelehrter und Kunstfreund. GH

Abraham van den Tempel (1622/23-1672)
43 Bildnis einer holländischen Patrizierfamilie 1672
Öl auf Leinwand; 170,8x187; Inv. 174
Ganzfigurige Bildnisse in lebensgroßem Format waren ursprünglich nur Regenten vorbehalten. Insbesondere galten Säule und Vorhang als Attribute der Macht. Hinter dem holländischen Patrizier wurden sie zum Zeugnis eines durch Reichtum erzeugten Selbstbewußtseins, das fürstliche Maßstäbe beanspruchte. In der Bildmitte präsidiert die Gattin vor dem Haus, mit dessen rötlicher Farbe der Ton ihres Kleides korrespondiert. Die Tochter, den Eltern untergeordnet, posiert nicht in dem Maße wie diese. Sie gleitet von rechts vor einer Gartenkulisse ins Bildfeld, eine Schale Pfirsiche herantragend, von denen die Mutter eine Frucht nimmt. Diese wird jedoch nur als Symbol dessen gezeigt, was der Tochter zugedacht ist: Wohlhabenheit. GH

43

44

Pieter Jansz. Saenredam (1597-1665)
44 Die Marienkirche in Utrecht 1638
Öl auf Eichenholz; 62,5x93,5; Inv. 412
Kirchenbilder gab es schon vor der Spaltung der calvinistischen Provinzen von dem katholisch beherrschten Süden der Niederlande. Sie erfuhren indessen gerade von protestantischen Malern wie Saenredam eine Neuprägung und trugen die konzentrierte Andachtsatmosphäre in den von Skulpturen und Altären ›gereinigten‹ Kirchen ins Bürgerhaus. Saenredam gelang es, durch klare Linienführung ein entsprechendes Fluidum in den von ihm wiedergegebenen Räumen einzufangen, das der Glaubenshaltung vieler Gleichgesinnter entsprach. Auch zarte Farbklänge und helles Licht hatten ihren Anteil. In der Marienkirche ist die Fensterrose in der Ferne von zentrierender Wirkung, die auf die davorliegenden Fensterbögen und Arkaden ausstrahlt. Deren Entwicklung in die Höhe wird von den Pfeilern des Vordergrundes nach oben geöffnet. Vielleicht sollte das Erlösungsversprechen angedeutet sein angesichts der unter blaugrauen Steinen in den Boden eingelassenen Gräber. GH

Gerhard Houckgeest (um 1600-1661)
45 Das Grabmal Prinz Wilhelms I. in der Nieuwe Kerk zu Delft 1650
Öl auf Eichenholz; 125,7x89; Inv. 342
Das Grabmal des Befreiers der Niederlande wurde wie ein Wallfahrtsort besucht. Wilhelm von Oranien war Wortführer und Feldherr der Aufständischen, die 1579 nach einem Jahrzehnt blutiger Kriegshandlungen die sieben nördlichen Provinzen der Niederlande zu einem Bundesstaat zusammenschlossen. Bevor er zum Landesherrn erklärt werden konnte, wurde er 1583 von einem katholischen Fanatiker ermordet. Von den vier Eckstatuen des Grabes ist die Verkörperung der Freiheit dem Betrachter zugewandt. Im Vordergrund des Bildes sind zwei Männer über eine Grabplatte gebeugt. Dies ist als Hinweis auf die Vergänglichkeit alles Irdischen gegenüber dem bleibenden Wert der Freiheit zu verstehen. In unserem Bild wagt Houckgeest die perspektivische »Schrägsicht« bei der Darstellung eines Kirchenraumes. In diesem nimmt jetzt das Grabmal als Nationalheiligtum die traditionelle Stelle des Altars ein. EH

45

46

Rembrandt Harmensz. van Ryn (1606-1669)
46 Simeon und Hannah erkennen in Jesus den Herrn um 1627
Öl auf Eichenholz; 55,5x44; Inv. 88
Alle Personen sind im linken Teil des Bildfeldes versammelt: Simeon, der vor einer mächtigen Säule das Kind hält, die vor diesem knieenden Eltern und Hannah, hinter Maria wie die Säule in die Höhe gereckt. Mit beiden Händen empfängt Hannah das von links oben einfallende Licht, das durch Gebärde und Gesichtsausdruck beider Seher zu dem der Erkenntnis sich verwandelt. Rechts herrscht Dunkel. Eine verlöschte Kerze ist kaum sichtbar. Mit ihrem Licht verging der alte Bund, dessen Wende zum neuen die Rundung der Säule manifestiert. – So verdeutlichte Rembrandt im calvinistischen Holland, in dem keine Bilder in den Kirchen geduldet wurden, wie religiöse, ja heilige Sinngehalte durch bildliche Aussagekräfte zum gesteigerten Erlebnis führen konnten. GH

Pieter Lastman (1583-1633)
47 Abrahams Abschied von Ismael 1612
Öl auf Eichenholz; 49x71; Inv. 191
Abraham verstieß die Magd Hagar mit beider Sohn Ismael einem Wunsch seiner Frau Sara folgend, die um das Erbe des eigenen spätgeborenen Sohnes Isaak Sorge trug. Solange Sara kinderlos war, hatte sie die Verbindung ihres Gatten mit der Magd selber gewünscht. Deshalb konnte Abraham beim Abschied seine Liebe so offen zum Ausdruck bringen. Abrahams Gottvertrauen nachzueifern, ist die Botschaft des Bildes. Lastman war einer der ersten, der eine biblische Historie auf solche Weise dem Protestanten nahe zu bringen wußte. Sein Schüler Rembrandt zeichnete die Mittelgruppe dieses Bildes. Sie hebt sich erstaunlich monumental von der Landschaft ab, deren Höhen durch einen Fluß geschieden sind. Auf dieses Tal weist die Hand Hagars. Der Fluß wird die eben noch vereinten Personen trennen. GH

47

48

Peter Paul Rubens (1577-1640)
48 Die Himmelfahrt Marias um 1618/20
Öl auf Holz; 101,1 x 74,5; Inv. 763
Obwohl kompositionell grundsätzlich den beiden Himmelfahrten in Brüssel und Wien folgend, macht sich mit dieser Skizze und dem danach folgenden Altarbild in Düsseldorf eine neue ikonographische und formale Anschauung in der Malweise von Rubens bemerkbar: Durch Zurseiterücken der Engelsscharen und durch das Weglassen der üblicherweise unter der Jungfrau schwebenden Putten verringert sich der Abstand zwischen Himmel und Erde. Die bisher halb auf Wolken sitzende Maria wird zur nach oben schwebenden Figur, als zöge sie eine übernatürliche Kraft aufwärts. Die Zuschauer (Apostel und Frauen) stehen neben und vor dem offenen Sarkophag, dessen Dekkel beiseitegeräumt ist. In ungläubigem Staunen folgen die meisten von ihnen hingerissen der Himmelfahrt. Vor allem eine Apostelfigur ganz rechts fällt durch besondere Gestik ins Auge. Ihr Typus taucht in dem Zyklus ›Decius Mus‹ wieder auf, was eine ungefähre Datierung unserer Skizze erlaubt. Die vorherrschenden Farben Blau, Grün, Rot und Gelb werden – besonders im Teil des Himmels – skizzenhaft matt verwendet. Gleichwohl und trotz Übermalungen könnte unsere Skizze als ›modello‹ für einen Auftraggeber gedacht gewesen sein.
KHW

49

Jacob Jordaens (1593-1678)
49 Studie für eine Verkündigung an die Hirten um 1622
Öl auf Holz; 70,5 x 54,5; Inv. 82
Zwei Männer, zwei Lebensalter, zwei Verhaltungsweisen gegenüber einer außergewöhnlichen Himmelserscheinung hat Jordaens gleichnishaft in diesen beiden Studienköpfen festgehalten. Der vordere, alte Mann blickt zu einer außerbildlichen von links kommenden Erscheinung am Himmel, die gleichzeitig als Lichtquelle für das Bild dient. Staunend und andächtig sieht er nach oben. Dagegen ist der Blick seines Begleiters zwar nachdenklich, aber vom Licht abgewandt und weniger ausdrucksvoll. Die Lichtquelle bewirkt die gleichmäßig helle Beleuchtung seines Kopfes und roten Umhanges, während sie auf Gesicht, Brust und Umhang des Greises einen plastischen Wechsel von Hell und Dunkel erzeugt: Licht – und Farbgestaltung werden so zur Darstellung seelischer Eigenart bzw. religiöser Anteilnahme verwandt. Bei diesem Modell handelt es sich um einen Boten der Antwerpener Malergilde, der mehrfach bei Jordaens als Evangelist, Prophet und Apostel wiederkehrt.
KHW

Gerard van Honthorst (1590-1656)
50 Der athenische Gesetzgeber Solon vor dem Lyderkönig Krösus 1624
Öl auf Leinwand; 168,5 x 214; Inv. 772
Krösus, König der Lydier, durch Unterwerfung der kleinasiatischen Griechen zu Macht und Reichtum gelangt, legte dennoch Wert auf Geltung bei den Griechen. Er stellte deshalb dem griechischen Gesetzgeber Solon (etwa 7.-6. Jh. v. Chr.) die Frage, ob er einen glückli-

50

cheren Menschen kenne als ihn. Solons Antwort: Einen Menschen vor Ablauf seines Lebens glücklich zu nennen, sei gewagt, da Wohlstand und Stolz oft Unglück zur Folge hätten. Den Augenblick von Solons Antwort hält Honthorst im Bild fest. Reichtum dokumentieren ein Gefäß mit Goldmünzen und kostbarem Schmuck, Macht ein männlicher und ein weiblicher Sklave, Überheblichkeit aber auch Nachdenklichkeit die im Hintergrund stehenden jüngeren und älteren Höflinge. Der König selbst drückt durch Stirnrunzeln, erstaunte Augen und offenen Mund Überraschung und geringe Selbstsicherheit aus. Bilder mit didaktisch-moralischem Inhalt gehörten zum Repertoire der niederländischen Maler des 17. Jahrhunderts. Wir können deshalb vermuten, daß Honthorsts Bild ursprünglich als Mahnung zu Bescheidenheit und Gottesfurcht gedacht und für eine öffentliche Verwaltungs- oder Regierungsstelle der Niederlande bestimmt war. Stilistisch weist die von vorn kommende Lichtfülle, die die Figur des Solon besonders hervorhebt, auf Caravaggios Einfluß hin, dessen Malweise Honthorst in Italien kennengelernt hatte. KHW

51

Luca Giordano (1632-1705)
51 Ein Philosoph des Altertums um 1650
Öl auf Leinwand; 111 x 93,5; Inv. 782
Mit Giordano ersteht der Kunstgeschichte ein neuer Typus des Malers: der mit Phantasie, Temperament, Schaffenskraft und stilistischem Einfühlungs- und Nachahmungsvermögen außergewöhnlich begabte Virtuose. Als solcher imitiert er unter anderem auch den spanischen Maler Ribera, der sich in Neapel aufhält und um 1630 für den Vizekönig von Neapel griechische Philosophen malt. Die Nachahmung eines solchen Weisen ist Giordanos antiker Philosoph. Das Bild ist im Gegensatz zu anderen unsicheren Zuschreibungen mit Luca Jord. signiert. Die Signatur lesen wir auf einem Blatt Papier, das der Philosoph in der rechten Hand hält. Auf diesem sind außerdem astronomische und astrologische Schemata zu erkennen. In der linken Hand hält der Weise einen Zirkel. Er selbst – als Kniestück, in Lumpen, mit halbnacktem Oberkörper, schwarzem Bart und Haar und dunkler Mütze – gleicht eher einem neapolitanischen Bettler. Die Verbindung von Weisheit und Entsagung lockte Maler wie Ribera und Giordano, antike Philosophen als Könige im Bettlergewand zu malen. KHW

52

Bernardo Strozzi (1581-1644)
52 Die Erziehung Marias um 1625/1630
Öl auf Leinwand; 102,5x138,2; Inv. 781
Bernardo Strozzi, ein Meister in der Kompositíon von Halbfigurendarstellungen, hat niemals ein Bild von so schlichter Feierlichkeit gestaltet wie dieses. Zu Seiten des aufrecht stehenden Kindes haben sich die Eltern niedergelassen, wie um sich ihm besser zuwenden zu können, weniger in belehrender Absicht als in aufmerksamer Liebe und selbst Ehrfurcht. Maria – durch die Kostbarkeit der Kleidung und die Helligkeit und Zartheit des Inkarnats ausgezeichnet – antwortet mit ausgebreiteten Armen. Die Begegnung der Hände ist innig: insbesondere auf der Seite der Mutter, die ihre Linke mit derjenigen der Tochter verschlingt, während der Vater die vertrauensvoll überlassene Rechte nur scheu am Handgelenk hält. Strozzi, als Geistlicher vor allem religiösen Themen zugewandt, wird das Bild noch in Genua gemalt haben. Seit er sich 1631 in Venedig niederließ, dramatisierte sich sein Stil. GH

Giovanni Battista Tiepolo (1696-1770)
53 Die Dornenkrönung Christi
um 1745/1750
Öl auf Leinwand; 79,5x88,5; Inv. 644
Der durch Monumentalmalereien in Kirchen und Residenzen berühmte Meister zeigte seine Größe auch im kleinen Format. Der gemarterte Christus sitzt auf einem runden Podest vor dem Torbogen einer Architektur, deren Adel durch eine links angebrachte Kaiserbüste zu erkennen ist. Christus wird durch den Druck eines Stockes auf die Dornenkrone zur Seite gepreßt. In der gleichen Richtung ist auch der Torbau aus seiner Symmetrie verschoben. Monumentale Säulenreste rechts scheinen auf das Ende dieses Prozesses hinzudeuten. Das Licht unterstreicht die Richtung des Marterstabs, dem Erlösungssinn der Passion gemäß, vom scheuenden Pferd links in seiner Erhabenheit erspürt. – Die ›Dornenkrönung‹ gehörte wie die ›Ölbergszene‹ (Inv. 643) zu einer Reihe von Passionsszenen, deren ursprünglich geplante Anzahl unbekannt ist. GH

53

54

Alessandro Magnasco (1667-1749)
54 Landschaft mit Geschirrwäscherinnen
Öl auf Leinwand; 90,5x144; Inv. 734
Obwohl bizarres Baumgeäst einen großen Teil des Bildfeldes einnimmt, über ruinenhaftes Gemäuer hinweg in den Himmel hineinwuchernd, spielen die dargestellten Menschen keine untergeordnete Rolle. Rechts unten sitzt eine reich gekleidete Dame einer Landfrau mit Eierkörben gegenüber. Diese vertritt mit den Geschirr spülenden Mädchen am Teich das arbeitserfüllte Leben auf dem Lande. Die Vogelsteller hinter dem Rücken der Dame verdeutlichen dagegen das hinterhältige Verhalten der müßigen Vertreter gehobener Kreise. Wohl nicht zufällig fassen die Bögen einer ruinösen Architektur diese gespaltene Gesellschaft zusammen, während links der Blick zu einer fernen Bergkette schweift, wo sich die einzig bleibende Größe in der Natur entfaltet. Auf solche Art füllte Magnasco das zuckende Farben- und Formenspiel seiner Kompositionen mit Inhalt, der indessen zu versprühen neigt. GH

Antonio Canale, gen. Canaletto (1697-1768)
55 Capriccio mit Motiven aus Padua
um 1756
Öl auf Leinwand; 115,5x164,5; Inv. 769
Canaletto ist vor allem durch seine Venedig-Ansichten berühmt geworden, für die sich besonders englische Auftraggeber interessierten. Doch liebte er es, gelegentlich nach freier Phantasie zu gestalten, wobei er bekannte Motive variierte und mit erfundenen mischte. So ähneln einige Gebäude unsere Bildes Bauten in Padua, ohne getreu nachgebildet zu sein. Dominierend ist indessen das Phantasiemotiv rechts: die Ruine eines gotischen Baldachins, ehemals anscheinend Teil einer Halle. Der Baldachin überdacht nicht den Sarkophag am rechten Bildrand. Dennoch weisen beide sich gegenseitig als ein ›Memento mori‹ aus, zumal die davor soeben ausgehobene Grube eines Grabes die unmittelbare Gegenwart des Zerfalls bewußt macht. In dieser Umgebung wirkt das Löwenmonument, das Wahrzeichen Venedigs, auf eingesunkenem Sockel besonders markant. Ist auch die Macht dieser Stadt, zu deren Herrschaftsbereich Padua damals noch gehörte, in Frage gestellt? GH

55

56

Jean Honoré Fragonard (1732-1806)
56 Ein Philosoph um 1764
Öl auf Leinwand; 59x72,2; Inv. 777
Mit leidenschaftlicher Pinselführung kennzeichnete Fragonard die energische Wendung des Greises hin zum Buch. Obwohl die Augen im Schatten liegen, macht das starke Licht auf Kopf und Buch die Intensität des Blickes deutlich. Man glaubt, das Begreifen mitzuerleben, das von der rechten Hand buchstäblich, die Stuhllehne umklammernd, nachvollzogen wird: nicht zufällig begleiten Unterarm und Buch gleicherweise das Ovalrund und erscheint über der Hand eine Kugel der Stuhllehne als Hinweis auf Geheimnisse, die der Alte zu ergründen sucht. Von Tiepolo lernte Fragonard, als er 1761 nach fünfjährigem Aufenthalt in Rom über Venedig nach Paris zurückkehrte, leichte Malweise. Deren leidenschaftliche Steigerung läßt künftige Unruhen ahnen und bildet eine Brücke zu Delacroix. GH

François Boucher (1703-1770)
57 Der Angler 1759
Öl auf Leinwand; 229,8x193; Inv. 785
Mit der Idylle dieses Bildes kam Boucher der Liebe seiner Auftraggeber am Hof Ludwigs XV. für die Welt Arkadiens entgegen, dem Traum von Harmonie in einem einfachen Leben nahe der Natur. Zugleich füllte er sie mit allegorischem Sinn: Der Angler hält den Fisch als Zeichen der Zuneigung zu seiner Gefährtin, die seine zärtliche Geste erwidert. Hier setzte Boucher durch klare Farben und Licht den Schwerpunkt der Komposition, dem alles übrige in gleitenden Tönen zugeordnet ist. Seinem Gewicht entsprach in einem Pendant (jetzt in San Diego) dasjenige eines Paares, das durch ein Hündchen in ehelicher Treue verbunden angezeigt ist. In leiser Ironie lenkte Boucher den Blick des Mannes zu einer vorbeieilenden Winzerin. Im hiesigen Bild relativierte er den Sinn durch spielende Kinder. Dem kleinen Angler wird sein Wunsch verwehrt. GH

57

Joshua Reynolds (1723-1792)
58 Bildnis einer Dame 1758
Öl auf Leinwand; 76,3x63,2; Inv. 801
Das Bild wird mit einer Notiz in Zusammenhang gebracht, nach der dem Maler 1758 eine Lady Standish Modell gesessen habe. Auf jeden Fall zeigt es die Dame in jenen silbrigen Farben, die auch für andere Gemälde dieser Zeit kennzeichnend sind. Damals hatte Reynolds noch nicht den Gipfel seines Ruhms erreicht, der ihm bei der Gründung der Royal Academy in London 1768 zur Stellung des Präsidenten verhalf. Von seinem bereits hochentwickelten Können zeugt selbst dieses für ihn bescheidene Bildnis. Der grazile Reiz der Dargestellten ist durch die Betonung ihrer schmalen Gestalt unterstrichen: Dem zum Auge hinlenkenden senkrechten Lichtstreifen entspricht eine Schattenzone am rechten Bildrand. Die streng gerade Haltung scheint einer gewissen Scheu zu entsprechen, da die Mittelachse des Bildes gemieden wird. Nur der Akzent des Blumenbuketts am Kleidausschnitt wagt sich darüber hinaus, vorgetragen von den Schrägen einer Perlendrapierung und des Pelzbesatzes über dem Ärmel. GH

58

Giuseppe-Maria Crespi (1665-1747)
59 Principe Hercolani um 1740
Öl auf Leinwand; 86x66; Inv. 789
Der in Bologna beheimatete Künstler ist mehr durch Genremalereien als durch seine ebenfalls zahlreichen religiösen Werke berühmt geworden. Die Bildnisse zeichnen sich durch Aktionsreichtum in beziehungsvoller Umwelt aus. Mit ihnen verglichen wirkt die Pose des Principe Hercolani zurückhaltend. Die im Ovalrund ausladende Haltung präsentiert selbstgefällig die eigene Person. Der Blick im gedunsenen Gesicht des Lebemannes bleibt weich im eigenen Selbstgefühl befangen. Den neuesten Forschungen zufolge ist der um 1710 geborenen Luigi Crespi – dem Vater im Atelier zur Hand gehend – der Autor des Bildes. GH

59

Francisco de Goya (1746-1828)
60 Don Tomás Pérez Estala
um 1800/1805
Öl auf Leinwand; 102x79; Inv. 338
Der Dargestellte gilt als ein mit dem Maler befreundeter Tuchfabrikant. Er hält die Papierrolle, die seinen Namenszug trägt, wie ein Regent sein Szepter. Doch bezeugt er in seiner Haltung keine entsprechende Festigkeit. Vielmehr scheint die Mittelachse gemieden zu sein, ob der Kopf nach rechts ausweicht, oder nach links die bleiche Wölbung der Weste. Der bei aller Frontalität der Figur seitlich ausweichende Blick und die mürrische Kurve der Lippen suchen Halt an der Schwingung der Sofalehne, die aber ebenfalls am Gleichgewicht des Dargestellten zerrt. So ist er wiedergegeben als ein unter widrigen Umständen verschlagen sich behauptender Mensch. Das Licht, unter dem das Brokat hinter der kühlfarbigen Gestalt golden aufglänzt, streift diese nur ephemer. Der Blick scheint eher das von links oben eindringende Dunkel zu fürchten. Goya – der große Gestalter der Zeitenwende – ließ auch im Bildnis die Unsicherheit angesichts unkalkulierbar sich vollziehender Wandlungen spüren. GH

60

61

Johann Heinrich Füssli (1741-1825)
61 Die Erschaffung Evas 1791/93
Öl auf Leinwand; 307x207; Inv. 795
1791 begann Füssli, einen Zyklus von insgesamt 40 Bildern nach dem Epos ›Das verlorene Paradies‹ (1667/74) von John Milton zu malen. 1793 schrieb er seinem Freund William Roscoe, daß er ein Drittel der geplanten Bilderfolge fertig habe, darunter als Nr. 17 die ›Erschaffung Evas‹. Die Bildkomposition ist von Michelangelo und Raffael angeregt. Nach ihrer Vollendung wurde die ›Milton-Galerie‹ 1799 in London ausgestellt. Eine Zweitfassung unseres Gemäldes war von Roscoe bereits 1795 verkauft worden. Zu dieser Gelegenheit hatte sich Füssli ausführlich über die ›Eva‹ geäußert. Er mußte sich gegen die Vermutung wehren, Gott in Menschengestalt dargestellt zu haben. Das über Adam und Eva schwebende ›höhere Wesen‹ stieß in einer protestantischen Umgebung auf Verständnisschwierigkeiten, denn Calvin wie Zwingli hatten in Zusammenhang mit der Reformation gefordert, Gott entgegen der ›katholischen‹ Tradition nicht körperhaft abzubilden. Nach Miltons ›Paradise Lost‹ ist Christus mit der Schöpfung beauftragt. Als Füssli 1803 das Thema nochmals aufgriff, setzte er statt des ›Messias‹ einen Lichtstrahl als Symbol für das ›höhere Wesen‹. SP

62

François Gérard (1770-1837)
62 Ossian am Ufer des Lora beschwört die Geister um 1811
Öl auf Leinwand; 184,5x194,5; Inv. 1060
Der greise und blinde Barde vergegenwärtigt sich seine verstorbenen Angehörigen. Sie erscheinen wie aus Wolkendunst und Mondlicht verdichtet, während der Sänger in rotglühendem Gewand erdgebunden bleibt, auch im verzweifelten Temperament von der sanften Melancholie der Erscheinungen unterschieden. Düster ragt über ihm die Ruine des Ahnenschlosses. – Das Bild variiert jene Komposition, die Napoleon 1800 bestellte, beeindruckt von den angeblich altschottischen Gesängen Ossians, die Macpherson 1760-1773 jedoch frei erfunden hatte. Um 1810 dem schwedischen Thronfolger Bernadotte geschickt, versank das von Napoleon geschenkte Werk mit dem Schiff. Die Hamburger Version wird für jene gehalten, die sich Bernadotte als Ersatz bestellte, – offenbar erst nach Napoleons Sturz. Denn nun erst wurde das Schloß zur Ruine. GH

63

Jean Baptiste Regnault (1754-1829)
63 Freiheit oder Tod 1794/95
Öl auf Leinwand; 60x49,3; Inv. 510
Sieghaft reckt eine Frauengestalt links jene rote Mütze dem Licht entgegen, die während der französischen Revolution als ein Bekenntnis zur Freiheit galt, mit der anderen Hand ein Winkelmaß mit Lot als Zeichen der Gleichheit vorweisend. Ein Liktorenbündel als Symbol der Brüderlichkeit liegt neben dem Thron, der die allegorische Gestalt aus einer Wolke heraus in die Höhe hebt. – Rechts sinkt das geflügelte Gerippe des Todes, tiefdunkel verhüllt, in den Schatten seiner Wolke hinein. Es hält indessen seinen Siegeskranz zusammen mit der Sense fest. – So verbildlichte Regnault die Devise der Konstitution vom 10. August 1793: »Liberté, Egalité, Fraternité ou la Mort.« In der Mitte seiner Darstellung ließ er sie durch den lichtgeflügelten Genius Frankreichs mit weisend ausgebreiteten Armen verkünden. Als ein göttlicher Bote über der Erdrundung schwebend ist dieser Genius einem Merkur von Raphael nicht ohne Absicht gleichgestaltet. Im Salon von 1795 wurde seine Botschaft vernommen. GH

Richard Wilson (1713-1782)
64 Der Nemisee bei Rom um 1760
Öl auf Leinwand; 62,8x75,5; Inv. 802
Wilson gilt als ›Vater der englischen Landschaftsmalerei‹. Nach seiner Italienreise 1752 hatte er sich ganz diesem Fach verschrieben. Den Nemisee südlich von Rom hielt er in einer Vielzahl von Bildern fest. Unser Gemälde zeigt die Silhouette der Stadt gleichen Namens am rechten Bildrand. Wilson verzichtet auf einen staffageartigen Vordergrund, der es dem Blick erlauben würde, schrittweise in das Bild einzudringen. Der Künstler, bzw. der Betrachter scheint auf einem erhöhten Aussichtspunkt zu stehen. Der Blick wird soghaft in die Tiefe des Bildes gelenkt über den See hinweg zu den grünen Ebenen.
Die Figuren im niedrigen Gebüsch heben sich im Vordergrund in Kontur und Farbigkeit kaum von ihrer Umgebung ab. Die Vegetation an den Ufern des Kratersees gibt Wilson in einer dumpf wirkenden Farbigkeit zwischen Grün und Rotbraun wieder, durch die Lockerheit des Pinsels gewinnt sie aber eine duftige Schwerelosigkeit. Darüber legt Wilson einen Schimmer goldenen Lichtes, während der blaue Himmel durch einen grauen Schleier gedämpft wird. In dieser Art der Beleuchtung zeigt sich der Einfluß Claude Lorrains. Diese Landschaftsauffassung von poetischer Leichtigkeit war maßgebend für Constable und Turner. HWS

64

65

Philipp Hackert (1737-1807)
65 Die großen Wasserfälle von Tivoli 1785
Öl auf Leinwand; 122,5x171; Inv. 731
Goethe schrieb im Juni 1787 in seiner ›Italienischen Reise‹, daß er mit ›Herrn Hackert‹ die Wasserfälle bei Tivoli betrachtet habe. Der Ort liegt im Westen Roms in den Albaner Bergen. Die Ansicht geht vom Ufer des Anio nach Südwesten zum Monte Cassino und über die ›Cascatelle Grandi‹ zum Berggipfel, auf dem Tivoli liegt, erkennbar am Glockenturm von San Lorenzo. Seit der Antike wurden die Wasserfälle als Naturwunder bestaunt, die frühesten bekannten malerischen Darstellungen datieren aus dem 17. Jahrhundert. Einige davon mag Hackert gekannt haben. Sein Bild zeigt keine wilde Landschaft. Trotz der donnernden Kaskaden scheint alles wohlgeordnet. Die Rinderherde, der ruhende Hirte mit seinem Hund, geben dem Gemälde einen bukolischen Akzent. Die Besonderheit des Sujets und die wie ein Bühnenbild gestaffelte Komposition verwandeln die ›realistische Ansicht‹ Tivolis in eine Ideallandschaft. SP

66

Martin von Rohden (1778-1868)
66 Ruinen bei Rom um 1796
Öl auf Papier auf Leinwand; 56x73,5; Inv. 2505
Die Ruinen sind wahrscheinlich die Reste eines Aquäduktes zwischen Tivoli und Subiaco (Vermutung von Pinnau). Man erkennt sie auf vier anderen Gemälden Rohdens wieder. Im Gegenlicht stehend, bestimmen sie die Bildstruktur. Die niedrigeren Gebäudereste links, vielleicht ein Grab, bilden kaum genug Masse, um die mächtigen Mauern rechts auszupondenrieren. Dieses Ungleichgewicht der Komposition legt nahe, daß es sich bei unserem Bild um eine Vorarbeit handelt. Der Vordergrund, präzise beschrieben mit Felsen, Architektur, Vegetation und sandigem Bachufer, kontrastiert mit der Hügelkette der Sabinerberge in der Ferne. Der wolkenlose Himmel hellt sich am Horizont auf und an der linken oberen Ecke des Aquäduktes: Die Sonne erscheint direkt hinter dem Monument. Eine größere Version des Motivs der Sammlung Reinhart in Winterthur zeigt das Gemälde nach beiden Seiten hin verbreitert. Aus der exakten Naturbeobachtung entstand eine Ideallandschaft. HRL

67

Anton Raphael Mengs (1728-1779)
67 Selbstbildnis um 1755
Öl auf Leinwand; 133,7 x 97,0; Inv. 100
Das Selbstbildnis, das wahrscheinlich während Mengs' zweitem Romaufenthalt entstanden ist, zeigt den jungen Künstler mit seinem Handwerkszeug an der Staffelei, die keinen Blick auf das im Entstehen begriffene Werk zuläßt. Mengs visiert die auf die Leinwand zu bannende Szenerie nicht mit den angestrengten Augen des Beobachters an. Seine Haltung verrät eher die Anregung durch einen anmutigen Reiz, der Blick ist gleichsam nach innen gerichtet. Mengs sah im Künstler nicht nur den Handwerker, sondern auch den Schöpfer, das Genie, das aus seinem Geist an dem Vorbild der Natur eine zweite Natur schafft. Dieses inspirative Moment mußte Mengs wie ein Akt der Befreiung vorkommen, denn von seinem Vater war er, sobald er nur den Stift halten konnte, ununterbrochen zum Zeichnen nach Vorlagen angehalten worden. HWS

68

August Tischbein (1750-1812)
68 Gräfin Theresia Fries 1801
Öl auf Leinwand; 218,5 x 128; Inv. 604
Tischbein porträtierte die 22jährige Gräfin Fries (geb. Prinzeß Hohenlohe-Waldenburg-Schillingsfürst), die ein Jahr zuvor den Grafen Moritz von Fries, einen bekannten österreichischen Bankier, geheiratet hatte.
Bedenkt man das gesellschaftliche Milieu, in dem die Gräfin wandelte, erweckt die Darstellung eher Verwunderung. Allein das Format strahlt einen repräsentativen Charakter aus. Die Gräfin und ihre Umgebung sind bar jeder aristokratischen Insignien. Feenhaft, mit in sich gekehrtem Blick, scheint sie über die Balkontreppe in die Natur zu entschweben. Die Darstellung erinnert an die englische Porträtmalerei, die bevorzugt den Adel in parkähnlicher Umgebung zeigt. Auch bei Tischbein erstreckt sich in dämmrigem Licht eine Parklandschaft in die Tiefe des Bildes. Im Vordergrund wuchert ein Laubengewächs über den Sockel des schmucklosen Eisengeländers und schlängelt sich über die Stufen. HWS

69

Anton Graff (1736-1813)
69 General Georg Detlov Graf von Flemming (1699-1771)
Öl auf Leinwand; 142 x 109; Inv. 270
Der Dargestellte begann seine militärische Laufbahn als Offizier in polnischen Diensten, zuletzt war er General der Artillerie. Graff wählt für dieses Bildnis im Gegensatz zum bürgerlichen Porträt, wo er die Halbfigur bevorzugt, die repräsentative Form des Kniestücks. Der General trägt eine leuchtend rote, goldbestickte Uniform mit einer Feldbinde, darüber einen dunklen, ebenfalls reich geschmückten Mantel. Die Rechte ruht selbstbewußt auf der Hüfte. Der Griff des Degens – in unmittelbarer Nähe zur Linken – hebt sich deutlich von dem drapierten Tischtuch ab. Während bei den bürgerlichen Porträts aus Graffs Atelier eine homogene Farbigkeit vorherrscht, setzt der Künstler hier in der Uniform des Grafen Flemming deutliche Farbakzente. Die repräsentative Gesamtauffassung läßt vermuten, daß das Gemälde seinen Platz in einer Ahnengalerie hatte. HWS

Anton Graff (1736-1813)
70 Selbstbildnis im Alter von 50 Jahren 1787
Öl auf Leinwand; 69,5x56,5; Inv. 611
Der in Winterthur geborene Graff wurde 1766 von Augsburg weg an die Kunstakademie in Dresden berufen. Ein Selbstporträt hatte den Ausschlag gegeben, das er als Probe seines Könnens eingereicht hatte. Drei Jahre vor dem Hamburger Selbstbildnis wurde Graff Ehrenmitglied der Königlichen Akademie der Künste in Berlin (1784). In Anbetracht der gesellschaftlichen Stellung fehlt diesem Selbstbildnis ein repräsentativer Zug. Graff wirkt hier eher augenblicklich vom Malen abgelenkt. Suggeriert die Körperhaltung eine Unterbrechung der Arbeit, findet dieser Eindruck in der den Künstler umgebenden Szenerie keinerlei Beleg. Das Bild des Künstlers konzentriert sich auf eine Porträtstudie, die ihn erschrocken, fragend, mit dem Anflug des Selbstzweiflerischen zeigt. HWS

70

Anton Graff (1736-1813)
71 Die Tochter Caroline Susanne Graff 1801
Öl auf Leinwand; 60,5x51; Inv. 269
Caroline Susanne (geb. 1781) war die einzige Tochter Graffs. Sie heiratete 1805 den mit dem Vater befreundeten Landschaftsmaler Karl Ludwig Kaaz. Sie ist in dem von ihrem Vater bevorzugten Porträttypus der Halbfigur dargestellt. Nach links gewendet, den Kopf mit der dunklen Lockenfrisur leicht geneigt, schaut sie den Betrachter an. Sie trägt ein dünnes weißes Kleid mit rundem Halsausschnitt und über den Schultern ein breites hellblaues Tuch, das sie mit der Linken vor der Brust hält. Die Figur hebt sich vor einem mittelgrauen Grund ab. Graff verzichtet wie bei allen seinen Darstellungen von Persönlichkeiten aus dem Bürgertum auf schmückendes Beiwerk. Er versucht das Gegenüber in seiner Individualität durch das Studium der Physiognomie und der Gesten zu erfassen. Caroline Susanne schenkt ihrem Vater bei der Arbeit einen anerkennenden, liebevollen Blick. Frei von Pathos bringt Graff selbstverständliche Würde, gepaart mit Anmut, zum Ausdruck. HWS

71

Anton Graff (1736-1813)
72 Der Maler Karl Ludwig Kaaz
Öl auf Leinwand; 76x62,5; Inv. 65
Ludwig Kaaz (1773-1810), der ursprünglich das Buchbinderhandwerk erlernte, kam 1796 nach Dresden. Dort fand er zur Landschaftsmalerei. Er genoß die Gastlichkeit des an der Dresdner Akademie tätigen Bildnismalers Anton Graff. Graff zeigt den Schwiegersohn im Profil als Halbfigur vor einer Landschaft. Um den Kopf ist der Himmel in idealisierender Manier aufgehellt. In der Rechten hält Kaaz einen Zeichenstift in metallenem Halter, ein deutlicher Hinweis auf das Studium der Natur. Das Haar des Künstlers ist leicht ergraut, die Gesichtszüge zeugen von langjähriger Krankheit. Graffs Pinselstrich läßt die Physiognomie fast in Auflösung erscheinen. Kaaz stirbt 37jährig an einem Schlaganfall. Im Porträt des Landschaftsmalers würdigt der Bildnismaler Graff die Landschaftsmalerei. HWS

72

73

Philipp Otto Runge (1777-1810)
73 Selbstbildnis 1802
Öl auf Leinwand; 37,0x31,5; Inv. 1002
»Ich habe schon einigemal mein Portrait in Farben gemahlt, und es ist mir sehr tröstlich immer, zu lernen, wie ich es das nächstemal besser machen kann und was ich ausgelassen habe«, schrieb Runge am 10. Mai 1802. Das Porträt zeichnet sich durch eine auffallend lichte Farbgebung aus.
Grau- und Brauntöne herrschen vor, die sich besonders in den oberen Zonen in Sand- und Ockertöne aufhellen. Die Haare und die Kragenpartie setzen dunkle Akzente. Um so mehr leuchtet das Gesicht in seinem zartrosa Anflug aus ihnen heraus. Die tiefbraunen Augen ziehen den Betrachter unweigerlich in ihren Bann. In der gesamten Auffassung, vor allem aber bei den Haaren fällt die ausgleichende Weichheit des Pinselstriches auf. Es vermittelt unserem photographiegewöhnten Auge den Eindruck von unscharfen Partien. Tatsächlich ist die malerische Grundauffassung noch dem späten 18. Jahrhundert verwandt. Andererseits wird vorausgreifend eine farbige Haltung formuliert, wie man sie dann in der Bildniskunst Géricaults und Corots findet. HWS

74

Philipp Otto Runge (1777-1810)
74 Selbstbildnis 1805
Öl auf Eichenholz; 40,3x28,9; Inv. 2034
Von den Selbstbildnissen des Künstlers gab Runges Bruder Daniel diesem den Vorzug, weil es das authentischste sei. Sein Freund Henrik Steffens beschrieb den Künstler folgendermaßen: »Er war von mittlerer Größe, schlank gebaut, zeichnete sich aber besonders durch einen starken Knochenbau aus, den man an den Händen und Füßen, aber auch im Gesicht erkannte. Seine Gesichtszüge waren dessenungeachtet höchst einnehmend und bedeutend, jeder der ihn sah, ahnte ihn ihm eine phantasiereiche Dichternatur. Seine großen lebendig staunenden Augen waren gewöhnlich nach innen gekehrt und hatten eine unbeschreiblich anziehende Gewalt. Seine dicht geschlossenen Lippen waren ungemein zart, und aus den leisesten Bewegungen derselben sprach sich etwas Sinniges und Geistreiches aus. Es gibt wenige Menschen, die sich so ganz als Fremdlinge auf der Erde darstellen, wie er. Alle seine Gedanken, dichterische wie künstlerische bewegten sich in einer höhern geistigen Welt, in welcher er lebte, und aus welcher jede Äußerung entsprang.« HWS

75

Philipp Otto Runge (1777-1810)
75 Selbstbildnis 1809/1810
Öl auf Eichenholz; 48x47; Inv. 1005
Zu diesem letzten Selbstbildnis Runges schrieb sein Bruder Daniel: »Während der ersten und sehr kalten Wintermonate dieses Jahres [1810] hatte er, vertieft in sein Studium, oft die ihm gebotene Pflege zu sehr vernachlässigt, und um so früher entwickelte sich nun die Krankheit, welche sich schon seit einigen Jahren in ihm regte.« Das Bild ist Dokument von Runges Krankheit (Schwindsucht). In den Sommermonaten des Jahres 1810 verschlechterte sich sein Zustand zunehmend, seit Oktober war er bettlägerig. Runge wendet sich vor düsterem Hintergrund dem Betrachter zu. Der Kragen ist hochgeschlagen, der Blick geht traurig über die Schulter zurück. Die eingefallenen Wangen und die leicht geröteten Lider zeugen von der Krankheit. Allein das kräftige, wellige Haar vermittelt den Eindruck einer zur Schau getragenen Vitalität. Am 2. Dezember 1810 starb Runge 33jährig. HWS

76

Philipp Otto Runge (1777-1810)
76 Die Eltern des Künstlers 1806
Öl auf Leinwand; 196x131; Inv. 1001
Vom April 1806 an bis zum darauffolgenden Frühjahr hielt sich Runge mit seiner Familie bei seinen Eltern in Wolgast auf, um die Eltern für das Gedächtnis der Kinder zu malen. Zudem wollte er seinen Bruder und Mäzen Daniel in Hamburg entlasten. Auf der Rückseite des Bildes liest man: »Daniel Nicolaus Runge. Geb. in Wolgast den zoten December 1737 – und Magdalena Dorothea Runge – geborene Müller. Geb. in Wollgast den 7ten Junius 1737. Diese meine lieben Eltern habe ich meinen Geschwistern und mir zum Angedenken gemalt und zur Lust mein Söhnlein Otto Sigismund alt 1½ Jahr, und meines Bruders Jacob Söhnlein Friedrich alt 3½ Jahr. Wollgast im Sommer 1806«.
Der Spaziergang der Eltern über den Schiffsbauplatz des Vaters erstarrt im Bild zu einer statuarischen Pose. Die Parallelität des Schrittes, der Arme und nicht zuletzt des Blickes sind Ausdruck für den inneren Gleichklang einer überzeugt geführten Lebensgemeinschaft, obwohl die Mutter sich dem Vater hierarchisch unterordnet. Demgegenüber soll die Rose in ihrer Hand die Lebendigkeit der Zuneigung versinnbildlichen. Während die Eltern den strengen Blick auf den porträtierenden Sohn richten, wird die Aufmerksamkeit der Kinder auf die Feuerlilien im Vordergrund gelenkt. Verhalten sich die Generationen zueinander wie der Abend und der Morgen des Lebens, so symbolisieren die Pflanzen und die Kiesel den Gegensatz von organischer und anorganischer Natur.
Im Hintergrund gewährt Runge einen Blick über den Peene-Fluß zum Holzhof und der Werft des Vaters. Damit unterstreicht Runge die gesellschaftliche Stellung seines Vaters. Es ist der von protestantischer Strenge, bürgerlicher Rechtschaffenheit und aufrechter Lebensgesinnung geprägte Unternehmer, der seinen Beruf an dem von Gott zugewiesenen Platz erfüllt.
Der Bruder Daniel schreibt über das Elternhaus: »Es waltete in unserem Hause durch den Sinn beider Eltern – bei der Mutter gemütlicher und selbst mit poetischem Sinne, bei dem Vater durch scharfen Verstand geregelt – der Geist einer anspruchslosen Frömmigkeit, die sich schlicht an heiliger Schrift und Landeskatechismus mit fleißiger Übung hielt ...«
HWS

77

Philipp Otto Runge (1777-1810)
77 Die Lehrstunde der Nachtigall
1804/1805
Öl auf Leinwand; 104,7x88,5; Inv. 1009
Das Bild besteht aus einem fingierten Rahmenrelief und der eigentlichen Darstellung, die von dieser Rahmung medaillonhaft eingeschlossen wird. Das Thema basiert auf Klopstocks Ode ›Die Lehrstunde‹: »Flöten mußt du, bald mit immer stärkerem Laute, / Bald mit leiserem, bis sich verlieren die Töne; / Schmettern dann, daß es die Wipfel des Waldes durchrauscht! / Flöten, flöten, bis sich bey den Rosenknospen verlieren die Töne.«
Runge deutet im Gemälde die Klopstockschen Zeilen recht frei. Statt der Nachtigallmutter erscheint Psyche, die die Gesichtszüge seiner Frau Pauline trägt. Die Vogeljungen werden zu Amoretten. Im Rahmen erscheint links der Genius der Lilie als Sinnbild der himmlischen Liebe, rechts außen der Genius der Rose als Sinnbild der irdischen Liebe. Oben sitzt auf dem Stumpf einer Eiche Amor und schlägt die Leier. An der Seite des Stammes sprießen neue Äste hervor. Darin kann ein Symbol für den Fortbestand des Lebens durch die Liebe gesehen werden. HWS

Philipp Otto Runge (1777-1810)
78 Die Ruhe auf der Flucht nach Ägypten 1805/06
Öl auf Leinwand; 96,5x129,5; Inv. 1004
Das Motiv entstammt dem Matthäus-Evangelium. Runge gestaltete das Gemälde als Beispiel christlicher Kunst gemäß seiner Farbentheorie. Die Landschaft mit flachen Inseln und Pyramiden soll das Niltal sein, doch entdeckte Isermeyer darin auch Züge der Insel Rügen. Während die Figuren leicht von unten gesehen sind, gleitet der Blick über die Landschaft von oben herab. Nähe und Ferne grenzen so direkt aneinander. Als Vermittler erscheint das Jesuskind, das die aufgehende Sonne begrüßt. Auf diese bezieht sich auch die Nacktheit des Kindes – die der Geburtsstunde –, mit dem Sonnenaufgang Symbol des neuen Lebens. Josef, in die zeitgenössische Tracht der Handwerker gekleidet, ist alt, grüblerisch. Maria, den Gesichtsausdruck gelöst wirkt, trägt ein zeitloses, bürgerlich schlichtes Gewand. Die Bedeutung der Landschaft wie die Auffassung der heiligen Personen wird als Weiterwirken altdeutscher Malerei interpretiert. Runge hat die Landschaft durch markante Bauwerke ausdrücklich als Ägypten charakterisiert. Die Überschwemmung ist ebenso wie der Sonnenaufgang Zeichen für Frühling und Erneuerung. Wird die Flucht nach Ägypten von Matthäus als Erfüllung des Alten Testamentes und des göttlichen Heilsplanes beschrieben, mag in der Darstellung auch noch Herders Einfluß wirken, der 1776 auf den ägyptischen Lichtmythos und seine Verwandtschaft mit dem christlichen Mythos hingewiesen hatte. SP

78

79

Philipp Otto Runge (1777-1810)
79 Der Morgen (erste Fassung) 1808
Öl auf Leinwand; 109,0x85,5; Inv. 1016
1802/03 zeichnete Runge die ›Vier Tageszeiten‹. Im Sommer 1808 entstand als größere, farbige Fassung ›Der Morgen‹. Eine noch größere Version blieb wegen Runges Tod 1810 unvollendet. Das Gemälde ist eine komplizierte Verbildlichung des Strebens Runges, die religiöse Kunst von Grund auf zu erneuern. Es besteht aus einem inneren und äußeren Bild, Komposition und Inhalt beider greifen ineinander. Im äußeren Bild ist das Schöpfungsprinzip Licht/Finsternis in der verdunkelten Sonne dargestellt. Das daraus entstehende Leben, verkörpert in den spiegelbildlich angeordneten Kindern beiderlei Geschlechts, wächst im Symbol der Pflanze ans Licht, möglicherweise als Gleichnis des Aufsteigens der christlichen Seele zu Gott. Das innere Bild folgt einer strengen Geometrie. Mittelpunkt ist Aurora-Venus, deren Erscheinung den Morgenhimmel rötlich färbt. Ihr Licht trifft auf die Landschaft und ein neugeborenes Kind, von dem aus Genien Aurora umkreisen. Aurora-Venus und das Kind sind einer Mittelachse zugeordnet, die ins äußere Bild reicht. Sowohl die Sonnenfinsternis als auch die Lichtlilie über dem Haupt der Aurora, die um den Morgenstern schwebenden Cherubsköpfe und die Engelsköpfchen im Strahlenkranz des ewigen Lichtes markieren diese Achse. Das Kind ist Runge Symbol für den Anfang aller Dinge: des Morgens, des Frühlings, des Lebens, der Welt. Es steht in enger Verbindung zur Natur dank seiner Unschuld, welche den Romantikern als Hinweis auf den Urzustand paradiesischen Seins galt. In Aurora-Venus sah Runges Bruder Daniel auch die Gestalt der Jungfrau Maria. Ihr Schoß ist hier das Zentrum der geometrischen Konstruktionslinien wie der Bildidee: Er bedeutet Eros, neues Leben und die Erlösung des Menschen von seiner Schuld durch die Geburt Christi. SP

80

Philipp Otto Runge (1777-1810)
80 Die Kinder Maria Dorothea und Otto Sigismund Runge 1808/09
Öl auf Leinwand; 38x49,4; Inv. 1026

Das Doppelporträt blieb unvollendet. Runge nahm lebhaften Anteil an der Entwicklung seiner Kinder, in Briefen unterrichtete er die in Wolgast und Dresden lebenden Familienangehörigen humorvoll über Charakter und Fortschritte der Kleinen. So schrieb er an seinen Schwiegervater z. B. über Maria Dorothea, die hier etwa zweijährige blonde Schwester des älteren, braungelockten Otto Sigismund, sie nähere sich der »Idealform der Kugel« sei »besonders kugelhaftig und vortreflich« und »sie ist ein ganz scharmantes Kind, sie ist so glatt und rund, daß es eine lust und freude ist und so prall, daß wenigstens flintenkugeln abprallen«. Liebevoll schützend umfängt Runges ältester Sohn die kleine, tapsige Schwester, deren Stadium des ›Welterfassens‹ geistig-seelisch im unkontrollierten frühkindlichen Schielen der Augen und körperlich im bereits erlernten Zeigen mit dem Finger auf das zu benennende Gegenüber dargestellt ist, dem beide Kinder die ungeteilte Aufmerksamkeit widmen. – Das Bild entstand wohl vor der Geburt des dritten Kindes Bernhard. Runges viertes Kind kam einen Tag nach dem Tode des Künstlers zur Welt. Während Pauline Runge mit den drei kleinsten Kindern zu ihren Eltern nach Dresden zurückkehrte, blieb Otto Sigismund unter der Obhut seines Onkels Daniel in Hamburg. Er wurde Bildhauer und starb 35jährig in St. Petersburg. Maria Dorothea lebte bis 1881 in Hamburg, sie starb im gleichen Jahr wie ihre Mutter. SP

Philipp Otto Runge (1777-1810)
81 Der Hamburger Kaufmann Johann Philipp Petersen 1809
Öl auf Leinwand; oval 58,5x50,7; Inv. 5249

Mit Petersen (1764-1835), Niedergerichtsbürger und Kaufmann in Hamburg, und dessen Frau war Runge befreundet. Noch wenige Monate vor seinem Tode, von der Schwindsucht gezeichnet, suchte er in ihrem Landhaus Erholung. Emilie Petersen erklärte später, Runge habe sie entscheidend in ihrer religiösen Haltung beeinflußt. Petersens Bildnis war bis zu seiner Wiederauffindung 1975 lediglich durch Literatur bekannt. Da Runge Auftragsporträts ablehnte und nur enge Freunde malte, haben seine Bildnisse nichts Offizielles, sie zeigen den Menschen auf sehr persönliche Weise. Repräsentatives Beiwerk fehlt. Petersens Blick geht in die Ferne, seine Gesichtszüge drücken Vergeistigung, Lebenserfahrung und Tatkraft aus. Emilie Petersen schrieb dazu an eine Freundin, daß dieses Bildnis Runges Überzeugung beweise, »daß das Licht auch in Gemälden von innen ausgehen solle«. Sie schien sich dabei auf die Grundauffassung Runges zu berufen, dem Farbe als gleichzeitig physisch wie geistig wirkendes Prinzip galt. SP

Philipp Otto Runge (1777-1810)
82 Amaryllis formosissima 1808
Öl auf Leinwand; 56,4x29,8; Inv. 2032

Runge hat Pflanzen mit wissenschaftlichem Interesse studiert. Er sah in ihrem Werden und Vergehen ein Gleichnis für das Leben des Menschen. Ihr Wachstum versinnbildlichte ihm den »Wechsel der Tageszeiten und der Jahreszeiten«, den »Rhythmus des Weltlaufs, das Streben aus den finsteren Festen der Erde in die lichten Regionen der Atmosphäre« (Traeger). Als solches Symbol, mit den Wurzeln ein Kind umfassend, aus der Blüte ein Kind zum Licht hebend, hat Runge die Amaryllis in das Außenbild des ›Morgens‹ eingefügt (vgl. Inv. 1016). Unsere Ölstudie wirkt zunächst, als wäre sie nur von botanischem Interesse geprägt. Die Blumenzwiebel hebt sich nur durch ihr Schimmern von dem ebenfalls braunen Hintergrund ab, ihre fahlen Würzelchen sind kaum erkennbar. Drei fleischig grüne Blätter entsprießen steif der Zwiebel, mit deren fast unpoetischer Nüchternheit sie einen seltsamen Kontrast zu der sich mit exotischer Geste öffnenden Blüte bilden – pflanzliche Erotik, mit der Runge dem Jugendstil vorgriff. SP

81

83

82

Philipp Otto Runge (1777-1810)
83 Die Hülsenbeckschen Kinder
1805/06
Öl auf Leinwand; 131,5x143,5; Inv. 1012
Runge porträtierte drei Kinder von Friedrich August Hülsenbeck, dem Geschäftspartner Daniel Runges: die Tochter Maria, die Söhne August und Friedrich im Garten von Hülsenbecks Landhaus in Eimsbüttel. Am Horizont sieht man von rechts nach links die Kirchtürme von St. Katharinen, St. Nicolai, St. Petri und – hinter der Sonnenblume – St. Jacobi. Man hat die ›Hülsenbeckschen Kinder‹ als das »monumentalste Kinderbild der Kunstgeschichte« bezeichnet. Dieser Eindruck beruht darauf, daß die Augenhöhe der Kinder und die des Betrachters etwa gleich hoch liegen. Das Kindsein ist unmittelbares Gegenüber.
In dieser Kinderwelt sind die Geschlechterrollen schon den späteren Erwartungen entsprechend ausgeprägt. August, der auf der Deichsel wie auf einem Steckenpferd reitet, ist annähernd in der Bildmitte frontal plaziert. Er schwingt die Peitsche und stellt mit seinem Blick aus dem Bild den ›Außenkontakt‹ her. Seine ältere Schwester schaut dagegen fürsorglich nach dem kleinen Friedrich. Die Kindergruppe hebt sich in linearer Schärfe von dem weich getönten Hintergrund ab, so daß der Eindruck einer Bühnensituation vor einem gemalten Hintergrund entsteht. Runge gelingt es aber, durch die geraffte Perspektive des rechts zum Haus hin verlaufenden Zauns den Handlungsraum in die Tiefe expandieren zu lassen. HWS

84

Caspar David Friedrich (1774-1840)
84 Gräber gefallener Freiheitskrieger 1812
Öl auf Leinwand; 49,3x69,8; Inv. 1048
Eine ansteigende Waldwiese mit Gräbern wird im Bildhintergrund durch eine steil aufragende Felswand begrenzt. Ein Riß im Gestein weitet sich an der Sohle zu einer Höhle. Das Bild gehört zu den patriotischen Gemälden, die Friedrich unter dem Eindruck der Erhebung gegen die napoleonischen Besatzungstruppen in den Jahren 1812 bis 1814 gemalt hat. Die Grabesinschriften beweisen dies. Während der Obelisk der in den Freiheitskriegen Gefallener gedenkt, wird durch das eingestürzte Grab des Arminius an den Freiheitskampf der Germanen gegen die Römer erinnert, somit ein historisches Beispiel für die Zeitpolitik fruchtbar gemacht. Die beiden vor den Sog der Höhle plazierten französischen Soldaten und die Schlange in den Farben der Trikolore auf dem Arminiusgrab benennen diskret den Feind.
Friedrich läßt mit dem von oben einfallenden Licht und der üppig um das Arminiusgrab sprießenden Vegetation Hoffnung aufschimmern. So kann in der Felswand, die in ihrer Gewaltigkeit die beiden französischen Soldaten zu winzigen Staffagefiguren degradiert, die Festigkeit der patriotischen Haltung, schließlich die des christlichen Glaubens gesehen werden. Im Zusammenspiel dieser Gedanken erinnert die Höhle an die Grabeshöhle Christi, die Hoffnung an die nahe Auferstehung wekken soll. HWS

Caspar David Friedrich (1774-1840)
85 Wiesen bei Greifswald um 1822
Öl auf Leinwand; 34,5x48,3; Inv. 1047
Die Ansicht zeigt Greifswald von Westen aus. Man erkennt von links nach rechts die Marienkirche, den Dachreiter des Rathauses, die Nicolaikirche und die Jacobikirche. Vorn das 1868 abgebrochene ›Vettentor‹. Eine quadrierte Zeichnung in Hamburger Privatbesitz hat dem Bild als Vorlage gedient. Eine in Oslo befindliche Nachtlandschaft mit Greifswald ist von der gleichen Stelle aus gesehen, doch hat ihr Friedrich eine Wendung ins Symbolische gegeben: Er hat seine Geburtsstadt auf eine Insel plaziert. Derart unserem Erfahrungsbereich entzogen, unerreichbar geworden, präsentiert sich die Stadt im Mondlicht als Ort des Jenseits. Man zögert, dem Hamburger Bild den gleichen Sinngehalt einzuräumen. Eher scheint es eine idealisierende Zusammenfassung von Kindheitserinnerungen zu sein. Dennoch tendiert es trotz seiner ›Natürlichkeit‹ zum Übernatürlichen wegen des milden Lichts, das die Realität absolut transparent macht. Die Türme am Horizont unter dem weiten, hohen Himmel (aus der Zentralachse nach seitwärts versetzt) lenken den Blick durch die Ebene hindurch auf sich. WH/SP

85

86

Caspar David Friedrich (1774-1840)
86 Der Wanderer über dem Nebelmeer um 1818
Öl auf Leinwand; 94,8x74,8; Inv. 5161

Der Überlieferung nach zeigt das Bild einen gewissen Herrn von Brincken, einen hohen Beamten der sächsischen Forstverwaltung, möglicherweise auch einen Obersten der Infanterie. Damit würde es sich um ein Gedenkbild handeln: Friedrich hätte einen in den Freiheitskriegen gefallenen Offizier gemalt, ein paar Jahre nach dessen Tod. Für drei Partien des Gemäldes hat man Vorzeichnungen entdeckt. Alle Motive entstammen dem Elbsandsteingebirge. – Von der Komposition her ist der ›Wanderer‹ innerhalb von Friedrichs Werk allein mit der ›Frau in der Morgensonne‹ (Essen) vergleichbar, doch ist unser Bild viel größer. Beide Male stehen die Personen in der Zentralachse, eine Komponierweise, die untypisch ist für Friedrich, da er es vorzog, die Gewichtung aus der Bildmitte herauszuverlagern. Hier aber befindet sich der Mensch im Bildzentrum: Er betont es und verdeckt es zugleich, verbirgt es unserem Blick. Die Rückenfigur wirkt wie eine Silhouette, man kann sich mit ihr identifizieren, denn sie sieht, was uns durch sie verstellt wird. Mehr noch als Friedrichs Erfindung der Rückenfigur fasziniert das Gewicht, das er ihr innerhalb der Komposition gibt. Die Haltung des Wanderers, die auf gespannte Aufmerksamkeit schließen läßt, weckt auch die Neugierde des Bildbetrachters, indem sie diese aber fesselt, festigt sie die Autorität Friedrichs. Für den Friedrich-Forscher Börsch-Supan ist die Deutung eines Mannes, der sich über den Wolken aufhält, nur dann sinnvoll, wenn es sich um ein Gedenkbild für einen Verstorbenen handelt. Der felsige Berggipfel, auf dem er angekommen ist, würde das Lebensende meinen, der Blick in die Ferne wäre das Schauen des Jenseits. Der Stadtmensch als Wanderer oder Bergsteiger im ›modischen Kostüm‹ (Jensen) hat andererseits eine lange Bildtradition. Er könnte auch der von der Natur faszinierte Spaziergänger im Sinne Rousseaus sein. Doch scheint Friedrich einen Schritt weiter gegangen zu sein. Er hat das Thema ins Monumentale getrieben: Der Wanderer steht, selbst mächtig wie ein Berg, der Natur aufrecht und selbstbewußt gegenüber, mehr Beherrscher als Teil ihrer selbst. WH/SP

87

Caspar David Friedrich (1774-1840)
87 Berglandschaft in Böhmen
um 1830
Öl auf Leinwand; 35x48,8; Inv. 1052
Die Ansicht zeigt wahrscheinlich die Vorhöhen des Riesengebirges mit der Schneekoppe, von Warmbrunn aus gesehen. Zwar wirkt der Bildausschnitt zunächst mit seiner zufällig scheinenden Begrenzung rechts und links »wie aus einem fahrenden Zug heraus aufgenommen« (Hofmann), doch erweist sich das Gemälde bei eingehender Betrachtung als durchaus komponiert. »Der ebene Vordergrund, der rechts mit einem intensiv gelben Kornfeld abschließt, ist dem Gebirge unvermittelt kontrastiert. Damit wird trotz suggestiver Naturnähe in der farbigen und atmosphärischen Gestaltung eine transzendente Bedeutung des Gebirges, besonders der Schneekoppe als Gottessymbol, veranschaulicht. Dem blauen Gebirge ist die intensiv grüne Ebene als irdischer Bereich gegenübergestellt. Das gelbe Kornfeld bedeutet das Lebensstadium der Reife, das dem Tod nahe ist.« (Börsch-Supan)
Selbst wenn man dieser Deutung nicht folgen sollte, kann man sich der eigenartigen Dynamik des Bildes nicht entziehen: Der flimmernde gelb-grüne Streifen, der den Raum horizontal wie ein Lichtbündel durchzieht, reißt den Blick des Betrachters in die Bildtiefe, konfrontiert ihn ohne die sonst üblichen Mittel von Bildachse oder Zentralperspektive mit der Größe und Einsamkeit der Natur selbst. SP

Caspar David Friedrich (1774-1840)
88 Frühschnee um 1828
Öl auf Leinwand; 43,8x34,5; Inv. 1057
Ein enger Fahrweg, von tiefen Wagenspuren zerfurcht, führt leicht ansteigend aus freiem Gelände auf einen Tannenhochwald zu, der dunkel hinter den schneebedeckten niedrigeren Tannen des Vordergrundes hochragt. Über dem Waldeingang reißt der Wolkenhimmel ein wenig auf. In Motiv und Komposition besitzt das Bild eine enge Verwandtschaft mit dem ›Chasseur im Wald‹ (um 1813/14). Dort nähert sich ein einsamer französischer Soldat dem Dunkel des Fichtenwaldes. Die dicht hintereinander gestaffelten Bäume sind als Bild für die im Vertrauen auf die Befreiung von der französischen Okkupation zusammenstehenden Deutschen zu begreifen. Während dort patriotisches Gedankengut die Aussage bestimmt, ist dieses im ›Frühschnee‹ zugunsten einer allgemeineren Aussage zurückgenommen: Unter dem Schnee, dem ›Leichentuch der Natur‹, bereitet sich neues Leben vor, das sich auch im Grün der Tannen als übergreifendes Prinzip offenbart. Während sich der Pfad als Sinnbild des Lebens im Dunkel verliert, erweckt der blaue Himmel über den Wipfeln die Vorstellung einer heiteren Gegend hinter dem Wald. Die am Boden durch den Schnee durchscheinende Vegetation ist ein Sinnbild dafür, daß Winter und Tod als Übergangsstadien für ein neues Leben zu begreifen sind. HWS

89

88

Caspar David Friedrich (1774-1840)
89 Nebelschwaden um 1820
Öl auf Leinwand; 32,5x42,4; Inv. 1056
Vor einer Strohhütte, mitten auf dem Feld sitzt ein alter Mann. Neben dem Unterstand ist ein Leiterwagen abgestellt. Ein Krähenschwarm, in der Flugformation annährend die Silhouette der Strohhütte aufnehmend, gleitet über das karge Feld. Der Horizont ist nebelverhangen. Der lebhaft bewegte Wolkenhimmel ist in seiner Farbigkeit vom Widerschein der untergehenden Sonne erleuchtet. Nicht allein der Sonnenuntergang unterstreicht die Sinnbildhaftigkeit dieser herbstlichen Landschaftsdarstellung. Die Rast des in sich gekehrten alten Bauern im verschatteten Vordergrund läßt Gedanken an die Erwartung des nahen Todes aufkommen. Die Krähen gewinnen in diesem Zusammenhang die Gestalt von Todesboten. Der verschleierte Hintergrund suggeriert eine ahnende Schau des Jenseits. HWS

Caspar David Friedrich (1774-1840)
90 Das Eismeer um 1823/24
Öl auf Leinwand; 96,7x126,9; Inv. 1051
Das Bild trug früher den Titel ›Die gescheiterte Hoffnung‹. Erst 1965 stellte sich heraus, daß dieser Titel sich auf ein heute verschollenes Gemälde Friedrichs bezog, während unser Bild 1824 zuerst in Prag und Dresden und dann 1826 in Berlin und Hamburg unter seinem jetzigen Namen ausgestellt wurde. Vermutlich ist Friedrich von einer Nordpol-Expedition angeregt worden, die der Engländer Edward William Parry zweimal, 1819/20 und 1824 zur Entdeckung einer Nordwest-Passage unternahm. Sowohl ein aus dem Englischen ins Deutsche übersetztes Buch als auch Tageszeitungen berichteten damals über die Abenteuer der beiden Schiffe ›Griper‹ und ›Hecla‹ in den Eismassen. Die gescheiterte Expedition wurde 1822 der Dresdener Bevölkerung sogar in einem Panoramagemälde J.C. Enslens vor Augen geführt. Friedrich scheint jedoch schon vorher die Gestaltung eines Schiffsunglückes geplant zu haben, denn anläßlich eines Eistreibens auf der Elbe im Winter 1821 fertigte er mehrere Ölstudien von Eisschollen an, die sowohl beim verlorenen Bild der ›gescheiterten Hoffnung‹ als auch beim ›Eismeer‹ Verwendung fanden. Die Deutungen des Bildes sind verschiedenartig und reichen weit über eine bloße Schiffskatastrophe hinaus: Gegenüber einer religiösen Interpretation hat in letzter Zeit eine politische Deutung an Terrain gewonnen. Demnach wäre ›Das Eismeer‹ ein Sinnbild der Resignation darüber, daß nach den Freiheitskriegen gegen Napoleon in Deutschland die innenpolitische Freiheit gegen die Landesfürsten nicht durchgesetzt werden konnte. »Die nach oben weisende Figur der hochgetürmten Eisschollen ist wie eine stumme Frage und Klage zugleich« (Katalog Dresden 1974). SP

91

Caspar David Friedrich (1774-1840)
91 Ziehende Wolken um 1820
Öl auf Leinwand; 18,3x24,5; Inv. 1058
Eine von Friedrich am 29.6.1811 datierte Zeichnung einer Brockenlandschaft wurde als Vorarbeit zu unserem Bild erkannt. In einen Brief vom 21. Juli 1821 an den Sammler Dr. Wilhelm Körte, Halberstadt, hatte Friedrich ein kleines Verzeichnis fertiggestellter Arbeiten eingeschlossen. Hierin erwähnte er »Zwei Bilder, 10½ Zoll breit und 8 Zoll hoch, beide Erinnerungen an den Brocken von der Höhe. Preis 4 Louisdor«. Da die Maße genau mit unserem Gemälde übereinstimmen, ist in einem der zwei Bilder ›Ziehende Wolken‹ zu vermuten, das Pendent gilt als verschollen. – Für Börsch-Supan ist das Gemälde ein Gleichnis religiöser Erfahrung: Durch die innere Schau wird die Natur selbst zum Sinnbild christlichen Lebens. Demnach symbolisieren die Felsen im Vordergrund den Glauben, der Teich zeigt die Spiegelung des Himmels auf der Erde. Um in die Landschaft hinter den Wolken – das Paradies – zu gelangen, muß der Wanderer erst in das Tal des Todes hinabsteigen. SP

90

92

Friedrich Overbeck (1789-1869)
92 Die Anbetung der Könige 1813
Öl auf Nußbaum; 49,7 x 66; Inv. 2878
Der in Lübeck geborene Overbeck besuchte von 1806-1809 die Wiener Akademie. Zusammen mit Friedrich Pforr gründete er dort den Lukasbund, der sich an der frühitalienischen und altdeutschen Malerei orientierte und in der Bindung an die katholische Kirche eine Erneuerung der Kunst suchte. Der protestantisch erzogene Overbeck trat 1813 zum Katholizismus über. In einem Brief von 1811 zitierte er den Wunsch der Königin von Bayern, ein Gemälde von ihm zu besitzen: »Von dem Maler O. wünsche ich und bitte ich Sie mir ein Bild zu bestellen, und mit dem Preise seien Sie nicht so gar gewissenhaft, denn wenn man etwas Schönes erwartet, läßt man sich die Kosten nicht reuen.« Die Heiligen Drei Könige bringen dem auf dem Schoß Marias sitzenden Kind ihre Schätze dar. »Nun ist es also ausgemacht, ich male die Anbetung der heiligen drei Könige, mein Lieblingsgegenstand, und male ihn für eine fromme kunstliebende Königin!« Es liegt nahe, in der Verehrung des Christuskindes durch die Könige einen Bezug zur bayerischen Monarchin zu sehen, die durch diesen Auftrag gleichsam dem Gottessohn huldigt. HWS

Julius Schnorr von Carolsfeld (1794-1872)
93 Die Hochzeit zu Kana 1819
Öl auf Leinwand; 138,5 x 208; Inv. 2938
Nachdem auf der Hochzeit zu Kana den Gästen der Wein ausgegangen war, verwandelte Christus das Wasser des Brunnens in Wein. Der Heiland steht in der Mitte des Bildes und wendet sich mit segnendem Gestus sechs vor ihm aufgestellten Amphoren zu. Begleitet wird er von Maria und Johannes. Zwei Jünger und zwei kniende Aufwärter sind Zeugen des Wunders. Links reicht ein Diener dem Speisemeister eine Probe des neuen Weins. Rechts, hinter einem Treppenaufgang, sitzt das Brautpaar in einer Laube. Hochzeitsgäste prosten ihm mit dem neuen Wein zu. Im linken Bildmittelgrund, in einer offenen Bogenhalle, warten die an der Tafel versammelten Gäste auf den neuen Trunk. Schnorr malte sich selbst als Gast und Zeuge des Wunders. Hinter dem Lautenspieler steht er am rechten Bildrand neben seiner Schwester und seinem Vater. Der würdevolle Zug, der der Darstellung zugrunde liegt, die auffallende Buntheit, die keiner Seherfahrung entspricht, all dies unterstreicht das Lehrstückhafte des Bildes, das die erste Wundertat des Gottessohnes und die durch Christi Anwesenheit gesegnete Ehe veranschaulichen soll. HWS

93

94

William Dyce (1806-1864)
94 Joas schießt den Pfeil der Erlösung 1844
Öl auf Leinwand; 76x109,7; Inv. 1841
Joas, der König Israels, bat den Propheten Elisa um Beistand und Rat im Kampf gegen die Syrer. Elisa hieß ihn einen Pfeil »gegen Morgen« abschießen und sprach: »Ein Pfeil des Heils vom Herrn, ein Pfeil des Heils wider die Syrer; und Du wirst die Syrer schlagen zu Aphek«. Unser Bild zeigt Joas im Haus des Propheten. Während Elisa, vom Licht getroffen, seherisch die Arme erhebt, ist Joas ganz darauf konzentriert, den Pfeil abzuschießen. Vision und Tat sind hier zusammengefaßt. Das Gemälde ist von einer akademisch kühlen Malweise geprägt. Im harten Lichteinfall kann man jede Sehne der genau studierten Körper erkennen. Ihre Gegensätzlichkeit ist perfekt herausgearbeitet: Elisa ist ein ausgemergelter, faltiger Greis; die Blässe seiner Haut wird durch das Licht noch verstärkt. Fast wie ein Leichentuch wirkt sein graues, dem Gemäuer angeglichenes Gewand, das Gemach selbst wie eine Gruft. Dagegen steht die Jugendlichkeit des Königs. Sein Körper ist elastisch, durch seine Haltung vermittelt er jene kraftvolle Spannung wie sie in der Sehne des Bogens zutage tritt. Die gebräunte Haut und das rote Lendentuch strahlen in der fahlen Umgebung Lebenskraft und Tatendrang aus. Elisa und Joas verkörpern Alter und Jugend, geistige Kraft und körperliche Stärke, Vision und Tat. CV

Joseph Anton Koch (1768-1839)
95 Italienische Ideallandschaft
Öl auf Leinwand; 76,0x103,7; Inv. 1045
Der aus Tirol stammende Künstler ließ sich 1795 in Rom nieder. Dort blieb er, nur unterbrochen durch einen Wien-Aufenthalt (1812-1815), bis zu seinem Tod. Um 1803 entdeckte er für seine Malerei den Eichenhain der Serpentara bei Olevano. Die Eiche war bei den Römern dem Jupiter geweiht. In der deutschen Kunst des 18. Jahrhunderts wurde sie zum Symbol des Heldischen. Die in diesem Eichenhain in Skizzen festgehaltenen Motive gingen in die ›Italienische Ideallandschaft‹ ein (eine zweite Fassung des Bildes befindet sich in der Sammlung Georg Schäfer, Schweinfurt, das Gegenstück, ›Grottaferrata mit Brunnenszene‹ befand sich früher im Städtischen Museum Stettin). Zum Bildvordergrund weitet sich ein seichter Bach. Von links treibt ein Hirte mehrere Rinder zum Wasser. Auf dem gegenüberliegenden Ufer ruhen drei Hirten mit einem Ziegenbock. Im Mittelgrund erhebt sich ein licht bewaldeter Bergkegel. Ein Hirte treibt dort seine Schafe hinauf. Zwischen den Bäumen steht der Torso einer antiken Statue. Gebirge in der Ferne bilden den Hintergrund. Über das Naturstudium Kochs schrieb der Kunsthistoriker Ernst Jaffé 1905: »Er zeichnete ebensowohl ganze Landschaften wie die kleinsten Details. So findet man in seinen Skizzenbüchern viele Pflanzenarten mit äußerster Genauigkeit gezeichnet, als sollten sie zur Illustration botanischer Lehrbücher dienen, oder er porträtierte eine ganze Schafherde in Olevano, die vielleicht der Familie seiner Frau gehörte. Jedes Schaf und jede Ziege ist von seinen Artgenossen genau unterschieden.« Doch dieser Detailrealismus wird im ausgeführten Bild der arrangierenden Hand des Künstlers untergeordnet. Die ausgeglichene Komposition unterstreicht den Eindruck paradiesischer Ruhe. Die Figuren, eher schmückend der Landschaft beigegeben als in ihr handelnd, sind auf einer Ebene angeordnet. Sie beziehen sich in stiller Aufmerksamkeit aufeinander und tragen zu der im Bild waltenden Harmonie bei. HWS

95

96

Friedrich Overbeck (1789-1869)
96 Der Maler Joseph Wintergerst
1809 oder 1811
Öl auf Papier; 16,3x12,8; Inv. 1231
Ein Freundschaftsbild und zugleich die Studie für eine große Komposition. Wintergerst (1783-1867) war wie Overbeck einer jener Studenten der Wiener Akademie, die 1809 den Lukasbund gründeten; 1810 war er in München, 1811 folgte er den Freunden nach Rom, die man dort Nazarener nannte. Der in die Höhe gerichtete Blick, für ein Bildnis ungewöhnlich, erklärt sich im Vergleich mit dem Bild vom Einzug Christi in Jerusalem in der Marienkirche Lübeck (1942 im Bombenkrieg verbrannt), das Overbeck 1809 begonnen hatte: Sechs Jünglinge im Gefolge des Herrn tragen die Züge der Freunde. Ob 1811 in Rom oder 1809 in Wien gemalt, das ernste Bildnis ist als künstlerische Leitung eines jungen Malers erstaunlich. Aus dem knappen Bildausschnitt – so sicher nur in der Studie möglich – spricht ein Hang zur Beschränkung auf das Wesentliche, der zum Geist der jungen Nazarener gehört. In solcher Konzentration erinnert das Bild an die Anfänge der Bildnismalerei im 15. Jahrhundert. HRL

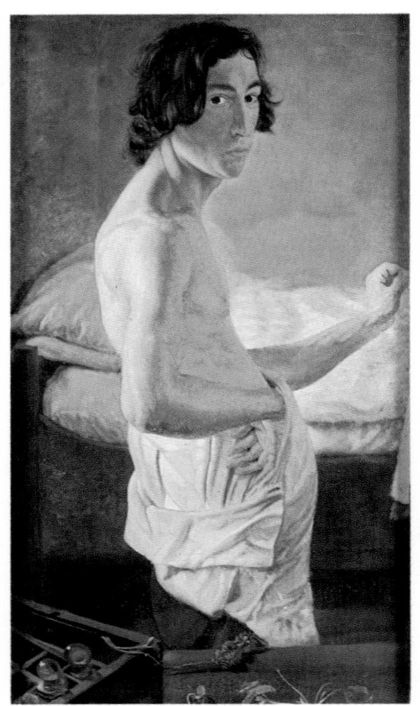
97

Victor Emil Janssen (1807-1845)
97 Selbstbildnis vor der Staffelei
um 1829
Öl auf Papier auf Leinwand; 56,6x32,7; Inv. 2488
»Sein Leben war ... ein beständiger Zweifel an sich selber, so daß er, ungeachtet der liebevollen Bemühungen seiner Freunde, mit seinen Arbeiten nie mehr ins klare kam.« So charakterisierte Wasmann den Freund, den er 1829/30 an der Münchener Akademie kennengelernt hatte. Sein Antlitz dem Spiegel zugewendet, malte sich der Künstler, etwa 22 Jahre alt, vor der Staffelei. Sowohl der nackte Oberkörper als auch der Blick des jungen Mannes lassen sein kränkliches Befinden erkennen, zeigen Anzeichen von Tuberkulose und Anämie. Die von links hereinfallende Helligkeit betont die Kurve des Rückens und macht das verschattete Gesicht noch fahler. Genaue Beobachtung und präzise Zeichnung prägen das Bild. Alles scheint Realität, was bei einem Künstler, der sonst seine Themen aus der Vorstellungswelt schöpfte, seltsam anmutet. Die Blumen im Vordergrund mögen Hinweise auf die Vergänglichkeit allen Lebens sein. HRL

Joseph Anton Koch (1768-1839)
98 Landschaft bei Ronciglione in der Campagna 1815
Öl auf Nußbaum; 33,5x45,7;
Inv. 1044
Das Bild wurde 1815 in Wien gemalt. Dies unterstreicht, daß für Kochs Landschaftsdarstellungen das Zusammenspiel von Skizzen und Erinnerungsbildern unter der Regie einer idealisierenden Komposition maßgebend war.
Links im Vordergrund sitzt eine Familie auf einer Bank. Die Frau spielt auf der Mandoline, während der Mann und das Kind ergriffen lauschen – ein beliebtes Motiv in der Kunst des 19. Jahrhunderts, das den volkstümlichen Charakter der Szene unterstreichen soll. Koch schilderte das Dasein einfacher Menschen in der Natur. Das ländliche Leben wurde zum Zufluchtsort der Zivilisationsüberdrüssigen. HWS

98

99

Carl Rottmann (1797-1850)
99 Blick auf Florenz um 1829
Öl auf Leinwand; 36,3x43,6;
Inv. 2473
Rottmann weilte in den Jahren 1826 und 1829 in Florenz. Das Gemälde ›Blick auf Florenz‹ muß in die Zeit der zweiten Reise datiert werden. Die Stadt ist von einem fiktiven Standpunkt unterhalb des Belvedere gesehen. Rottmann beschränkt sich in seiner Ansicht auf den historisch bedeutsamen Stadtkern: rechts der Palazzo della Signoria, links der hochaufragende, kubische Bau von Or San Michele, dahinter der Dom Santa Maria del Fiore mit dem Campanile. Die Gebäude wirken in dieser Sicht zusammengedrängt, ähnlich einer Idealvedute zu einem signifikanten Zeichen zusammengeschmolzen. Während es sich beim Vordergrund um einen schattigen, abgeschlossenen Bereich ähnlich einem idyllischen Naturrefugium handelt, erscheint im Mittelgrund der Bezirk um den Dom in hellem Licht. Die sanft ansteigenden Berghänge von Fiesole schließen die Darstellung im Hintergrund ab.
HWS

Ferdinand Olivier (1785-1841)
100 Italienische Landschaft 1830
Öl auf Pappe; 14,0x22,3;
Inv. 1070
Ferdinand Olivier lebte seit 1811 in Wien und war dort Mitglied des Lukasbundes. Er fand in diesem Kreis Aufnahme, obwohl er eine Voraussetzung nicht erfüllte – er reiste nie nach Italien. Seit 1825 arbeitete er trotz dieser fehlenden Erfahrungen an italienischen Ideallandschaften. Als Vorbilder dienten ihm die Arbeiten seines Bruders Waldemar Olivier und des Schnorr von Carolsfeld. Beim ›Jägerbild‹ ist die Szenerie bis zum Mittelgrund in auffallend düsteren Farben wiedergegeben. Das Dorf und die dahinter liegende Bergkette erscheinen demgegenüber in einem bemerkenswert hellen Licht. Durch diesen Beleuchtungsgegensatz waltet in dem Bild ein irrealer Zug. HWS

100

101

Heinrich Reinhold (1788-1825)
101 Landschaft bei Olevano 1822
Öl auf Papier auf Leinwand; 17,8x21,8; Inv. 2166
Am 19. Oktober 1824 schrieb Karl Friedrich Schinkel, auf Reisen in Italien, in sein Tagebuch: ».. . Von hier besuchten wir den talentvollen Landschafter Reinhold, der so schöne Naturstudien macht. Ich konnte nicht unterlassen, ihm die Frage vorzulegen, ob er zwölf oder sechzehn seiner Studien weggeben würde, und unter welchen Bedingungen. Gewöhnlich tun es die Künstler nicht, denn selten kommt man wieder an den Platz, um ein neues Studium zu machen, und ebenso selten giebt es geschickte Leute, welche eine Reise so zu nützen wissen, wie er es thut. Für drei Louis-d'or das Stück ließ er mir eine Quantität mit der Bedingung ab, daß er sie bis zu meiner Abreise behalten und copieren könne. Diese Skizzen werden die schönsten Erinnerungen der Reise darbieten.« Reinhold starb zwei Monate später an einem Halsleiden, sein früher Tod wurde von der gesamten deutschen Kolonie, vor allem von seinen Künstlerfreunden, zutiefst bedauert. Unser Bild zeigt die Umgebung von Olevano. In freier ›alla prima‹ Technik gemalt, ist es eine exakte Landschaftsstudie, die in kaum differenzierten Farben die jähen Abstürze der Sabiner Berge mit ihrem typischen Bewuchs vor dem strahlend blauen, etwas wolkigen Himmel festhält. HRL

Heinrich Reinhold (1788-1825)
102 Blick auf Civitella 1821/1824
Öl auf Papier auf Pappe; 16,5x25,7; Inv. 1420
Auf dem Weg zwischen Subiaco und Olevano, auf einer isolierten Anhöhe inmitten einer waldlosen Gegend der Sabiner Berge, liegt Civitella. Reinhold hielt sich während der Sommermonate der Jahre 1821, 1822 und 1824 in Olevano auf, mit ihm die Maler Schnorr von Carolsfeld und Richter. Von letzterem wissen wir, daß Reinhold alle seine Nachmittage damit verbrachte, in der Umgebung zu malen und zu zeichnen. Der Landschaftsausschnitt, den Reinhold hier malte, ist zwei Stunden, gleich ob zu Fuß oder per Eselsrücken, von Olevano

102

entfernt. Der Standort des Künstlers ist noch heute exakt auszumachen. Die Studie ist mit Lasurfarben ausgeführt, aufgrund rascher Malweise ist die untere rechte Ecke leer geblieben. Lediglich das Kalkmassiv und das darauf liegende Dorf hat Reinhold detaillierter ausgeführt. Nichts ist zu spüren vom traditionellen ›Heroismus‹ römischer Landschaften. Diese Sie enthält keine ideale Schönheit, keine arkadischen Idyllen, keine Romantik, hat keine geschichtliche Bedeutung. Sie ist nur ›Wirklichkeit‹. HRL

103

Heinrich Reinhold (1788-1825)
103 Blick auf Civitella um 1822
Öl auf Papier auf Pappe; 15,7x23,1; Inv. 2163
Von den 12 Studien, die Schinkel 1824 von Reinhold erwarb (vgl. Inv. 2166 und 1420), kamen 10 in den Besitz der Kunsthalle. Verglichen mit dem ›Blick auf Civitella‹ zeigt diese, von näherem, aber verändertem Standort aus, die schroffen Felsabstürze, über denen die kleine Ortschaft thront und die sie zu einer fast uneinnehmbaren Festung machen. Mehr als bei den oben beschriebenen Studien scheint hier der Blick des Künstlers noch ›komponierend‹ den Standort gesucht zu haben. In seinem letzten Brief an seine Brüder schrieb Reinhold sein ›gedankliches Vermächtnis‹ zu Natur und Kunst nieder: »Die Natur erreichen zu wollen, wäre Thorheit, wegen Mangel an Stoff und Material, und hier ist der Punkt, wo die Kunst eintritt, und mir die Mittel anzeigt, wie ich durch Gegensätze, kluge Aufopferung, oder durch interessante Ideen und Composition diesem Mangel abhelfen kann, um doch eine angreifende Wirkung hervorzubringen, die aber von der Natur doch sehr verschieden seyn kann, oder wohl auch muß.« SP

Carl Rottmann (1797-1850)
104 Landschaft bei Korinth 1834
Öl auf Papier auf Leinwand; 23,8x22,2; Inv. 1245
Der Blick geht über die Ruine des Apollontempels zum schneebedeckten Parnaß, in der Mythologie der Sitz der Musen unter Führung Apollons. Der doppelte Hinweis auf Apollon, die Leitfigur hellenischer Kultur, ist im Zusammenhang mit der Wiedererrichtung Griechenlands unter König Otto 1834, im Entstehungsjahr des Bildes, zu verstehen. Der Befreiungskrieg gegen die Türken ging von griechischen Hirten aus. Die Darstellung des Hirten im Vordergrund des Bildes spielt darauf an. Zugleich steckt darin ein weiterer Hinweis auf Apollon. Nachdem Apollon die Kyklopen besiegt hatte, wurde er von Zeus für ein Jahr in einen Hirten verwandelt. Die Kyklopen kämpften mit Felsbrocken. Die Felsen hinter dem Hirten machen den mythologischen Bezug deutlich. Die Überwindung der Kyklopen durch Apollon wird in Beziehung zum Befreiungskrieg der Griechen gegen die Türken gesetzt. GH

104

Friedrich Nerly (1807-1878)
105 Vesta- und Sibyllentempel in Tivoli 1834
Öl auf Papier auf Pappe; 54,4x39,8; Inv. 1192
1828 reiste Nerly mit dem Kunstgelehrten Karl Friedrich von Rumohr nach Italien. Er blieb bis zum Jahre 1835 in Rom. Häufig hielt er sich in den Sabiner und Albaner Bergen auf. In Nerlys Ansicht von Tivoli nimmt die bewachsene Felswand fast den ganzen Bildraum ein. Vorsprünge, Risse und langgestreckte Höhlenöffnungen betonen die Vertikalität der Wand. Das Blattwerk ist durch mit lockerem Pinselstrich aufgetragene Farbpunkte angedeutet, die erst im Auge des Betrachters zu einer üppigen Vegetation zusammenwachsen. Demgegenüber zeichnet sich die Darstellung des Vesta- und des zur Kirche umgebauten Sibyllentempels durch vedutenhafte Genauigkeit aus. Die Kultur scheint in Form des im Sonnenlicht erstrahlenden Tempels und der Kirche die wilde Natur zu bekrönen. HWS

105

Karl Blechen (1798-1840)
106 Mühlental bei Amalfi um 1829
Öl auf Papier auf Leinwand; 13,5x21,5; Inv. 1325
Blechen fand erst 1822, nach achtjähriger Tätigkeit im Bankfach, zur Malerei. In den Jahren 1828/29 bereiste er Italien. Im Mai 1829 kam er nach Amalfi und durchwanderte das ›Mühlental‹. Seine Eindrücke hielt er in einer Vielzahl von Bildern fest. Der in dieser kleinformatigen Darstellung gewählte Bildausschnitt erlaubt nur einen knappen Blick auf den strahlend blauen Himmel. Dennoch spiegelt sich die sommerliche Atmosphäre im gleißenden Licht der Sonne wider, das die Farbigkeit der Landschaft aufhellt. Blechen sah Italien ohne die Brille des Historisten und Stilisten. HWS

106

107

Carl Gustav Carus (1789-1869)
107 Goethe-Denkmal 1832
Öl auf Leinwand; 71 x 52,2; Inv. 1157
Carus malte das Bild unter dem Eindruck von Goethes Tod. Der Namenszug des Dichters findet sich auf dem gotisierenden Sarkophag, der einen Altar ohne Retabel formt, und dieser ist der Abendmahl-Tisch der Reformierten. Die beiden Engel erinnern an die Cherubim, die auf der Bundeslade knieten und dort das Allerheiligste behüteten. Doch die Engel sind nicht einem unsichtbaren Gott, sondern einer Harfe – dem Instrument der religiösen Musik – zugewandt. Carus bemächtigte sich religiöser Attribute, die seit der Reformation ihre liturgische Fixierung eingebüßt hatten und füllte sie mit neuen Inhalten. Denn nur das Genie wird aus der Harfe Klänge hervorzaubern. Somit wird die schöpferische Leistung des Künstlers zum Gegenstand der Anbetung. Der Künstler ist wie der verborgene Gott bildlos. Dieser ist überall – so findet die Kultstätte ihren Platz in der freien Natur. HWS

Johan Christian Dahl (1788-1857)
108 Zwei Türme Kopenhagens gegen den Abendhimmel vor 1830
Öl auf Leinwand auf Pappe; 11,5 x 15,2; Inv. 1061
Die Sonne erhellt feine Wolken im Himmel über Kopenhagen. Von der Stadt sieht man nur zwei Türme und die Firste einiger Dächer: neben dem spitzen Turm der Peterskirche den der klassizistischen Frauenkirche, die zwischen 1811 und 1829 gebaut wurde. Aus stilistischen Gründen muß das Bild nach der Rückkehr Dahls aus Italien entstanden sein. Er hat sich von Friedrichs ›Abend‹ (1824, Essen) inspirieren lassen. Während sich dort die Türme der Hofkirche und des Dresdener Schlosses hinter einem Hügel vor einem großen Wolkenhimmel erheben, sieht man hier nur die Spitzen der Glockentürme. Bald ging Dahl dazu über, pure Wolkenstudien zu machen. Er verließ die Grundlagen gefügter Komposition, sein visuelles Interesse begann nun erst oberhalb des Horizonts. HRL

108

109

Friedrich Georg Kersting (1785-1847)
109 Caspar David Friedrich in seinem Atelier 1811
Öl auf Leinwand; 54 x 42; Inv. 1285
In seinen ›Jugenderinnerungen eines alten Mannes‹ schrieb der Maler Wilhelm von Kügelgen: »Es ist von unleugbarem Interesse, geliebte oder ausgezeichnete oder denkwürdige Personen in der ihnen eigentümlichen und ihrem Berufe angemessenen Umgebung zu sehen, die, wo sie sich auf charakteristische Weise gestaltet hat, keine Zufälligkeit mehr ist ... [Friedrichs Atelier] war von so absoluter Leerheit, daß Jean Paul es dem ausgeweideten Leichnam eines toten Fürsten hätte vergleichen können. Es fand sich nichts darin als die Staffelei, ein Stuhl und ein Tisch, über welchem als einziger Wandschmuck eine einsame Reißschiene hing, von der niemand begreifen konnte, wie sie zu der Ehre kam. Sogar der so wohlberechtigte Malkasten nebst Ölflaschen und Farbenlappen war ins Nebenzimmer verwiesen, denn Friedrich war der Meinung, daß alle äußeren Gegenstände die Bilderwelt im Innern stören.«
Genau diese für den Künstler wesentliche Einsamkeit hat Kersting mittels der trockenen, peinlich nüchternen Malweise und der geometrisierenden Durchzeichnung des Innenraumes treffen wollen. SP

Johan Christian Dahl (1788-1857)
110 Das Elbtal bei Dresden
Öl auf Leinwand; 30x41,2; Inv. 1065
Im Vordergrund erstreckt sich die rasenbewachsene Anhöhe von Loschwitz. Der Blick geht über die Elbe, dort sieht man in der Ferne die Umrisse der Stadt mit der Kuppel der Frauenkirche. Dahls ›Ansicht von Dresden‹ begreift man erst in ihrer Eigenart, wenn man sie vergleicht mit C. D. Friedrichs ›Hügel mit Bruchacker bei Dresden‹ (Inv. 1055). Beide Gemälde sind ungefähr gleichzeitig entstanden. Dirksen schrieb 1921 in einem kleinen Führer der Hamburger Kunsthalle: »Friedrich gibt dem simplen Motiv durch die Wahl der Beleuchtung, den kahlen Baum vor dem Himmel, den Krähenschwarm auf dem dunklen Acker eine bestimmte Färbung ins Melancholische, romantisch Schwärmerische. Dahl dagegen sucht den Eindruck der weiten regenfeuchten Landschaft mit dem hohen, silbrigen Himmel darüber im ganzen festzuhalten, ohne sich auf Einzelheiten allzu sehr einzulassen. Er ist nicht so gefühlsbeschwert wie Friedrich, er geheimnißt nichts in die Dinge hinein, er will vielmehr ihrer Erscheinung auf den Grund gehen. Das ist eben das Moderne seines Talentes.« HWS

110

Friedrich Gille (1805-1899)
111 Landschaft 1833
Öl auf Papier auf Pappe; 24,2x31,5; Inv. 2625
Gille war Schüler der Dresdener Akademie und arbeitete in den Jahren zwischen 1827 und 1830 im Atelier des Landschaftsmalers Dahl. Gille liebte es, im Freien umherzustreichen und seine Eindrücke in kleinen Ölskizzen festzuhalten. In seiner ›Landschaft‹ geht der Blick über einen rotbraunen Feldweg hin zu einem frühsommerlich grünen Getreidefeld. Der bewölkte Abendhimmel über dem Horizont nimmt mehr als die Bildhälfte ein. Im ›Artistischen Notizenblatt‹ von 1829 heißt es, daß Gille ein Talent sei, »das sich bemüht vom Copieren weg zur belebenden Naturschau sich zu erheben«. Daß Gille das Malerische gegenüber dem damals dominierenden zeichnerischen Stil der Nazarener vertrat, gibt seinem Werk die kunstgeschichtliche Bedeutung. HWS

111

112

Johan Christian Dahl (1788-1857)
112 Gewitterstimmung bei Dresden
1830
Öl auf Papier auf Leinwand; 20x33,8;
Inv. 1062
Dahl, im norwegischen Bergen geboren, siedelte 1818 nach Dresden über. 1820 bezog er gemeinsam mit Caspar David Friedrich das Haus Terassenufer 13. Diese Hausgemeinschaft währte 20 Jahre. Beide wurden 1824 zu außerordentlichen Professoren der Dresdener Akademie berufen. Während in den Landschaften Friedrichs ein melancholischer, romantisch schwärmerischer Ausdruck vorherrscht, ist Dahls Malerei von der Erfassung des augenblicklichen Gesamteindrucks geprägt. So auch die ›Gewitterstimmung‹. Der Blick gleitet, ohne sich an einem exponierten Vordergrund festhalten zu können, in die Tiefe. Der Gegenstand – die Silhouette Dresdens – tritt in seiner Bedeutung gegenüber der Erfassung des malerischen Gesamteindrucks zurück. Der Bildausschnitt bekommt etwas Willkürliches und nimmt damit Gestaltungsprinzipien des Impressionismus vorweg. HWS

Ferdinand Waldmüller (1793-1865)
113 Alte Ulmen im Prater 1831
Öl auf Mahagoni; 31,7x25,9; Inv. 1350
Am Beginn von Waldmüllers Auseinandersetzung mit der Landschaft steht der ›Prater‹, die von Baumgruppen durchsetzte Wiesenlandschaft am Rande Wiens. Seit 1830 setzte er sich fast 20 Jahre künstlerisch mit dieser Landschaftsszenerie auseinander. Die ›Alten Ulmen‹ wie auch ›Ulmen im Prater‹ (Inv. 1349) sind frühe Zeugen dieser Etappe. Immer wiederkehrendes Kompositionsprinzip sind der Vertikalismus der Bäume – das Ast- und Blattwerk der Ulmen reicht fast bis an den oberen Bildrand – und der niedrige Horizont der Wiesen. Im Mittelgrund, im Hain der Ulmen, ruht ein Mann im Gras. Die kleine Figur unterstreicht die Mächtigkeit der Bäume. Kunstgeschichtlich neu ist die Schärfe des Sehens, die Exaktheit der Detailbehandlung, das alles überflutende Sonnenlicht und schließlich die Bildwürdigkeit einer anscheinend geschichtlich unbedeutsamen Landschaft, deren Auffassung ganz der klassizistisch-romantischen Landschaftskunst entgegensteht. HWS

Schmadl. German Romantic Painting. p. 110

113

114

Ferdinand Waldmüller (1793-1865)
114 Der Junge mit der Stallaterne 1824
Öl auf Eiche; 54,1x45,4; Inv. 1351
Ein junger Knecht entzündet eine Meerschaumpfeife am Feuer einer vor ihm stehenden Stallaterne. Diese reich verzierten Pfeifen waren im 18. Jahrhundert in Mode und begründeten den Ruhm des Wiener Pfeifenschneiderhandwerks. In ungewöhnlich farbiger Weise setzt sich Waldmüller mit dem Problem des künstlichen Lichtes auseinander. In der Illuminierung drückt sich seine Kenntnis der theatralischen Inszenierung aus. Verschiedenartige Lichtwerte sind wirklichkeitsnah wiedergegeben. Waldmüllers Detailinteresse stellt ihn hier in die Tradition Caravaggios und Rembrandts, für die sich die Gegenstandswelt erst im Licht enthüllte. Im späten 18. Jahrhundert – unter dem Einfluß der Aufklärung – wurde das Licht zum Symbol der Vernunft. Im Katalog der politischen Forderungen des Vormärz nahm das Rauchen in der Öffentlichkeit einen wichtigen Platz ein; umgekehrt galt es der Obrigkeit als Zeichen politischer Aufmüpfigkeit. Bemerkenswert ist, daß sich auf unserem Bild ein Stallknecht die Pfeife, das Attribut eines kritischen Kopfes, anzündet. Falls es Waldmüller um mehr als die Faszination des künstlichen Lichtes ging, dann läge dem Bild die Aussage zugrunde, daß die Träger von Vernunft und Fortschritt im einfachen Volk zu finden sind. HWS

Ferdinand Waldmüller (1793-1865)
115 Der Heimkehrende aus dem Kriege 1859
Öl auf Eiche; 41,9x52,7; Inv. 1352
Seit Mitte der 50er Jahre klingen in Waldmüllers Bauerngenre stärker soziale Tendenzen an. In seiner ›Heimkehr‹ greift er das Motiv ›Die Rückkehr des Landwehrmannes‹ auf, das der Wiener Maler Peter Krafft in seinen »Vaterländischen Historien« (1817 und 1820) zweimal behandelt hatte. Das Bild zeigt den heimkehrenden Soldaten, der mit seinem Freund Arm in Arm die Dorfstraße hinuntergeht. Im Entstehungsjahr, 1859, hatte Österreich im italienischen Befreiungskrieg die Lombardei verloren. Ein barfüßiger Junge hält die beiden auf. In Dankbarkeit über die Rückkehr des Soldaten hat er die Hände zum Gebet gefaltet. Auf der Dorfstraße eilen die Mutter und die Schwester dem Heimgekehrten voller Freude entgegen. Waldmüller stellt das wiedergewonnene familiäre Glück in den Mittelpunkt der Bildaussage, eine politische Wertung des verlorenen Krieges läßt sich damit ahnen. HWS

115

Wilhelm von Kobell (1766-1853)
116 Feldweg um 1821
Öl auf Papier; 21,5x30,8; Inv. 1342
Kobell gilt als ein Entdecker der Münchener und der oberbayerischen Landschaft, die er meist mit Figurengruppen zu volkslebenhaften Szenerien ausstaffierte. Sein besonderes Interesse galt den Farben unter Einwirkung des Sonnenlichtes. Der ›Feldweg‹ ist ein Motiv aus der anmutig gewellten, mit einzelnen Baumgruppen bestandenen Gegend nördlich des Tegernsees. Vom vorderen Bildrand führt nach einer Gabelung ein sandiger Weg über einen Hügel in die Tiefe. Aus einem Wald im Hintergrund kommen zwei Kühe heraus. Kobells Studieninteresse ist in diesem Blatt vornehmlich auf die Bodenstruktur gerichtet, d. h. auf Wagenspuren, ausgetretene Pfade und ausgefranste Grasnarben. Die Geländeformation, die sonst nur Kulisse für volkstümliche Szenerien ist, gerät hier in den Mittelpunkt des Darstellungsinteresses. Die Behandlung der Lichtreflexe auf Gras und Blattwerk hat den Charakter von Miniaturmalerei. HWS

116

117

Wilhelm von Kobell (1766-1853)
117 Der Gemsenjäger 1826
Öl auf Leinwand; 37x29,7; Inv. 1347
Kobell war während der napoleonischen Kriege als Schlachtenmaler tätig. Kriegsschauplätze ließen sich am besten aus der Vogelperspektive schildern. Zur größeren Übersichtlichkeit verzichtete Kobell auf rahmende Seitenkulissen. Der Bildaufbau beim ›Gemsenjäger‹ ist durch die vorangegangenen Schlachtenbilder geprägt. Die Begegnung des Jägers mit einer Ziegenhirtin ereignet sich auf einem Berggipfel. Der minutiösen Schilderung der Figuren, Felsen und Pflanzen wird der Ausblick in das Voralpenland unmittelbar entgegengestellt. Der klare Föhnhimmel läßt den Blick in unendliche Ferne schweifen. Der Jäger und die Hirtin werden zwar von ihrer körperlichen Quantität her als Volumen definiert, aber nicht in der stofflichen Qualität der Details charakterisiert. Daher ist ihnen eine puppenähnliche Leblosigkeit eigen. Abgesehen von seiner frühen Orientierung an Cuyp und Potter wurde Kobell hierin vielleicht von Stubbs beeinflußt, dessen Bilder er 1791/92 in England kennenlernte. Jäger, Hirtin und Ziegen sind in einer Dreieckskomposition zusammengeschlossen, deren Spitze beim Hut des Jägers den Horizont überschneidet. Die annähernd zu einer Pyramide aufgeschichteten Felsen im Vordergrund betonen die Figurenanordnung und tragen zu deren hölzern-statuarischen Wirkung bei. GHa

Franz Krüger (1797-1857)
118 Reitender Bote
Öl auf Leinwand auf Pappe; 31,4x36,8; Inv. 1263
Franz Krüger war in Berlin ein gesuchter Militär- und Porträtmaler. In seinen brillanten Reiterdarstellungen zeigt sich seine eigene Erfahrung als Reiter. Das Gemälde ›Ausritt des Prinzen Wilhelm von Preußen in Begleitung Krügers‹ in der Berliner Nationalgalerie ist dafür illustrierendes Beispiel. Der ›Reitende Bote‹ hält mit seinem Schimmel auf einer Landstraße ein. Eine Stute mit ihrem Fohlen sowie ein Hund sind neugierig hinzugelaufen. Trotz dieses genrehaften Zuges klingt in diesem Bild eine Tendenz an, die der Darstellung den Charakter einer Studie zur Gattung Pferd verleiht. Vielleicht schlagen sich hier Krügers früheste künstlerische Anregungen nieder, die er von den Zeichnungen des Ornithologen Johann Friedrich Naumann erhielt. HWS

118

119

Friedrich Wasmann (1805-1886)
119 Frühschnee in Meran um 1831
Öl auf Papier auf Pappe; 23x28; Inv. 1406
Während Wasmann in dem 1840 entstandenen Bild ›Meran im Schnee‹ (Inv. 1405) panoramaartig das Tal um Meran und die angrenzenden Bergmassive wiedergibt, wobei in impressionistischer Manier der Charakter des Wetters und der Luft festgehalten ist, herrscht in dem neun Jahre früher gemalten ›Frühschnee‹-Bild eher eine topographische Schilderung vor.
Es ist der Blick über einen Bach auf eine von Bäumen umgebene Straße, dahinter die Spitalkirche und einige Häuser. Im Hintergrund türmen sich die bekannten Bergzüge unter bedecktem, grauen Himmel auf. Die einzelnen Giebel wurden von Wasmann genauestens festgehalten, so daß ein Einwohner sicherlich die verschiedenen Häuser hätte benennen können. Der Frühschnee ist der überraschende Künder des noch in Ferne geglaubten Winters, der mit Todeskälte gleich einem Leichentuch die herbstliche Vegetation überdeckt. Wasmann benutzte dies als religiöse Metapher: Nach dem Absterben wartet ein neues Aufblühen. Sowohl im »Frühschnee«-Bild als auch in der panoramaartigen Sicht Merans beherrscht eine Kirche die Silhouette der Stadt. Wasmann beschrieb bezeichnenderweise seine Jahre in Meran mit den Worten: »Da ich in Meran der Kirche näher gerückt war ...« HWS

Friedrich Wasmann (1805-1886)
120 Blick aus dem Fenster um 1833
Öl auf Papier auf Pappe; 24,1 x 19,3; Inv. 1389
Wegen seines angegriffenen Gesundheitszustandes zog Wasmann 1830 von München nach Tirol und von dort aus nach Rom, wo er bis 1835 blieb. Das Bildchen, um 1833 entstanden, soll den Blick von der Cervara im Tal von Tivoli nach Subiaco darstellen. Man sieht nicht völlig axialsymmetrisch durch die Fensteröffnung, sondern mit leicht nach rechts verschobenem Standpunkt. So wird links der nach innen geöffnete Flügel sichtbar. In diesem scheinbar willkürlich gewählten Bildausschnitt läßt sich Wasmanns komponierende Hand ablesen. Während der vorderste Bergrücken von links auf halber Bildhöhe ins rechte untere Drittel abfällt, betont der Künstler eine gegenläufige Achse, einen Weg, der den Bergrücken an einem einsam stehenden Haus schneidet. In der Ferne quillt heller Rauch zwischen den Hügeln auf. Der Ausblick in die Natur hat den Charakter eines gerahmten Bildes. Das Halbdunkel des Raumes ist dem gelblichblauen Himmel und den blau schimmernden Bergen vorgeblendet. Wasmann reichert den Ausblick nicht mit den Versatzstücken einer italienischen Sehnsuchtslandschaft an, wie es die romantische Sicht bevorzugt. Der ›Blick aus dem Fenster‹ wird trotz der kompositorischen Ausgewogenheit von einem spontan aufgenommenen Naturstudium bestimmt, das in seiner Skizzenhaftigkeit an den frühen Impressionismus Blechens und Menzels erinnert.
HWS

120

121

Friedrich Wasmann (1805-1886)
121 Meran im Schnee um 1840
Öl auf Papier auf Pappe; 26,3 x 38,4; Inv. 1405
Der Blick fällt vom Tappeinerweg auf das im Tal liegende Meran. Rechts versperrt ein mit einem Turm bebauter Hügel die Sicht auf den westlich von der Spitalkirche liegenden Ortsteil. Die alte Pfarrkirche betont mit ihrem steil aufragenden Turm die Mittelsenkrechte der Komposition. Die Hänge des Bergmassivs im Hintergrund sind mit Neuschnee bedeckt. Während der im Vordergrund liegende Hügel in einem Olivgrün wiedergegeben ist, wählte Wasmann bei den Bergformationen im Hintergrund ein Blau, das sich mit zunehmender Ferne aufhellt. Hintereinandergelagerte rotbraune und graue Farbpartien bilden die Giebel und Dächer von Meran. Vor allem die Berghänge sind locker hingemalt, die Formen des Geländes werden nicht modelliert, sondern geben in impressionistischer Manier die winterlich dunstige Atmosphäre der Bergwelt wieder. HWS

Friedrich Wasmann (1805-1886)
122 Mary Krämer 1845
Öl auf Eiche; 21,7 x 18,2; Inv. 2550
Mary Krämer, geb. Bruce (1797-1871), war die Stiefmutter von Emilie Marie Wasmann, der Gattin des Künstlers. Wasmann, der 1835 unter dem Einfluß des Nazarenertums zum Katholizismus übertrat, lernte 1844 im Haus des Hamburger Realschuldirektors Prof. Krämer seine zukünftige Frau kennen. Die Verlobung fand 1845 statt, nachdem die Schwierigkeiten der unterschiedlichen Glaubenszugehörigkeit überwunden waren. Ein priesterlicher Freund riet ihm, wegen der zu erwartenden konfessionellen Streitfragen bei der Kindererziehung das katholische Südtirol als bleibenden Aufenthalt zu wählen. Mary Krämer (ihr Gatte starb 1845) folgte der Familie des Künstlers nach Meran. Wasmann stellte sie in der Witwentracht dar. Ihrem Blick nach scheint sie die Trauer überwunden zu haben. Die Hände hält sie demutsvoll verschränkt. 1847 trat auch sie zum katholischen Glauben über. HWS

122

Friedrich Wasmann (1805-1886)
123 Ein Hirt mit Flöte 1833
Öl auf Papier auf Pappe; 32,2 x 21,9; Inv. 1388
Die Ölstudie zeigt einen Hirten, der als nach links gewendete Halbfigur wiedergegeben ist. Die Flöte hält er vor der Brust, die Finger sind zum Spiel bereit. Das Licht fällt seitlich ein und hinterfängt die Figur. Der flötespielende Hirte diente als Studie für das Ölbild ›Neapolitanischer Dudelsackpfeifer im winterlichen Rom‹, ebenfalls 1833, wo er als Begleiter des Dudelsackpfeifers auftritt. Im Winter 1832/33 schrieb Wasmann in sein Tagebuch: »Der italienische Winter kündete sich mit dem Pfeifen des Dudelsacks an; indem neapolitanische Hirten, wie es von altersher üblich ist, um diese Zeit nach Rom kommen, ihre einfachen Stücke spielend und etwas dazu singend.« Im ausgeführten Ölgemälde betreten die beiden Musikanten durch einen hohen, rundbogigen Eingang den im Halbdunkel liegenden Wohnraum einer römischen Familie. Das Sonnenlicht fällt auf Hinterkopf und Schulter des eintretenden Flötenspielers. HWS

123

Friedrich Wasmann (1805-1886)
124 Der Kaufmann Johann Ringler aus Bozen 1841
Öl auf Leinwand; 43,8 x 33; Inv. 2519
Wasmann, der vor seiner Übersiedlung nach Meran mehrmals in Tirol weilte, genoß während der Sommerfrische die Gastfreundschaft der reichen Herren und ihrer Familien. Sein Ruf als guter Porträtmaler verbreitete sich rasch. 1841 entstand das Bildnis des jungen Kaufmanns Johann Ringler aus Waidbruck bei Bozen. Wasmann wählte die repräsentative Form des Kniestücks. Der Dargestellte sitzt lässig, mit übergeschlagenen Beinen in einem blauen, bestickten Sessel. Die Arme auf den Lehnen, hält er in der Rechten eine Zigarre, in der Linken ein seidenes Tuch. Im Ausdruck des Gesichts – der Mund verrät ein weiches, verwöhntes Wesen –, in der Haltung und in der eleganten, aus kostbarem Stoff beschaffenen Kleidung äußert sich die Vornehmheit des Auftraggebers. HWS

124

125

Moritz Oppenheim (1799-1882)
125 Der Dichter Heinrich Heine 1831
Öl auf Papier auf Leinwand; 43x34; Inv. 1162
Heinrich Heine kam 1817 neunzehnjährig nach Hamburg. Er lebte bis zu seiner Emigration nach Paris (1831) mit Unterbrechungen sechseinhalb Jahre in der Hansestadt. 1825 promovierte Heine zum Doktor der Rechte. Vom Künstler Oppenheim gefragt, warum er beim Studienabschluß zum Protestantismus übergetreten sei, antwortete der Dichter jüdischer Herkunft: »Es komme ihm schwerer, sich einen Zahn ziehen zu lassen, als seine Religion zu wechseln.« Heine erhoffte sich von diesem Schritt eine bessere Berufsperspektive. Ende der 20er Jahre hatte er sich bereits durch seine Schriften einen Namen gemacht. Heine hielt sich im Mai 1831 in Frankfurt – seinem letzten Aufenthalt in Deutschland – bei M. Oppenheim auf. Bei dieser Gelegenheit entstand das Porträt. Heine sitzt dem Betrachter gegenüber. Der linke, vor die Brust gelegte Arm scheint den Körper abzuschirmen. Das Gesicht wirkt vor dem dunklen Hintergrund wie erleuchtet. Während die Haltung des Dichters Selbstbewußtsein ausstrahlt, wird der Blick eher von Resignation bestimmt. HWS

Alfred Rethel (1816-1859)
126 Der Heilige Martin 1836
Öl auf Leinwand; 28,5x23,5; Inv. 1357
Als Sohn eines Offiziers trat der heilige Martin 331 in die römische Armee ein. Vor den Toren Amiens traf er einen frierenden Bettler, dem er die Hälfte seines Reitermantels mit dem Schwert abtrennte. Bald darauf verließ er die Armee und ließ sich taufen. – Rethel verlegt den Schauplatz der Handlung in eine Landschaft des Mittelrheins. Durch die Kulisse der Stadt mit ihrer Burg wird der römische Legionär zum Ritter des deutschen Mittelalters umgedeutet. Die Heiligenlegende bildet den Rahmen für die Darstellung der Tugend des Ritters. Der deutsche Ritter war eine der Leitfiguren nazarenischer Kunst. Unter Wilhelm von Schadow war Rethel in der Malweise der Nazarener an der Düsseldorfer Akademie bis 1836 ausgebildet worden. GHa

126

Friedrich Wasmann (1805-1886)
127 Neapolitanischer Dudelsackpfeifer im winterlichen Rom 1833
Öl auf Eiche; 62,7x53,9; Inv. 2681
Bei der Beschreibung der Ölskizze ›Ein Hirt mit Flöte‹ (Inv. 1388) wurde darauf verwiesen, daß neapolitanische Hirten in der Adventszeit nach Rom kamen, um dort zu musizieren. In unserem Bild verharren ein Dudelsackpfeifer und ein Flötenspieler im Torbogen. Der Vorhang ist zur Seite geschoben. Die Silhouette der Kirche S. Maria Maggiore und rechts der Torre di Milizia erscheinen in einem kalten, leicht verhangenen Sonnenlicht. Drei Frauen – eine Allegorie der Lebensalter? – sitzen um ein Kohlenbecken, um sich zu wärmen. Die junge, ihr Kind stillende Mutter blickt andächtig auf die Mariendarstellung an der gegenüberliegenden Wand. Ein Herbstblumenstrauß schmückt das Bild der Gottesmutter. Die Hirten und die stillende Mutter, die Wasmann in Beziehung zur Maria setzt, verleihen dem Genrebild Anklänge an die Christusgeschichte. HWS

127

Martin von Rohden (1778-1868)
128 Wasserfall bei Tivoli um 1808
Öl auf Papier auf Leinwand; 47,6x71,6; Inv. 1059
Der 1778 in Kassel geborene Rohden lebte, von kurzen Unterbrechungen abgesehen, seit 1795 in Rom. Dort hatte er seine künstlerische Ausbildung unter dem Einfluß von J.A. Koch und J. Chr. Reinhart erfahren. Trotz der Entfernung von der hessischen Heimat ernannte ihn Kurfürst Wilhelm II. von Hessen 1831 zum Hofmaler. Rohden erhielt ein Jahresgehalt und verpflichtete sich, alle zwei Jahre eine italienische Landschaft nach freier Wahl zu liefern. Angeblich war seine Malweise ›überaus langsam und sorgfältig‹. Der ›Wasserfall bei Tivoli‹ zeichnet sich durch ein spannungsvolles Zusammenspiel der Farben aus. Die in warmem Braun gehaltenen Felsschichtungen und die saftig grünen Wiesen sind vor eine Bergkulisse gesetzt, die im entmaterialisierenden Dunst in einer graublauen Farbigkeit erscheint. Dieses Tivoli mit seinen Wasserfällen und Ruinen hat Rohden immer wieder gemalt. Er glaubte offenbar wie Goethe, daß Tivoli »eines der ersten Naturschauspiele biete«. So gibt es von der Tivoli-Ansicht drei weitere Versionen. Tivoli beschäftigte Rohden nicht allein in künstlerischer Sicht: 1814 heiratete er die Tochter des Sibyllenwirtes von Tivoli. HWS

128

129

Michael Neher (1798-1876)
129 Kirchplatz in Wasserburg am Inn 1838
Öl auf Leinwand; 49x58,5; Inv. 1355
Michael Neher, der Schüler der Münchener Akademie war, hatte den Ruf eines peinlich genauen Architekturmalers. Das ›Kirchplatz‹-Bild ist dafür ein deutlicher Beleg. Während Neher im Vordergrund Gruppen in volkstümlicher Tracht oder im städtischen Kostüm des Biedermeier zeigt, gilt sein Hauptinteresse – was durch die akribische Behandlung deutlich wird – der Architektur. Die spätgotische Pfarrkirche von St. Jacob wurde 1410 von Hans Stetheimer als dreischiffige Hallenkirche mit einem Turm errichtet. 1445-52 wurde der Chorraum von Stephan Krummenauer angefügt. Im Hintergrund sieht man auf einer Anhöhe den Hauptbau der seit 1531 unter Herzog Wilhelm IV. neu errichteten Burg. HWS

Moritz von Schwind (1804-1871)
130 Nixen tränken einen Hirsch um 1845
Öl auf Leinwand; 79,5x54; Inv. 1239
Rechts sehen wir einen Reisenden zu Pferd in einem historischen Kostüm, der gerade eine verfallene Burg verlassen hat, die am linken Bildrand erscheint. Sein Blick geht zurück in das Bergtal, dessen Felsen im rosigen Licht eines Regenbogens erglühen. Die Szene der unteren Bildhälfte in seiner unmittelbaren Nähe entgeht dem Reiter. In einer kleinen Grotte unter einer alten Buche entspringt ein Bach. Zwei Quellenymphen hüten diesen geheimnisvollen Ort. Die linke tränkt einen zierlichen weißen Hirsch mit einer Muschel, während ihn die rechte mit ihrer perlengeschmückten Hand zwischen den Hörnern krault. Schwind schildert eine Phantasielandschaft, deren Versatzstücke zur Illustration der figürlichen Darstellung dienen. Dieses Bild gehört zu den sogenannten Reisebildern, die der Maler als ›Gelegenheitsgedichte‹ bezeichnete. Das Motiv des Wanderers oder Reisenden entstammt der romantischen Landschaftsmalerei. GHa

130

131

Karl Blechen (1798-1840)
131 Im Palmenhaus auf der Pfaueninsel bei Potsdam 1832-34
Öl auf Papier auf Leinwand; 64x56; Inv. 1324
A. D. Schadow errichtete 1829-31 das Palmenhaus für Friedrich Wilhelm III. Auf Anregung Schinkels wurden Teile eines Kioskes aus Burma eingebaut, die sich wie die Palmensammlung Foulchiron in das Konzept des Königs fügte, der Insel das Gepräge der Südsee zu geben. Seit 1830 wohnten hier ein Sandwichinsulaner und ein Schwarzer. Blechens Odalisken entsprechen der auf der Insel bei Berlin realisierten Traumwelt. Die ins Weiß gebrochenen Farben vermitteln die heiter überstrahlende Lichtfülle ›indischer‹ Paläste, wie sie sich der Europäer erträumte. A. W. Schlegel hatte die Vorliebe für den Orient durch seine ›Indische Bibliothek‹ geweckt, die sich u. a. in Spontinis Oper ›Nurmahal‹ äußerte. GHa

Eduard Gaertner (1801-1877)
132 Neue Wache, Zeughaus, Kronprinzenpalais und Schloß in Berlin 1849
Öl auf Leinwand; 58x118; Inv. 1326
In strahlendes Nachmittagslicht gebadet, unter fast wolkenlosem Himmel erscheint die beliebte Flanier- und Prachtstraße Berlins ›Unter den Linden‹ als ›Vedute‹ der aufstrebenden königlichen Residenzstadt. Spaziergänger, vereinzelt oder in Gruppen, beleben das Bild, das damit einen genrehaften Zug annimmt. Dem preußischen Sinn für Sauberkeit und Schlichtheit entspricht die klare, kühle Wiedergabe, die ohne dramatische Effekte von Licht und Komposition auskommt. Der Standpunkt ist so gewählt, daß die horizontale Ausbreitung der Gebäude betont wird und damit Ruhe und Ordnung suggeriert wird, die ›erste Bürgerpflicht‹ der Preußen nach der gescheiterten Revolution vom Vorjahr. SP

132

133

Friedrich Dieterich (1787-1846)
133 Die Familie Rauter 1836
Öl auf Leinwand; 110,5x89,5; Inv. 1467
Dargestellt sind der Jurist Johann Nepomuk Rauter, der in Stuttgart Abgeordneter war, mit seiner Frau Marianne und den beiden Kindern Bertha und Eduard.
Vor dem großblättrigen Rankenwerk einer Laube posiert die Familie. Der Vater dominiert in der Mittelsenkrechten des Bildes. Trotz dieser Stellung hat seine Erscheinung keinen vordergründig repräsentativen Charakter. Die Augen niedergeschlagen, wirkt er in sich gekehrt. Der Blick der Frau ist auf den Betrachter gerichtet. Vor dem Ehepaar stehen die Kinder, die Köpfe liebevoll einander zugewandt. Während das Mädchen ähnlich der Mutter den ›Außenkontakt‹ herstellt, verliert sich der Blick des Jungen im Träumerischen. So wie in diesem Bild nicht die Männer ›den Ton anzugeben‹ scheinen, ist auch ihr soldatisches Attribut, die Trommel, ihres lauten Charakters beraubt. Im Schlagfell der Trommel steckt ein Blumenstrauß. HWS

134

Ferdinand von Rayski (1806-1890)
134 Der Bankier Wilhelm Christian Benecke von Gröditzberg 1841
Öl auf Leinwand; 198x118,5; Inv. 1956
Rayski war seit den späten 30er Jahren des 19. Jhs. vornehmlich als Porträtmaler tätig. Gustav Pauli schrieb über ihn: »... im übrigen liebte er die Jagd und schöne Pferde und war auf den Rittergütern Sachsens und sonst in manchem vornehmen Hause Deutschlands ein gern gesehener Gast.« Der Dargestellte, W. Ch. Benecke (1777-1860), war Bankier in Berlin. 1822 erwarb er die Herrschaft Gröditzberg in Schlesien. Für die Wiederherstellung der Burg, die man im Hintergrund auf einem Hügel sieht, wurde er 1829 geadelt. In der rechten oberen Bildecke findet sich das Familienwappen. Benecke ist stehend als Ganzfigur wiedergegeben, in einem Ehrerbietung abverlangenden Porträttypus. Das Ritterkreuz des Preußischen Roten Adlerordens im Knopfloch hebt sich deutlich vom dunklen Revers ab. Die Darstellung der hügeligen Landschaft besitzt keine Raumtiefe. In dieser Auffassung schlägt sich der Einfluß der englischen Porträtmalerei nieder, die den Hintergrund wie ein Bühnenbild auffaßt. HWS

135

Johan Christian Dahl (1788-1857)
135 Schiffbruch an der norwegischen Küste 1831
Öl auf Leinwand; 78,9x114,6; Inv. 5119
An den Felsen einer norwegischen Küstenlandschaft ist bei aufgepeitschter See ein Zweimaster gestrandet. Die Seeleute versuchen, die Ladung zu bergen. Das gestrandete Schiff wird in der bildenden Kunst oft als Symbol einer gescheiterten Hoffnung aufgefaßt. Die Fahrt hat an den Untiefen und Klippen des Lebens ein Ende gefunden. Der Marinemaler Joseph Vernet löste in der zweiten Hälfte des 18. Jahrhunderts das Thema Schiffbruch aus den allegorischen Sinnbezügen und beschränkte sich auf eine dokumentarische Wiedergabe des Geschehens. Ähnlich faßt Dahl dieses Thema auf. Er ›berichtet‹ von der alltäglichen Gefahr der Schiffahrt an der norwegischen Fjordenküste. Er fertigte mindestens elf Fassungen dieses Bildes an, dessen reportagehafter Charakter, freilich auf dem Hintergrund eines heroisch anmutenden Naturschauspiels, gesehen werden muß. HWS

Andreas Achenbach (1815-1910)
136 Brandung an felsiger Küste 1835
Öl auf Leinwand; 48,5x63; Inv. 1304
Im Vordergrund des Bildes rollen die Wellen auf einen mit Steinblöcken übersäten Strand. Aus der Brandung erhebt sich ein Fels gleich einem versteinerten Meerungeheuer. Rechts im Mittelgrund wird ein Segler von der Gewalt der Flut gegen die schroffe Felswand gedrückt. Über wild aufgetürmte Wellenberge geht der Blick zum Horizont, wo man ein zweites Schiff wahrnimmt. Dort reißen die Wolken auf. Sonnenlicht verkündet den Abzug des Unwetters. Die Lokalisierung der Szenerie bleibt unklar. Angeregt wurde Achenbach vermutlich von den in der holländischen Marinemalerei immer wieder aufgegriffenen ›Schiffbruch‹-Motiven. Wie dort inszeniert Achenbach in seinem ›Brandungs‹-Bild den Kampf des Menschen mit den Gewalten der Natur. HWS

136

Karl Blechen (1798-1840)
137 Stürmische See mit Leuchtturm
Öl auf Leinwand; 72x115; Inv. 1951
Blechen malte das Bild, ohne das Meer gesehen zu haben. Er behalf sich mit Stichen des Marinemalers Joseph Vernet. So verrät das Bild denn auch die Unvertrautheit des Malers mit dem Sujet. Die Wellen wirken in ihrer Erdfarbenheit wie zu felsigen Formationen erstarrt. Rechts, zum Hintergrund hin, ähneln die Fluten einer Dünenlandschaft. Vor den aufreißenden Wolken erhebt sich ein steiler Felsen. Auf seiner Spitze ragt – im Schnittpunkt der Bilddiagonalen – ein schlanker Leuchtturm gegen das feuerscheinartige Sonnenlicht. Bei diesem Bauwerk hat Blechen auf Ansichten des Leuchtturms von Genua zurückgegriffen. Dieses topographisch exakte Detail ist in eine phantastisch anmutende Szenerie eingebettet. Die vier Elemente – Luft, Wasser, Feuer, Erde – haben bizarre Formen angenommen, was eine Weltuntergangsstimmung wie in Sintflutdarstellungen heraufbeschwört. HWS

137

Albrecht Adam (1786-1862)
138 Ein herrenloses Pferd auf dem Schlachtfeld von Moshaisk 1834
Öl auf Eiche; 52,4x68,6; Inv. 1246
Der Hofmaler des italienischen Vizekönigs Eugene Beauharnais war Augenzeuge der Schlachten des napoleonischen Feldzugs gegen Rußland 1812/13 und hielt sie in Zeichnungen fest. Unser Bild entstand 21 Jahre nach dem Feldzug. Durch den düster verhangenen Himmel bricht Licht hindurch, das wie in der Malerei des Barock von links oben den Hauptgegenstand der Komposition, das herrenlose Pferd, betont. Das zerschundene Tier senkt seinen Kopf in Richtung auf einen Pferdekadaver, der ihm sein bevorstehendes Schicksal vor Augen führt. Der Kürassierhelm deutet auf den gefallenen Reiter hin. Das Pferd steht an einer aufgegebenen Geschützstellung. Wie die Kanone ist es für den Rückzug nutzlos geworden. Der Baum richtet die Stümpfe seiner Äste in Richtung auf das Schlachtfeld, das noch im Kanonenfeuer glüht, während die Zweige vom Wind nach links gebogen werden und auf die Fluchtrichtung der Kürassiere hinweisen. GHa

139

Ludwig Richter (1803-1884)
139 Genoveva 1841
Öl auf Leinwand; 116,5x100,5; Inv. 1236
Die brabantische Herzogstochter wurde der ehelichen Untreue verdächtigt und mit ihrem Sohn zum Tode verurteilt. Die mitleidigen Henker setzten sie in der Wildnis aus, wo der Knabe von einer Hirschkuh gesäugt wurde. Erst nach 7 Jahren kam die Unschuld Genovevas an den Tag. Sie beschloß ihr Leben als Heilige. – Richter wählt nicht einen dramatischen Höhepunkt der Handlung, sondern schildert Genovevas Aufenthalt in der Wildnis. Die undurchdringliche Finsternis des Waldes verschließt den bühnenähnlichen Vordergrund und läßt nur einen kleinen Ausschnitt des Himmels sichtbar werden. Am Ufer des Bachs jedoch erscheint eine kleine blumengeschmückte Wiese wundersam in strahlendem Sonnenlicht. Hier weilt Genoveva mit ihrem Kind vor einer Felsenhöhle, an deren Eingang ein Kreuz auf den unerschütterlichen Glauben ihrer Bewohner verweist. Das Weiß der Hirschkuh deutet auf die Reinheit der Heiligen hin, das Taubenpärchen als Symbol der ehelichen Treue auf ihre Unschuld. Richter greift die Bildtradition der Madonna im Paradiesgarten auf. Die Eidechsen vorn rechts versinnbildlichen die Seelen der Verstoßenen, die das Licht Gottes suchten und fanden. GHa

138

140

Adolph Menzel (1815-1905)
140 Die Aufbahrung der Gefallenen der Märzrevolution in Berlin 1848
Öl auf Leinwand; 45x63; Inv. 1270

Als Menzel am 21. März 1848 nach langer Abwesenheit Berlin wiedersah, begegneten ihm überall die Spuren des Aufstandes vom 18./19. März. Die Zeremonie der Aufbahrung gefallener Bürger auf dem Gendarmenmarkt festzuhalten, war ihm die Anstrengung eines detaillierten Gemäldes wert. Zwar ließ er es – enttäuscht von den Folgen des Ereignisses – unvollendet. Dennoch bleibt die Darstellung aussagegewaltig genug. Bannend wirkt die schwarze Sargpyramide unter dem lastenden Giebel der neuen Kirche. Ihre strenge Düsternis setzt sich gegen die brodelnde Volksmenge durch, deren Erregtheit offenbar noch von den vergangenen Kämpfen geprägt ist, so wie diejenige der beflaggten sonnenbelichteten Straße links von deren Zielen. Durch die Menge des Vordergrundes läßt Bürgermiliz einen noch unverhüllten Sarg passieren. Vor dem Opfer dieses Einzelnen hat ein vornehm gekleideter Herr den Hut gezogen. Auch dieser Sarg wird den Respektabstand zwischen Zuschauern und Kirche durchqueren und in die Opferpyramide eintauchen. Deren düstere Erscheinung nimmt ein anderer einzelner Mann auf und trägt seine Trauer rechts im Vordergrund dem Betrachter entgegen. GH

Adolph Menzel (1815-1905)
141 Die Schwester Emilie im Schlaf
um 1848
Öl auf Papier auf Leinwand; 46,8x60; Inv. 1267

Die müde in eine Sofaecke hingesunkene Frau hat ihr Gesicht in ein Kissen fallen lassen. Doch ist sie damit nicht in Anonymität getaucht. Vielmehr vergegenwärtigte Menzel die Persönlichkeit seiner Schwester Emilie in jeder unbewußten Gebärde. Dabei ließ er keine Dissonanz aufkommen, wie er sie sonst so virtuos zu handhaben wußte, wenn er seine Mitmenschen aus ironischer Distanz beobachtete. Hier ließ er die undekorative Schwere der rechts aufblühenden Farben im Einklang mit der Gebärde der Dargestellten sich entfalten. Auf diese bezogen empfindet man auch die Schönheit des Rot-Blau-Gelb-Klanges neben dem distanzgebietenden Faltengebirge des braunen Rockes. So äußerte sich die Harmonie seines häuslichen Lebens, wenn Menzel – wie hier – einen ihm nahestehenden Menschen in einem intimen Augenblick wiedergab. Den Grund für diese Harmonie im Zusammenleben legte er 1832, als er mit 17 Jahren nach dem frühen Tod des Vaters die Verantwortung für die Mutter und 2 jüngere Geschwister übernahm. Emilie vergalt es ihm mit lebenslanger Fürsorge, die sie auch nicht unterbrach, als sie 1859 den Musikdirektor Krigar heiratete. Sie starb 1907. GH

141

142

Adolph Menzel (1815-1905)
142 Friedrich der Große in Lissa: Bon soir, Messieurs! 1858
Öl auf Leinwand; 247x190,5; Inv. 1271
Der König tritt, von seinem Husarengeneral Ziethen gefolgt, ins Treppenhaus des Schlosses von Lissa, wo die Offiziere der österreichischen Truppen Nachtruhe gesucht hatten, nun aber aufgeschreckt sich dem feindlichen Heerführer gegenübersehen, den sie von der Armee gedeckt glauben mußten. Dabei hatte sich Friedrich nur – von wenigen begleitet – einer Brücke in der Nähe versichern wollen. Erst als seine Schar beschossen wurde, sandte er Boten, Verstärkung zu holen, und entschloß sich tollkühn, kraft seiner Persönlichkeit im Hauptquartier der Gegner die Situation zu meistern. Wie ihm dies gelang, schildert Menzel: Stürzen die Österreicher einander bedrängend die Windung der Treppe hinunter – ähnlich den Verdammten in Darstellungen des Jüngsten Gerichts –, so bleibt um Friedrich eine Respektdistanz, in der sein entschiedener Schritt und die grüßende Gebärde bannende Gewalt gewinnen können. Das Gemälde blieb unvollendet, da der Gemahlin des Auftraggebers, der Herzogin von Ratibor, die Szene zu wüst erschien. Doch kommt die ungestüme Breite der Ausführung der Wirkung der turbulenten Szene zugute, so hat es der alternde Künstler selbst empfunden. Dadurch unterscheidet sich das Bild von den anderen verschiedenformatigen Darstellungen Menzels aus dem Leben Friedrichs des Großen in den fünfziger Jahren. – Das gespenstische nächtliche Auftreten des preußischen Königs in der Toröffnung des Schlosses von Lissa hatte Menzel schon in der 1840 erschienenen ›Geschichte Friedrichs des Großen‹ von Kugler in der dort gebotenen Kurzform gestaltet. War Menzel mit den Illustrationen dieses Buches als Künstler bekannt geworden, so gelang ihm mit der Gemäldereihe gleichen Themas der Durchbruch als Maler, die er sich als Autodidakt hatte erwerben müssen. GH

143

Adolph Menzel (1815-1905)
143 Atelierwand 1872
Öl auf Leinwand; 111 x 79,3; Inv. 1266
Als ein Werk aus Menzels persönlichem Bereich ist es von erstaunlich großem Format. Man sieht einen Teil der Atelierwand, behangen mit Gipsabgüssen. In der Mitte von Menschen- und Tierköpfen erscheint strahlend betont ein Torso nach der Venus von Milo, während daneben ein männlicher Torso, dem Laokoon ähnlich, sich kaum den Schatten entringt. Alle Fragmente sind scharf von unten beleuchtet und wirken dadurch auf ungewohnte Weise verlebendigt, überdies werden sie gespenstisch von ihren Schatten überfangen. Voll dem Licht zugewandt ist allein der Kopf neben dem weiblichen Torso, ein Bildnis Friedrich Eggers. Auf solche Weise zeichnete Menzel seinen Freund aus, der erst zwei Monate zuvor gestorben war. Gab sein Tod die Anregung, das Bild als eine Art memento mori zu konzipieren? – es ähnlich einer Beschreibung zu gestalten, die der Kunsthistoriker Eggers vom Atelier Menzels 1854 veröffentlicht hatte, – zugleich ein Denkmal mit allgemeingültigem Sinn zu setzen? – Jedenfalls malte Menzel neben das Profil Dantes in der unteren Reihe Schere und Faden – Utensilien der Parzen – und sein eigenes Abbild, in der Mitte der oberen Reihe am weitesten dem Schatten entgegengehoben. Nicht alle an der Wand vergegenwärtigten Personen sind identifiziert: Ob in dem Kopf der rechten unteren Ecke die Züge Goethes oder Richard Wagners gemeint seien, ist umstritten. Vielleicht wollte Menzel aber auch Unbekannte, wie die Kinder, zwischen die Ruhmträchtigen einreihen, da ihr Leben aus ebenso großer Fülle abgebrochen wurde.
GH

Adolph Menzel (1815-1905)
144 Im Opernhaus 1862
Öl auf Papier auf Pappe; 51,5x43,2; Inv. 1268
1861 erhielt Menzel den Auftrag, die Krönung Wilhelms I. in Königsberg zu malen. Seither regten ihn Erfahrungen mit Personen hohen Ranges an, deren Lebenswelt in Bildern zu erfassen. Hatte er noch 1856 im ›Théâtre Gymnase‹ den Blick auf die Bühne gelenkt, so rückte er nun das hohe Publikum der Logen in den Mittelpunkt des Interesses, würdegewohnte Menschen in Abendrobe, die vor Beginn einer Aufführung oder nach einer Pause ihre Sitze aufsuchen. Im linken der beiden Durchblicke nehmen in der rot überhangenen Königsloge eine Prinzessin und ihr Begleiter in nahezu paralleler Haltung Platz. Das vorne von rechts heraneilende Paar bewahrt dagegen nur mühsam Zusammenhalt. Während der Mann über sein Ordensband hinweg auf jemanden, den der Maler diskret außerhalb des Bildfeldes ließ, blickt, schiebt sich ein Mann mit unmißverständlichem Gruß zur Dame hin zwischen das Paar. GH

144

Adolph Menzel (1815-1905)
145 Im Louvre 1867
Öl auf Eiche; 23,6x18; Inv. 2457
Dreimal hat Menzel eine Reise nach Paris unternommen: 1855, 1867 und 1868. Das vorliegende Bildchen beweist, daß Menzel 1867 neben der Weltausstellung den Louvre nicht vernachlässigte. Dabei mochten ihm Szenen wie die hier geschilderte häufig begegnet sein. Denn es war Künstlern selbstverständlich, sich an Werken anerkannter älterer Meister durch Kopieren zu schulen. Allerdings sah Menzel die besonders ehrgeizige Bemühung der hier wiedergegebenen Malerin um ein (bisher nicht identifiziertes) Monumentalwerk mit Ironie, sah sie eingezwängt zwischen Leiter und Leinwand, dem Leben entfremdet. Andererseits kennzeichnete Menzel die beiden müßigen Damen vor der Leiter als ebenso eitel, in ihrer Selbstgefälligkeit von einem Herrn bestätigt, der sich offenbar von seiner Kopistentätigkeit hat ablenken lassen. GH

145

Adolph Menzel (1815-1905)
146 Im Boudoir 1851
Öl auf Leinwand; 36,6x28,3; Inv. 1274
Das kleine Genrebild ist von zitternden Spannungen erfüllt, die sich dem Betrachter mitteilen, ohne sich in allen Schwingungen offenlegen zu lassen. Augenscheinlich besteigt die jüngere der beiden dargestellten Damen einen Rohrstuhl, um mit einem weiß aufleuchtenden Tuch einen Vogel zum Schweigen zu bringen. Das goldverzierte Zinnober des chinesisch bizarr geformten Käfigs ist tatsächlich ein Unruhefaktor in der Farbigkeit des Bildes, der andeutet, wie das Tier die Frauen irritiert. Es bleibt indessen die Frage, ob nicht die junge Frau selbst in ihrem pompösen gelben Morgenmantel den eigentlichen Unruheherd bildet. Ihre alte Gefährtin sitzt jedenfalls in sich verschränkt zwischen jenem gelben Mantel und dem düster am rechten Rand hochragenden Sekretär. Immerhin noch vom Tageslicht gestreift, blickt sie sinnend über das Blatt Papier in ihrer Hand hinweg, offenbar unfähig, sich auf den Text zu konzentrieren. GH

146

147

Wilhelm Leibl (1844-1900)
147 Gräfin Rosine Treuberg 1878
Öl auf Leinwand; 104x82; Inv. 1535
Graf von Treuberg hatte Leibl im Sommer 1877 nach Schloß Holzen eingeladen, um seine Gattin porträtieren zu lassen. Leibl war sehr bemüht um das Gelingen des Auftrages, er malte die Gräfin zweimal. Nur das Bildnis in Tempera auf Holz (Wien) wurde vollendet, unsere Version in Öl auf Leinwand blieb unfertig. Vielleicht wirkt sie gerade deshalb so locker und elegant, sehr französisch. Leibls Konzept der Bildkomposition stand von Anfang an fest, Korrekturen nahm er nur am Arm und an der mit dem Fächer spielenden Hand vor. Kein Bild Leibls zeigt deutlicher die beiden Pole, zwischen welchen seine Kunst sich entwickelte: im skizzierten Teil die Leichtigkeit der Pinselzüge, wie man sie auch von unvollendeten Bildern der großen Impressionisten her kennt – Leibl war 1869/70 als Freund Courbets in Paris – im ausgeführten Gesicht der Gräfin die dicht geschlossene Oberfläche des soliden Handwerkers, der sich an alten deutschen Meistern wie Holbein und Dürer orientierte. SP

Wilhelm Leibl (1844-1900)
148 Leibls Nichte Felicia Kirchdorffer 1896
Öl auf Mahagoni; 34,8x26,1; Inv. 5097
»Ich betreibe meine Kunst in dem Sinne, daß ich meine Befriedigung weniger in der Erlangung und Zusammenhäufung zeitlicher Güter sehe, sondern in dem Bewußtsein, etwas zu schaffen, was ein Teil von meinem Inneren ist und wovon ich weiß, daß es noch lange nach meinem Tod fortleben wird.« Diese Suche nach dem Unvergänglichen war der Kern von Leibls außergewöhnlicher Porträtkunst. Über die genaueste Beobachtung der äußeren Erscheinung des Gegenübers war er imstande, seelische Regungen zu erfassen. »Man male den Menschen, wie er ist, da ist die Seele ohnehin mit dabei«, sagte er. Von schönfärbender Idealisierung hielt er nichts. Was in der Natur störe, solle auch im Bild stören. Tatsächlich spürte er den zartesten Nuancen eines Gesichtes nach, setzte sie um in Malerei, deren freie Pinselzüge hier keine Erinnerung mehr an frühere altmeisterliche Formstrenge zeigen, sondern sich eher dem Charakter dieser Menschlichkeit und Wärme ausstrahlenden Frau unterordnen. SP

148

149

Wilhelm Leibl (1844-1900)
149 Bayrisches Mädchen 1897
Öl auf Leinwand; 60x48; Inv. 1536
1873 zog sich Leibl, von München enttäuscht, in die ländliche Abgeschiedenheit der bayerischen Voralpen zurück. Seine Jagdleidenschaft erleichterte dem grüblerischen Künstler den Kontakt zur einheimischen Bevölkerung, die zum Gegenstand seiner Malerei wurde. Seine als ›Bauernschönheiten‹ verspotteten weiblichen Modelle hoben sich in ihrer gesunden Natürlichkeit kraß ab vom süßlich-bleichen Frauenideal der Salonmalerei. Leibls Köchin, die ›Malresl‹, porträtierte er als ›bayrisches Mädchen‹ in der Tracht der Inntaler Bauern. Aus dem dunklen Umraum taucht sie ins Licht ein. Hut und Kleid bilden einen kostbaren Rahmen für das junge, ernste Gesicht. Als sensibler Psychologe erfaßte Leibl einen Anflug von Schwermut in ihrem Blick, der eher das eigene Innere als den Betrachter zu suchen scheint. Geist und Leben versinnbildlichen auch die warmen Farbtöne ihres Kleides, ihres goldfarbenen Hutschmuckes. Um die in diesem Bilde bezeugte technische und koloristische Brillanz wurde Leibl von vielen Künstlerkollegen beneidet. SP

150

Wilhelm Leibl (1844-1900)
150 Drei Frauen in der Kirche 1882
Tempera auf Mahagoni; 113x77; Inv. 1534
Gemäß seiner Auffassung, daß ›das Wahre das Schöne sei‹, suchte Leibl diese These mit immer größerer Ausschließlichkeit in der Darstellung des Menschen zu belegen. Das ›Wahre‹ schien ihm in einer Umgebung, der jede Künstlichkeit fern war, am ehesten greifbar. Im einfachen ländlichen Leben war die ›Natur‹ noch unverfälscht, galt das Natürliche als schön. Die Schönheit aus den bäuerlichen Modellen herauszumalen, kostete Leibl bei den ›Drei Frauen in der Kirche‹ mehr als drei Jahre Mühsal: Er saß beim Malen, so dicht es irgend ging, vor den Modellen, die niemals ihre Position ändern durften. Im Winter litt er mit den Bäuerinnen, die er für das Modellsitzen bezahlte, unter der Eiseskälte in der Berblinger Kirche, Krankheit der Modelle verzögerte die Arbeit. Er hatte, in seinem Bestreben, der ›Wahrheit‹ so nahe wie möglich zu kommen, die gelockerte Malweise der früheren Bilder und die Ölfarbe aufgegeben und zur Tempera, dem Malmittel der alten Meister, gegriffen. Dies erlaubte ihm, das Zeichnerische und das Malerische zu einer Einheit zu verschmelzen, in deren emailartiger Oberfläche das ›Handwerkliche‹ nicht mehr durchschaubar war. SP

151

Hans Thoma (1839-1924)
151 Selbstbildnis 1871
Öl auf Leinwand; 105,5x77,5; Inv. 1544
Als erstes von insgesamt sieben Selbstbildnissen entstand dieses in München. Thoma malte sich, bereits zweiunddreißig Jahre alt, in städtischer Kleidung vor einer folienhaft flachen Natur. Mit angestrengtem Gesichtsausdruck und steiler Falte über der Nasenwurzel blickt er starr und frontal aus dem Bild heraus. Diese ängstliche Gespanntheit steht in merkwürdigem Widerspruch zum eleganten Schwung des braunen Hutes, der die Farbe seines kurzen Vollbartes wiederholt. Widersprüchlich ist auch das Lässigkeit vorgebende Übereinanderschlagen der Beine und das steife, aber bewußte Präsentieren der mageren, blaugeäderten Hand, die das Geistige der Künstlerexistenz signalisieren soll. Thoma, dem Leibl-Kreis freundschaftlich verbunden, ist 1868 in Paris gewesen. Von Courbet, der ihn am meisten beeindruckt hatte, sind Farbskala und Malweise angeregt: Wie der blasse Teint der Hand zum mit rötlichem Braun gebrochenen Blaugrau der Hose steht, wie das dunkle Braun des Jacketts sich zum Schwarz der Weste, dem Weiß des Hemdes verhält. Das Grün des Hintergrundes, dessen Geäst den Schwung der Hutkrempe weiterführt, ist in der Art Courbets gespachtelt. Doch zeigt die Unsicherheit der Pose wenig von der genialischen Kühnheit des Franzosen. SP

Hans Thoma (1839-1924)
152 Vorfrühling um 1870
Öl auf Leinwand; 60x98; Inv. 1310
Regenlandschaften scheinen Thoma fasziniert zu haben, sie finden sich häufiger in seinem Werk. Die melancholische Stimmung eines wasserschweren Wolkenhimmels, der die Welt verdüstert, hat er hier in dem Augenblick festgehalten, in dem das Licht wieder hervorbricht, die Wiesen, die es trifft, fahl aufleuchten läßt und mit der Feuchtigkeit der Luft einen Regenbogen bildet. In seinem Farbenspektrum äußerst gedämpft, steht er in harmonischem Einklang mit den reich changierenden, fast schwermütigen Farben der Natur, in der die Menschen mit ihrer bunten Kleidung wie Blumen aufleuchten. Im lockeren, freien Farbauftrag steht dieses Bild noch ganz unter dem frischen Eindruck der französischen Malkultur nach Thomas Parisreise 1868. SP

152

153

Hans Thoma (1839-1924)
153 Feierabend 1868
Öl auf Leinwand; 157x115,3; Inv. 2734
Die fromme Abendidylle wurde im Garten von Thomas Geburtshaus in Bernau-Oberlehen gemalt. Von den bergigen Hängen der Schwarzwaldlandschaft schließt ein Lattenzaun die friedliche Gruppe ab, in deren Andacht die dörfliche Realität lediglich in Gestalt eines sich nähernden Huhnes eindringt. Aus der Spannung zwischen spontaner Wirklichkeitsbeobachtung und gewolltem Konzept lebt das Bild. Die Komposition betont das Aneinanderrücken der Menschen am Abend: Dicht sitzen Mutter und Schwester gegen die Zaunecke beisammen, im Rücken ›beschützt‹ von Buschwerk und einer Holzwand. Mit Inbrunst konzentriert lesend die alte, abgehärmte Mutter, mit niedergeschlagenen Augen und gedankenverlorenem, versonnenem Lächeln Agathe, die als Symbol ihrer Jugend die Blüte einer Feuerlilie in der Hand hält, deren Leuchten die gedämpften Farben des Abendwerdens aufhellt und mit den gelben Federn des Huhnes ein freundliches Gegengewicht zu den sonst ins Düstere abgleitenden Farben bildet. SP

Wilhelm Trübner (1851-1917)
154 Der vom Kreuz genommene Christus 1874
Öl auf Leinwand; 95x109,5; Inv. 1555
1874 unterhielt Trübner in Brüssel mit Karl Hagemeister und Karl Schuch eine Ateliergemeinschaft. Zusammen malten sie den ›toten Christus‹ nach dem gleichen italienischen Modell, das Trübner stellte. Trübner selbst schuf drei Fassungen, wovon unsere die erste ist. Die perspektivische Verkürzung ist an Mantegna, Rubens und Rembrandt orientiert. Der Blick ist so gewählt, daß er auf drei Wundmale Christi fällt. Die Marterwerkzeuge, Nägel und Dornenkrone, liegen zu Füßen des Toten und treten aus dem den Leichnam umgebenden Dunkel kaum hervor, in der Münchener Fassung fehlt die religiöse Motivation des Themas sogar ganz, die Säkularisierung ist vollzogen, die sich in unserer Fassung bereits ankündigt: Die aus dem Schwarz herausgearbeitete Farbigkeit, im Inkarnat von Rot bis Gelb, im Leintuch von Weiß über Grau zu Schwarz vielfältig variierend, mit breiten kurzen Pinselstrichen aufgetragen, ›entsinnlicht‹ den Gegenstand, der sich bei Nahsicht als Konstruktion von Flecken und Farbbändern erweist. Diese malerische Auffassung zerstört das Pathos des Todes, die in ihr enthaltene Abstraktion führt zu intellektueller Distanz. SP

154

Wilhelm Trübner (1851-1917)
155 Chiemsee 1874
Öl auf Leinwand; 46,5x56; Inv. 1556
Trübner war im Spätsommer 1874 mit Schuch nach einer Reise durch Deutschland auf die Herreninsel im Chiemsee gefahren, um zu malen. Hier ist auch unser Bild entstanden: Bewegtes Wasser, Schilf, wieder Wasser, ein schmaler Streifen – die Fraueninsel – und daneben ferner Wald, ein wolkenloser Himmel, nicht mehr. Der Aufbau des Bildes ist ganz streifenförmig, eine strenge Art der Komponierweise, die Courbet als erster gewagt hatte. Sie ist Trübner ein Gerüst für ganz differenzierte Tonabstufungen im beherrschenden Blau. Im Wasser blaulila Wellen, etwas heller, so daß die Tendenz nach Rot sichtbar wird, die gleiche Farbe im unteren Teil des Himmels. Die Pinselstruktur ist für den Eindruck mitbestimmend, oben zurückhaltend, unten entschieden. Trübner hat den Pinsel sehr systematisch angesetzt, beim Wasser waagrecht, beim Himmel ungewöhnlicherweise senkrecht. Die Wirkung von Weite und Höhe dieser Abendstimmung wird damit gefördert. Ein Minimum an Kontrasten genügte ihm, um den Eindruck einer ruhigen, kühlen Wasserlandschaft zu erzielen. HRL

155

Wilhelm Trübner (1851-1917)
156 Fasane 1873
Öl auf Leinwand; 62x79; Inv. 1554
Trübner hat das Bild 1873 in Heidelberg gemalt, gleichzeitig mit drei weiteren Wildstilleben. Sein Freund Schuch erwarb sie alle, nach dessen Tod kaufte Trübner sie von der Witwe zurück. Lichtwark erstand unser Bild 1906 auf der ›Jahrhundertausstellung‹ in Berlin. Die Bildidee, totes Wild nicht im Atelier, sondern in der Umgebung, in der es erlegt wurde, zu malen, gilt als Courbets Erfindung. Trübner arrangierte zwei tote Edelfasane so auf einem Waldboden, daß das farbenreiche, exotische Gefieder der ursprünglich aus Asien stammenden Tiere zur Geltung kommt. Tonigkeit und Farbigkeit, warme und kalte Töne sind zu einer spannungsvollen Einheit gefügt. Gerade im kräftigen Pinselduktus Trübners kann sich sein unbeschreiblicher Farbensinn frei entfalten. Nebeneinandergesetzte und übereinandergeschichtete Farben bauen fleckartig die Illusion des Bildgegenstandes auf, die jedoch nur aus der Ferne Bestand hat, aus der Nähe aber den malerischen Entdeckungen des Kubismus und der Abstraktion vorgreift. SP

156

Franz Lenbach (1836-1904)
157 Der rote Schirm um 1860
Öl auf Papier auf Pappe; 26,9x34,6; Inv. 1492
Die Ölskizze stammt aus dem Frühwerk des Münchener Malerfürsten und zählt heute zum Besten seines Œuvres. Eine vorbereitende Zeichnung findet sich bereits in einem Skizzenbuch, das Lenbach auf seiner Parisreise 1859 mit sich führte. Schon vor dem Wirken der Impressionisten scheint seine Suche nach einem neuen Stil und neuer Farbigkeit dort bestätigt worden zu sein. Die nach dieser Reise entstandene Öl-›Skizze‹ hat eigenständigen Bildcharakter. Mit schnellem, doch keineswegs flüchtigem Strich ist eine Szene sommerlicher Erntearbeit festgehalten, wobei Lenbach ein Randmotiv des bäuerlichen Alltags in die Bildmitte gerückt hat. Die heitere Stimmung dieses meisterhaften Bildes ließ es zu Recht volkstümlich beliebt werden. SP

15

Carl Spitzweg (1808-1885)
158 Touristen in den Bergen vor 1869
Öl auf Leinwand; 53,7x31,7; Inv. 1449
Die Schönheit der Alpen lockte immer die Reisenden. Spitzweg, im Gebirge viel auf Motivsuche, hat in unserem Bild die naturschwärmerischen Städter zur Zielscheibe seiner spöttischen Kritik gemacht: Einen steilen, steinigen Hohlweg kraxeln sie hinauf, drängeln sich im Auf und Ab an einer Stelle. Ganz bewußt setzt der Künstler die gestelzten Städter in Kontrast zur fast wilden, rohen und deshalb ursprünglichen Natur. Das Ziel der emsigen Touristen zeigt er jedoch nicht: Denn das romantische Naturgefühl, das sie offenbar von einem fernen Aussichtspunkt erwarten, wäre überall um sie herum erlebbar. Ihre städtische Betriebsamkeit macht sie jedoch blind dafür. Kolorit und Malweise Spitzwegs verleihen seinen Themen eine gemütvoll scheinende Heiterkeit, doch oft verbirgt sich hinter dem Spott bittere, beißende Kritik. SP

Carl Spitzweg (1808-1885)
159 Einsiedler im Gebirge
Öl auf Leinwand; 27,3x58,7; Inv. 1447
Über dreihundertmal hat Spitzweg das Thema Mönch oder Pfarrherr behandelt. Nie hat er es wirklich ›ernst‹genommen, die romantische Dimension der heroischen Einsamkeit fehlt stets. Die Mönche Friedrichs oder Blechens, die in ihrer kontemplativen Weltsicht eins sind mit der Natur, hat Spitzweg der Lächerlichkeit preisgegeben. Er karikiert in den frommen Brüdern den Spießer, der voll mit den kleinen Problemen des Alltags beschäftigt ist, dessen geistiger Horizont die Enge seiner Klause ist. Auf unserem Bild greift der Einsiedler aufgeschreckt zur Waffe. Diese Geste zeigt, daß sein Frieden mit der Welt nur vorgetäuscht ist. Der Betrachter, der mehr weiß als der ängstliche Mönch, sieht, daß der ›Feind‹ eigentlich nur ein lieber Zottelbär ist, dessen Teddy-Pose auf einen menschlichen Schabernack des Tieres schließen läßt. In der Diskrepanz zwischen der von Spitzweg behaupteten Harmlosigkeit des Tieres und der Geste des Mönchs liegen Komik und Kritik. SP

158

159

Carl Schuch (1846-1903)
160 Kasserolle mit Wildente 1885
Öl auf Leinwand; 64x80,5; Inv. 1548
Eine Kasserolle, vier weiße Rüben, Porree und eine erlegte Stockente sind scheinbar kunstlos auf einer großen Holzplatte angeordnet, vor einem schwarzbraunen Grund. Grau in vielen Abstufungen sowie Schwarzbraun sind die bestimmenden Farben des Bildes. Der spannungsvollen Fülle in der unteren Bildhälfte ist die Ruhe oben entgegengesetzt, in der einzig die Helldunkelkontraste der Kasserolle einen kräftigen Akzent setzen. Das unkompliziert erscheinende, bei näherer Betrachtung als vielfältig verschränkt und ausgewogen sich zeigende Bild ist keineswegs in einem Zug gemalt: Beim Grund hat Schuch die Farbe einheitlich und flächig aufgetragen, ohne Pinselspuren, sonst hat er meist Pinselstrich neben Pinselstrich gesetzt, Farbe neben Farbe, Ton neben Ton. Von seinem Freund, Schüler und Biographen Karl Hagemeister, mit dem Schuch viel reiste und gemeinsam arbeitete, gibt es eine Variante dieses Gemäldes, was heißt, daß beide, wie so oft, sich dem gleichen Thema widmeten. HRL

160

161

Carl Schuch (1846-1903)
162 Sägegrube 1881
Öl auf Leinwand; 44x55,6; Inv. 1549
In der Heimat seines Freundes, des Landschaftsmalers Karl Hagemeister, verbrachte Schuch drei Sommer. Von Venedig aus, wo er den Winter über lebte, reiste er nach Ferch am Schwielowsee, nahe Berlin, um sich in der dörflichen Abgeschiedenheit ganz der Landschaftsmalerei zu widmen. Vor allem der See, durch den ein langer Steg zum Dorf führte und die ihm fremden Birkenwälder erregten sein Interesse. Unser Bild entstand wohl während seines letzten Aufenthaltes dort, 1881. In der Malweise völlig frei von Trübners früherem mächtigen Einfluß, scheint es dennoch dessen Theorie zu folgen, wonach jedes Motiv, auch das Uninteressanteste, als Bildvorwurf interessant sei. So die im sandigen Boden ausgehobene Grube unweit des Seeufers, die dazu dient, die gefällten Kiefern bequemer zu zersägen. Um die Grube herum liegt abgeschälte Baumrinde, quer über ihrem Geviert befinden sich einige noch nicht fertig bearbeitete Stämme. Etwas weiter entfernt, zum Ufer hin, liegt zersägtes Holz. Das Sonnenlicht zeichnet helle Flecken auf den dunklen Waldboden und läßt vor allem den Sägemehl-Haufen neben der Grube leuchten. Weit ist Schuch hier von einer traditionellen, akademischen Sicht der Landschaft abgerückt. In der pastosen Malweise, im Interesse am Alltäglichen und an der Wirkung des Lichtes generell zwar den Impressionisten verwandt, ist Schuchs Gemälde gleichwohl in Realismus von Motivwahl, Farbigkeit und Beleuchtung auch ihren Werken fern. Parallelen ergeben sich eher zu Rembrandt, dessen Gemälde Schuch bereits 1873 auf einer Hollandreise studiert hatte. SP

Wilhelm Trübner (1851-1917)
161 Zimmerplatz am Weßlingersee 1876
Öl auf Leinwand; 45x69; Inv. 1557
Im Sommer 1876 fuhr Trübner wieder nach Bernried, wo er meist an dem westlich davon gelegenen Kleinen Weßlinger See malte, nahe dem Ammersee. Die flache, weite Voralpenlandschaft bot mit ihren wechselhaften Wetterstimmungen, den Wasser- und Waldflächen zahlreiche Anregungen für seine Freilichtmalerei. In unserem Bild weicht die Landschaft zurück und gibt den Vordergrund frei für eine Arbeitsszene: Zimmerleute behauen Kanthölzer zur Herstellung eines Dachstuhles. Trübner hat das Bild deutlich in zwei Zonen getrennt: Im Hintergrund die Landschaft, im Vordergrund die nutzbar gemachte Natur – Wald oder Baum – deren ursprüngliche Form jedoch nirgends sichtbar ist. Auf der Trennlinie zwischen beiden Zonen der Mensch. Die Komposition unterstützt den Gegensatz: Die Landschaft ist in ruhigen, waagrechten Streifen gegeben, die behauenen Balken liegen dagegen kreuz und quer, stoßen raumgreifend diagonal nach vorne, lenken den Blick immer wieder auf die zwei arbeitenden Männer. Während die Landschaft in ein fast gleichmäßig düsteres Licht getaucht ist, in der die Palette von Graublau bis zu dunklem Grün geht, liegt der farblich hellste Akzent auf dem kantigen Bauholz, dessen von dunklem Ocker zu Grau spielende Tonwerte einen komplementären Kontrapunkt zur Umgebung bilden. Im Gewicht, das den Balken mittels ihrer bildbeherrschenden Struktur beigemessen ist, liegt ein Hinweis auf die Geschicklichkeit der arbeitenden Männer, auf die formgebende Kraft des Menschen. SP

162

163

Hans von Marées (1837-1887)
163 Der Bildhauer Konrad Knoll
1863/64
Öl auf Leinwand; 102,5x79,5; Inv. 1473
In seiner Münchener Zeit (1857-1864) hat Marées viele seiner dortigen Malerfreunde porträtiert. Lenbach, den er seit 1863 kannte, hat ihn möglicherweise in der Gestaltung des Knoll-Bildnisses beeinflußt, denn hier geht Marées erstmals vom kleineren Format der Büste zur repräsentativeren Darstellung der Halbfigur über: Auf den Beruf des gutsituierten Professors Konrad Ritter von Knoll, – der etwas später, 1869, maßgeblich am Zustandekommen der ersten Internationalen Kunstausstellung im Münchener Glaspalast beteiligt sein sollte –, deutet das Tonmodell auf dem Modellierblock, auf welchen Knoll seine Hand stützt. Auf die Herausarbeitung des Gesichtes verwendete Marées große Sorgfalt, Gestalt und Attribute des Bildhauers beließ er skizzenhaft. Vor dunklem Grund von hellem Licht getroffen, vermitteln Knolls weißliche Hautfarbe, sein rötliches Haar, sein schwerer Blick unter der breiten Stirn das Geistige, Visionäre seines Wesens. SP

Hans von Marées (1837-1887)
164 Villa Borghese 1870/71
Öl auf Leinwand; 81,7x107,7; Inv. 1470
Eine »Schilderung stillen Daseins« (Meier-Graefe) aus der ›Villa Borghese‹, einem großen Park in Rom. Zur Abendstunde sitzen Menschen beieinander. Eine Frau mit einem nackten Kind auf dem Schoß ist im Gespräch mit einem Offizier, der am Brunnenrand sitzt. Neben ihm, aber abgewandt, sitzen zwei Frauen, von denen eine sich umblickt. Am anderen Ende des Brunnens trinkt ein Kind, ganz in der Bildecke. Dahinter hohe Bäume, und links naht ein Paar mit Kind. Die Menschengruppe, in der Bildecke vorn links konzentriert, wird der Landschaft entgegengesetzt, die den größten Teil des Bildes einnimmt. Die Baumstämme neben und über der Pferdegruppe und die gewaltige Laubmasse wiegen sie kompositorisch auf. So ist es auch im Farblichen. Kühn und eigenartig wie Marées' Umgang mit der Farbe ist seine Malweise. Es handelt sich nicht um eine Skizze; vor allem die Hauptfiguren sind nicht flüchtig angelegt, sondern malerisch durchgearbeitet. Große Partien in der Landschaft sind flüchtig übermalt, ohne daß eine Gegenstandsbezeichnung fixiert wird. Wir müssen davon ausgehen, daß Marées das Bild in diesem unvollendet erscheinenden Zustand als abgeschlossen angesehen hat. Wie die intensive Farbigkeit die Darstellung stillen Beisammenseins ins Ausdruckhafte überhöht, so führt diese offene Malweise aus dem Alltag des Abschilderns. Dies Bild und unsere ›Römische Vigna‹ sind 1870-71 in Berlin entstanden. Der tiefe Eindruck des ersten Italienaufenthaltes 1864-1868 wirkt in ihnen nach. HRL

164

Arnold Böcklin (1827-1901)
165 Selbstbildnis 1875/76
Öl auf Leinwand; 61 x 48,9; Inv. 1484
Inspiriert von einem damals Holbein zugeschriebenen Gemälde in der Münchener Pinakothek malte Böcklin 1872 ein ›Selbstbildnis mit fiedelndem Tod‹. Am Silvesterabend des nächsten Jahres schenkte er seiner Frau eine Wiederholung des Gemäldes, diesmal jedoch verständlicherweise ohne den Hinweis auf den Tod. Statt dessen stellte er sich, ganz im Gegenteil, mit selbstbewußt verschränkten Armen sogar vor Unsterblichkeits-Symbolen wie den Marmorsäulen und dem immergrünen Lorbeer dar. Die Doppelsäulen verleihen seiner Gestalt Kraft, betonen das Aufrechte des Rükkens, signalisieren Autorität. Böcklin befand sich in diesen Lebensjahren auf dem Höhepunkt seines Könnens. Obgleich er sein Bildnis in die Symbole irdischer Festigkeit und Dauer gebaut hat, scheint sein Wesen von Übersinnlichem durchdrungen. Der Flug der schwarzen Vögel am Himmel führt unseren Blick zu seinen bohrenden hellen Augen. Die Hand, wächsern, sehnig, geädert, steht in seltsamem Kontrast zum rötlich-robusten Gesicht mit dem struppigen Bart. Die dämonische Genialität der ersten Fassung ist auch hier noch spürbar, sie gehört zum Selbstverständnis des Künstlers in jener Zeit. SP

165

Arnold Böcklin (1827-1901)
166 Heiliger Hain 1886
Öl auf Mahagoni; 100x150; Inv. 1483
Eine vier Jahre frühere Fassung befindet sich im Kunstmuseum Basel. Die Hamburger Version ist leicht verändert: Die Farbgebung ist intensiver, der Tiefenraum ausgeprägter, der Altar scheint von den hellen Bäumen gerahmt, die dunklen Bäume zum Meer hin wirken mächtiger, älter. Die Stimmung des Feierlichen, Erhabenen ergibt sich aus Böcklins Vorliebe für die Senkrechte, den strengen, symmetrischen Bildaufbau und die Zentralperspektive. Die Prozession der Priester zieht entlang der dunklen Baumreihe zum Altar, sie eint die zwei Bildhälften, die einen seltsamen Gegensatz von nördlicher Stimmungslandschaft links und südlicher Atmosphäre rechts bilden. Im satten Grün der Wiese gedeihen Herbstzeitlosen, um den Altar steht Wasser, der Rauch des Opferfeuers verliert sich im Herbstlaub der Bäume. Mediterran dagegen wirkt der ferne Tempel im heiteren Licht, sichtbar durch die dunklen Schatten der knorrigen Platanen hindurch. Die Mauer zum Meer schirmt mit dem abschüssigen Hang links den heiligen Hain von der Außenwelt ab. Aus der Synthese zwischen Nördlichem und Südlichem, zusammengeschmolzen im geheimnisvollen Feuerkult, dem die weiß verschleierten Gestalten sich unterworfen haben, scheint das Gemälde seine Faszination zu beziehen. SP

166

167

Anselm Feuerbach (1829-1880)
167 Bianca Capello 1864/68
Öl auf Leinwand; 136x100; Inv. 2190
Ende 1863 schrieb Feuerbach seiner Mutter aus Rom, daß er ein Bild der »Bianca Capello« entworfen habe. Gerade war in Florenz ein Buch über den Tod der Venezianerin erschienen, die mit Hilfe von Intrigen von der Geliebten zur zweiten Frau Francesco I. Medici avancierte und dann mit diesem 1587 von dessen erbberechtigtem Bruder Kardinal Ferdinando vergiftet wurde. Ein in den Uffizien befindliches, Allori zugeschriebenes Porträt der Bianca mag Feuerbach gekannt haben, jedenfalls zeigt sein Gemälde sie in ähnlicher Pose vor einem steinernen Pilaster in einem quergestellten Lehnstuhl sitzend. Der überlieferte melancholische Ernst der Bianca, der auch charakteristisch war für Feuerbachs Modell und Geliebte Nanna Risi, mag ihn zum Vergleich angeregt haben. Erst 1868 signierte er aber das Bild. 1865 hatte Nanna ihn verlassen, drei Jahre später begegnete er der zur Bettlerin Abgesunkenen, in einer Gasse. Dies mag ihn bewogen haben das Bild, mit den Zügen seines neuen Modells Lucia Brunacci, zu vollenden und sich davon zu trennen. SP

Anselm Feuerbach (1829-1880)
168 Das Urteil des Paris 1870
Öl auf Leinwand; 228x443; Inv. 1465
1869 in Rom begonnen, wurde das Gemälde erst in Heidelberg vollendet, weil Feuerbach vor seiner Abreise nach Deutschland erkrankte. Da er das Bild unbedingt mitnehmen wollte, bat er den jungen Maler Ferdinand Keller um Hilfe. Von einem im Atelier hergerichteten Bett aus gab Feuerbach ihm Malanweisungen. Später, in Heidelberg, bestand die freundschaftliche Hilfeleistung Kellers nicht vor dem kritischen Auge Feuerbachs und er übermalte sie größtenteils. Dann schickte er das ›Parisurteil‹ zusammen mit ›Medea‹ nach Berlin zu einer Ausstellung. Die Hoffnung auf einen schnellen, guten Verkauf der Gemälde erfüllte sich nicht. Die Kritik verriß sowohl das düstere Medea-Bild als auch den arkadisch-heiteren Schönheitswettbewerb. Feuerbach, schon wieder in Rom, schrieb seiner Mutter anläßlich schlimmer Kritiken: »Das Urteil des Paris als frivol behandeln, kann nur ein Schwein, oder einer, der schlecht verheiratet ist. Du bist eine anständige alte Dame und hast die ursprüngliche Naturwüchsigkeit herausgefunden.« SP

Jean Léon Gérôme (1824-1904)
169 Phryne vor den Richtern 1861
Öl auf Leinwand; 80x128; Inv. 1910
Phryne war der Gotteslästerung angeklagt, da ihre Schönheit als Vorbild für diejenige der Aphroditestatue des Praxiteles gepriesen wurde. Zur Darstellung der Gerichtsverhandlung wählte der Maler jenen Moment, da der Verteidiger seiner Mandantin das Gewand entreißt, um Phrynes wahrhaft göttliche Erscheinung den Richtern zu offenbaren. Überrascht birgt die Angeklagte ihre Augen im erhobenen Ellenbogen und entdeckt sich den staunenden Männern um so mehr. Ihr Inkarnat leuchtet zwischen dem von rechts anbrandenden Rot der Richtermäntel und dem keuschen Blau des nach links entzogenen Gewandes. Es überstrahlt das Gold der starren Athenastatue in der Mitte des Richterhalbkreises. Mit solchen klar und effektvoll gestalteten Kompositionen in detaillierter Ausführung wußte sich Gérôme Ruhm zu verschaffen. Er gehörte zu jenen Malern, deren Kunst diejenige von Manet und

168

169

dessen Freunden nicht zum Zuge kommen ließ. Als die ›Impressionisten‹ sich mit ihrem Sinn für Gegenwärtiges und einer entsprechend spontanen künstlerischen Vergegenwärtigung durchsetzten, geriet Gérôme in Vergessenheit. Erst seit kurzem beschäftigt man sich wieder mit Bildern wie dem der ›Phryne‹. So konnte der Akt als Vorbild einer Skizze von Cézanne erkannt werden. GH

Edward Burne-Jones (1833-1898)
170 Der Garten der Hesperiden um 1870
Wasserfarben und Gouache auf Papier; 119 x 98; Inv. 5205
Die Hesperiden, unsterbliche Jungfrauen, bewachten auf einer Insel an der westlichen Grenze der Erde die goldenen Äpfel Heras, unterstützt von dem Drachen Ladon. Hera ließ die Äpfel als Symbole von Fruchtbarkeit und Liebe bewahren, seit Gaia, die Mutter Erde, sie ihr zur Hochzeit mit Zeus geschenkt hatte. Burne-Jones gab den Hesperiden beim Tanz um den Stamm einen schwebenden Charakter, als feierten sie in göttlich ewiger Jugend und Schwerelosigkeit die Vorzüge der Äpfel. Sein Vorbild war Botticellis ›Frühling‹. Wie alle ›Praeraffaeliten‹ verehrte er die Künstler der italienischen Frührenaissance und suchte nach ihrem Vorbild eine Regenerierung der Malerei zu Einfachheit in poetisch erfüllter Reinheit. Hierdurch erhielten die ›Symbolisten‹ des 20. Jahrhunderts wesentliche Impulse. GH

170

Henri Fantin-Latour (1836-1904)
171 Rheingold, erste Szene 1888
Öl auf Leinwand; 115 x 77; Inv. 5274
1876 erlebte Fantin-Latour Wagners Oper ›Rheingold‹ im Bayreuther Festspielhaus. Vom Beginn der Aufführung berichtete er: »... Die schwimmende Bewegung der Rheintöchter beim Singen, wie der am Felsen sich anklammernde Alberich vom Gold berauscht ist, das Leuchten des Goldes durch das Wasser hindurch – alles ist tief beeindruckend ...« Bald danach gab er diese Szene in einer Lithographie und in einem Pastell wieder. Unser Bild, das dieselbe Komposition aufweist, schuf er 1888. Mit weichem Pinselstrich gestaltete er die wellengleichen Bewegungen der Rheintöchter, deren mittlere eine Girlande dem mystisch von oben in die Bildszene hineinwirkenden Goldlicht entgegenträgt. Düster ist unten Alberich in den Schatten des Felsens eingesunken, Sinnbild brütenden Unheils. GH

171

172

Paul H. Delaroche (1797-1856)
173 Cromwell am Sarge Karls I.
um 1846
Öl auf Leinwand; 38x45,8; Inv. 2265
1831 stellte Delaroche sein großes Gemälde ›Cromwell am Sarge Charles I.‹ im Salon in Paris aus. Für die Komposition des Bildes hatte er sowohl von den Figuren als auch den Möbeln vollständige Wachsmodelle angefertigt, nach welchen er dann das Bild im Atelier malte. Den Kopf Charles I. ließ er später in Bronze gießen. Die sorgfältigen Vorarbeiten für das Gemälde zeigen deutlich, welchen Wert der Künstler ihm beimaß. Das Thema stammt aus Chateaubriands 1828 publiziertem Stück ›Die vier Stuarts‹. Cromwell steht am Sarge des am 30. Januar 1649 enthaupteten englischen Königs und betrachtet den Toten, an dessen Hals der blutige Streifen sichtbar ist. Der Sarg steht auf zwei Stühlen in einem Raum von White-Hall. Das Bild wurde wegen seiner hochaktuellen politischen Anspielung auf die Entstehung der Juli-Monarchie in Frankreich (1830-40) und als Inkunabel der Historienmalerei sehr berühmt. Wohl deswegen fertigte Delaroche mehrere Repliken – bekannt sind vier – des Bildes an, das von der französischen Regierung 1831 sofort aus dem Salon heraus angekauft wurde und in ein Provinz-Museum (Nîmes) kam – möglicherweise, um die politische Wirkung des Bildes im revolutionär brodelnden Paris zu verhindern. Unsere stark verkleinerte Version, die wohl 1846, 16 Jahre nach der Urfassung, entstand, beweist, wie nachhaltig der Ruhm des Gemäldes war. SP

174

Eugène Delacroix (1798-1863)
172 Löwe und Alligator 1863
Öl auf Eichenholz; 28,5x36; Inv. 2399
Mit einem Brief vom 8. Mai 1863 – drei Monate vor seinem Tode – schenkte Delacroix das eben vollendete Bild seinem langjährigen Freund Constant Dutilleux, dem auch Corot eng verbunden war. Vielleicht nahm bei der Wahl und Gestaltung des Themas seine eigene Lebenssituation Einfluß: Spürte Delacroix schon die Gewalt des unabänderlichen Endes wie der zierliche Alligator den Zugriff des schwer lagernden Löwen? Ließ er in dem Aufschrei des gepackten Tieres eigenes Empfinden mitschwingen? Freilich hatte Delacroix von früh an den Lebenskampf insbesondere von Raubtieren vielfach variiert wiedergegeben, von Géricault und englischen Vorbildern angeregt. Immer wieder hatte er die ursprüngliche Kraft der mächtigen Tiere dem Betrachter seiner Kompositionen lebendig zu machen versucht, zuweilen der Leidenschaft jagender Menschen entgegengestellt. In unserem Bild ist die lebhafte Wendigkeit des Alligators besiegt. Der Schrei des unterlegenen Tieres verhallt im Abendrot des Himmels. GH

173

Ernest Meissonier (1815-1891)
174 Das Porträt des Sergeanten 1874
Öl auf Leinwand; 73x62; Inv. 1897
Im gleichen Jahr, in dem Meissonier dieses Bild signierte, veranstalteten die ›Impressionisten‹ ihre erste gemeinsame Ausstellung bei dem Fotografen Nadar. Ihre locker gemalten Bilder, in deren vibrierendes Farbgewebe sie momentane Eindrücke ihrer gegenwärtigen Umgebung einzufangen suchten, wurden von den Zeitgenossen als unfertig empfunden.
Meissoniers meist kleinformatigen, minutiös durchgeformten Szenen – oft Situationen einer entlegenen Vergangenheit – waren dagegen hochgeschätzt. In diesem Bild läßt der Künstler einen Sergeanten des 18. Jahrhunderts im Kasernenhof für ein Bildnis posieren, das ein Zeichner unter Anteilnahme von weiteren Soldaten auf sein Papier bannt. Dahinter erlaubt eine hohe Tür den Blick ins Innere des Hauses, dessen dunkle Tiefe in die breite Helle des Vordergrundes hineinwirkt. Der fixierende Blick des Zeichners erhält auf solche Weise eine »hintergründige« Betonung, welcher andererseits die vordergründige des ebenso aufmerksam blickenden Hundes die Schwere nimmt. Heiterkeit trägt auch die Kritzelei in der Nische rechts mit dem uniformierten Männlein in die Szene. GH

Johan Barthold Jongkind (1819-1891)
175 Die Seine beim Pont Marie in Paris 1851
Öl auf Leinwand; 27x40; Inv. 5113

Ein Stipendium hatte es dem Holländer möglich gemacht, in Paris bei Isabey zu studieren, dem Jongkind auch später verbunden blieb. Während dieses ersten Aufenthaltes in Frankreich malte er diese lichterfüllte Studie einer Brücke, die in Paris zur Île Saint-Louis hinüberführt, mit Transport- und Waschbooten im Vordergrund. Seine Empfindsamkeit für Lichtbrechungen insbesondere an Fluß- und Meeresufern machte ihn wie Daubigny und Boudin zu einem der verehrten Vorläufer der Impressionisten. 1927 schrieb Paul Signac eine begeisterte Monographie über Jongkind. Beim breiten Publikum wurden die mondbeschienenen Landschaften seiner Heimat besonders beliebt. Doch malte Jongkind ebenso sonnendurchflutete Gegenden. Auf weiten Reisen durch Frankreich wie durch Holland aquarellierte er tagebuchartig seine Eindrücke, wobei seine Skizzierweise immer flockiger wurde, eine Handschrift, die sich auch in den Gemälden ausprägte. GH

175

Charles Daubigny (1817-1878)
176 Abend an der Oise 1872
Öl auf Holz; 38,5x67; Inv. 2414

Nicht zufällig wählte Daubigny oft ein längliches Format für seine Landschaften. Er gewann damit einen gedehnten Horizont. Besonders liebte er die feuchte Atmosphäre an den Flüssen, die in vielen Varianten immer neu zu entdecken er sich eigens ein Atelierboot bauen ließ. In unserem Bild spiegeln sich im Fluß die reichen Farben, welche die untergehende Sonne in den Wolken hervorruft. Nebelschwaden verhüllen die Hänge jenseits der Flußbiegung und lassen die Landschaft hier ins Unfaßliche gleiten. Der 23 Jahre jüngere Claude Monet nahm sich tief beeindruckt diese Gestaltungsweise zum Vorbild. Im Laufe seines langwährenden Schaffens trieb Monet die Verwandlung einer Landschaft durch atmosphärische Einflüsse bis zur Vision, die sich menschlicher Greifbarkeit entzieht. GH

176

Jules Dupré (1811-1889)
177 Bewegte See um 1870
Öl auf Leinwand; 50,5x65,5; Inv. 2424

1865 entdeckte Jules Dupré das Meer als Motiv seiner Malerei. Damals pflegte er nur noch selten Kontakt mit der in Barbizon beheimateten Gruppe von Malern, die er gleichwohl hoch schätzte. Aber der Bruch der einst engen Freundschaft mit Théodore Rousseau hatte ihn 1850 sich zurückziehen lassen. Seither steigerte sich in seinen Landschaften der Ausdruck düsterer Größe. Er ist auch in unserem Meerbild zu spüren. Ein Fischerboot ist in der vom Unwetter aufgerührten See hochgeworfen worden. Noch ragen seine Segel in einen hellblauen Streifen am Horizont. Bald aber werden die von links andrängenden Wolken dieses Licht und das in der Tiefe hochgreifende Segel eines zweiten Bootes verhüllt haben. Mit der Kraft des Pinselstrichs wußte der Maler die Macht der Elemente und mit reich wechselnder Tönung deren Bewegtheit zu verlebendigen. Zugleich haftet an der mit jedem Strich sich neu entwickelnden Energie das eigene Erleben und teilt sich mit. GH

177

178

Honoré Daumier (1808-1879)
178 Die Rettung um 1870
Öl auf Leinwand; 35x28; Inv. 5248
Es gibt drei Varianten dieser Komposition. Die Hamburger Fassung ist die größte und als einzige im Hochformat ganz auf die Figurengruppe konzentriert: auf die dunkle Silhouette eines Mannes, der sein bewußtloses Kind vom Fluß fortzutragen trachtet, getrieben von einer voraneilenden Frau, deren Silhouette der seinen verbunden ist. Angesichts der gebrechlichen Zartheit des Kindes scheinen die gedrückte Haltung des Mannes und sein schleppender Gang mehr von dem Unglück selbst geprägt als von der Bürde auf seinen Armen. Hoffnung geht allein von der aktiven Eile der Frau aus, die von einem lichten Pinselstrich im Hintergrund über ihrer Gestalt Nachdruck erhält. Seiner Zeit weit voraus konnte Daumier mit einem solch großzügig gestalteten Bild erst im 20. Jahrhundert gebührende Anerkennung finden. GH

Camille Corot (1796-1875)
179 Das Mädchen mit der Rose um 1865
Öl auf Leinwand; 46x38,5; Inv. 2348
Corot ging es weder darum, die individuellen Züge eines bestimmten Menschen porträthaft festzuhalten noch die Anspruchslosigkeit einer Modellstudie zu wahren. Vielmehr bemühte er sich um die poetische Ausstrahlung einer Gebärde, einer Haltung, erfüllt von der stillen Würde einer Frau, wenn deren Name auch verhüllt bleibt. In unserem Gemälde sind die Akzente auf die beleuchtete rechte Schulter der frontal wiedergegebenen Gestalt sowie auf die zur Rose im Brustausschnitt greifende Hand gesetzt. Dennoch bewahrt das zur anderen Seite in den Schatten geneigte Gesicht mit der ins Haar greifenden Linken, seine Bedeutung, die es nicht zuletzt dem farbigen Nachdruck des roten Ohrrings verdankt. Beide Körperseiten sind durch den Bogen des weißen Hemdausschnitts verbunden. Der in dunklen Farben bewegte Hintergrund bleibt gegenständlich ungeklärt, aber voll drängender Kraft zur Gestalt hin. GH

179

Honoré Daumier (1808-1879)
180 Eine Theaterloge um 1865
Öl auf Leinwand; 26,5x35; Inv. 5281
Der Betrachter reiht sich in die dunklen Rükkensilhouetten der nahen Theaterbesucher ein. Mit ihnen blickt er zum licht- und farbenbewegten Bühnengeschehen. Er mag schwanken zwischen der Haltung der beiden Damen rechts, die vor dem breiten Rahmen der goldverzierten gegenüberliegenden Loge ihre eigene Rolle im Theater zu genießen scheinen, – oder derjenigen des Herren, der sich in das erregte Bühnengeschehen einsinken läßt. Dazwischen setzt die Senkrechte des roten Vorhangs, von Grüntupfen der Kulissen begleitet, eine entschiedene Grenze. Gemeinsam ist allen drei Zuschauern indessen ihre passive Schwere, der die handelnde Bewegtheit der beiden Personen auf der Bühne und die der Kulissenfarben entgegenwirken. Daumier gestaltete häufig Theaterleben, von der Seite des Publikums, deren Teilnahme er je nach den Rängen verschieden charakterisierte, er warf aber auch gern einen Blick hinter die Kulissen, dies jedoch vornehmlich als Karikaturist. GH

180

Camille Corot (1796-1875)
181 Das Schloß um 1870
Öl auf Leinwand; 50,5x61; Inv. 2412
Das Schloß ist kaum sichtbar hinter dem mächtigen schon nachtbefangenen Laubwerk eines Baumes links im Vordergrund. Es würde verwunschen wirken, reihten sich nicht einige profane Bauten hinter ihm an. Über ihnen liegt der Lichtzauber der bereits untergegangenen Sonne, der auch einen vorgewölbten Teil des Schlosses streift. So erscheint der ganze Häuserkomplex im Zwielicht des Übergangs vom Tag in die Nacht und umfangen vom Schatten der Bäume wie eine Vision: Rechts funkelt der Mond durch das Gebüsch, während links einige Blätter noch die blasse Wirkung des Tages durch verhaltene Farbtöne zu erkennen geben. An dem hier vertieften Zauber haben auch die drei Personen des Vordergrundes teil. GH

181

Camille Corot (1796-1875)
182 Der Fährmann um 1868
Öl auf Leinwand; 45x65,6; Inv. 1531
Die Landschaft ist eine Phantasiekomposition. Eine frühere ähnliche Version wird »Abend über den Pontinischen Sümpfen« genannt. An den gleichen Ort mag Corot gedacht haben, als er die hier besprochene Fassung malte. In Rom und seiner Umgebung hatte er sich 1825-1827 und im Sommer 1843 aufgehalten. Die dort gewonnenen Eindrücke bewegten ihn sein Leben lang und prägten manchen Zug in seinen Landschaftsphantasien. Im hiesigen Bild vermischten sie sich mit Erfahrungen, die Corot an den Flüssen seiner Heimat unter den bewegten Wolken eines nördlicheren Himmels hatte sammeln können. Die Gebärde des riesigen Baumgestrüpps von rechts in den Himmel hinein überträgt diejenige des Anglers in die Weite. Dieser Mann ist mit seinem Gefährten im Boot allein in der Weite, aber mit der Selbstverständlichkeit des Zugehörigen. GH

182

183

Camille Corot (1796-1875)
183 Der Mönch 1874
Öl auf Leinwand; 72,5x51; Inv. 2411
Einem Wunsch des Kunsthändlers Tedesco folgend, dem Corot bereits im Februar 1872 ein Bild gleicher Komposition geliefert hatte, wurde dieses Gemälde im Januar 1874 gemalt. Sicherlich sind Bildidee und -durchführung gleichwohl allein dem Künstler zu verdanken. Dieser pflegte sonst meditierende Mönche mit seinen Landschaftspoesien zu verbinden. Nur hier konzentrierte er sich ganz auf die Person und ließ deren Innerlichkeit in dem Instrument zum Ausdruck kommen. Der sonore Klang des Cellos steht als tiefes Braunrot im Zentrum der zurückhaltenden Farbigkeit des Bildes. Ähnliches Gewicht gab Corot einem Cello in einer seiner bedeutendsten Landschaftspoesien, in jenem Bild, das er zweimal im Salon ausstellte: 1844 und verändert 1857 (heute in Chantilly). Dort ließ er das Instrument von einer Nymphe unter hochstrebenden Stämmen zum Klingen bringen, zusammenschwingen mit dem Gesang einer Gefährtin der Nymphe unter Blattwerk. Der suggerierte Ton untermalt die Lyrik der vom Abendlicht durchdrungenen Landschaft. In diesem Spätwerk verbindet sich der Klang des Cellos strenger und gewichtiger mit dem ins Jenseits gerichteten Blick des greisen Mönches, dessen Düsternis indessen von dem Licht überstrahlt wird, das auf den kahlen Schädel fällt. Entsprechend lichtzugewandte Empfindungen mögen sich auf den Bogen übertragen, der ebenso aufleuchtend dem dunklen Ton lichte Schwebungen zu entlocken scheint. GH

184

Gustave Courbet (1819-1877)
184 Die Grotte der Loue 1864
Öl auf Leinwand; 98x130,5; Inv. 1562
Ornans, Wohnort der Familie Courbet, liegt an der Loue. Der Fluß tritt nicht weit von Ornans entfernt schon breit strömend aus einem Felsen ans Tageslicht. Gustave Courbet hat hier mehrere Bilder gemalt. In der Komposition, die in Hamburg bewahrt wird, konzentrierte er sich ganz auf die Gesteinshöhle, die aus unergründlichem Dunkel Wassermassen dem Betrachter entgegentreiben läßt. Alles Schöpferische habe einen solchen Ursprung, meint man angesichts dieser Darstellung zu ahnen. Häufig wandte sich Courbet seit den sechziger Jahren solchen Urgewalten der Natur zu. Hatte er im Jahrzehnt davor monumentale Szenen aus dem Bauernleben seiner Landsleute der Pariser Gesellschaft vorgeführt, so wendete sich nun seine Themenwelt ins Allgemeine. Urtriebe der Menschen wie Jagd und Liebe suchte er ebenso zu gestalten wie die Energien der Elemente, insbesondere des Wassers als Quelle, Strömung und Meeresbrandung. Mit dem Spachtel brachte er die Farben zu entsprechend gewichtigem Leben. GH

Gustave Courbet (1819-1877)
185 Winterlandschaft mit den Dents du Midi 1876
Öl auf Leinwand; 73,5x101; Inv. 1561
Über einen schneeverkrusteten Abhang hinweg erblickt der Betrachter in der Ferne ein breites Gebirgsmassiv, Dents du Midi genannt. Courbet hat diese auf französischem Gebiet aufragenden Gipfel unzugänglich wiedergegeben, selber am Schweizer Standort eingeeist wie die braunen Strünke und Büsche am verriegelnden Abhang des Vordergrundes. Seit 1873 befand sich Courbet in der Schweiz im Exil, aus Frankreich geflohen, da er zur Wiederherstellung der Vendôme-Säule verurteilt war. Für deren Zerstörung als monarchistisches Denkmal während der Pariser Kommune 1871 verantwortlich zu sein, wurde ihm vorgeworfen, obwohl Courbet als Präsident der Kunstkommission zur Mäßigung gedrängt hatte. Alle Einsprüche gegen das Urteil halfen indessen nichts. Wie Courbet sein Dasein im Exil empfand, macht unser Bild beeindruckend deutlich: Die fernen Berge gestaltete der Maler zum Sinnbild seiner Freiheitssehnsucht und seines unbeugsamen Sinnes. GH

185

186

Gustave Courbet (1819-1877)
186 Blumenstilleben 1855
Öl auf Leinwand; 84x109; Inv. 1563
In schäumender Fülle hat Courbet hier weiße und gelbe Obstbaumblüten in einem braunen Bottich gebündelt wiedergegeben, mit der materiellen Kraft der Farben die treibende der Blüten suggerierend. Die Zweige weisen von der Mitte ausgehend vor allem nach links oben und rechts unten, vom Licht zu einer Diagonalen zusammengefaßt. Kleinere Ausläufer bringen Fülle, einerseits sich in die Schattenseite der Diagonalen verlierend, andererseits in die Höhe schwingend. Insbesondere diese letzteren lassen den lichtblauen Grund räumlich erscheinen, der als Himmel aber ebensowenig bestimmbar ist wie der grüne Streifen links als Wand und die graue Standfläche als Steinplatte. Standortlos wird der Strauß als Zeichen für Frühlingswachstum schlechthin verstanden. GH

Auguste Renoir (1841-1919)
187 Blumen im Gewächshaus 1864
Öl auf Leinwand; 130x98,4; Inv. 5027
Eine Variante des Bildes in der Sammlung Reinhart in Winterthur ist 1864 datiert. Sie gibt die gleichen Pflanzen aus einem anderen Blickwinkel wieder, so daß die hochstrebende Calla mehr zur Mitte des Bildfeldes hinrückt. Es besteht kein Zweifel, daß die Hamburger Fassung bei gleicher Gelegenheit gemalt wurde. Renoir war damals 23 Jahre alt und hatte gerade die Ecole des Beaux-Arts in Paris verlassen. Bei aller erreichten Selbständigkeit leugnete er indessen nicht sein Vorbild: Wie Courbet ließ er in diesem Werk mit vehementem Farbauftrag die sprießende Kraft der Pflanzen lebendig werden, sowie Blätter und Blüten aus dunklem Grund hervorleuchten. Eine der Pflanzen die übrigen weit überragend wiederzugeben und den weißen Kelch der Calla zwischen sich hochreckenden Blättern zu vereinzeln, während die anderen Pflanzen ihre Blütenfülle gegenseitig gestuft in der Breite ausdehnen, war Renoirs neue Kompositionsidee. Der Calla gehört die Höhe des Bildfeldes. Selbst die von Maßliebchen, Zinerarien und Flieder erfüllte Breite und Tiefe wird von den ausfächernden Blättern der Calla beherrscht. Hatte Courbet in seinem Frühlingsstilleben (Inv. 1563) das Treiben der Blüten schlechthin wiedergegeben, so entwickelte Renoir eine Hierarchie der Blütenfamilien, bekrönt von einer besonderen Blume. Diese Calla, die sich elitär über den anderen Blumen erhebt, läßt an eine »soziale Schichtung« der Pflanzenwelt denken – Renoir hätte dann ein in Stillebenform gekleidetes Gesellschaftsbild gemalt. GH

187

188

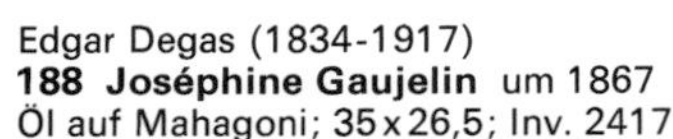

Edgar Degas (1834-1917)
188 Joséphine Gaujelin um 1867
Öl auf Mahagoni; 35x26,5; Inv. 2417
Das Gemälde ist eine Ausdrucksstudie für ein 1867 datiertes Bildnis, das die Dargestellte mit gefalteten Händen im Schoß wiedergibt. Ihr schwarzes Gewand ist umfangen von dem auf den Sitz gesunkenen reichgemusterten Kaschmirschal. In der Studie konzentrierte sich Degas ganz auf die Züge des Gesichts, die geprägt sind von den unter hochgewölbten Brauen und schweren Lidern skeptisch blickenden dunklen Pupillen und den leicht zusammengepreßten unsymmetrisch gezeichneten Lippen. In ihnen suchte Degas ohne Rücksicht auf ein Schönheitsideal besondere Charaktermerkmale seines Gegenübers zu erfassen. Joséphine Gaujelin war damals Tänzerin an der Pariser Oper. Es mag sein, daß Degas sie kennenlernte, während er an seiner Komposition ›Mlle Fiocre dans le Ballet de la Source‹, einem Szenenbild, für den Salon von 1868 arbeitete. GH

189

Edgar Degas (1834-1917)
189 Vor dem Spiegel um 1889
Pastell auf Papier; 49x64; Inv. 1078
Eine mit ihrer Toilette beschäftigte Frau darzustellen, reizte Degas – insbesondere seit den achtziger Jahren – ebenso häufig wie das Motiv der scheinbar schwerelos sich bewegenden Tänzerin. Er ›säkularisierte‹ damit das Thema der ›Bathseba‹, deren heimlicher Beobachter nun nicht mehr König David, sondern jeder beliebige Betrachter des Bildes ist, anonym wie die Dargestellte selber. Degas zeigte diese gern von einem ungewöhnlichen Blickpunkt und wie zufällig ins Bildfeld geraten. Das beschattete verlorene Profil hat rechts die Tiefe des aufleuchtenden Frisiertisches vor sich mit akzentuierenden Geräten, deren Farben sich im Spiegel wiederholen. Hier verliert sich der Raum im Unbestimmten – die Gestalt der Frau ist kaum angedeutet. Hierhin setzte Degas eigenwillig seine Signatur. GH

190

Edouard Manet (1832-1883)
190 Der Schriftsteller Henri Rochefort
1881
Öl auf Leinwand; 81,5x66,5; Inv. 1564
Ende 1880 begann Manet, Rocheforts 1874 unternommene Flucht aus Neu-Kaledonien – dort wegen Teilnahme an der Kommune 1871 in Haft – darzustellen. Er zeigte ihn mit wenigen Gefährten in einem Boot auf dem Weg durch weite See zu dem am hohen Horizont auftauchenden australischen Schiff. Keins dieser Bilder schickte er indessen zum Salon von 1881, sondern das Bildnis des Schriftstellers, dem eine Amnestie die Heimkehr möglich gemacht hatte. Manet gab ihn aufrecht stehend, doch nur halbfigurig wieder, so daß der Kopf Betonung erhielt. Nur an Kopf und Händen ließ er seine seit langem erarbeitete vibrierende Farbstruktur wirksam werden, dem nervösen Temperament des Dargestellten angemessen. Das dagegengesetzte harte Weiß des Hemdes und der Manschetten scheint Starrsinn anzudeuten, ebenso wie die Gebärde der verschränkten Arme und der in sich versunkene Blick. GH

191

Edouard Manet (1832-1883)
191 Nana 1877
Öl auf Leinwand; 154x115; Inv. 2376
Zum Salon von 1877 wurde das Bild nicht zugelassen. Es galt als unverzeihliche Kühnheit, eine halbbekleidete Kurtisane lebensgroß in die Mitte einer Gemäldeszene zu plazieren, sie also gleichsam zu feiern. In der Tat stellte sie Manet in die Mittelachse vor ein Gobelinfeld, dessen lichtes Blau den goldgelben Haaraufbau zu einer Krönung der hellen Gestalt macht. Aus ihrer Höhe blickt die Schöne auf den Betrachter, ebenso herablassend wie sie den hinter ihr wartenden Kavalier nur am Rande ihrer Szene duldet, durchschnitten vom Rahmen. Wegen dieses Randdaseins hielt man den Herrn zeitweilig für eine spätere Zufügung. Doch findet man auch in früheren Werken Manets schon ähnliche Kunstgriffe angewandt. In jedem Fall ist das Verhältnis der Personen zueinander eindrucksvoll gekennzeichnet. Der Herr scheint mit Gleichmut seiner Rolle angepaßt, wie die rahmenparallelen Senkrechten von Zylinder und Hose glauben machen. Das starre Gestell des Spiegels, dem das Mädchen zugewandt steht, nimmt auf andere Art Bezug zur steifen Gestalt des Mannes. Es suggeriert ein Skelett, dessen Arme mit den Vergänglichkeit symbolisierenden schwarzen Kerzendochten dem Mädchen entgegengestreckt sind. Mit spitz hochweisendem kleinen Finger antwortet sogar die mit Schminke und Puderquaste beschäftigte Nana darauf. Doch entzieht sie sich der Umklammerung in den Bereich des Gobelins. Es ist offenbar ein Bereich der Wünsche und Phantasien. Hier mag sie sich, einstweilen jedenfalls, königlich erhoben fühlen. – Man hat oft das Bild zu dem von Zola verfaßten Roman der Nana in Beziehung gesetzt, dessen erste Kapitel allerdings erst im Herbst 1878 erschienen. Den Namen mag Manet entliehen haben, denn Zola beschrieb die Kindheit seiner Kurtisane schon seit dem Herbst 1876 in dem Roman ›L'assommoir‹. GH

192

Alfred Sisley (1839-1899)
192 Landschaft an der Seine 1879
Öl auf Leinwand; 60x73; Inv. 2356
Wie sein Freund Claude Monet und beider Vorbild Daubigny liebte es Sisley, die nuancenreiche Atmosphäre an Flüssen wiederzugeben. In dem bewegten Gewebe pastos gesetzter Farbtöne machte er sie sinnlich spürbar. In gleichem Maß nahm er Gegenständen – wie etwa Bäumen und Menschen – ihre Gewichtigkeit und glich ihre Farben denen der Atmosphäre an. Solche Schwebungen durchdringen auch das Raumgefüge: Die Weite scheint in die Nähe gebannt und doch ist nichts in der Nähe faßbar.
GH

Alfred Sisley (1839-1899)
193 Kornfeld bei Argenteuil 1873
Öl auf Leinwand; 50,5x73,1; Inv. 1665
Die sonnenerfüllte Sommerlandschaft läßt nicht ahnen, in welcher Notlage sich der Maler damals befand. Hatte Sisley bis 1871, unterstützt aus dem elterlichen Vermögen, ein gutes Auskommen gehabt, so sah er sich nach dem geschäftlichen Ruin und Tod des Vaters allein verantwortlich für seine vierköpfige Familie. Unbeirrt fuhr er fort, ähnlich wie seine Freunde Renoir und Monet, die Kraft von Licht und Atmosphäre zur Geltung zu bringen und durch sie Bildräume zu schaffen. Die Dynamik des von rechts in die Tiefe drängenden, goldgelb strahlenden Kornfeldes – sie übertrifft diejenige des Rübenfeldes in der Mitte – weist auf eine Baumgruppe, welche die Tiefenrichtung in die Höhe lenkt. Insbesondere die Spitze einer Pappel ragt kirchturmartig in den Himmel, während seitlich Wolken, mit breit lagernden Baumwipfeln sich mischend, die Spannungen auffangen und zurücknehmen. GH

194

Auguste Renoir (1841-1919)
194 Madame Hériot 1882
Öl auf Leinwand; 65x54; Inv. 2354
Der Auftrag, Madame Hériot, die Gattin eines Hauptaktionärs des Louvre-Kaufhauses zu malen, zeigt Renoir erfolgreich bemüht, als Porträtist seine Existenz zu sichern. Es gelang ihm mit dem Glanz seiner reich wechselnden Farben den Zauber der Dargestellten so zu verlebendigen, daß auch diese selber sich repräsentiert fand. In Gesicht und Händen ergeben

193

195

die Farben einen dichten Schmelz, in welchem einige Linienzüge wie die der Brauen, Augen, Lippen eine zarte Betontheit erfahren. Renoirs zwei Jahre zuvor neu entdeckte Liebe zu Ingres' Kunst machte sich hier geltend. Der Kopf schält sich mit seinem Schmelz, den dunklen Augen und Haaren, aus der Mitte eines farbig bewegteren Grundes, dessen Rottöne etwas verhaltener diejenigen des Kleides wiederholen. Hier und im bunt-, vor allem blaugemusterten japanisierenden weißen Überrock, sowie in der Farbenvielfalt des Sessels entladen sich Phantasie und Temperament. So sind in diesem Bildnis verschiedene Gestaltungsmöglichkeiten ineinander verwoben, wobei die zügelnden Elemente beherrschend bleiben, man empfindet auf diese Weise die Dargestellte charakterisiert. GH

Auguste Renoir (1841-1919)
195 Reiter im Bois de Boulogne 1873
Öl auf Leinwand; 261 x 226; Inv. 1567

Renoir hat dieses Gemälde für den Salon von 1873 gemalt. Kein Auftraggeber bestimmte das große Format, sondern der Wunsch des Künstlers, sich durchzusetzen. Das Bild wurde aber wie vorher schon manches andere von der Jury abgelehnt. Die Komposition ist der reitenden Dame gewidmet, die in der Bildmitte aus der Höhe ihren Blick dem Betrachter zuwendet. Die Farben der Rose auf ihrem schwarzen Reitkostüm werden in dem schleierverhüllten Gesicht wiederaufgenommen und erfahren durch das Graugrün des Laubes im Hintergrund eine besondere Betonung. Ein kahler Stamm reckt sich wie zur formalen Stützung ihrer aufrechten Haltung. Das Pferd scheint beim Traben kaum den Boden zu berühren. Denn dieser ist verschwimmend, zurückweichend wiedergegeben. Noch schwebender wirkt der Lauf des Ponys links daneben und konsequenter vorwärts gerichtet, während der große Gefährte leicht zu verhalten scheint, um den Betrachter mit einem Blick zu streifen, gleich dem seiner Herrin. Der junge Ponyreiter wiederum richtet sein Profil zum schwingenden Umriß des Pferdes hin, als ob er es vorantreiben wolle. Seine Person erhält durch das Blau des Sees hinter seinem ockergelben Jackett eine eigene Betonung, sowie durch die Wiederaufnahme des Ockertons im Hintergrund des Parks, über dem sich der Himmel öffnet. Der Blick des Jungen überträgt die auf ihn bezogene Weite und Helligkeit auf die ganze Gruppe. Reiterin und Reiter waren Renoir vertraute Menschen. Dennoch sollte die Darstellung nicht als Porträt gelten. Den noch heute üblichen anonymen Titel trug das Bild von Anfang an. Renoir macht einen Augenblick aus dem Leben begüteter Pariser lebendig. Diesen Moment gestaltete der Maler sogar als überaus kurz durch den schwebenden Lauf der Pferde über grün schimmernden Boden. Erwartete der Betrachter 1873 bei einem Bildnis ein verharrendes Gegenüber, so gewährte Renoir mit der Reiterin eine nur flüchtige Begegnung. Immer intensiver sollten sich in den folgenden Jahren die ›Impressionisten‹, zu denen Renoir gehörte, mit ›Augenblicken‹ beschäftigen und eine entsprechend spontane Pinselschrift entwickeln. Solche Bilder gewannen die Spannung eines Lebenskonzentrats. Auch Renoirs Reiterdarstellung läßt sie schon spüren. GH

196

197

198

199

Claude Monet (1840-1926)
196 Die Waterloo-Brücke in London 1902
Öl auf Leinwand; 65x100;
Inv. 1305
Seit den neunziger Jahren begann Monet, ein Motiv in vielen Varianten je nach Tages- und Jahreszeit verschieden zu gestalten. Von der Waterloo-Brücke in London soll es 38 Fassungen in Öl und 11 Pastelle geben, zwischen 1897 und 1905 gemalt. Sie bilden keine geschlossene Serie, sind aber in einer Reihung besonders eindrucksvoll. In jeder von ihnen ist die Bogenfolge der Brücke gleitend gesehen, als ob sie nicht zum jenseitigen Ufer hinreiche, dessen Gebäude sich kaum aus dem Nebeldunst entwinden. Sie ist als Gegenstand Teil einer ins Unendliche schweifenden Stadtlandschaft und bringt als nur flüchtig wahrgenommener Gegenstand zugleich die verrinnende Zeit zum Bewußtsein. GH

Paul Cézanne (1839-1906)
197 Am Quai de Bercy in Paris um 1876
Öl auf Leinwand; 59,5x72,5;
Inv. 2374
Cézanne übernahm die Motive dieser Stadtlandschaft fast wörtlich aus einem Bild von Armand Guillaumin, das seit kurzem auch der Hamburger Kunsthalle gehört. Aber durch seine härtere Strichführung und entschiedenere Farbigkeit änderte sich zwangsläufig auch die Komposition. Noch kurz zuvor – von 1872 bis 1874 – hatte Cézanne sich bei gemeinsamer Arbeit mit Camille Pissarro von der Landschaftsauffassung und Technik der Impressionisten lenken lassen. Er hatte sein in gewaltsamen, düsteren Kompositionen sich entladendes Temperament zu zügeln gelernt und war zu lichteren, feiner strukturierten Gemälden gelangt und zu neuen Aussagemöglichkeiten in der Malerei. Er war nur konsequent, als er 1877 Abschied von den Freunden nahm und in seiner Heimat Aix-en-Provence die Arbeit mehr auf sich selber konzentriert fortsetzte. GH

Pierre Bonnard (1867-1947)
198 Lampionkorso auf der Außenalster 1913
Öl auf Leinwand; 37,5x47,5;
Inv. 1571
Als Bonnard sich im Juni 1913 mit seiner Frau Marthe und Vuillard auf Einladung des Direktors der Kunsthalle in Hamburg aufhielt, war er besonders begeistert von dem Leben an der Außenalster. Jeden Abend verbrachte die kleine Gruppe am Uhlenhorster Fährhaus oder auf der Terrasse des Germa-

200

nia-Bootshauses. »Sie meinten, das Leben sei demokratischer als in Paris. Alles gehöre allen, so etwas, wie der Bootscorso abends, sei in Paris undenkbar«, berichtete Lichtwark an die Kommission für die Verwaltung der Kunsthalle. Den Lampionkorso auf der Außenalster zu Ehren des 25jährigen Regierungsjubiläums des Kaisers setzte Bonnard in ein kleines Farbenjuwel um. Bonnard liebte solche Lichterscheinungen und wurde zeitlebens nicht müde, sie zu gestalten, ob in Innenräumen oder im Freien, von künstlichen Quellen verursacht oder von Gestirnen. GH

Albert Marquet (1875-1947)
199 Im Hamburger Hafen 1909
Öl auf Leinwand; 66x80; Inv. 5080
Als Marquet sich im Winter 1909 in Hamburg aufhielt, fand er diesen Blick aus einem Hotelfenster: auf den (1963 abgerissenen) Kaiserquai-Speicher A mit Signalturm, ›Kehrwieder-Spitze‹ genannt. Er malte die Hafenlandschaft mit entschieden, doch weich gestrichenen und fein nuancierten Grau- und Brauntönen, die sie in meisterhafter Weise in den Dunst eines Hamburger Regentages eingehüllt wiedergeben. Er zeigte sich damit der Neigung entwachsen, mit kräftigen Farben den Natureindruck zu übersteigern, was ihn mit den ›Fauves‹ verbunden hatte. In Hamburg hat er den Hafen auch in anderen Wetter- und Zeitsituationen dargestellt, aber auch andere Motive, wie etwa den Nikolaifleet oder einen Blick vom Wasser auf die Stadt mit den Türmen von Nikolai und Katharinen. GH

Edouard Vuillard (1868-1940)
200 Blick auf die Binnenalster 1913
Gouache auf Pappe; 74x55,2; Inv. 1574
Vuillard war ein Meister in der Gestaltung von Menschen in ihrer häuslichen Umgebung. Suchte er sich Motive im Freien, bevorzugte er belebte Plätze, Parks und Gärten. Deshalb mag ihn in Hamburg die rings umbaute Binnenalster als ein weiter Raum gefesselt haben, wenn er sich bei der Gestaltung auch auf einen Ausschnitt beschränkte: einen Winkel, der sich nach rechts hin weitet. Mit den leicht von oben herabhängenden grünen Laub-›Wolken‹ wußte er – schwere Stämme ausklammernd – die fernen Objekte an die Nähe zu binden und zugleich die Nähe zu entrücken. Insbesondere der Turm der Michaeliskirche ist farblich und formal über die Pfosten des Ufergitters auf den Betrachter bezogen und zieht ihn hin – über die licht schimmernde Wasserfläche weg. So holte Vuillard wesentliche Eindrücke der weiten und zugleich geschlossenen Gesamtanlage in seinen Ausschnitt. Lichtwark hatte ihm und seinem Freund Bonnard freie Wahl bei der Gestaltung von Hamburgmotiven zugesichert, als er beide zum Juni 1913 einlud. Nur das Porträt eines verdienstvollen Bürgers der Stadt war ein bindender Auftrag. Nach Max Liebermann und Lovis Corinth gewann Lichtwark zum erstenmal ausländische Künstler für sein Projekt, in der Kunsthalle heimatliche Akzente von internationalem Rang zu setzen. Es sollte das einzige Mal bleiben. Denn er starb im folgenden Jahr, noch vor dem Ausbruch des Ersten Weltkrieges. GH

201

Edouard Manet (1832-1883)
201 Jean Baptiste Faure in der Oper ›Hamlet‹ von Ambroise Thomas (Studi)
1877
Öl auf Leinwand; 196x129; Inv. 1565
Der seinerzeit berühmte Bariton Jean-Baptiste Faure war einer der ersten Sammler von Werken Manets und hat dieses Bildnis bestellt. Er wollte sich in seiner Abschiedsaufführung als Hamlet vor dem Geist seines ermordeten Vaters in der Oper ›Hamlet‹ von Ambroise Thomas dargestellt sehen. Unsere lebensgroße Skizze hat der vollendeten Fassung (im Museum Folkwang, Essen) voraus, daß eine erregte Pinselführung den Gemütszustand des Prinzen ebenso deutlich macht wie der Blick aus aufgerissenen, verschleierten Augen und der unsicher der Erscheinung entgegenwankende Schritt. In den Farbfetzen, die im gleichen Blauschwarz wie das der Gestalt im Hintergrund Publikum andeuten, breitet sich die Spannung aus, vibrierend mit Gelbockerreflexen, die vom rechts oben angedeuteten Lüster ausgehen. Der Umhang, in der Endfassung über dem Arm, ist hier abgeglitten und wirkt wie ein Echo der Erscheinung, deren Schatten links unten ins Blickfeld ragt. GH

Max Slevogt (1868-1932)
202 Francisco d'Adrade in Mozarts Oper »Don Giovanni« 1903
Öl auf Leinwand; 150x109; Inv. 5149
Der portugiesische Opernstar Francisco d'Adrade (1856-1921) war vor dem Ersten Weltkrieg der berühmteste ›Don Giovanni‹-Darsteller. Slevogt, ein großer Mozart-Kenner, hatte d'Adrade mehrmals in dieser Glanzrolle gesehen. Drei überragende Gemälde, darunter das unsere, beweisen, wie sehr ihn das gewaltige Temperament des Portugiesen faszinierte. Festgehalten ist die Todesszene im letzten Akt der Oper. Don Giovannis Hand wird von der des Komturs gepackt. In der Komposition und der über den Bildraum hinausgreifenden Geste ist sowohl das den Teufelspakt betonende Bühnenlicht als auch der kurz bevorstehende Untergang des Verlorenen erfaßt. SP

202

Henri de Toulouse-Lautrec (1864-1901)
203 Die Tochter des Polizisten 1890
Pastell und Gouache auf Pappe; 67x50; Inv. 1253
Toulouse-Lautrec liebte Profilbildnisse der Florentiner Frührenaissance. Gab er eines seiner Frauenbildnisse in entsprechender Weise wieder, so erreichte er einen hohen Grad von Versachlichung. Niemals aber zeigte er sein Modell so kerzengerade aufgerichtet wie hier. Er betonte diese Haltung sogar im Kontrast zum zurückschwingenden Rund der Strohsessellehne und durch den Gleichklang mit zahlreichen Senkrechten im Hintergrund. Wollte der Maler die Starre des Modellsitzens entlarven? Jedenfalls erreichte er den Eindruck eines schüchtern in den Normen der Gesellschaft sich einschränkenden Menschen. Dementsprechend bleibt der Blick der Frau auf sich selbst beschränkt, aufgehalten von der Türsenkrechten und dem goldgelben Kreis eines Knaufes. Vielleicht pointierte Toulouse-Lautrec solche Züge, weil er es gewohnt war, unter unkonventionell sich verhaltenden Menschen zu verkehren: Chansonsängern und -sängerinnen, Tänzern und Tänzerinnen. In Cafés, Cabaretts und »geschlossenen Häusern« (Bordellen) suchte er die Motive für seine Bildwelt – der Gemälde wie der Lithographien. Er bezahlte sein Eintauchen in eine solche Umwelt mit dem raschen Verfall seiner Gesundheit. Die Mutter jedoch verstand, welch ungewöhnlichen Ruhm die alte Adelsfamilie dem verkrüppelten Sproß verdankte. Sie gründete mit Hilfe von Freunden das Toulouse-Lautrec-Museum in Albi. GH

203

Paul Gauguin (1848-1903)
204 Badende bretonische Knaben 1888
Öl auf Leinwand; 92x72; Inv. 5063
Die Höhe des Bildes reicht nicht bis zum Horizont. Der Blick ist von oben auf ein Stück sonnenverbrannten Rasens und die Stauung eines Baches gerichtet, dessen Wasser über ein Ziegelwehr nach links hin schäumt. Das jenseitige Ufer ist nur angedeutet, ein Hausdach nur in der Spiegelung des Wassers zu erkennen. Um so erdverbundener wirken die beiden nackten Jungen, die sich im Vordergrund recken. In ihrem Inkarnat setzt sich der Ton des Grases fort, in ihren Gebärden die Rundung des Felsens am linken Bildrand. Auf die Senkrechte des stehenden Beines antwortet die des Stammes, dessen Geäst nahe dem Ufer in die Höhe weist. Alle Gebärden sind nach außen gerichtet. Es gibt kein Bildzentrum, nur ein Spannungsfeld. Darin zeigt Gauguin sich Degas verpflichtet, wie im Vibrieren pastoser Farbnuancen seinem Lehrer Pissarro. In Farbwahl und Konturierung sowie in der Kühnheit der Komposition erkennt man aber auch den explosiven Erneuerer. Schon während des ersten Aufenthaltes in der Bretagne 1886 vermittelte er den Nabis, unter ihnen Bonnard und Vuillard, über Paul Serusier entscheidende Impulse. Damals suchte der ehemals wohlhabende Börsenmakler nicht nur aus Geldnot die entlegene Gegend auf, sondern auch, weil er sich nach Ursprünglichkeit sehnte. 1888 hatte er das durch Krankheit abgebrochene Abenteuer einer Reise nach Martinique schon hinter sich. Gleichwohl trieb es ihn 1891 wieder in die Südsee. GH

204

205

Giovanni Segantini (1858-1899)
205 Glaubenstrost 1896
Öl auf Leinwand; 151 x 131; Inv. 1646
Eine Vorzeichnung zeigt, daß ursprünglich nur ein schmaler Rahmen beide Bilder in eine reale und eine vorgestellte Welt trennen sollte. Denn religiöse Symbolik durchdringt auch die scheinbar so realistische alpenländische Schneelandschaft. Die Naturgenauigkeit des Gebirgs-Massivs hinter dem Friedhof von Maloja weist auf das unveränderliche, mitleidlose Naturgesetz des Sterbenmüssens hin, der niedrigfliegende Schwarm schwarzer Vögel deutet auf den Tod. Der die Komposition beherrschende Gebirgszug steht klar im Gegenlicht der bereits gesunkenen Sonne, letzte Lichtreflexe scheinen im Schnee und im frisch gehäuften Grabhügel auf. Von der Schattenseite des Berges dringt die eisige Kälte zum Friedhof herüber. Nur die Einsamkeit der Natur antwortet der Verlassenheit der Eltern. Realistische Naturschilderung und religiöse Vorstellung sind miteinander vermischt: Neben den Eltern ist ein Grabkreuz mit dem ›Schweißtuch der Veronika‹, das das Antlitz Christi zeigt, verhüllt. Außerhalb des Friedhofes folgt ein kleines Mädchen einer hohen, geneigten Gestalt, zwei weitere Gestalten schreiten in der Ferne durch den Schnee zur Bildmitte. Dort, genau vor der untergehenden Sonne, im Gebirgssattel, endet der ›Lebens‹-Weg des Menschen und darüber, in der lichten himmlischen Sphäre des oberen Bildes, erscheint, getragen von Engeln, der Leichnam des Kindes – die tröstende Vorstellung der Eltern. SP

Gabriel Max (1840-1915)
206 Die Kindsmörderin 1877
Öl auf Leinwand; 160,5 x 111; Inv. 2243
Gottfried Bürgers Ballade ›Die Pfarrerstochter von Taubenhain‹ soll Max den Stoff zu seiner ›Kindsmörderin‹ geliefert haben. Der Künstler, der sich mit Parapsychologie und Spiritismus beschäftigte und ernsthafte anthropologische Studien trieb, bevorzugte in seiner Malerei Motive des Unglücks. Er wußte sie auf so süßlich-schmerzliche Art zu inszenieren, daß der Anblick der meist grausig-rührenden Szenen seine Wirkung auf die Nerven des Betrachters nicht verfehlte. Max rechnete mit der Lust am Tragischen, mit der Sensationslust. Gegenstand des wonnigen Erschauerns oder entsetzten Entzückens sind meist zarte, liebliche Frauen, die ihrem Schicksal hilflos und ohnmächtig ausgeliefert sind. So zeigt die ›Kindsmörderin‹ keine Kraft zum Widerstand gegen die mörderische Moral der Gesellschaft, deren Opfer sie mit ihrem Kinde ist und die sie durch ihre Verzweiflungstat entlarvt. Mit einer Nadel hat sie dem Kind das Herz durchstochen, sie küßt seinen starren Körper noch einmal, bevor sie ihn dem Wasser preisgibt. »Die düster trostlose Stimmung der landschaftlichen Scenerie« klingt »hier fein mit der des Vorgangs zusammen, und das blasse Körperchen des Kindes bildet auf dem dunkelgrünen Schilf einen sehr pikanten hellen Farbfleck« (R. Muther). Angeblich hatte sich Max wegen dieses Gemäldes zu Studienzwecken 14 Kinderleichen aus Wien nach München kommen lassen. SP

206

207

Lawrence Alma-Tadema (1836-1912)
207 Eine Weihung an Bacchus 1889
Öl auf Leinwand; 77,5x177,5; Inv. 1905
In einem Tempel am Meer wird ein Kind dem Bacchus geweiht. Das zur Tag-und-Nacht-Gleiche im Dezember gefeierte Bacchus-Fest erinnert daran, daß der Weingott ursprünglich ein Vegetationsgott war, der im Winter starb und im Frühjahr neu geboren wurde. Der mit Efeu bekränzte, sich aufstützende Alte und das Kind weisen auf diese Bedeutung. Tadema hatte seit seiner Studienzeit in Antwerpen ein immenses Wissen über das Altertum angesammelt. Die antiken Ausstattungsstücke des Tempels hatte er in verschiedenen europäischen Museen gesehen. In der Brillanz, Materie und Licht darzustellen, galt Tadema in England als unübertroffen. Er folgte dem großen archäologischen Interesse seiner Epoche, als er das gerade ausgegrabene Pompeji besuchte und beschloß, der Antike in seinen Gemälden neues Leben einzuhauchen. Er wurde zum Maler des Alltags wohlhabender Römer. Diese waren im Grunde reiche Engländer aus Birmingham oder Manchester, die den Gehrock mit der Toga vertauscht hatten. Sie verbildlichten die Sehnsüchte der viktorianischen Zeit: Freundschaft, Heim, Familienleben, ideale Liebe, Erotik. SP

Max Klinger (1857-1920)
208 Meeresgötter in der Brandung
1884/85
Öl auf Leinwand; 51x99,5; Inv. 1653
Klinger hatte, erst 26 Jahre alt, von dem mit ihm befreundeten Architekten J. Albers den Auftrag erhalten, einen Raum in dessen Villa in Berlin-Steglitz mit Gemälden auszuschmükken. Von den etwa fünfzig Fries-, Wand-, Sokkel- und Türdekorationen stellten vier große Wandbilder die ›Weltalter‹ dar, die Gesamtheit aller Motive ergab wohl eine Art Schöpfungsgeschichte. Albers hatte Klinger völlige Freiheit gelassen. Mitten in der Arbeit bemerkte man, daß das Haus vom Schwamm befallen war, doch vollendete Klinger sein Werk ohne größere Vorsichtsmaßnahmen. Bereits ein Jahr später mußte er dies beklagen: Der Hausbesitzer verließ das Haus und zog nach Graz, ließ die Gemälde ablösen und nahm sie mit. 1898 wurden vierzehn dieser Bilder in der Wiener Sezessionsausstellung gezeigt. Von dort gelangten sie in der Berliner Kunsthandel, aus dem die Nationalgalerie Berlin und die Hamburger Kunsthalle sie zu gleichen Teilen erwarben. Das Thema der von Meergöttern bevölkerten Wasserlandschaft macht den Einfluß Böcklins, den Klinger verehrte, deutlich. SP

208

Hans Makart (1840-1884)
209 Der Einzug Kaiser Karls V. in Antwerpen 1878
Öl auf Leinwand; 520x952; Inv. 1515
Inspiriert zu diesem Gemälde wurde Makart durch Dürers knappe Bemerkung im Tagebuch seiner Reise in die Niederlande. Dort hatte er im September 1520 den Einzug des Kaisers in Antwerpen erlebt. Makarts Darstellung dieses Ereignisses ist historisierend und nicht geschichtstreu. Dürer hatte in einem Brief an Melanchthon die fast unbekleideten Ehrenjungfrauen erwähnt – die wohl auf einem Podest am Rande des Festzuges standen und Allegorien verkörperten – doch hinzugefügt, daß der Kaiser kaum hingesehen habe. Makart dagegen gruppierte sie im Bildzentrum dicht um das Pferd des Kaisers, eine Komposition, die an die Venezianer und Rubens denken läßt. Die prächtigen Kostüme aller Personen vereinen Renaissance- und Gründerzeit-Stil. Als das fast 50 m^2 große Gemälde – auch im Format wollte sich Makart mit den Venezianern und Rubens vergleichen – im März 1879 im Wiener Künstlerhaus ausgestellt wurde, drängten sich innerhalb weniger Tage 34 000 Menschen davor. Seine Pikanterie bezog das Bild daraus, daß auf ihm etliche stadtbekannte Persönlichkeiten zu erkennen waren, darunter als voranschreitende, blumenstreuende Schöne das bevorzugte Modell Makarts, Hanna Klinkosch, die spätere Fürstin Liechtenstein. Der Künstler selbst erscheint direkt über ihr, rechts neben dem Kopf des Pferdes, das übrigens von der Hand seines Freundes, des beliebtesten und bestbezahlten damaligen Pferdemalers Wiens, Rudolf Huber, stammen soll. Dürer, der historische Augenzeuge des Geschehens, steht links im Bild unter der Tribüne. 1879 gewann das Bild auf der Pariser Weltausstellung eine Ehrenmedaille. Es reiste zwei Jahre durch Europa, 1881 wurde es von der Kunsthalle erworben. SP

Hans Makart (1840-1884)
210 Der Einzug Karls V. in Antwerpen (Studie) 1876/77
Öl auf Leinwand; 65,8x105,3; Inv. 2683
Makart bereitete das große Bild seit 1875 in Skizzen und Studien vor. Ursprünglich wählte er als Kulisse den Hafen Antwerpens, wie die Schiffsmasten im Hintergrund der – seitenverkehrten – Studie zeigen, in der das Interesse des Künstlers sich auf die Hauptperson des Gemäldes und ihre unmittelbare Umgebung konzentriert. SP

209

210

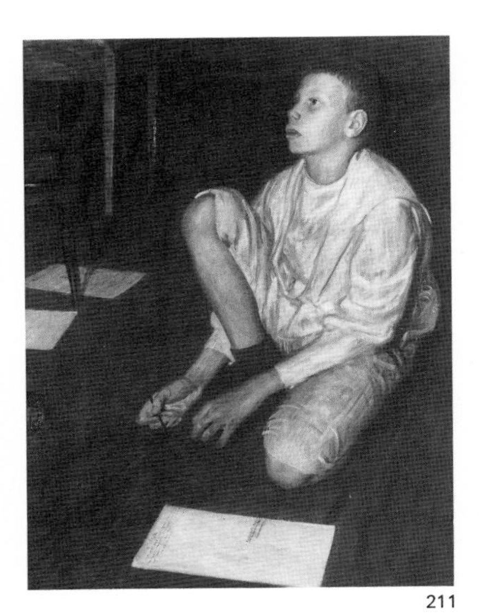

211

Leopold Graf von Kalckreuth (1855-1928)
211 Wolf, der Sohn des Künstlers 1900
Öl auf Leinwand; 115x90; Inv. 2882
Kalckreuth malte seinen damals dreizehnjährigen Sohn beim Verfassen eines ›Julius Cäsar‹-Dramas. Wolf war ein frühreifes Kind mit ausgeprägter dichterischer Begabung. Mit fünfzehn hatte er bereits zahlreiche Theaterstücke geschrieben, deren Stoff von Montezuma über Catilina bis zu Charlotte Corday reichte. Er inszenierte seine Dramen zu Hause, Mitwirkende waren seine Geschwister. Neunzehnjährig, nach wenigen Tagen Militärdienst, beging Wolf Selbstmord. Eine Auswahl seiner Gedichte und seine Übersetzungen Verlaines und Baudelaires wurden vom Insel-Verlag herausgegeben, Rilke widmete dem Toten ein Requiem. Das Visionäre im Wesen des Jungen, sein Suchen, sein Warten auf Inspiration hat Kalckreuth ganz in die Gesichtszüge des Sohnes gelegt. Doch auch die im Schreiben innehaltenden, mageren Hände betonen in ihrer Angespanntheit den Moment konzentrierten Verharrens. SP

Leopold Graf von Kalckreuth (1855-1928)
212 Heimkehrende Werftarbeiter auf der Elbe 1894
Öl auf Leinwand; 70x100;
Inv. 1815
Kalckreuth vereinte das vom Impressionismus geweckte Interesse an der Atmosphäre, an Licht und Luft und ihrer Beziehung zu Form und Farbe mit dem Anliegen, den durch seine Arbeit, sein Milieu und seine Landschaft geprägten Menschen realistisch darzustellen. Lichtwark lud den Künstler nach Hamburg ein. Unter des Grafen unkonventionellem Blick entstanden die wohl ernstesten Bilder des Hamburger Hafens. Rauchende Schlote und Schiffe im Trockendock am sehr hohen Horizont weisen auf die Mühsal der Arbeitsstätten, von denen sich die Männer, eng in überladene Kähne zusammengepfercht, über die unruhige Wasserfläche hinweg entfernen. Als schwere Masse über dem gefährlichen Strom sind sie in ihrer düsteren Anonymität fast ein Sinnbild des Industrieproletariats der Jahrhundertwende. SP

212

Max Liebermann (1847-1935)
213 Eva 1882
Öl auf Leinwand; 95,3x67,2; Inv. 2350
Das Bild des kleinen Mädchens soll Liebermann in einer einzigen Sitzung gemalt haben. Obwohl es 1883 signiert ist, entstand es vermutlich im Spätsommer 1882, als Liebermann sich bei einer seiner vielen Holland-Reisen in Zweeloo aufhielt. Wahrscheinlich hat er es dann im Berliner Atelier vollendet. Kinder schienen den Künstler zu interessieren, er hat sie als Gruppen beim Spielen oder Baden gemalt, oder auch als Einzelfiguren. Auf Gruppenbildern findet man auffallend häufig ein Kind im ›Abseits‹, alleingelassen beim Spielen oder von arbeitenden Erwachsenen in die Zuschauer-Position gedrängt. Schon 1875 steht ein Eva ähnliches Kind im Zentrum einer ›Kartoffelernte‹. 1882 erscheint sie im Hintergrund eines spielende Kinder zeigenden Gemäldes. ›Eva‹ thematisiert die psychische Situation des ausgeschlossenen Kindes, dessen sich Liebermann als feinfühliger und scharfsichtiger Beobachter annimmt. Mit dem verweinten, trotzigen Gesichtsausdruck, dem verlegen abgeknickten Fuß in den Holzpantinen und dem eng an die Schürze gepreßten, halb aufgegessenen grünen Apfel ist dieses Kind das Gegenteil der verführerischen biblischen Eva. SP

213

Max Liebermann (1847-1935)
214 Die Netzflickerinnen 1887-89
Öl auf Leinwand; 180,5x226; Inv. 1580
An der endgültigen Fassung des Bildes hat Liebermann zwei Jahre gemalt. In vielen Skizzen und Studien hatte er sich mit dem Thema beschäftigt, das ihn fesselte, seit ihn seine Hochzeitsreise 1884 nach Katwijk in Holland geführt hatte. Die frühesten Studien zu den ›Netzflickerinnen‹ zeigen Männer und Frauen gemeinsam an der Arbeit, diese beim Ausbreiten der Netze am Strand, jene beim Flicken derselben. Im Verlaufe seiner Überlegungen zur Komposition des Bildes spitzte Liebermann den gemeinschaftlichen Existenzkampf des Fischerdorfes zu, indem er die traditionelle Arbeitsteilung zwischen den Fischern und ihren Frauen betonte: Die Männer, dem Meer zugehörig, sind in unserer Fassung nicht mehr im Bild, dafür konzentriert sich alle Sorge um sie unter den an Land bleibenden Frauen in der hoch aufgerichteten jungen Gestalt, die, den Horizont weit überragend, meerwärts blickt. Vor dem düsteren Sturmhimmel wird sie zum Monument des harten Lebens der Küstenbevölkerung. – Das Bild zog 1889 als erstes Werk Liebermanns in die Kunsthalle ein. Auf der Pariser Weltausstellung hatte es gerade eine Ehrenmedaille gewonnen, als Wilhelm Bode (Direktor der Berliner Museen) es dort sah und an Lichtwark darüber schrieb. Dieser erwarb es daraufhin unbesehen, der geringe Kaufpreis wurde von den Hörerinnen seiner Vorlesungen gestiftet. SP

214

215

Max Liebermann (1847-1935)
215 Terrasse im Restaurant Jacob in Nienstedten an der Elbe 1902
Öl auf Leinwand; 70x100; Inv. 1597
Im Sommer 1902 hielt sich Liebermann auf Einladung Lichtwarks in Hamburg auf, um Bilder für die geplante ›Hamburg-Galerie‹ der Kunsthalle zu malen. Zeitweise wohnte er im Restaurant Jacob an der Elbchaussee. Das Gartencafé auf der Lindenterrasse war seit dem späten 18. Jahrhundert berühmt und wurde viel besucht, da man von hier eine herrliche Sicht über die Elbe hat. Liebermann wählte seinen Standort für das Bild so, daß der Blick zwischen den zwei Baumreihen hindurch in die Tiefe fällt und die Linden-Allee dadurch wie ein Raum im Freien wirkt: Die Nähe zur Baumreihe links läßt die einzelnen Stämme aneinanderrücken und eine fast geschlossene Wand bilden, zur Elbseite hin treten dagegen die Bäume aus diesem Blickwinkel auseinander und bieten Aussicht auf den Fluß und seinen lebhaften Schiffsverkehr. Das durch das Laubdach dringende Sonnenlicht bringt unregelmäßig Helligkeit in diesen ›Raum‹ und schafft eine heitere Atmosphäre, die das sommerliche Vergnügen und den Müßiggang der Cafébesucher betont. SP

Max Liebermann (1847-1935)
216 Der Hamburgische Professorenkonvent 1906
Öl auf Leinwand; 175x290; Inv. 1697
Die Direktoren der wissenschaftlichen Anstalten Hamburgs, die zu öffentlichen Vorlesungen verpflichtet waren, hatten sich 1901 zum ›Professorenkonvent‹ zusammengeschlossen. Lichtwark gab 1905 Liebermann den Auftrag, die Mitglieder dieses Konvents zu porträtieren. Er wollte damit aktiv in die Diskussion um die Gründung einer Universität in Hamburg eingreifen. Im Gruppenbild, wie es die holländische Malerei ausgebildet hatte, sah er die Versinnbildlichung der republikanischen Idee, da sich in der gleichwertigen Darstellung der Porträtierten Gleichberechtigung und kooperativer Geist ausdrückten. Der ›Professorenkonvent‹ der Hanseaten sollte zudem ihr Selbstbewußtsein gegenüber den Berlinern betonen, die in der Reichshauptstadt Kaiser Wilhelms II. eine politische und geistige Vormachtstellung behaupten wollten. Die Blicke aller Professoren richten sich auf Justus Brinkmann, den Gründer und Direktor des Kunstgewerbemuseums, der zu jener Zeit Vorsitzender des Konvents war. SP

216

Max Liebermann (1847-1935)
217 Freiherr Alfred von Berger 1905
Öl auf Leinwand; 112x86,4; Inv. 1591
Liebermann war ein treffsicherer Porträtist, der das Wesen seines zu malenden Gegenübers scharfsichtig erfaßte. Über die Porträt-Sitzung mit Baron Berger, der zwischen 1900 und 1910 Direktor des Deutschen Schauspielhauses in Hamburg war, erzählte er: »Eines Nachmittags kommt Baron Berger in mein Atelier. Ein Mensch, drei Kopf größer als ich und so breit – er hält die Hände meterweit auseinander. Ich denke, kann man denn sowas malen? Das ist ja kein Mensch. Das ist ja'n Rhinozeros. In meiner Verlegenheit sagte ich: Herr Baron, wir sind im Begriff Tee zu trinken. Wäre es ihnen nicht angenehm, uns Gesellschaft zu leisten? Und wie ich ihn so dasitzen sah, kam es mir wie'ne Erleuchtung: so und nich anders ist der Mann zu malen. In's Atelier zurückgekehrt, hatte ich in wenigen Augenblicken die Zeichnung fertig.« Liebermann hat die Komposition des Porträts so angelegt, daß der Blick völlig auf das Gesicht Bergers gelenkt wird, in dem die genießerische Lebenskraft des jovialen und selbstbewußten Kolosses bestimmend sind. SP

217

Max Liebermann (1847-1935)
218 Der Dichter Richard Dehmel 1909
Öl auf Leinwand; 115x92; Inv. 1592
Bis in den Ersten Weltkrieg hinein galt Dehmel als der Repräsentant deutscher Lyrik. Seit er in Berlin die Zeitschrift ›Pan‹ mitbegründet hatte, war er mit Liebermann bekannt. 1901 ließ Dehmel sich in Blankenese nieder. Lichtwark gab das Bildnis des in Hamburg ansässig gewordenen Dichters für die ›Sammlung von Bildern Hamburgs‹ in Auftrag. Dehmel veröffentlichte im Entstehungsjahr des Bildes einen Essay gegen den Begriff rassisch gebundener Kunst, um Liebermann gegen deutsch-nationalistische Angriffe beizustehen. Grundlage für den Essay war eine Unterhaltung mit dem Künstler. Liebermann legte die gesamte Bildkomposition so an, daß die innere Nervosität und die Unruhe des Dichters in der Dynamik seiner Körperhaltung zum Ausdruck kommt. SP

218

Max Liebermann (1847-1935)
219 Der Chirurg Ferdinand Sauerbruch 1932
Öl auf Leinwand; 117,2x89,4; Inv. 2927
Mit äußerster Ökonomie der Mittel gelang Liebermann die Charakterisierung des mit ihm befreundeten berühmten Chirurgen, zu dessen Patienten Liebermann gehörte. Die lebendige Schilderung des Arztes zeugt von der malerischen Sicherheit und Kraft des betagten Künstlers. Sauerbruch sitzt – genau in der Bildmitte – in der typischen Haltung des Arztes da: Leicht in sich zusammengesunken, den Kopf wie zur besseren Konzentration in Schräghaltung, den Blick auf sein Gegenüber gerichtet. Die durch das dicke Brillenglas vergrößerten Augen betonen die Haltung des nachdenklichen Zuhörens. Sauerbruchs Sitzgelegenheit ist nur soweit sichtbar, daß seine Körperhaltung motiviert ist. Gelassenheit äußert sich in den verschränkten Armen und den übereinandergeschlagenen Beinen. SP

219

Lovis Corinth (1858-1925)
220 Blick auf den Köhlbrand 1911
Öl auf Leinwand; 114,5x135; Inv. 1644
Ende August 1911 malte Corinth Stadtlandschaften für Lichtwarks ›Sammlung von Bildern Hamburgs‹. Davon gelangte nur der ›Köhlbrand‹ ins Museum, aus Mitteln einer privaten Stiftung. 1911 äußerte sich Lichtwark über seine Schwierigkeiten bei Ankäufen zeitgenössischer Kunst: »Aber wo ich anklopfe, Horror vor der ›Schreckenskammer‹ ... Ich habe es nicht mit einem Kaiser zu thun, hier herrscht eine Heerde von Kaisern, und sie alle sehen nur das rothe Tuch des Modernismus, das mir aus der Tasche hängt.« Corinth hat den Köhlbrand, dessen Ausbau als Lebensnerv des Hafens damals zur Diskussion stand, vom Fenster eines Hauses in der Palmaille aus gemalt. Trotz seiner damals weithin angefeindeten Malweise kam dieses Bild in die Galerie, weil Lichtwark hinsichtlich der Größe der Corinthschen Kunst unbeirrbar blieb. SP

220

Lovis Corinth (1858-1925)
221 Nach dem Bade 1906
Öl auf Leinwand; 80x60; Inv. 2375
Während eines Sommerurlaubes in Lychen in der Mark malte Corinth seine im Freien empfangenen ›Impressionen‹. Frau Corinth berichtete später darüber: »Wo es uns gefiel, ließen wir den Kahn ans Ufer gehen, zogen uns aus und badeten. Einst, wie ich eifrig dabei war, mir die bunt geringelten Strümpfe anzuziehen, rief er: ›Du, könntest Du wohl mal so Modell sitzen? Du siehst fein aus.‹ ›Ja, aber wo willst Du Deine Staffelei aufstellen? Jetzt stehst Du doch bis zum Bauch im Wasser!‹ ›Das müßte zu machen sein, was meinst Du, vom Boot aus?‹ Am andern Tag saß er im Boot, vor sich die Staffelei und malte mit Freude drauf los.« Licht tränkt die Farben, Licht dringt durch das Laubwerk und reflektiert den Grundakkord aus Grün und komplementärem Rot in reicher Nuancierung, es läßt die Haut Charlottes sowohl im kühlen Blau des Unterkleides als auch im Rot des Badetuches aufschimmern, faßt den Zweiklang aus Rot und Blau, betont vom Schwarz, im Ringelstrumpf zusammen. Die glückliche Stimmung eines heiteren Sommertages, an dem der Mensch sich eins fühlt mit der Natur, ist ganz in dieses Bild eingegangen. SP

221

Lovis Corinth (1858-1925)
222 Die Frau des Künstlers am Frisiertisch 1911
Öl auf Leinwand; 120x90; Inv. 1857
Charlotte Behrend-Corinth sitzt im Schlafzimmer ihrer Berliner Wohnung und wird vom Hoffriseur für eine Abendeinladung gekämmt. Wie eine Momentaufnahme hat Corinth die Szene im Gegenlicht festgehalten: Mit konzentriertem Gesichtsausdruck und zierlich gespreitzten Fingern bearbeitet der Friseur das lang herabfallende Haar Charlottes, während diese sich mit Puder und Quaste verschönt. Das von einem großen Fenster hereinfallende Licht wird durch Tüllgardinen gedämpft, hinterfängt konturgebend die Gestalten und läßt den von einem weißen Negligée verhüllten Körper Charlottes fast durchsichtig erscheinen. In dieser intimen Darstellung, die eine Huldigung an seine Frau ist, steht Corinth Manet nahe. SP

222

223

Lovis Corinth (1858-1925)
223 Flora 1923
Öl auf Holz; 130x109; Inv. 5213
›Flora‹ ist Wilhelmine, die damals vierzehnjährige Tochter Corinths. Sie verkörpert, für den alten Vater, als moderne Version die römische Göttin des Frühlings, der Blumen, des Blühenden, der Jugend, des fröhlichen Lebensgenusses. Ihre Gestalt ist nicht scharf gesehen, verwoben mit dem Hintergrund bildet sie mit diesem eine malerische Einheit. Die sehr lockere Malweise ist bis in die Ecken des Bildes hinein spannungsvoll durchlebt. In reicher Abwandlung bewegt sich die Farbe, in der eine braunrosa Grundstimmung dominiert, zwischen Grau und Violett. Aus dem beinahe unauflösbaren Gefüge aus Flecken und heftigen Pinselstrichen, in dem Einzelheiten fast bedeutungslos werden, hebt sich das strahlende Gesicht Wilhelmines heraus, leuchten einzig die Blumen in den erhobenen Händen in starkem Rot, Gelb und Grün. Die energievolle Handschrift Corinths bezeugt überströmende Lebensfreude. Noch im Entstehungsjahr wurde das Bild von der Nationalgalerie in Berlin erworben. 1937 als entartet beschlagnahmt, gelangte es aus Privatbesitz 1974 in die Kunsthalle. SP

Lovis Corinth (1858-1925)
224 Der Maler Leonid Pasternak 1923
Öl auf Leinwand; 80x60; Inv. 2941
Pasternak war Professor an der Kunstschule in Moskau. Viele seiner Gemälde und Illustrationen beziehen sich auf das Werk Tolstois, mit dem er befreundet war. Ab 1921 lebte er in Berlin. Selbst ein erfolgreicher Porträtist, gelang es ihm, sich mit Corinth zu befreunden. Beide malten sich gegenseitig. Corinth stellt den russischen Künstler überlebensgroß dar, das Gesicht frontal zum Betrachter gewendet, die Arme verschränkt. Unter der hell beleuchteten breiten Stirn sehen die übergroßen Augen aus den dunklen Schatten der Höhlen versonnen durch das Gegenüber hindurch, in den Mundwinkeln spielt ein Lächeln. In einen mit Rosa, Gelb und Blau gebrochenen, grauen Anzug gekleidet, befindet sich Pasternak vor einem rosa Grund. Ins Fahle gewendet, erscheinen diese Farben auf seinem Gesicht. Der Kontrast zwischen den Schatten in seinem Antlitz, die den Schädel herausmodellieren, und der Helligkeit von Stirn, Haar und Krawattenschleife betont das Vergeistigte an ihm. Es bringt aber auch Corinths eigene Todeserfahrung ein. SP

224

225

James Ensor (1860-1949)
225 Stilleben mit Masken 1896
Öl auf Leinwand; 80x100: Inv. 5036
Die Maske spielt als Bildmotiv in Ensors Werk eine zentrale Rolle. Der Andenkenladen seiner Mutter in Oostende, den Ensor nach ihrem Tode erbte, mag ihm die Hintergründigkeit des Motivs schon früh eingegeben haben. Ein buntes Durcheinander von Kuriositäten in glühenden, funkelnden Farben, wie unser Bild sie zeigt, hat Ensor tatsächlich auf dem Kaminsims seines Ateliers aufbewahrt. Als Quelle der Inspiration für die in grausiger Belebung verzerrten Larven werden auch die Karnevalsfeste Oostendes gesehen. In den Masken, die menschliche Gesichtszüge tragen, karikierte Ensor das Oostender ›Austernpublikum‹, das seiner Kunst feindlich gesonnen war, sie mißachtete und verspottete. Er nimmt die Masken-Gesellschaft wahr als Bedrohung seiner Existenz als Künstler – Hinweis darauf sind seine unter das exotische Sammelsurium des Kaminsimses gemischten Arbeitsgeräte. Die Larven-Fratzen dringen als unheimliche Boten des Todes in die leblose Welt der Gegenstände, sind Zeugen der Ängste, die den vereinsamten Künstler quälten. Spielkarten und Meerschaumpfeife weisen als traditionelle Symbole auf die Vergänglichkeit alles Irdischen. SP

226

Odilon Redon (1840-1916)
226 Die Barke um 1900
Öl auf Leinwand; 65x50,5; Inv. 5237
Redon gehörte zur Generation der Impressionisten. Während diese sich jedoch Gegenwärtigem zuwandten und es lichterfüllt gestalteten, beschäftigten ihn düstere, symbolträchtige Phantasien. Dazu waren ihm tiefschwarze Kohle oder Lithographiekreide unerläßliche Ausdrucksmittel. Erst spät – in den neunziger Jahren – erschlossen sich ihm durch Pastell- und Ölfarben neue Bereiche der Phantasie, die Unfaßbares weniger bedrängend, aber noch unmittelbarer zur Erfahrung brachten. In einen solchen Bereich versetzt eine nebelhafte Lichtglocke die beiden Gestalten in der Barke auf unserem Bild. Ob der Betrachter Dante und Virgil in ihnen zu erkennen habe, scheint nicht wesentlich; jedenfalls fühlt er sich mit ihnen Jenseitigem nahe. Er ist der Erdbezogenheit entrückt, die der mächtige, rötlich schimmernde Stamm am Ufer rechts nicht kundtut, ohne sich seinerseits dem Himmel entgegenzurecken, der über der Lichtglocke sein Blau ausbreitet. Stamm und Boot verwendete Redon häufig als Metaphern, deren Sinn er je nach dem Zusammenhang variierte. GH

Edvard Munch (1863-1944)
227 Madonna 1894
Öl auf Leinwand; 90x71; Inv. 5015
›Madonna‹ gehörte zu einem von Munch geplanten ›Lebensfries‹. Einmal gefundene Kompositionen variierte Munch häufig, vor allem, um mittels der Veränderung der Farben Gefühlsnuancen aufzuspüren und auszudrücken. Zwei weitere Fassungen der ›Madonna‹ und eine mehrmals bearbeitete Lithographie bezeugen dies. Die Haltung der eigentlich liegend dargestellten Frau deutet gespannte Hingabe an und entspricht so keineswegs der üblichen Vorstellung von der keuschen Gottesmutter Maria. Wegen dieser dem Symbolismus immanenten Tendenz, traditionell religiöse Motive ins Erotische zu wenden und zu verweltlichen, wurde dem Bild meist noch ein zweiter Titel hinzugefügt: ›Liebende Frau‹. An die Madonna erinnert nur der hellrote ›Heiligenschein‹ hinter dem schwarz fließenden Haar. Die geschlossenen, bräunlich verschatteten, weit in ihre Höhlen zurückgesunkenen Augen mit den nach unten gebogenen Brauen, deren Rundung von dem Bogen des roten Scheins wiederholend betont wird, kontrastieren zu der Weichheit des schönen Leibes und rücken das Bild aus der Sphäre des bloß Sinnlichen in die Nähe erotischer Todeserwartung. SP

227

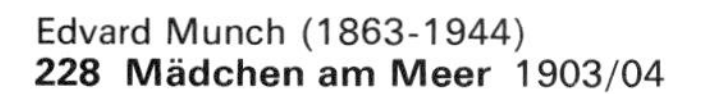

Edvard Munch (1863-1944)
228 Mädchen am Meer 1903/04
Tempera auf Leinwand; 90x148; Inv. 2929
Munchs Themen waren dem ›modernen Seelenleben‹ gewidmet: Liebe, Haß, Angst, Eifersucht, Einsamkeit, Melancholie, Todesahnung. Seit den 90er Jahren beschäftigte ihn die Idee, einen Raum mit einem monumentalen ›Lebensfries‹ auszustatten. Viele Staffeleibilder waren auf dieses Ziel hin konzipiert. Einige stellte er 1892 in Berlin aus. Sie riefen einen Skandal hervor, der zur Spaltung der Berliner Künstlervereinigung und danach zur Gründung der Berliner Sezession führte. Durch die kühn vereinfachende Malweise, die sensible, ins Unheimliche nicht kontrollierbarer Triebe vorstoßende Farbgebung, durch das schonungslose Entdecken einer hintergründigen Sexualität in seinen Bildern sah sich die prüde, in akademische Regeln geschnürte wilhelminische Gesellschaft verletzt. Dennoch ließ Max Reinhardt, der an der Avantgarde orientierte Direktor der Berliner Kammerspiele, Munch für den ›Bohnensaal‹ seines Theaters einen Fries malen. 1912 wurde dieser ›Lebensfries‹ wegen eines Umbaus des ovalen Saales aufgelöst und vom Kunsthandel angeboten. Unser Bild ist eines der ursprünglich 12 Gemälde des Frieses. Es behandelt das Erwachen des jungen Menschen, seine Neugier auf die Welt der Erwachsenen und seine ersten Schritte in diese. Während die Mehrzahl der Mädchen noch in der Gruppe von Gleichaltrigen verharrt, hat sich ein Mädchen – betont durch das leuchtende Rot des Kleides – aus der Schutz und Sicherheit gewährenden Gemeinschaft gelöst und strebt dem Neuen zu, motiviert durch das Boot auf dem See, das wiederum vielleicht ein Symbol für das ›Lebensschiff‹ ist. SP

228

Im Hafen von Alexandrien

Die Bekehrung

Der Tod in der Wüste 229

Emil Nolde (1867-1956)
229 Die Hl. Maria Ägyptiaca 1912
Öl auf Leinwand; Triptychon:
Im Hafen von Alexandrien; 86x100;
Die Bekehrung; 105x120;
Der Tod in der Wüste; 86x100, Inv. 2825

Der Legende nach reiste die Dirne Maria aus Alexandria mit einer Gruppe von Pilgern nach Jerusalem. Sie bezahlte die Schiffspassage mit Liebesdiensten. In Jerusalem angekommen, wurde sie von einer unsichtbaren Gewalt am Betreten der Heiligen Grabeskirche gehindert. Vor einem Madonnenbild bekehrte sich die Dirne zum Glauben und verbrachte 47 Jahre als büßende Einsiedlerin in der Wüste. Nachdem der Abt Zosinus ihr die letzte Kommunion gereicht hatte, verstarb sie. In einer Erdgrube, die ein Löwe gegraben hatte, bestattete der Abt die Einsiedlerin, deren Körper völlig behaart war. Nolde stellt die ›eruptive Glaubenserfahrung‹ in das Zentrum des Triptychons, dem links das ausschweifende Leben der Dirne vorausgeht und rechts die Erlösung im friedlichen Tod folgt. In der Hafenszene gehen die Männer mit lüsterner Freude auf die Verlokkungen der Dirne ein. Ihr entblößter Körper, dessen Glanz sich noch in den fratzenhaften Gesichtern spiegelt, leuchtet goldgelb vor dem blau-grünen Hintergrund auf. Die satten Farben, das Goldgelb, die roten und violetten Töne unterstreichen die erotische Tendenz. In dem Mittelbild kniet Maria vor der Madonnenstatue und streckt die Arme hilfesuchend empor. Das Madonnenbild hat die Bekehrung ausgelöst, nun sucht die Sünderin den direkten Kontakt zu Gott. In ihrem Blick, und der ganzen Dynamik ihrer Haltung, die den oberen Bildrand zu durchstechen scheint, kommt die Erschütterung und Tiefe der Glaubenserfahrung zum Ausdruck. Auch der Kontrast des dunkel gehaltenen Bodens zur hell leuchtenden Kirchenmauer und das auffällige Rot des Gewandes spiegeln den seelischen Wandel der Sünderin zur Büßerin. ›Der Tod in der Wüste‹ zeigt, wie frei Nolde das Thema behandelt. Bei ihm ist die Wüste in eine mit Blumen und Bäumen bestandene Landschaft verwandelt. Grün beherrscht das Bild und verbreitet eine friedliche Stimmung, in der die seelische Erlösung der Einsiedlerin anklingt. In Noldes Kunst ist die Farbe von entscheidender Bedeutung. Er selbst bemerkte dazu: »Farben, das Material des Malers: Farben, künden Glück, Leidenschaft und Liebe, Seele, Blut und Tod.« Erst durch die Farbe gewinnt die in wenigen groben Zügen umrissene Gegenstandswelt seiner Bilder Ausdruckskraft und Sinngebung. Schon um 1905 hatte er sich, wie viele Künstler seiner Zeit, neuen Form- und Farbexperimenten gewidmet. In seinen religiösen Werken der Jahre 1909 bis 1912, zu denen auch das Hamburger Triptychon gehört, steigerte er seine neugewonnene Farbensprache zu höchster Expressivität. Nolde sah in diesen christlichen Bildern subjektives und zugleich allgemeinmenschliches Empfinden ausgedrückt: »In schwerem Leben flehend, in brennendem Sehnen die Arme leidenschaftlich Hülfe begehrend emporstreckend, oder die Hände weit ausgereckt, das heiligste Glück tragend, – so entstanden meine Bilder, die ›Maria Aegyptiaca‹ und die ›Heilige Nacht‹ ... Ob wohl nicht auch die schwarzen, schwarzen Nächte sein mußten, um tiefstliegende eigenmenschliche Empfindungen zu lösen.« RH

230

Emil Nolde (1867-1956)
230 Herr und Dame (Im Roten Salon) 1911
Öl auf Leinwand; 73x88, Inv. 5013
Die Szene spiegelt den Glanz, aber auch die Hohlheit des großstädtischen Nachtlebens wider. Der Raum ist in grelles Licht getaucht, man trägt den vornehmen Frack, aufwendige Hüte oder eine Federboa. Doch die Leere des Blickes, mit der der Herr vor sich hinstarrt, spricht von der Einsamkeit des Einzelnen mitten in diesem Amüsierbetrieb, ebenso wie die gelblichen, maskenhaften Gesichter die Künstlichkeit der Lebewelt offenbaren. Nolde erweist sich hier als scharfer Beobachter. Er, der auf dem Land aufgewachsen ist und von dort auch seine entscheidenden künstlerischen Anregungen bezog, kannte die Großstadt von seinen Berliner Aufenthalten sehr genau. Oft hatte er zusammen mit seiner Lebensgefährtin Ada Berliner Nachtlokale und Cabaretts besucht. »Ich zeichnete und zeichnete, das Licht der Säle, den Oberflächenflitter, die Menschen alle, ob schlecht oder ganz verdorben, ich zeichnete diese Kehrseite des Lebens mit seiner Schminke, mit seinem glitschigen Schmutz und Verderb. Viel Augenreiz war allenthalben«, bemerkte er in seinen autobiographischen Schriften. Ohne die kritische Distanz zu verlieren, hielt er diese ihm fremde, faszinierende Welt in Skizzen fest. Sie bildeten die Grundlage für seine 1911/12 entstandenen Bilder des Großstadtlebens. Doch blieb dieses Thema im Werk Noldes im Gegensatz zu seinen Zeitgenossen Beckmann, Dix oder Kirchner eine einmalige Episode. RH

Paula Modersohn-Becker (1876-1907)
231 Alte Moorbäuerin 1903
Öl auf Leinwand; 71x59; Inv. 1954
Bäuerinnen und Landarbeiter, wie sie die Künstlerin in Worpswede täglich beobachten konnte, sind neben der Landschaft das zentrale Thema in ihrem Werk. Den Kopf in die linke Hand gestützt, blickt die alte Bäuerin mit großen müden Augen ins Leere. Die Formen sind klar und einfach, alles Zufällige, Individuelle ist beiseite gelassen. Dahinter verbirgt sich Paula Modersohns Vorstellung, daß in der Einfachheit der Form die Darstellungsgegenstände erst in ihrem Stimmungsgehalt und verborgenem Wesen zu erfassen seien. So ist in der müden Gestalt der Alten, die über den Sinn ihrer Existenz nachzudenken scheint, weniger eine bestimmte Persönlichkeit zu erkennen, als vielmehr das harte, entsagungsvolle Leben der einfachen Landleute. RH

231

232

Ernst Ludwig Kirchner (1880-1938)
232 Selbstbildnis mit Modell 1910 (übermalt 1926)
Öl auf Leinwand; 150,4 x 100; Inv. 2940
Groß steht der Maler im Vordergrund und seine dominante Stellung wird durch den grellen, orange-roten Bademantel noch unterstrichen. Das Modell im Hintergrund ist für ihn zur völligen Nebensächlichkeit herabgesunken. Die Kräfte für sein Schaffen scheint er allein aus sich selbst zu beziehen. Dieses Selbstverständnis ist kennzeichnend für viele Künstler zu Beginn des 20. Jahrhunderts, die sich von der traditionellen Kunst und Kultur zu befreien suchten. Kirchner, zusammen mit Erich Heckel und Schmidt-Rottluff Begründer der Künstlergruppe ›Die Brücke‹, lehnte jeden Naturalismus und Symbolismus entschieden ab. Die Expression, das subjektive, emotionale Ausdrucksverlangen stand im Vordergrund. »Für Form und Farbe ist die sichtbare Welt die Anregerin. Sie wird aber soweit umgestaltet, daß im Bild eine vollkommene Neuform entsteht« (Kirchner). 1926 steigerte Kirchner bei der Überarbeitung des Bildes die Maskenhaftigkeit der Gesichter. Die kühle Distanz zwischen den beiden Menschen, wie sie im Werk vieler Künstler der 20er Jahre zu beobachten ist, trat nun deutlicher zu Tage. RH

Ernst Ludwig Kirchner (1880-1938)
233 Gut Staberhof auf Fehmarn 1913
Öl auf Leinwand; 121 x 151; Inv. 2891
Das große Gutsgebäude mit seiner barock geschwungenen Giebelfront widersteht wie ein ruhender Pol der Dynamik, die die verzerrt wiedergegebenen Nebengebäude und das grob gemalte Geäst der Bäume entfalten. In diesem Gegensatz von Dynamik und Ruhe sowie den vorherrschenden, fahl wirkenden Farben Grau, Gelbgrün und Blau liegt eine eigenartige Spannung, die das an sich konventionelle Motiv des Gehöftes fremdartig, fast unheimlich erscheinen läßt. RH

233

Erich Heckel (1883-1970)
234 Zwei Männer am Tisch 1912
Öl auf Leinwand; 97x120; Inv. 2948
In einem engen Raum voller Bilder sitzen zwei Männer beisammen, deren Gesichter von Leidenschaft, Qual und Verzweiflung gezeichnet sind. Zwischen ihnen auf dem Tisch liegen ein Messer und ein Buch. Die beiden Gegenstände veranschaulichen die Entscheidungssituation, vor der der rechte Mann steht: die Wahl zu treffen zwischen Tat oder Reflexion. Als Anregung zu diesem Bild diente Heckel Dostojewskis Roman ›Der Idiot‹, in dem der Autor anhand der beiden Hauptfiguren Fürst Myskin und seines Freundes Rogoschin – letzterer wird schließlich den Fürsten töten – ein differenziertes Bild ›modernen‹ Märtyrertums entwirft. Seelische, körperliche Leiden und Selbstzweifel sowie gesellschaftliche Ächtungen bestimmen das Leben der beiden. In Heckels Bild verweist der leidende Christus auf diesen Gedanken der Nachfolge Jesu. Doch die düstere Grundstimmung macht deutlich, daß Christus als Symbol der Hoffnung die tiefen Zweifel Heckels an der Menschheit nicht aufwiegen kann. RH

234

235

Karl Schmidt-Rottluff (1884-1976)
235 Lofthus 1911
Öl auf Leinwand; 87,2x95,8; Inv. 2862
Das Bild, ein frühes Hauptwerk, entstand während einer Reise an die norwegische Küste, deren unberührte und großartige Natur Schmidt-Rottluffs Bildauffassung, seinem Streben nach Ursprünglichkeit des Ausdrucks, besonders entgegenkam. Die in leichter Aufsicht gegebenen übereinandergestaffelten Häuser und Dächer sind auf blockhafte Kuben reduziert und gegen die kobaltblaue Fläche des Meeres gestellt. Größere Farbfelder werden zu einer ruhig gelagerten, festgefügten Bildarchitektur zusammengefaßt. Diese Tendenz zu Vereinfachung und Zurückführung der Formen auf das Wesentliche dient der Monumentalisierung und Steigerung des Ausdrucks. Wenige komplementäre Farben – Orange, Rot, Grün und Blau – erhöhen die expressive Wirkung und bringen in die an sich ausgewogene Komposition eine starke Spannung hinein. Die Farbe beginnt, sich von ihrer Funktion als bloße Gegenstandsbezeichnung zu lösen. Sie wird ein Ausdrucksmittel, das Rechenschaft ablegt von der subjektiven Wahrnehmung der Realität, die nicht mehr wiedergegeben wird wie sie tatsächlich ist, sondern wie der Maler sie erlebt.
MN

Karl Schmidt-Rottluff (1884-1976)
236 Atelierpause 1910
Öl auf Leinwand; 76x84; Inv. 2968
Im Gegensatz zu Kirchners kühler Atelieratmosphäre herrscht in Schmidt-Rottluffs Bild eine gesellige Stimmung. Zwangslos sitzen die zwei Modelle und der Maler, der zur gemeinsamen Erfrischung gerade eine Frucht aufteilt, am Tisch. Schmidt-Rottluff hat die Räumlichkeit und Plastizität weitgehend zurückgedrängt, nur der grüne Kontur läßt die Körperlichkeit der Akte erahnen. Die leuchtenden Farben bestimmen das Bild. Das Orangerot des rechten Modells, das sich in der Wand fortsetzt, kontrastiert mit dem Hellgelb des linken Modells. Ausgleichend wirkt in der Mitte das Blau des Tisches. Die Farben sind unvermischt nebeneinandergesetzt und ergeben ein der Abstraktion sich näherndes, ausgewogenes Farbenspiel. RH

236

237

Otto Dix (1891-1969)
237 Entwurf für das Triptychon ›Der Krieg‹ 1930
Bleistift, Kohle, farbige Kreiden und Deckweiß auf Papier; 204x204 (Mitteltafel); 204x102 (Flügel); Inv. 1978/60a-d
1914 wurde Dix als Freiwilliger zur Feldartillerie eingezogen. Er erhielt eine Ausbildung am schweren Maschinengewehr und wurde danach MG-Schütze und Zugführer in Frankreich, Polen und Rußland. »Ich bin so ein Realist, daß ich alles mit eigenen Augen sehen muß, um zu bestätigen, daß es so ist. Und deshalb habe ich mich freiwillig gemeldet!« Dix kleidete seine Darstellung vom Kriegsgeschehen – sowohl im Karton, als auch im Ölgemälde (Gemäldegalerie Neue Meister Dresden) – in die Form des Triptychons. Denn über den sakralen Rahmen hinaus besitzt das mehrteilige Tafelbild auch eine didaktische Struktur: Es bietet die Möglichkeit, gedanklich umfassende Themen darzustellen. Bei Dix läßt der Weg der Soldaten zur Front Assoziationen an die Kreuztragung Christi aufkommen. Die Kolonnen marschieren auf der Anhöhe an einer Reihe von Telegraphenmasten vorbei. Das Bild der auf der Richtstätte Golgatha aufgestellten Kreuze klingt an. Jeder Soldat trägt sein eigenes ›Kreuz‹, die den anderen todbringende, aber auch ihn selbst tötende Waffe. Im Mittelteil läßt der zerfetzte Leichnam zwischen den Eisenträgern an einen hingerichteten Schächer auf Kreuzigungsszenen denken. Mit dem skelettierten Wesen zwischen Himmel und Erde kann auch der Tod als Künder der Apokalypse gemeint sein. Doch der vorausgesagte Weltuntergang trägt bei Dix sehr realistische Züge: Der todbringende Täter ist selbst Opfer geworden. – Der gedankliche Hintergrund von der Passion Christi hat auch in der rechten Bildtafel Pate gestanden. Der seinen Kameraden bergende Soldat erinnert an Pieta-Darstellungen, bzw. an Gottvater mit dem gestorbenen Sohn (einer der beiden verworfenen Kartons für diesen Seitenflügel ging ein in das Bild »Grabenkrieg«). In der Predella ist der Leichnam bildparallel gelagert, eine Darstellung des gestorbenen Erlösers, wie sie sich von Holbein d.J. bis Käthe Kollwitz findet. Das ›Kriegs‹-Triptychon zeigt einen einzigen Funken von Menschlichkeit im Chaos, den seinen Kameraden bergenden Soldaten, der die Gesichtszüge von Dix trägt. Dix ist in diesen Bildern zum Ersten Weltkrieg auf der Suche nach seinem eigenen inneren Frieden. Er bannte seine Erlebnisse in einer drastischen Realitätsschilderung, die ihm beim Malen wie eine Wiederholung der Ereignisse vorkommen mußten. Aber die bewegten Bilder traumatischer Phantasien erstarrten auf der Leinwand. Malend gewann Dix Distanz, aber kein Vergessen. Das Nicht-Vergessen hielt er für seine gesellschaftliche Verpflichtung: Er wollte die Tafeln mitten im großstädtischen Treiben aufstellen – gegen die Vergeßlichkeit seiner Zeit. Dix hatte vor der Machtergreifung durch die Nazis nur einmal Gelegenheit, das Bild öffentlich zu zeigen (1932). Durch die Auslagerung in einen Mühlenspeicher bei Dresden konnte es vor den Nazis (›gemalte Wehrsabotage‹) und den Bombardierungen gerettet werden. Der Karton galt lange Jahre als verschollen. HWS

Otto Dix (1891-1969)
238 Entwurf für das Wandbild im Hygiene-Museum Dresden 1930
Kohle, weiße und farbige Kreide, Deckweiß; 223x251,5 (Mitteltafel); 214,8x122 (Flügel); Inv. 1981

Das Deutsche Hygiene-Museum wurde 1912 im Anschluß an die Internationale Hygiene-Ausstellung in Dresden (1911) von deren Organisator, dem Großindustriellen Karl August Lingner, gegründet. Es sollte einer breiten Öffentlichkeit in anschaulicher Weise Fragen der Gesundheitspflege näher bringen. 1930 wurde der von Wilhelm Kreis (1873-1955) entworfene Museumsbau am Lingnerplatz – Lingner war 1916 gestorben – eröffnet. Kreis hatte seit 1926 an der Dresdner Kunstakademie eine Professur inne. 1929 erhielt der mit ihm befreundete Dix den Auftrag, den Neubau mit einem Wandbild auszugestalten. Wie im ›Kriegs‹-Triptychon wählte Dix auch hier die Form des Dreitafelbildes, um in anschaulicher Weise das Zusammenspiel von Entwurf, Ausführung und Nutzung des Hygiene-Museums darzustellen. Der Karton zeigt im Maßstab eins zu eins die Komposition des Wandbildes. Die Konturlinien sind zur Übertragung durchgerädelt. Auf der linken Tafel steht Wilhelm Kreis. Während er mit dem Zirkel am Bauplan Maß nimmt, weist seine Rechte auf den Bau in seiner Ausführung. Vor ihm sitzt, eher in Gedanken versunken, der Verwaltungsdirektor des Museums, Dr. med. h.c. Seiring. Die zentrale Stellung nehmen die Bauarbeiter im Mittelteil ein. Während ein Maurer das Mauerwerk aufschichtet, kontrolliert ein Polier die Ausführung. Im Vordergrund hievt ein Bauarbeiter, der unverkennbar die Gesichtszüge von Dix trägt, einen Balken nach oben. In der rechten Tafel steht Prof. Dr. Karl Sudhoff (1853-1938) dozierend neben Prof. Dr. Martin Vogel, der in eine Tabelle vertieft ist. Sudhoff war seit 1905 Professor für Geschichte der Medizin und Direktor des gleichnamigen Instituts in Leipzig. Obwohl Dix den Bauarbeitern den größten Raum in diesem Dreitafelbild gibt, wirken sie zwischen den Gerüsten wie eingezwängt. Nur der Bauarbeiter Dix sprengt das ausgeprägte System von Vertikalen und Horizontalen des eingerüsteten Bauwerks. Die Personen der Seitenflügel, auch sie durch enge Räumlichkeiten hinterfangen, fallen stark ins Auge. Sie scheinen sich zu einer Porträtsitzung versammelt zu haben, bei der jeder die für seine Tätigkeit bezeichnende Handbewegung ausführt. Das 1932 fertiggestellte Wandbild wurde wenig später von den Nazis zerstört. Dix war aus reaktionären Kreisen schon lange heftig attakkiert worden. Im Apil 1933 wurde er, Professor an der Kunst-Akademie in Dresden, von den Nazis entlassen. In der Begründung heißt es, »daß sich unter seinen Bildern solche befinden, die das sittliche Gefühl des deutschen Volkes aufs Schwerste verletzen, ...« Grund für die Entfernung des Wandbildes war nicht nur der in Ungnade gefallene Künstler. Auch die Dargestellten verloren nach der Machtergreifung Hitlers ihre Ämter. Man fürchtete selbst ihre bildliche Anwesenheit. HWS

238

Otto Dix (1891-1969)
239 Mutter und Kind 1924
Öl auf Leinwand; 75,5x71; Inv. 2831
Das Bild ›Mutter und Kind‹ wurde 1937 aus der Kunstsammlung der Stadt Königsberg als ›entartet‹ entfernt.
Man warf Dix unter anderem vor, in seinen Bildern die deutsche Mutter zu diffamieren. Dabei ist Dix in unserem Gemälde bei der Mutterdarstellung von dem ausgezehrten, proletarischen Typ früherer Jahre abgewichen. Die Mutter wirkt auf den ersten Blick jugendlich und ausgeruht. Doch ihre Hände weisen die Spuren harter Arbeit auf. Das Kind auf ihrem Schoß ist von Rachitis gezeichnet. Die Ziegelsteinmauer – bei Dix oft Kulisse aus städtischem Milieu – ist zerbrochen und wird von üppig sprießender Vegetation überwuchert. Der Zerfall bekommt somit einen Zug von Idylle. Man fühlt sich auch an Mariendarstellungen erinnert, die die Gottesmutter im zerfallenen Stall von Bethlehem zeigen. Dix weicht in diesem Bild von einer eindeutig formulierten sozialkritischen Aussage zurück, die man sonst in seinem Werk der 20er Jahre antrifft. HWS

239

240

George Grosz (1893-1959)
240 John der Frauenmörder 1918
Öl auf Leinwand; 86,5x81; Inv. 5112
Buchstäblich aus den Fugen geraten ist die Welt, in der der davoneilende Mörder sein gräßlich verstümmeltes Opfer hinterläßt. Der Innenraum ist zugleich Außenraum, alle Details sind collageartig zusammengefügt. Das Chaos und die Gewalt der Zeit finden in der Darstellung des grausamen Sexualmordes ihren drastischen Niederschlag. 1918 war das Jahr des Kriegsendes und der Revolutionsunruhen, die das Ende der alten Ordnung bedeuteten. Grosz, den die Kriegserlebnisse noch mehr zum Zweifler an der Menschheit gemacht hatten, bediente sich bewußt sozialkritischer Themen, um die Häßlichkeit und Bosheit der Welt zu geißeln. Seine Kunst sollte nicht einem ›Kunstschönen‹ dienen, sondern mit ihrer »Härte, Brutalität und Klarheit, die wehtut« (Grosz) gegen die Zustände opponieren. Das Thema ›Frauenmord‹ hat Grosz 1918 zweimal behandelt. RH

Christian Schad (1894-1982)
241 Der Reporter Egon Erwin Kisch 1928
Öl auf Leinwand; 90x61; Inv. 5165
1928 hatte Schad Kisch im Romanischen Café in Berlin kennengelernt. Kisch war berühmt wegen seiner sozial und politisch engagierten Reisereportagen als ›Der rasende Reporter‹ (1925). Mit der für die Malerei der ›Neuen Sachlichkeit‹ typischen kühlen Nüchternheit und Schärfe sind alle Details wiedergegeben, vor allem Kischs nackter Oberkörper mit den auffälligen Tätowierungen, die aus allen Erdteilen zu stammen scheinen, die der Reporter besucht hatte. Eine der Tätowierungen, die eine ihren tätowierten Oberschenkel entblößende Frau darstellt, ist wohl als Ironisierung von Kischs eigenem Hautschmuck zu verstehen. Dieser weist ihn einerseits als Journalisten mit weltweiten Interessen aus, andererseits als jemanden, der die Mentalität der untersten Volksschichten kennt und ›hautnah‹ für sie Partei ergreift. Kischs Plazierung in die eisernen Verstrebungen des Berliner Funkturmes hoch oben über der Großstadt, ins ›Netz‹ moderner Nachrichtenübermittlung, deutet auf seine intelligente Nutzung der Medien. SP

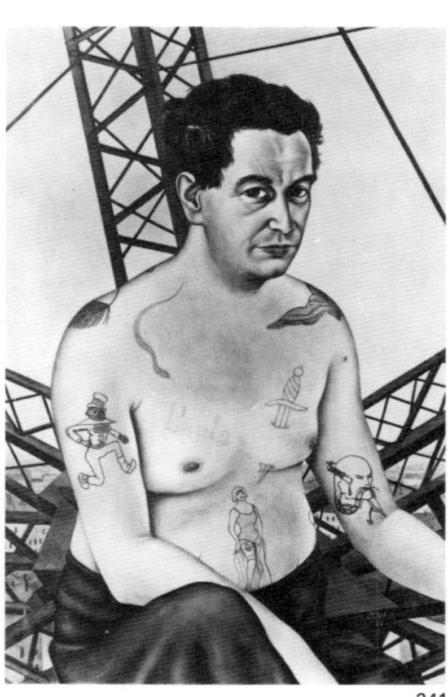
241

Franz W. Seiwert (1894-1933)
242 Fabriken 1926
Öl auf Malpappe; 79x109,5; Inv. 5266
Seiwerts Gegenstandswelt ist streng konstruktiv aus farbigen Rechtecken, Kreisen und anderen geometrischen Formen zusammengesetzt. Vor einer Fabriklandschaft stehen vier Männer. Es sind der Maler Heinrich Hoerle, der Kunsthändler Aloys Faust, Seiwert selbst und der Kölner Kunstsammler Josef Haubrich. Die Welt der Kunst und der Arbeit vereint auf einem Bild, das war für Seiwert kein Widerspruch. Beflügelt von revolutionären Ideen gehörte er 1919 zu den Mitbegründern der Kölner ›Gruppe progressiver Künstler‹. Die Kunst sollte die gesellschaftliche Wirklichkeit in ihrer Funktion offenlegen. Hierzu entwickelten Seiwert und die ›Progressiven‹ ihre gegenständlich-konstruktive Bildsprache. RH

242

Franz Radziwill (1895-1983)
243 Angehaltene Zeit 1922
Öl auf Leinwand auf Holz; 80x85,5; Inv. 5284
Der unbekleidete junge Mann und die hinter ihm befindliche Frau im schwarzen Kleid schlafen in einem erstarrten Schwebezustand vor einer surrealen Raumkulisse. Links entgleitet eine Gestalt mit erhobener Hand wie der Schöpfergott einem Kreis, in der Mitte lenkt eine von rückwärts gegebene, gesichtslose Frau den Blick in einen tiefen Raum, an dem zwei Männer an einem Tisch sitzen. Rätselhaft erscheint alles in diesem Bild: Es entstand zu einem Zeitpunkt, als Radziwill seinen ›magischen Realismus‹ erst zu entwickeln begann. In der Hinwendung zur gegenständlich-kühlen Darstellungsweise und in der irritierenden Zusammenstellung der Wirklichkeitspartikel ist er hier erkennbar. Die ›angehaltene Zeit‹ als Traumerlebnis ist einmal im schwer deutbaren, Angst hervorrufenden Bildhintergrund dargestellt sowie im Gegensinn als Moment des Liebesglückes, dem man ewige Dauer wünscht – im lächelnden Paar. Der Schlaf der beiden ist gleichzeitig Symbol des Todes, der allein die Zeit anhält. Die den Gesichtern des Paares zustrebende Tulpe ist als Zeichen sowohl von Leben als auch von Vergänglichkeit zu verstehen, ist beides in einem wie das Menschenpaar auch, dessen Bestimmung der Tod ist und das doch fähig ist, Leben zu zeugen. Die Aufhebung dieser Gegensätze, symbolisiert im Schweben, ist die »angehaltene Zeit«.
RH/SP

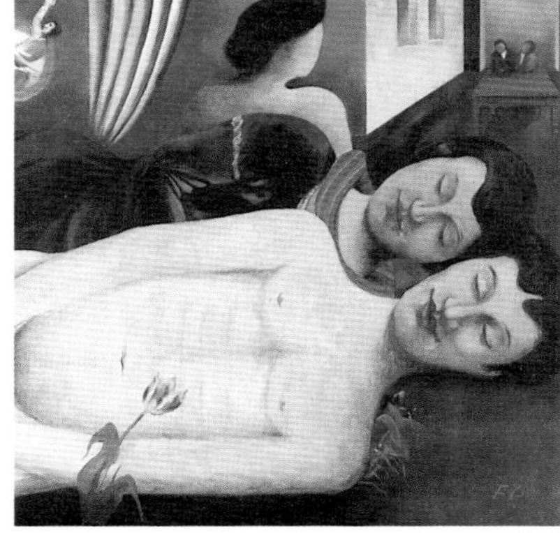

243

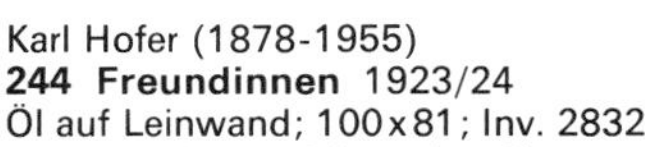

Karl Hofer (1878-1955)
244 Freundinnen 1923/24
Öl auf Leinwand; 100x81; Inv. 2832
Einsam, ohne schützenden Umraum stehen zwei Mädchen vor einem düsteren blau-braunen Hintergrund. Die eine nackt, die andere im leichten Hemd, suchen sie in enger Umarmung Schutz und Trost vor den Fährnissen der Welt. In der strengen Bildsprache, die jedes dekorative Beiwerk vermeidet, ist der Ernst und die Intensität spürbar, mit der Hofer das von ihm immer wieder aufgegriffene Thema der Einsamkeit des Menschen und seine Hoffnung auf ein humaneres Leben umgesetzt hat. Das Bild, das die Kunsthalle bereits 1924 erworben hatte, wurde 1937 von den Nationalsozialisten als ›entartet‹ aus der Sammlung entfernt. Denn Hofer, der 1933 sein Lehramt an der Berliner Akademie verloren hatte, galt als ›destruktives, marxistisch-jüdisches Element‹. Sein Frauenbild beispielsweise entsprach nicht der nationalsozialistischen Vorstellung der ›deutschen Frau‹. 1947 konnte das bedeutende Werk zurückerworben werden. RH

244

245

Max Beckmann (1884-1950)
245 Minna Tube, die erste Frau des Künstlers 1906
Öl auf Leinwand; 100x60; Inv. 2901
Das Bildnis der ersten Frau Beckmanns ist ein Frühwerk des Malers, geprägt von der impressionistischen Malerei der ›Berliner Sezession‹. Dieser Einfluß zeigt sich in der Behandlung der Licht- und Schattenpartien des Hutes und in dem lockeren Farbauftrag. Die streng frontale Haltung der Dargestellten und die blockhaft geschlossene Körperform verrät bereits den Willen zur Verfestigung des Bildgefüges. MN

247

246

Max Beckmann (1884-1950)
246 Die Rumänin 1922
Öl auf Leinwand; 100x65; Inv. 5123
Den Beginn der 20er Jahre markiert in Beckmanns Œuvre die Abwendung von der subjektivistischen, ›sentimentalen Geschwulstmystik‹ (Beckmann) des Expressionismus hin zu einer dinghaften und formverfestigten Gegenständlichkeit. Eingefügt zwischen Wand und Gartenstuhl steht die Dargestellte, die Arme herausfordernd in die Hüften gestützt, Auge in Auge dem Betrachter gegenüber. Die symmetrische Armhaltung und die starre Frontalität der Porträtierten erzeugen den Eindruck einer festgefügten Ordnung, der aber sogleich von der schrägen Wandleiste wieder aufgehoben wird. Dieses Spannungsverhältnis von Statik und Dynamik besteht auch zwischen Fläche und Raum. Allein der Schatten der Dargestellten und ihr als Volumen gegebener Körper heben sie aus der Bildfläche heraus. Farblich ist die Komposition in blassen Tönen gehalten, aus denen das Rot der Lippen und Fingernägel, sowie das lichtbetonte Dekolleté als Blickfang hervorleuchten. MN

Max Beckmann (1884-1950)
247 Zigeunerin 1928
Öl auf Leinwand; 136x58; Inv. 5001
In sich versunken kämmt eine Zigeunerin ihr Haar und betrachtet sich dabei im Handspiegel. Der hochgerutschte Unterrock entblößt die kräftigen, plastisch greifbar erscheinenden Oberschenkel. Schlaglichter betonen die Rundungen ihres fest gebauten Körpers, dessen Konturen sich rechts scharf gegen den schwarzen Raum abheben. Die gedrängte Wohnwagenenge, hervorgerufen durch das schmale Hochformat, steigert die Illusion von Gegenwart und Nähe der Frau. Diese nimmt jedoch keinen Kontakt zum Betrachter auf, der so zu einem unbemerkten Beobachter wird. Das erhöht die Intimität der Szene und steigert gleichzeitig die erotische Ausstrahlung der Frau. Doch die selbstvergessene Hingabe, in der die Zigeunerin mit sich beschäftigt ist, entzieht sie andererseits dem Betrachter. Auf diesem Gegensatz von Nähe und Distanz, von Ruhe und herausfordernder Sinnlichkeit beruht die Spannung des Bildes. MN

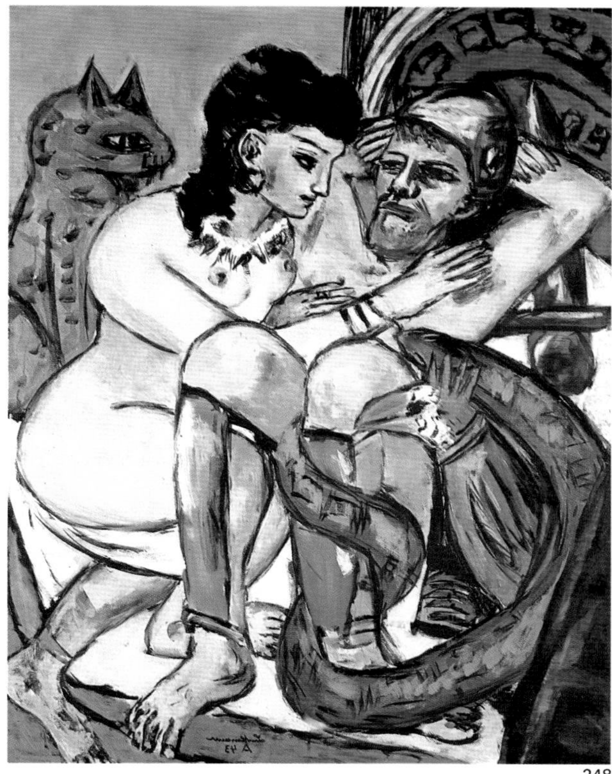

248

Max Beckmann (1884-1950)
248 Odysseus und Kalypso 1943
Öl auf Leinwand; 150x115,5; Inv. 2887
Ein verführerisches Bild, ein Bild der Verführung und der Abwendung von der Verlockung, ein Bild des Sinnenreizes und der Schwermut zugleich. Ein Bild der Liebe zwischen Mann und Frau und des Gefühls der Ferne, der Fremdheit in der Liebe. Gemalt von einem Umhergetriebenen, in der Fremde, der sich selbst manchmal Odysseus nannte, im Tagebuch. Wie Homers Held bei Kalypso nicht bleibt, so wendet er sich auch bei Beckmann von der Verlockung ab. Aber das Bild selbst hat nichts Sinnenfeindliches, wer vor dem Bild selbst steht und sich der Malerei zuwendet, entdeckt ein Ineinander und Übereinander der Farben von nie nachlassender Spannung, in der sich die komplizierte Vielschichtigkeit der psychischen Verfassung des Hierseins und Fernseins zugleich ebenso zeigt wie die Verlockung des bequemen Bleibens gegen die Mühsal des Aufbruchs und Neuanfangs. In den zum Bersten gebogenen, von nervöser Kraft durchlebten Linien äußert sich die zum Entschluß gereifte Entscheidung. So ist dieses Bild, gemalt vom Februar bis zum Juli 1943 in Amsterdam, in dem Land, in das Beckmann 1937 emigriert war und das nun die Deutschen besetzt hatten, ein Hymnus an die Sinneslust und zugleich die Elegie eines Einsamen. HRL

249

Max Beckmann (1884-1950)
249 Großes Fischstilleben 1927
Öl auf Leinwand; 96x140,5; Inv. 2932
Auf einem mit Stoff und Zeitung bedeckten Tisch liegen drei tote Fische. Ein Bild von überraschender Farbigkeit, eine Komposition rhythmisch schwingender Linien. Farbakkorde und Bildrhythmus werden ausbalanciert in dem kreisrunden Schalloch eines Blasinstrumentes, das in Farbe und Form eine enge Beziehung herstellt zu dem unter ihm liegenden Raum. Hier hat Beckmann zum erstenmal Schwarz eingesetzt, um dessen Endlosigkeit anzudeuten. Als Kontrast zur bunten Farbigkeit der Fische und dem harten Weiß-Schwarz der Zeitungen ist es gleichzeitig der Raum unter der Tischplatte, in den die zum Stilleben arrangierten Dinge hinabzugleiten drohen: Der Sog des dunkelblauen Schalloches zieht alles zu dieser unwägbaren schwarzen Tiefe hin. Die Fische, fast noch lebend, hier in Todesangst aggressiv die scharfen Zähne zeigend, werden meist als Phallussymbole entschlüsselt. Sie stehen wohl für die Vergänglichkeit des Lebens und das Entsetzen vor dem Tod. SP

250

Oskar Kokoschka (1886-1980)
250 Mädchen mit Tonpuppe 1922
Öl auf Leinwand; 110x70,5; Inv. 5025

Als Kokoschka an dem Bild arbeitete, lehrte er als Professor an der Dresdener Akademie und hatte die langen Jahre der Krise, eine Folge der bedrückenden Erlebnisse aus dem Ersten Weltkrieg und seiner schweren Verletzung, überwunden. Nichts erinnert mehr an seinen nervösen Stil der frühen Jahre: Jede psychologische Durchdringung der Dargestellten fehlt. Zu sehen ist ein Mädchen in rotem Kleid, das dem Betrachter frontal gegenübersitzt und eine große Puppe auf dem Schoß hält. Kokoschka ging es nun in erster Linie um die Bewältigung künstlerischer Probleme, um die Gewinnung einer auf Klarheit und Fernwirkung angelegten Farbpalette. Die Räumlichkeit ist weitgehend zurückgedrängt. Unter den kräftig aufgetragenen Farben dominieren das Blau des Hintergrundes, der helle Fleischton und die Rottöne des Kleides. RH

Oskar Kokoschka (1886-1980)
251 Dresden-Neustadt (IV) 1922
Öl auf Leinwand; 80x120;
Inv. 5100

Daß diese Ansicht der Dresdener Neustadt am Elbufer zur selben Zeit entstanden ist wie das ›Mädchen mit Tonpuppe‹, offenbart bereits ein erster Vergleich. Noch stärker als in dem Figurenbild ist hier die Räumlichkeit aufgelöst, so daß die Farbflächen in ihrer Zusammenstellung etwas Teppichhaftes annehmen. Das Hamburger Bild ist eine von sechs Fassungen, die Kokoschka zwischen 1919 und 1924 gemalt hat. Sie spiegeln den Stilwandel wider, den er in diesen Jahren vollzog. War in der ersten Ansicht noch die Nervosität und Kleinteiligkeit der Frühzeit spürbar, so fand Kokoschka später zu einer ausgeglichenen, mosaikartigen Anordnung größerer Farbflächen, die einen stärkeren Abstraktionsgrad erreichten. Die Hamburger Fassung gilt als die künstlerisch ausgewogenste der Reihe. Diese intensive Auseinandersetzung mit dem Thema ›Stadtansicht‹ sollte in Kokoschkas Werk auf fruchtbaren Boden fallen. Denn die Ansichten der Dresdener Neustadt stehen am Beginn der berühmten Städtebilder und ›Städtephysiognomien‹, die der Künstler auf seinen ausgedehnten Reisen durch Europa, Vorderasien und Afrika angefertigt hat. RH

251

Oskar Kokoschka (1886-1980)
252 Bürgermeister Max Brauer 1951
Öl auf Leinwand; 125x90; Inv. 2922
Kokoschka läßt die ernsthafte und tatkräftige Persönlichkeit Max Brauers in dem dynamischen Pinselduktus und der vibrierenden Farbigkeit anschaulich hervortreten. Der Fensterausblick mit dem pulsierenden Leben auf dem Rathausmarkt und dem Turm der Petrikirche dient als Hinweis auf das Wirkungsfeld des ersten Hamburger Bürgermeisters nach dem Zweiten Weltkrieg. Dem Porträt waren intensive Beobachtungen, Gespräche und Studien vorausgegangen, in denen Kokoschka langsam zu seiner Vorstellung vom ›Menschen‹ Max Brauer fand. Brauer, Sozialdemokrat und in den Zwanziger Jahren Bürgermeister des damals noch selbständigen Altona, war nach seiner Entlassung durch die Nationalsozialisten 1933 in die USA emigriert. 1946 kehrte er nach Hamburg zurück und bestimmte hier maßgeblich die Nachkriegspolitik. RH

252

253

Pablo Picasso (1881-1973)
253 Sitzende Frau in türkischer Tracht 1955
Öl auf Leinwand; 81x65; Inv. 5007
Die Faszination, die das Thema der dunkelhäutigen Frau in exotischem Kostüm auf Picasso ausübte, hat sich in einer Serie von Bildern niedergeschlagen, unter denen das Hamburger Werk die radikalste Formauflösung zeigt. In Rückgriff auf die Kunst der Primitiven hat Picasso den Körper der Frau auf zeichenhafte Formeln des Gesichtes, der Brüste, des Bauchnabels, der Arme und Beine reduziert. Die Zweigesichtigkeit des Kopfes, der sowohl im Profil als auch, wie das Augenpaar erkennen läßt, in Vorderansicht gegeben ist, beruht auf kubistischen Stilprinzipien. Dieses Vorgehen, sich je nach Bedarf verschiedenster Gestaltungsweisen zu bedienen, ist charakteristisch für Picassos Schaffen. Hier werden durch den Kontrast des anthrazitfarbenen Körpers zu den hellen bunten Mustern des Kostüms die einzelnen Körperpartien deutlich hervorgehoben, deren erotische Note betont. Das Bild entstand unmittelbar in Anschluß an Picassos Variationen über Delacroix' ›Frauen von Algier‹, dem berühmten Bild eines orientalischen Harems. RH

Marc Chagall (geb. 1889)
254 Die Seinebrücken 1954
Öl auf Leinwand; 111,5x163,5; Inv. 5038;
Als Chagall 1952 endgültig aus den USA wieder nach Frankreich übersiedelte, schuf er innerhalb der nächsten zwei Jahre seinen 29 Bilder umfassenden berühmten ›Pariser Zyklus‹, zu dem als eines der ausgereiftesten Werke die ›Seinebrücken‹ zu zählen ist. Das nächtliche Paris, die Stadt, in der Chagall seine entscheidende Begegnung mit der modernen Kunst gemacht hatte, gibt den Bezugsort für seine poetisch-phantastischen Figuren ab. Die Mutter mit dem Kind, für Chagall Sinnbild der Erneuerung menschlichen Lebens, ist in glühendem Rot gehalten, ihr zugeordnet ist der Hahn, dessen verlöschender Glanz Vergänglichkeit und Tod andeutet. Ideale Zuneigung und ewige Treue spricht aus dem blauen Liebespaar, während die Kuh auf die Lebenskraft und die Fruchtbarkeit der Liebe anspielt. RH

254

Pablo Picasso
(1881-1973)
255 Der Kunsthändler Clovis Sagot 1909
Öl auf Leinwand; 82x66; Inv. 2986
Die schmächtige, etwas befangen dasitzende Gestalt und der müde, wissende Blick lassen die melancholisch-schwermütige Persönlichkeit Sagots eindringlich hervortreten. Bilderrahmen und aufgerollte Leinwände im Hintergrund geben Hinweis auf seine Tätigkeit als Kunsthändler. Im Gegensatz zu den radikaleren frühkubistischen Arbeiten jener Jahre bleibt Picasso in diesem Bildnis zurückhaltender. Zwar sind in der Flächigkeit und den Ansätzen der Facettierung des Hintergrundes oder der Jacke die neuen kubistischen Bestrebungen erkennbar. Doch bleibt die Einheit und Plastizität des Gesichtes und der Körperformen gewahrt, zu der auch die eindeutige Lichtführung beiträgt. Picasso wollte in diesem Bild sein Modell nicht als Vorwurf kubistischer Experimente benutzen, sondern das Wesen des Dargestellten erfassen. RH

255

256

Giorgio de Chirico (1888-1978)
256 Melancholie einer Straße 1924/25
Öl auf Leinwand; 90,5x58,8; Inv. 5003
Der Platz wie das Gebäude mit den hohen Arkaden und den Fenstern, durch die nur der Himmel zu sehen ist, liegen verlassen da. Die Leere der Stadt wird durch das spielende Mädchen und die beiden Passanten betont. Nichts erinnert an das vertraute Bild der italienischen Piazza als Ort der Begegnung, des lebendigen Lebens, alles wirkt fremdartig, fast unheimlich: Undurchdringliches Schwarz herrscht hinter den Arkaden, geradezu bedrohlich schieben sich die großen Schlagschatten nicht sichtbarer Gebäude ins Bild. »Die Melancholie der schönen Herbstnachmittage in den italienischen Städten«, jenem starken und geheimnisvollen Gefühl, dem er in den Werken Nietzsches begegnet war, wollte de Chirico Ausdruck verleihen. Dies war 1910 der Beginn der ›pittura metafisica‹, einer Malerei, die die Dinge nicht in ihrer vordergründigen Wirklichkeit, sondern in ihrer ›metaphysischen Erscheinungsweise‹ zu erfassen suchte. Die scheinbar so vertraute Realität enthüllte sich in de Chiricos Bildern als eine einsame, entfremdete Welt ohne Sinnzusammenhang. RH

Pablo Picasso (1881-1973)
257 Gitarrespieler 1918
Öl auf Leinwand; 130x89; Inv. 5151
Dies Bild aus der letzten Phase der kubistischen Malerei Picassos, in der er die kleinteilige Strukturierung aufgegeben hatte und mit klar umrissenen farbigen Formen und Flächen arbeitete, ist keine rein abstrakte Komposition. Unschwer kann man den bauchigen Korpus und das Schalloch der Gitarre erkennen, von hier aus läßt sich auch die schwarze Fläche als zur Figur des Spielers gehörend entschlüsseln. Das Schwarz gibt dem Bild eine Festigkeit, die jedoch überall durchbrochen wird von der Dynamik und Unruhe der Diagonalen und der unregelmäßigen Formen. Picasso hat hier das Verhindern von Sehgewohnheiten, die unwillkürlich nach dem Wiedererkennbaren in den Formen suchen und die Durchbrechung der Raum-Illusion zur Perfektion getrieben: Das Umkippen des Räumlichen in die Fläche und des Erkennbaren ins Abstrakte ist ein dauernder und umkehrbarer Prozeß. Picasso malte übrigens zur gleichen Zeit auch figürlich und realistisch, letzteres vor allem, wenn es sich um Porträts seiner engsten Freunde und um Selbstbildnisse handelte. Den ›Gitarrespieler‹ schenkte er seinem Freund Guillaume Apollinaire zu dessen Hochzeit mit Jacqueline Kolb am 2. Mai 1918. Picasso war zusammen mit Ambroise Vollard, dem Kunsthändler und Kunstsammler, Trauzeuge bei der Eheschließung des Dichters. Zwei Monate später, am 12. Juli 1918, heiratete Picasso die Russin Olga Koklowa, diesmal war Apollinaire Trauzeuge, neben Cocteau und Max Jacob. Die freundschaftlichen Beziehungen zwischen dem Dichter und dem Künstler waren sehr eng, im August 1918 schrieb Picasso ihm aus Biarritz, wo er den Sommer mit Olga verbrachte, er habe seine Wohnräume mit Versen Apollinaires dekoriert. Am 9. November starb dieser an der spanischen Grippe. Seine Witwe Jacqueline hielt die Kunstsammlung Apollinaires, zu der auch unser Bild gehörte, bis in die 60er Jahre in ihrem Domizil in Paris zusammen. Von dort kam der ›Gitarrespieler‹ in die Kunsthalle.
RH/SP

257

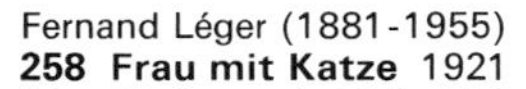

Fernand Léger (1881-1955)
258 Frau mit Katze 1921
Öl auf Leinwand; 92,4x65,7; Inv. 5111
Eingefaßt in ein strenges, klares Bildgefüge von schwarzen, grauen und schwarzblauen Balken sitzt eine weibliche Gestalt mit aufgeschlagenem Buch und einer schwarzen Katze auf dem Schoß auf einem Sessel. Die Figur ist aus weiß-grauen voluminösen geometrischen Formen – Kugel, Halbkugel, Zylinder – zusammengesetzt, ein Verfahren, das Léger seit etwa 1909 in seinen kubistischen Experimenten ständig weiterentwickelt hatte. Bezeichnend ist, daß die menschliche Gestalt genau so anonym behandelt ist wie die anderen Bildgegenstände, etwa der Stuhl oder das gelb-schwarz gemusterte Kissen. Sie ist im ganzen der Bildkomposition eine Form unter anderen. Diese »radikale Konzeption, die die menschliche Gestalt nur als Objekt gelten läßt« (Léger), ihr jegliche traditionelle thematische Festlegung als Gefühls- oder Ausdruckswert abspricht, gehörte zu den grundlegenden Prinzipien der Kunst Légers. RH

258

259

Robert Delaunay (1885-1941)
259 Fenster-Bild 1912
Öl auf Leinwand; 46x40; Inv. 5055
Das Hamburger Bild ist eines der schönsten Exemplare aus der ›Fensterserie‹ von 1912. Mit ihr begründet Delaunay den Orphismus, eine Kunstrichtung, die Bilder allein aus der Farbe gestalten will. Bild und Rahmen sind in der Komposition aufeinander bezogen, zusammengefaßt. So wirkt das Außen nach innen: Gegenständliche Andeutungen wie die des Eiffelturms im Bildzentrum erinnern daran, daß der Blick durch einen Rahmen – den des Fensters – nach draußen geht. Träger der Bildkonstruktion ist nicht mehr der Gegenstand, sondern die reine Farbe, die selbst zum Thema des Bildes wird. Der Simultankontrast, d. h die Wirkung gleichzeitig nebeneinander auftretender reiner Farben, erzeugt Bewegung und Raumtiefe; dabei weichen die kalten Farben, Blau und Grün, zurück, die warmen Farben Gelb und Rot treten hervor. Mit Hilfe der Lasurtechnik, dem Übermalen von Farben mit verwandten Tönen, wird die Farbe selbst lichthaltig.
MN

André Derain (1880-1954)
260 Stilleben 1911
Öl auf Leinwand; 46,3x38,2; Inv. 5058
Die Gegenstände des Stillebens, die auf Grund der Nahsicht eine monumentale Größe erhalten, sind auf klare, einfache Formen reduziert. Das einheitlich von rechts einfallende Licht bewahrt die Plastizität der Flasche, der Vase oder des Glases und gleicht zusammen mit den dunklen Farbtönen die Dynamik aus, die der Perspektivenwechsel – die Tischplatte ist von oben, die Gegenstände sind von der Seite gesehen – erzeugt. Eine ruhige Grundstimmung beherrscht das Bild. Deutlich zeigt sich hier Derains Auseinandersetzung mit dem Kubismus eines Picasso oder Braque, ohne daß er zu deren radikaler Formzergliederung und Raumauflösung vordringt. RH

260

Alexej Jawlensky (1864-1941)
261 Stilleben mit Begonie 1911
Öl auf Pappe; 71x75,5; Inv. 5034
Zwei blaue Schalen mit Früchten stehen beiderseits der Begonie, deren rote Blüten zusammen mit den Rottönen der Früchte die Eckpunkte eines sich nach oben zuspitzenden imaginären Dreiecks bilden. Die Komposition zielt ganz auf strenge Ausgewogenheit ab und erzeugt zusammen mit der intensiven dunklen Farbpalette den Eindruck einer erhabenen Ruhe, die dem Stilleben fast den Charakter eines Andachtbildes verleiht. »Die Natur entsprechend meiner glühenden Seele in Farben zu übersetzen«: so beschrieb Jawlensky seine künstlerische Arbeit. Diese offenbart die Spuren einer tiefen Gläubigkeit, wie sie in seinen späteren ikonenhaften ›Köpfen‹ deutlicher wurde. Ähnlich den deutschen Expressionisten, mit denen er in München in Kontakt getreten war, hatte Jawlensky in Anlehnung an die zeitgenössische französische Kunst – van Gogh und Gauguin – seine neuen künstlerischen Ausdrucksformen entwickelt, deren gereifte Meisterschaft das Hamburger Bild dokumentiert. RH

August Macke (1887-1914)
262 Mutter und Kind im Park 1914
Öl auf Leinwand auf Pappe; 56,3x46;
Inv. 2966
Das Bild, entstanden im letzten Lebensjahr Mackes – er fiel bereits zu Beginn des ersten Weltkrieges in Frankreich – zeigt den von leuchtender Farbigkeit bestimmten, ausgereiften Stil des Malers. Der Spaziergang einer Mutter mit ihrem Kind durch einen Park ist Motiv eines Farbenfestes. In verschiedenen Grün- und Blautönen leuchtet die üppige Pflanzenwelt der Büsche und Bäume, wenige orangerote Stämme strukturieren die Komposition. Die räumliche Illusion wird hauptsächlich von der Farbe geschaffen: Die Kleidung der Spaziergänger – der tiefblaue Mantel und das braune Kostüm – hebt sich kräftig von dem Weiß des Weges ab. In der Atmosphäre unbeschwerter Gelöstheit wird Mackes Freude an der ›Schönheit der Dinge‹ spürbar. RH

262

261

Wassily Kandinsky (1866-1944)
263 Arabischer Friedhof 1909
Öl auf Pappe; 71,5x98; Inv. 2962
Aus der verwirrenden Vielfarbigkeit der verschiedenen kleinen und großen Formen und Tupfer schält sich die Szenerie des Friedhofs heraus. Doch fällt es schwer, die Gegenstandswelt eindeutig zu erfassen. Die harmonisch-rhythmische Verteilung der Farbe auf der Bildfläche ist offenbar wichtiger als der Bildgegenstand. Hierin liegt der entscheidende Aspekt auf Kandinskys Weg zur abstrakten Malerei: Die Farbe wird von ihren Bindungen an die Gegenstände befreit und damit frei verfügbar zum Aufbau ungegenständlicher Kompositionen. Auf diesem Weg, der ständig von kritischen Reflexionen bis hin zu seiner berühmten Schrift ›Über das Geistige in der Kunst‹ begleitet war, schuf Kandinsky bereits ein Jahr nach diesem Bild sein erstes abstraktes Werk. RH

263

264

Paul Klee (1879-1940)
264 Revolution des Viaduktes 1937
Öl auf Leinwand; 60x50; Inv. 2899
Auf den ersten Blick ein bloß witziges Spiel mit Formen, löst das Bild bei längerem Betrachten Assoziationsketten aus, die von vielschichtigen Bedeutungen herrühren. Solch ein assoziatives Erfassen entspricht Klees eigenem Verfahren, Bildgedanken im sprunghaften Spiel mit Zeichen zu entwickeln. Die Sprengkraft des Bildes liegt in seiner Offenheit – formal wie inhaltlich. Seine Formen scheinen sich aus einem geschlossenen Verband und aus der Fläche zu lösen. Die Bedeutung seiner Zeichen schlagen von einem Gedanken in den nächsten um. Eine Brücke hat sich, wie schon der Titel suggeriert, in ihre Bogenabschnitte aufgesprengt. Formspiel? Sinnbild? Oder beides? Die Brückenbogen lassen mit ihren schrägen Füßen zugleich an Menschen denken. Ein besonders greller spielt den Anführer. Ist eine Marschkolonne gemeint, die auf uns zukommt? Fanal oder Schreckensvision? Aufbruch oder Zusammenbruch? Revolte oder Krieg? Wie auch unsere Assoziationen ausfallen, immer ist ihnen etwas Dynamisches, Herausforderndes eigen. Sieht man das Bild vor dem Hintergrund seiner Zeit – 1937 warf der Zweite Weltkrieg mit dem Vormarsch des Faschismus seine Schatten voraus –, so wird deutlich, daß sich darin seismographisch eine ungewisse Situation niedergeschlagen hat. Aus einem phantasievollen Spiel ist die Chiffre der Bedrohung geworden. SH

Lyonel Feininger (1871-1956)
265 Der Ostchor des Domes zu Halle
1931
Öl auf Leinwand; 100x80; Inv. 2933

1929 und 1931 lebte Feininger einige Monate in Halle, um im Auftrag der Stadt dort zu malen. Die traumhaft-dichterische, malerische Umsetzung der Stadtlandschaft – Feininger arbeitete hier zum erstenmal nach Photographien, von denen frei zu kommen ihm sehr schwer fiel – »läßt die steilen Formationen der gotischen Architektur mit ungewöhnlicher Eindringlichkeit entstehen« – schrieb Hans Platte 1958. »Das vielfach verwinkelte System feiner Linien ... erschafft aus einem imaginären Raum heraus eine neuartige Illusion von Kuben, Kanten und Flächen des Erscheinungsbildes.« Die Linien von Pfeilern, Fenstern, Gesimsen und Giebeln überschneiden sich, führen in den Raum weiter. Dadurch wird die »hintergründige, fast magische Dynamik, die als Wechselspiel zwischen Wirklichem und Unwirklichem erscheint«, deutlich. Gelb und Blau, aus deren Überschichtung grünliche Töne entstehen, sind als Farben in den wechselnden Rhythmus von Raum und Fläche einbezogen. SP

265

Paul Klee (1879-1940)
266 Der goldene Fisch 1925
Öl und Aquarell auf Papier auf Pappe; 49,6x69,2;
Inv. 2982

Märchenhaft kostbar steht der goldene Fisch vor dem blauschwarzen Grund, der undurchdringlich tief scheint und doch da durchsichtig ist, wo ihn das Licht, gebrochen von den Bewegungen des Wassers, durchdringt und auf Lebewesen trifft: kleine rötlich-violette Fische, die den Bildrändern zustreben, durch zarte, blauflammende Wasserpflanzen hindurch. Mächtig beherrscht der goldene Fisch die Bildmitte, schafft um sich ein unbewegtes Feld der Majestät, der Stille und Einsamkeit, aus dem das Gold seiner glänzenden Schuppen und die Härte seiner feinen roten Stacheln umso wirksamer hervorblitzen. Sein übergroßes Auge scheint vibrierend zu kreisen, alles wahrzunehmen. Klee ist der poetischste aller Maler des 20. Jahrhunderts. Obgleich sein Bild keine Geschichte schildert, scheint es doch eine Szene aus Tausendundeiner Nacht zu sein. Daß Zartheit und Farbenglut nicht unbedingt Widersprüche sein müssen, daß Schönheit auch in der Kunst des 20. Jahrhunderts durchaus die Dimension eines Weltgleichnisses haben kann, belegt der ›goldene Fisch‹: Er beherrscht allein das Feld, vertreibt die Artgenossen. Bei aller Feinheit scheinen seine starren Stacheln gefährlich; die aufgebrochene Kontur seines Maules wirkt räuberisch, das flackernde Auge bedrohlich. So zeigt sich das gemalte Märchen wie das geschriebene durchdrungen von der realen Welt, lebt aus der Spannung zwischen der Erfahrung des Bösen und der Utopie des Guten. SP

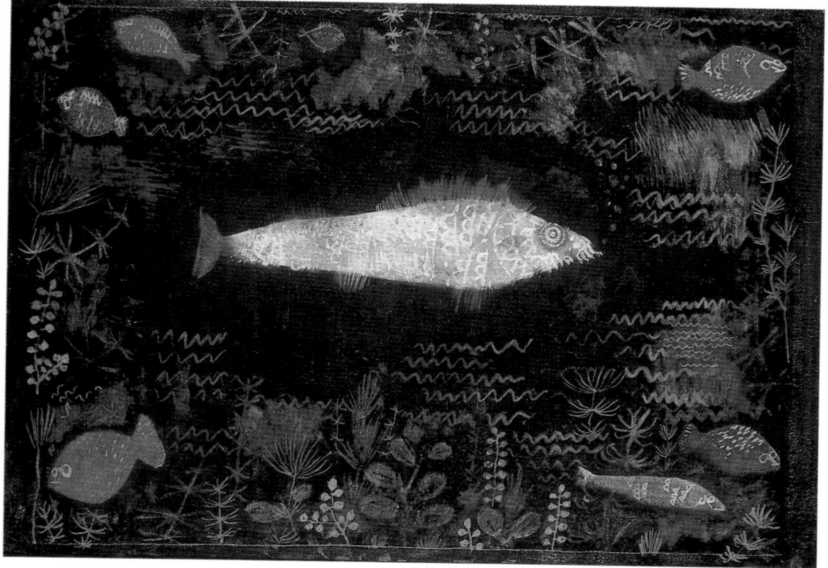
266

267

Oskar Schlemmer (1888-1943)
267 Treppenszene 1932
Öl auf Hartfaserplatte; 122x56; Inv. 2910
Als langjähriger Leiter der Bauhaus-Bühne hat Schlemmer die Theaterdekorationsformen erneuert. Zeit seines Lebens beschäftigte er sich mit dem Thema ›Mensch und Raum‹. Seine choreographische Arbeit veranlaßte ihn, nach den Gesetzmäßigkeiten des ›tänzerischen‹ Menschen zu suchen. Die für ihn metaphysischen Zusammenhänge zwischen dem Menschen und seiner Umgebung, die dieser durch Bewegung erfaßt, wollte er erforschen. Nach seinem Weggang aus dem Bauhaus war Schlemmer 1929-32 als Lehrer in Breslau tätig. In diesen Jahren verlagerte sich sein Schaffen auf die Zusammenarbeit mit Architekten. Die bildnerische Wandgestaltung wurde zum Hauptinteresse. Auch in der Malerei griff er verstärkt Architekturmotive auf. So entstand eine Reihe von Treppen- und Geländerbildern, zu denen auch unsere ›Treppenszene‹ gehört. Hier ist exemplarisch zu sehen, wie Schlemmer sein Streben nach Verzahnung von Fläche und Raum, Figur und Architektur umsetzte: Der Bildraum ist fast ohne Tiefe, die architektonische Situation wird durch drei Treppenstufen und den Zick-Zack-Lauf des Geländers angedeutet. Vom Bildrand her ragen Figuren in die Szene, erzeugen das Gefühl von Enge. In der Bildmitte sind zwei Gestalten übereinander angeordnet. Mit ihren Händen und Körpern gleiten sie am Geländer entlang, machen das Motiv ›Treppe‹ sichtbar. Indem eine der Figuren nach rechts, die andere nach links gewandt ist, wird Gegenläufigkeit, Auf- und Absteigen vermittelt. Wie einst auf der Bühne erschließen hier menschliche Bewegungen den Raum. CV

Willi Baumeister (1889-1955)
268 Graue Figur 1920
Öl auf Leinwand; 77x41; Inv. 2987
1919, das Gründungsjahr des Bauhauses, ist ein wichtiges Datum für unser kurz darauf entstandenes Bild. Man wollte die altmodischen Formen des Jugendstils endgültig überwinden und suchte – dem Maschinenzeitalter gemäß – nach einer neuen, sachlichen Ästhetik, orientiert an Technik und Konstruktion. Gemeinsam mit seinem Freund Schlemmer noch Meisterschüler an der Stuttgarter Akademie, arbeitete Baumeister ausschließlich mit geometrischen Formen. Um ästhetisch allgemeingültige Gesetze genau erforschen zu können, malte man Bilder in Serien. In hauptsächlich zwei Zyklen variierte auch Baumeister gleiche Themen immer wieder: Ganz im Sinne des Konstruktivismus beschränkte er sich in seiner Bilderreihe ›Flächenkräfte‹ auf rein lineare Formen. Unser Bild gehört zu dem zweiten parallel entstandenen Zyklus, den er ›Gestaffelte Figuren‹ nannte. Das Thema dieser Werke ist die menschliche Gestalt. Wir können hier sehen, wie Baumeister versuchte, die geometrischen Grundformen als allgemeingültige Konstruktionselemente auch im menschlichen Körper sichtbar zu machen. Er berief sich dabei auf eine berühmte Theorie Cézannes, wonach sich alles Erkennbare in einfache Elemente wie Kugel, Kegel und Zylinder zerlegen läßt. Die ›Graue Figur‹ ist jedoch nicht gänzlich frei von organischen Körperformen. Das verrät den stilistischen Einfluß Schlemmers, dessen Atelier neben dem Baumeisters lag. CV

268

Sophie Taeuber-Arp (1889-1943)
269 Wehende Formen 1935
Öl auf Leinwand; 50x65; Inv. 5229
Das Bild ist nüchtern, fast karg in Komposition und Farbwahl: Vier gleiche, wellenförmige Gebilde sind auf einer Fläche verteilt. Nur zwei Farben, Blau und Weiß, korrespondiern miteinander. Es wird bewußt nicht modelliert, keine räumliche Tiefe erzeugt. Sophie Taeuber wollte mit ihrer Komposition nichts symbolisieren und auch keinen vereinfachten Naturgegenstand wiedergeben. Allein auf die zwischen Formen und Fläche entstehende Wechselwirkung kam es ihr an. Ihr Bild stammt aus dem Ideengut der Gruppe »Abstraction Création«, der die Künstlerin in den dreißiger Jahren angehörte. Nach einer neuen Philosophie sollten Formen, rein aus dem Gedanken entwickelt, ohne weitere Bedeutung für sich selbst stehen. Mit ihrem Mann, dem Bildhauer Hans Arp, war auch Sophie Taeuber zu der Überzeugung gelangt, daß ein Bild, welches keinen Gegenstand zum Vorbild hat, genauso konkret und sinnlich erfaßbar sein kann, wie zum Beispiel ein Blatt oder ein Stein. CV

269

Walter Dexel (1890-1973)
270 Komposition 1924
Öl auf Leinwand; 55,5x47,5; Inv. 5166
Farbfelder treten in diesem Bild als Kraftfelder in Aktion, laden die gesamte Fläche mit gespannter Energie auf. Hinter dem Augenschein geometrischer Ordnung spielen sich Konflikte ab, werden drängende, schiebende Kräfte nahezu körperlich spürbar: Zwischen großen Flächen liegen schmale Streifen, aber nicht im Sinne von Koordinaten, die die Bildfläche einteilen, sondern als bedrängte Restpositionen. Dexels Stil ist spielerisch: Obwohl man es vermuten möchte, liegt dem Bild kein festes Schema zugrunde. Das unterscheidet Dexel von zahlreichen Malerkollegen, die bewußt nach einem Kompositionsraster suchten. Deutlich ist die Nähe zum Bauhaus in Weimar, zu dem der Kunsthistoriker Dexel durch seine Tätigkeit am Jenaer Kunstverein engen Kontakt pflegte: Zu Beginn der zwanziger Jahre gewann dort die Ästhetik des holländischen Konstruktivismus an Boden. CV

270

Jean Hélion (geb. 1904)
271 Gleichgewicht 1933
Öl auf Leinwand; 81x100; Inv. 5280
Gleichgewicht, der Titel des Bildes, ist eindeutig auch das Thema der Komposition: Erfundene, nicht mathematisch konstruierte Formen sind scheinbar ohne Zusammenhang auf der Fläche verteilt. Erst durch das Problem ›Gleichgewicht‹ werden sie miteinander in Beziehung gebracht. Das geschieht, indem die Elemente ›ausbalanciert‹ werden: Die zwei großen Flächen versuchen sich gegenseitig durch Verbindungslinien zu festigen, schweben aber haltlos im Raum. Von allen vier Seiten aus dem Bildrand ragende Balken sind schließlich bereit, die labile Komposition abzustützen und in der Bildmitte zu halten. Unser Gemälde gehört zu einer ganzen Reihe solcher Gleichgewichtsstudien, die alle Anfang der dreißiger Jahre entstanden sind. Hélion war zu dieser Zeit ebenfalls ein Mitglied der damals neu begründeten Gruppe ›Abstraction Création‹ und studierte auf seine Art und Weise Formen und ihre vielfältigen Beziehungen zueinander. CV

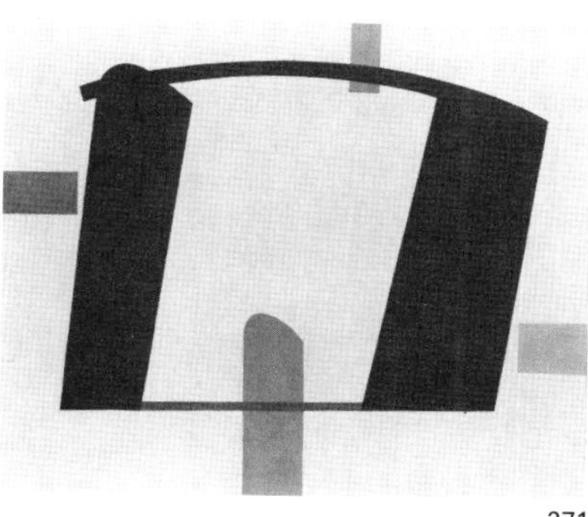
271

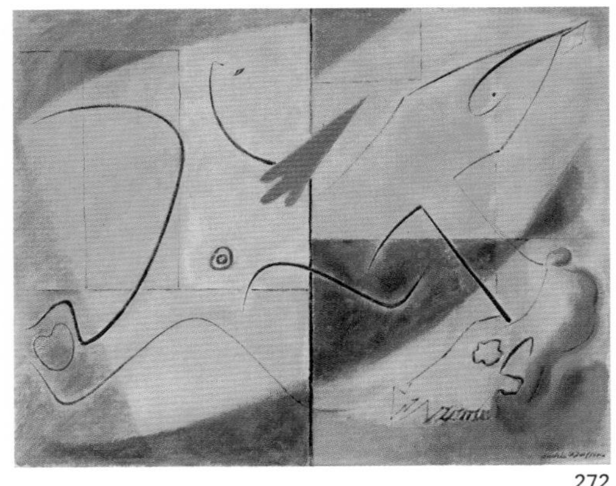

272

André Masson (geb. 1896)
272 Der Abdecker 1928
Öl auf Leinwand; 73,5x92,5; Inv. 5207
Drei Ebenen überlagern sich: Waagerechte und senkrechte Linien bilden ein stabilisierendes Gerüst. Dazwischen schiebt sich eine Komposition von gelb-grünen Farbflächen, die eigenständig sind, sich nur teilweise an die Begrenzungen der Geraden halten. Temperamentvolle, rasch ausgeführte Schwünge schnellen jäh über diesen Hintergrund. Ein rotes pfeilähnliches Gebilde durchschneidet dabei aggressiv die Bildmitte. Masson findet hier zu einem neuen Stil: Die Verschiebung von Farbflächen und Linien ist noch der kubistischen Theorie verbunden, von der er sich jedoch in den sehr individuellen, surrealistischen, frei und spontan ausgeführten Formen – Ausbrüche des Unbewußten – bereits gelöst hat. Der Bildtitel deutet an, daß Masson sich zu diesem Bild vom Beruf des Abdeckers inspirieren ließ. CV

René Magritte (1898-1967)
273 Die schnelle Hoffnung 1928
Öl auf Leinwand; 49,5x64; Inv. 5156
In einer angedeuteten Landschaft befinden sich abstrakte, klumpenähnliche Formen. Statt die Objekte realistisch abzubilden, erklärt Magritte sie durch schriftliche Benennung: Liest man die Bezeichnungen, ergibt sich – aus dem Zusammenhang der Worte – ein Landschaftsbild, Magritte verfolgte eine theoretische Überlegung: In sogenannten Sprachbildern beschäftigte er sich mit der Bedeutung von Sprache. Dabei untersuchte er besonders Zusammenhänge zwischen dem Wort und dem Gegenstand, den es bezeichnet. Mit diesem Bild wollte er zeigen, daß das Wort nur ein Mittel ist, um die Vorstellung des Gegenstandes hervorzurufen, ohne mit diesem identisch zu sein. Im tieferen Sinne war es für den Surrealisten Magritte ein Beweis, daß sich die Realität einer eindeutigen Bestimmbarkeit entzieht. »Alles deutet darauf hin«, schrieb er, »daß kaum eine Beziehung zwischen dem Gegenstand und dem besteht, was ihn repräsentiert.« CV

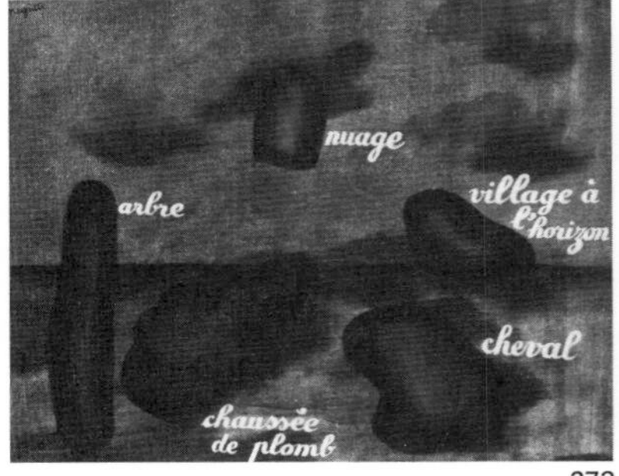

273

274

Francis Picabia (1879-1953)
274 Ohne Titel um 1928
Öl auf Leinwand; 61,5x50; Inv. 5230
Das Hauptmotiv des Bildes ist eine Art Pferdekopf. Über ihm liegen die Umrisse eines Vogels, dessen Gefieder die Konturen des Kopfes aufnimmt. Links vom Pferd ist ein Hundekopf erkennbar. Raum- und Bildebene haben sich zu einem Spiel der Linien verschlungen, dennoch bleiben die Motive selbständig. Wegen dieser durchsichtigen Überlagerung mehrerer Teile nennt man diese Technik ›Transparenzmalerei‹. Sie ist charakteristisch für Picabias Werke während der späten zwanziger Jahre. Er schaffte in ihnen eine Phantasiewelt, in der seltsame Fabelwesen miteinander verschmelzen. Hinter dieser harmlos-heiteren Märchenhaftigkeit aber kann man aber auch – in der Durchdringung der Formen – Fragen der Identität und der Mehrdeutigkeit behandelt sehen. CV

Max Ernst (1891-1976)
275 Grätenblumen 1928
Öl auf Leinwand; 65x81;
Inv. 5081
Um die Phantasie anzuregen, hatte Leonardo da Vinci vorgeschlagen, eine verwitterte Mauer zu betrachten, worin lebendige Formen zum Vorschein kämen. Max Ernst entwickelte daraus die Idee, Strukturen aus der Natur zur Grundlage seiner Bilder zu machen: In seinen ›Frottages‹ rieb er Holzmaserungen auf Papier durch. In unserem Bild wurde das Verfahren weiterentwickelt. Mit rein malerischen Mitteln erzielte Max Ernst den Eindruck natürlicher Strukturen: Die reliefartigen Linien erscheinen wie Gräten, manche ›gemalten‹ Flächen erinnern an Marmor und Muschelgebilde. Diese collageartige Malerei ergibt ein Stilleben: Die Flächen wirken wie keramische Vasen, die Grätenformen wie Stengel mit Blüten. Max Ernst erzielte ein Wechselspiel, das Leonardos Betrachtung einer Mauer ähnelt. Einmal sieht man nur die Strukturen, dann wieder das gegenständliche Gesamtmotiv. Ernst gab dem Bild 1961 zusätzlich den Titel: Blütenwald. CV

275

276

Paul Delvaux (geb. 1897)
276 Frauen und Steine 1934
Öl auf Leinwand; 80,5x100,5; Inv. 5271
Die Komposition erhält ihre Spannung durch Gegensätze: Eine liegende und eine stehende Frau, nackt vor Bauten in einer rauhen Landschaft. Alle Bildelemente sind in traditioneller Manier ganz realistisch gemalt. Erst ihre Zusammenstellung erzeugt die geheimnisvolle Atmosphäre, die die Wirkung des Gemäldes ausmacht. Es könnte eine Szene aus einem Traum sein, die wie Traumbilder einen unbewußten Zustand symbolisiert: Der Aufenthalt der beiden unbekleideten Frauen in der Wüste mag so eine Metapher für Einsamkeit, vielleicht sogar für den Tod sein. Die Beziehungslosigkeit des Menschen in einer kargen Umgebung erinnert thematisch an die rätselhaften Bilder de Chiricos. Der Kulissencharakter der Architektur ist von dessen Werk inspiriert. CV

Hans Arp (1887-1966)
277 Augen, Nase, Schnurrbart 1928
Bemalter Karton; 67x54,5; Inv. 5184
Andeutungen eines menschlichen Gesichtes durch aufgesetzte Augenpunkte sowie physiognomische Ähnlichkeiten der unregelmäßigen Formen mit Nase und Schnurrbart belegen den spielerischen Erfindungsgeist des Dadaismus, der über Abstraktion und unkonventionelle Denkweise neue Dimensionen des Ästhetischen schuf und damit der Lebensrealität bis dahin unbekannte Bezugsfelder erschloß. Nicht unwichtig sind in diesem Zusammenhang die ›Aussparungen‹, eigentlich nicht existente Formen, die aber durch ihr Weggelassensein um so eindringlicher in das Kunstwerk zurückwirken. Hier kommt der Zufall ins Spiel, der Arps dadaistischen Absichten entspricht: Die Negativform wird von der Farbe der Wand, an der das Bild hängt, bestimmt. Der Gesamtcharakter des Reliefs ist somit veränderlich. Das Kunstwerk steht nicht mehr für sich allein, sondern bezieht seine Wirkung aus der Umgebung. CV/SP

277

278

Wols (Wolfgang Schulze) (1913-1951)
278 Komposition 1947
Öl auf Leinwand; 81 x 64,7; Inv. 5067
Wols hat öfter Bilder gemalt, in denen er Farbflecken als Metapher für Öffnung, Wunde (Geschwür) und Gewächs verwendete – »man muß wissen, daß sich alles reimt«. Ein tröstliches Wort, das einem Mystiker entlehnt sein könnte. Mit ihm ist unserer Komposition, die ein gebrandmarkter Kopf ist, nicht beizukommen. Auch nicht mit einem anderen Wort des Malers »Der Mensch ist nicht interessanter als die vergänglichen Erscheinungen. Denn Gott ist in allem. Es ist überflüssig ihn zu personifizieren, ihn zu benennen oder etwas auswendig zu lernen ...« Der Bild-Titel ist so nichtssagend, daß man ihn als Anti-Titel verstehen möchte, als Formel, mit der jemand sein Malbedürfnis absichert, das jede Formel, jede Konvention sprengen möchte. Eine Verspottung der Malerei, um einer leidenschaftlicheren Malerei habhaft zu werden. Wahrzunehmen sind Gesten der Mißhandlung, die nicht einem Kopf gelten, sondern diesen erst ahnen lassen. Bevor sich das Geflecht der Wundmale zur Physiognomie des Ecce homo und zum Umriß einer Spottkrone verschnürt, hält der Maler ein und läßt die Wunde als Zeichen für viele Verletzungen stehen – »man muß wissen, daß sich alles reimt.« WH

Jean Dubuffet (geb. 1901)
279 Bartdeklination 1959
Öl auf Leinwand; 130 x 97; Inv. 5258
Dies ist kein Abbild, sondern eher ein Zauberbild, die Beschwörung eines Wesens von alptraumhafter Präsenz, nicht fern den sagenhaften Riesengestalten unserer Kindheit. »Hast Du die Bartblume gepflückt?« hatte Dubuffet die Ausstellung genannt, in der er im Frühjahr 1960 dieses Bild und viele andere aus der gleichen Phase zum ersten Mal zeigte. Wie in Dubuffets ganzem Werk erkennen wir in seinen Bart-Bildern und besonders in unserer »Bartdeklination« die Spannung zwischen einer kraftvollen Urtümlichkeit – Dubuffets Suche nach dem Primitiven, dem Vorkulturellen, das sich für ihn vor allem in den Hervorbringungen der Geisteskranken und in den Kinderzeichnungen äußert – und größter künstlerischer Differenzierung, ja malerischer Kultur. HRL

279

280

Alberto Giacometti (1901-1966)
280 Annette im Atelier 1961
Öl auf Leinwand; 146x97; Inv. 5105
Giacometti malte stets die gleichen Personen: enge Verwandte, Freunde, seine Frau Annette. Landschaften und Stilleben sind selten in seinem Werk. Mit wenigen Farben angelegt, bleiben seine Bilder meist im Skizzenhaften. »Schnell hingesetzte Linien umreißen Figur und Gegenstände, umgrenzen innerhalb der größeren Leinwandfläche auch die eigentliche Bildzone ... Alles konzentriert sich auf die Frau, die rein frontal und scheinbar ohne jede Beziehung zu ihrer Umgebung hochaufgerichtet dasitzt. Der Blickpunkt aus der Nähe und von unten läßt die Füße übergroß, die Unterschenkel überlang erscheinen im Verhältnis zum Oberkörper und dem kleinen Kopf, aus dem die weit aufgerissenen Augen wie angstvoll ins Leere blicken. Die größere Dunkelheit der Gestalt und die dichteren grauen Pinselzüge um sie herum lassen sie noch einsamer erscheinen. Die Einsamkeit, das Ausgeliefertsein an den Raum, gibt allen Gestalten Giacomettis ihre tiefe Melancholie.« (A. Hentzen 1967). SP

Francis Bacon (geb. 1909)
281 Studie zu einem Bildnis 1953
Öl auf Leinwand; 152,2x118; Inv. 5102
»Bei näherer Betrachtung gewinnt der blasse, von senkrechten schwarzen Strichen durchzogene Kopf mit halb zugekniffenen Augen und den gebleckten Zähnen im leicht und wie erschreckt geöffneten Mund einen unheimlichen Ausdruck. Das merkwürdige Möbel, auf dem der Mann sitzt (Bacon hat früher einmal seinen Lebensunterhalt als Möbelentwerfer verdient), scheint ihn in einer Art Versenkung gefangenzuhalten. Die Beine sind ... jedenfalls höher als die Sitzfläche. Die Stäbe der Rücklehne wirken trotz der Kissen wie ein einengendes Gitter, und die senkrechten Streifen der Tapete, die Horizontalen der heruntergelassenen Jalousie verstärken den Eindruck des Beklemmenden.« (A. Hentzen 1967) Bis auf wenige Bereiche ist das ganze Bild in Blau gemalt, in breiten, sicheren Strichen auf die ungrundierte Leinwand gesetzt. Nur Kopf und Kragen leuchten weißlich aus dem Halbdunkel. Möglicherweise stellt das zerrissene Lachen des gutsituierten Herrn in Wahrheit den ›kaputten Typen‹ in feiner Schale bloß. SP

281

282

Willi Baumeister (1889-1955)
282 Bluxao V 1955
Tempera auf Pappe; 130x100; Inv. 5051
In seinem außergewöhnlich wandlungsreichen Œuvre war Baumeister von der anfänglichen Zerlegung des Gegenständlichen zu völliger Abstraktion gelangt. Jede neue Thematik hat er dabei stets in einer ganzen Serie von Bildern ergründet. Noch in den letzten Monaten seines Lebens entstanden die neun ›Bluxao‹-Bilder, alle starkfarbig, auf blauem Grund, mit bewegten Formen. Unser Gemälde, die fünfte Variante dieser Gruppe, hat ein klares Zentrum: In die sich verdunkelnde Bildmitte ist eine Spirale gesetzt, die von einem schwarzen Band umrahmt wird. Angezogen vom Sog des Mittelpunktes heften sich längliche, fliegende Formen an den Rahmen, ohne das Zentrum zu berühren. Ihre leuchtende Farbigkeit über Zitronengelb, Zinnoberrot, Weiß und Grün steht in wirkungsvollem Kontrast zum blauen Grund und dem Schwarz der Mitte. In diesem spielerisch-fröhlichen Charakter der Komposition verbirgt sich ein Symbolgehalt: Die abstrakten Gebilde ähneln einfachen, symbolischen Schriftzeichen, wie beispielsweise Runen. Man kann sie bei Baumeister als Chiffren aus der Tiefe des Unbewußten deuten. Die Spirale ist ein altes mythisches Lebenssymbol. Eng eingegrenzt und in die dunklere Mitte gesetzt, weist sie intuitiv vielleicht schon auf das Lebensende des Künstlers. Zusammen mit dem beherrschenden Blau, der Farbe des Himmels – in tieferem Sinn auch die Farbe des Geistes – klingt ein kosmischer Charakter an. Baumeister aber vermied letztendlich die dunklen Zonen verborgener psychischer Schichten: Durch die Leuchtkraft der Farben bleibt eine heitere Wirkung gewahrt. CV

Ernst Wilhelm Nay (1902-1968)
283 Akkord in Rot und Blau 1958
Öl auf Leinwand; 116x89; Inv. 5026
Schon der Titel deutet auf eine Verbindung zur Musik. Nay erkannte in Farben Ausdruckskräfte, die wie Töne zu einer Harmonie gefügt werden können. Einer Melodie vergleichbar, bilden die Grundfarben Rot, Blau und Gelb einen Dreiklang. Feuriges Rot und kühles Blau liegen sich in einem Spannungsverhältnis gegenüber, das Gelb blitzt in der Mitte auf. Rosa und Hellblau, als Abstufungen gleichsam melodische Halbtöne, begleiten die Farbscheiben. Dazwischen getupftes Ocker, dunkles Grün und mattes Rot, Farben ohne auffällige Eigenwirkung, dämpfen den grellen Klang des Grundakkords. Nay wollte kein Blumenstilleben darstellen, wie manchmal angenommen wurde. Er arbeitete ausschließlich mit dem natürlichen Gefühlswert der Farben. Nur unsere Seherfahrung veranlaßt uns, Gegenständliches zu formen. CV

283

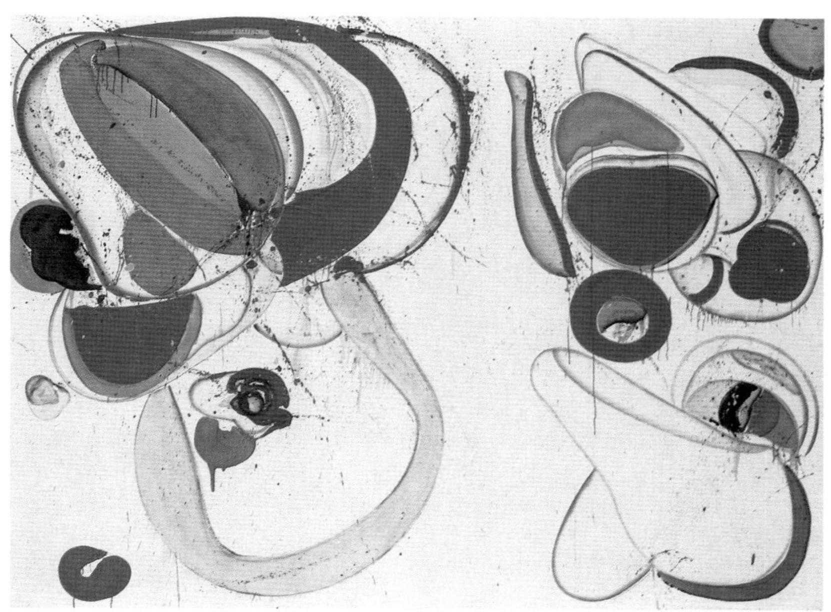

284

Sam Francis (geb. 1923)
284 Warum dann geöffnet
(As for the open) 1962/63
Öl auf Leinwand; 182 x 244; Inv. 5120
Aufgrund einer Kriegsverletzung lange Zeit bewegungsunfähig liegend, begann Sam Francis das Farbspiel verlaufender Regentropfen bei wechselndem Licht zu beobachten. Diesen so natürlichen wie ästhetischen Prozeß setzte er in seiner Malerei um: Rasch und in kräftigen Schwüngen wurde die Farbe auf die Leinwand gesetzt. Schleuder- und Fließspuren zeugen davon. Francis stilisierte diese Spontaneität zu einer bildnerischen Komposition: Die Kleckse und Spuren wurden nachgezogen, fließende Linien begrenzt. Eine Form umschließt immer wieder schützend die andere. Die weichen, ovalen Gebilde scheinen ineinander zu schwimmen. Wie in einer Flüssigkeit treiben sie auf der Bildfläche. Dabei entfernen sie sich in zwei Gruppen nach rechts und links, geben die Bildmitte frei. Der rechte obere Rand schneidet eine Form ab, so daß der Rahmen eigentlich nur die willkürliche Begrenzung einer endlosen Wanderung der weichen Gebilde zu sein scheint. Das Freilassen großer Teile weißer Leinwand ist ein für Francis wichtiger Stilgriff. Er rührt aus seiner Begegnung mit der japanischen Kunst, wo die Aussparung ein beliebtes ästhetisches Prinzip war. Die Leuchtkraft des beherrschenden Blaus auf dem weißen Grund sowie die Transparenz der hellblauen Töne unterstreichen die Assoziation von Flüssigkeit. Fast scheint unser Bild wie die mikroskopische Vergrößerung von Zellgewebe. CV

285

Ernst Wilhelm Nay (1902-1968)
285 Nachtblau 1965
Öl auf Leinwand; 162 x 150; Inv. 5117
Aus tiefschwarzem Grund tauchen scheinbar willkürlich bizarre Formen auf. Die Anordnung aber ist keinesfalls zufällig, denn Nay schuf immer genau durchdachte Farb-Form-Kompositionen. Unser Bild besteht aus einem Dreierrhythmus: Links oben bricht fragmentarisch ein roter Streifen hervor. Die Bildmitte durchzieht ein breites, nachtblaues Band, dessen weiße Aussparungen und schwarze Konturen an zwei große Augen erinnern. Im rechten unteren Bildrand erscheint eine weiße Form mit blauer Binnenzeichnung. In diese rhythmisch ausgewogene Komposition fügt sich der farbliche Dreiklang: Jede Form ist Träger einer der Elementarfarben Rot, Blau und Weiß, so daß die eigenartigen Gebilde gleichsam zu Symbolen der Farben werden. Spannung erzeugen die Binnenstrukturen, indem sie Farbbezüge herstellen. Unser Gemälde, aufgrund der augenähnlichen Form zu Nays ›Augenbildern‹ gezählt, ist ein typisches Spätwerk. Nay malte keine Farbexplosionen mehr, sondern stillere, fast meditative Bilder, mit reduzierter Auswahl an Farbe und Form. CV

286

Serge Poliakoff (1900-1969)
286 Orange und Mauve 1950
Öl auf Leinwand; 88,5x115;
Inv. 5021
Eigentümliche, splittrig eingerissene Formen schieben sich zur Bildmitte hin gegeneinander. Sie verzahnen sich mit den Rechtecken des Hintergrundes, so daß ein System ineinandergreifender Gebilde entsteht. Die Leinwand wird regelrecht ›zugemauert‹. Diesem zackigen, rauhen Charakter entspricht die Behandlung der Oberfläche: Da die Farbe mit dem Spachtel aufgetragen wurde, sind die Formen fast mit der unregelmäßigen Struktur von Naturstein vergleichbar. Dieser Eindruck wird durch die warme, erdige Farbgebung unterstrichen. Von leuchtendem Orange bis zu einem gedämpfteren Mauve scheinen alle Farben verwandt, verleihen dem Bild einen beruhigenden, sanften Ton. Darüber hinaus wirken sie kompositorisch: Sie fassen Formen zusammen und stellen so die bildliche Ausgewogenheit her. Das Rauhe, Ursprüngliche der Formen, die Harmonie der Farben bezieht man häufig auf Poliakoffs russische Herkunft. Es kommt eine Erdverbundenheit zum Ausdruck, die wie ein Gleichnis seines Heimatlandes erscheint. CV

287

Jean René Bazaine (geb. 1904)
287 Spaziergängerin und Akt auf dem Balkon 1945
Öl auf Leinwand; 130x97; Inv. 5060
Der Ausgangspunkt unseres Gemäldes war die Komposition zweier Figuren, die aufrecht nebeneinander stehen. Bazaine ging nun weiter und abstrahierte das gegenständliche Vorbild. Nur die großen Vertikalen der Stehenden blieben erhalten. Sie wurden in einen formalen Gegensatz gebracht: Gestaltungsprinzip der linken Hälfte bilden Kreissegmente, rechts sind es kristalline Gebilde. Die runden und eckigen Formen ergeben eine Art Gitter, das mit einem System verschiedenfarbiger Flächen angefüllt ist. Kleine rote und gelbe Flecken setzen Lichtakzente in das über die Bildfläche verspannte Blau. Bazaine suchte vom Gegenständlichen ausgehend immer mehr die Abstraktion. Auf diese Weise wollte er Grundprinzipien der Natur ausdrücken. In unserem Bild, einem Beispiel seiner mittleren Schaffensperiode, ist seine Weiterentwicklung bereits nachvollziehbar: Wie vom Gegenstand, wird er sich auch aus dem Gerüst der Zeichnung lösen, um sich ausschließlich der Gestaltung mit Farbe zuzuwenden. CV

Paul Wunderlich
288 Zwei Figuren – zum 20. Juli 1944
1959
Öl auf Leinwand; 80,5 x 60,4 cm; Inv. 5245
Das Bild bezieht sich auf ein politisches Ereignis, den 20. Juli 1944. Offiziere unter der Führung von Graf Stauffenberg hatten versucht, Hitler zu beseitigen, um den Zweiten Weltkrieg aus günstigeren Verhandlungspositionen heraus beenden zu können. Das Attentat war gescheitert. In Berlin-Plötzensee wurden die Offiziere hingerichtet. Aber nicht gemäß Militärgesetz durch Erschießen, sondern durch Hängen – wodurch die Attentäter entehrt werden sollten. Wunderlichs Bild thematisiert über das historische Ereignis hinaus die faschistische Lust an der Grausamkeit, an der Folter, am langsamen Töten. Der Gehenkte ist kaum mehr als Mensch erkennbar. Der Kopf zwischen die Schultern gesunken, gleicht er einem Klumpen Fleisch in einem Schlachthof. Unter ihm lauert der Henker, der Scherge. Das bedrückende Dunkel des Umraumes entzieht die Handlung dem konkreten lokalen Umfeld und läßt das Geschehen zum Symbol des geschundenen Menschen werden, der für seine Überzeugung stirbt – überall in der Welt. SP

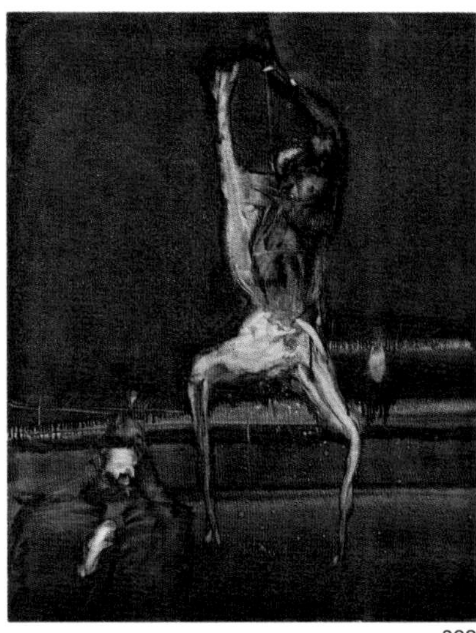
288

289

Roberto Matta (geb. 1911)
289 Die Früchte um 1965
Malerei, Sand, Harz auf Leinwand; 140 x 144,8; Inv. 5106
Ein männliches und ein weibliches Prinzip scheinen sich hier zu einem bizarren Wesen zu vereinen, einem Zwitter aus Tier und Pflanze, Mensch und Roboter. Schwarze, machtvolle Konturen grenzen vegetative Formen ein über einer Bildebene, deren Grund von amorphen Flächen aus Sand, Wachs, Harz und Spuren von Gras strukturiert ist. Die der Natur entstammenden Gestaltungsmittel ebenso wie die warmen, erdigen Farben geben dem Bild Leben, das der Veränderung, das heißt, der Vergänglichkeit preisgegeben ist und wenig zum statuarischen Ewigkeitsanspruch musealer Kunst zu passen scheint. Von der Tradition der Surrealisten aus, die unkonventionelles Material und Zufallseffekte in die Schaffung eines Kunstwerkes einbezogen, geht Matta noch einen Schritt weiter und nimmt in der Brüchigkeit des verwendeten Materials die Zeit als nicht vorausberechenbaren Gestaltungsfaktor auf. Das Kunstwerk selbst wird zur Metapher des ewigen Veränderungsprozesses, dem alles Leben unterworfen ist. SP

Antoni Tàpies (geb. 1923)
290 Bild LXIV 1957
Malerei auf Leinwand; 97 x 162; Inv. 5069
»Wie nie zuvor interessierte mich die neue Vorstellung von der Welt. Diese beschränkte sich aber nicht auf eine Reproduktion von molekularen Strukturen, atomaren Phänomenen ..., sondern Mathematik, Philosophie, Moral und Politik kamen hinzu. Daraus folgt, daß aus meinem Material oft meditative Impulse entstehen. Z. B. der Symbolismus des Sandkorns, in dem die Zerbrechlichkeit und die Unwichtigkeit unseres Lebens ausgedrückt wird, dazu der Staub, die Asche, die Erde, der Lehm aus dem wir kommen und zu dem wir zurückkehren. Damit wollte ich auch die Gedanken zur kosmischen Meditation anregen, die Gedanken über die Schönheit der unendlichen Möglichkeiten von Formen und Farben, ähnlich wie bei einer Teezeremonie, wo man die Schroffheit der Keramik bewußt betrachtet und fühlt.« (Tàpies 1978). Dieses Zitat trifft auch unser Bild. Die sofaartige Form ist einer strengen Komposition einbezogen. Das Kreisrund eingekratzter Löcher assoziiert Einschüsse, genau über der auslaufenden Farbe unten. Im Widerspruch von Sanftheit der Farbe und Rauheit des Materials mag man den Grundwiderspruch zwischen Leben und Schönheit einerseits und Gewalt und Tod andererseits sehen. SP

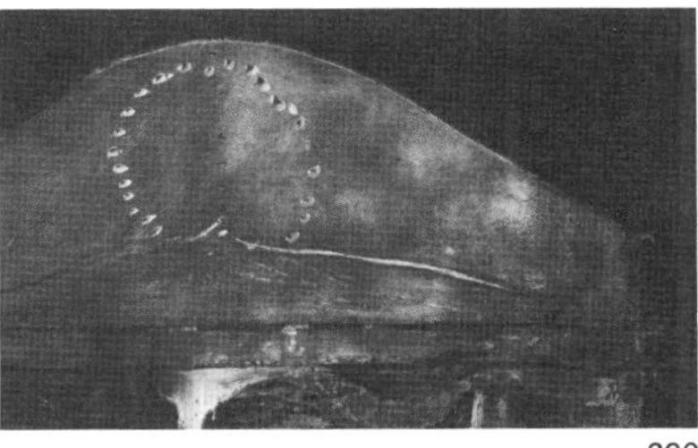
290

291

David Hockney (geb. 1937)
291 Puppenjunge (Doll Boy) 1960/61
Öl auf Leinwand; 122x99; Inv. 5215
›Doll Boy‹ spielt auf ein Lied des Schlagersängers Cliff Richard an, das ›Living Doll‹ heißt. Hockney hatte damals eine Vorliebe für den Sänger, den er für insgeheim homosexuell hielt. Der englischen Umgangssprache gemäß bezeichnete er folglich den Doll Boy mit ›Queen‹. Der Name des Stars ist in »3.18« verschlüsselt: C ist der 3., R der 18. Buchstabe im Alphabet. Aus dem Mund des Doll Boy kommen Musiknoten. Aber sein Kopf ist gesenkt, niedergedrückt von einem verborgenen Leid, auf dessen Ursache die Graffiti-Inschrift hindeutet. Sie ist ein Zitat aus öffentlichen Toiletten: »Your love means more to me« (deine Liebe bedeutet mehr für mich) steht als Symbol der Isolation des Homosexuellen innerhalb einer sich für ›normal‹ haltenden Gesellschaft, die Anderssein ächtet und in die Illegalität zwingt. Seelische und gesellschaftliche Spannungen werden auch vom formalen und farblichen Aufbau des Bildes betont. SP

Richard Lindner (1901-1978)
292 Der Radfahrer 1951
Öl auf Leinwand; 101,6x50,8; Inv. 5153
Frontal steuert der Radfahrer auf den Betrachter zu. Eine sportliche Anstrengung aber ist ihm nicht anzumerken. Genauso wie die kühle, glatte Malweise ist auch der Ausdruck der Figur ohne Emotion. Der Blick ist nicht konzentriert, sondern dumpf geradeaus gerichtet. In die schmale Bildfläche gedrückt, wird die Behäbigkeit des Sportlers spöttisch betont: Lindner, deutscher Abstammung, aber früh in die USA übergesiedelt, war Gesellschaftskritiker. Mit seinem plakativ-realistischen Stil stellte er die Oberflächlichkeit des modernen amerikanischen Lebens dar. Seine Figuren, nie individuell, sondern immer klischeehafte Prototypen der Gesellschaft, zeigen ein negatives Menschenbild. Hintergründig aber spielt Mitleid mit den Menschen hinein, die – wie der Blick des Radfahrers verrät – in ihrer Leere und Isolation gefangen sind. CV

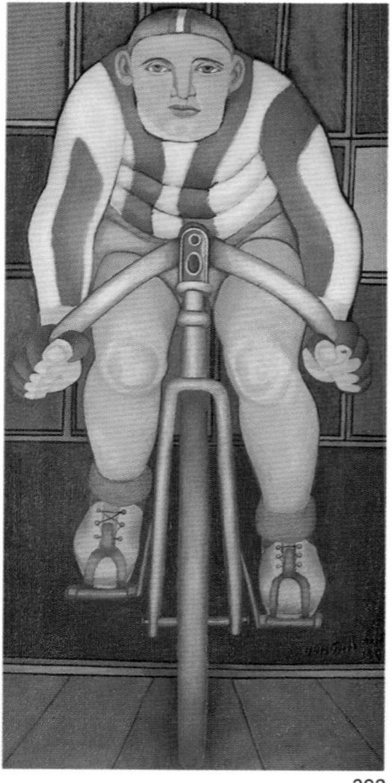

292

Allan Jones (geb. 1937)
293 Die Something-Sisters, noch einmal 1962
Öl auf Leinwand; 213,4x213,4; Inv. 5158
In den bunten, unregelmäßigen Farbflecken deuten sich die Köpfe zweier weiblicher Figuren an: Die typischen Erkennungsmerkmale wie Haare, Augen, Mund wurden grob sichtbar gemacht. Durch die diagonale Verschiebung gleichfarbiger Flächen entsteht Bewegung: Wie beim raschen Vorbeifahren geht das flüchtig Erkannte wieder in die Vielfalt der Farbe über. Der Werbung vergleichbar arbeitete Jones mit dem sofort Erkennbaren, dem Signalcharakter der Dinge. Das große Bildformat sowie die Intensität der Farben, insbesondere der grell orangefarbene Grund, erinnern an eine Plakatwand. Wie ein Plakatabriß sieht das untere, abgegrenzte Bilddrittel aus: Teile der Leinwand liegen frei. Zwischen den faserig geränderten Flächen werden Reste einer Schriftzeile sichtbar. CV

293

294

Gerhard Richter (geb. 1932)
294 Oswald 1964
Öl auf Leinwand; 129x109; Inv. 5170
»Komposition ist, wenn die Hauptperson in der Mitte steht.« Provozieren wie dieser Satz sollten auch Richters frühere Motive: Fotos aus Prospekten, Zeitschriften, dem Familienalbum. Mit ihrer Verfremdung zu Unschärfe durch Verwischen der noch nassen Farbe wollte er auf seiner Gratwanderung zwischen abstrakter Malerei und Pop-Art der unmanipulierten Wirklichkeit auf die Spur kommen. Malen galt Richter damals als moralische Handlung, als Wahrheitssuche. Hier zeigt er Lee Harvey Oswald, den Kennedy-Mörder. Er verteilt Flugblätter (?) auf der Straße, deren Inhalt explosive Wahrheit zu enthalten scheint, wie das Lichtkranz-Symbol um Hand und Flugblatt andeutet. Bevor Oswald über die Hintermänner des Präsidenten-Mordes aussagen konnte, wurde er 1963 ermordet. SP

Konrad Klapheck (geb. 1935)
295 Die Vorzüge der Monogamie 1964
Öl auf Leinwand; 127,5x127,5; Inv. 5160
Klapheck hat sich in seiner Malerei ausschließlich auf Maschinen konzentriert. Die Präzision der Formen und die glatte Oberfläche aber täuschen: Es handelt sich nicht um eine kühle Maschinenästhetik im Sinne einer realistischen Wiedergabe. Die Geräte sind Phantasiegebilde mit tieferer psychologischer Bedeutung. Hier ist es eine Kreuzung aus Schreib- und Nähmaschine. Wir sehen die reduzierte Tastatur der Schreibmaschine. Statt einer Walze aber ist die Garnrolle einer Nähmaschine angebracht. Die technischen Geräte haben für Klapheck menschliche Eigenschaften: Er empfindet die Schreibmaschine als männlich, die Nähmaschine als weiblich. Die Verschmelzung beider nennt er deshalb die ›Vorzüge der Monogamie‹. Das Objekt wird zu einem unheimlichen Lebewesen, ein Eindruck, den die Fleischfarben des Geräts bewirken. CV

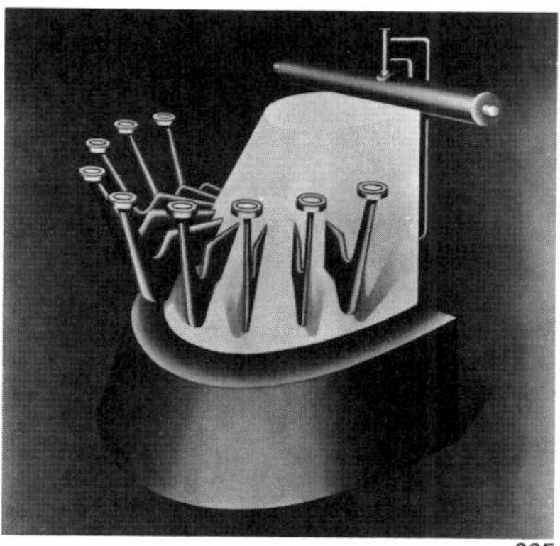

295

Wolf Vostell (geb. 1932)
296 Kennedy am Strand 1963/66
Deckfarben auf Fotoleinwand, Verwischung; 122x202; Inv. 5199
Vostell arbeitete seit 1959 mit ›Verwischungen‹: Er setzte Fotos in Malerei um, deren Motive er aber bis an die Grenzen der Unkenntlichkeit veränderte. Als Vorlagen verwendete er Aufnahmen, die durch die Welt-Presse gegangen und einem breiten Publikum bekannt waren. Hier ist es eine berühmte Fotografie des 1963 ermordeten amerikanischen Präsidenten John F. Kennedy mit seiner Familie, die ihn in glücklichen Tagen am Strand zeigte. Durch die ›Verwischungen‹ unterlegte Vostell dem allbekannten Foto eine andere Aussage. Kennedy lag auf dem Rücken im Sand, über sich schwang er seine Tochter Caroline in der Luft. Das Gemälde zeigt nur noch seine Beine, der Rest ist ausgelöscht. ›Tatort‹-Markierungen deuten auf das Verbrechen hin, dem Kennedy zum Opfer fiel. Vostell hat hier im wahrsten Sinne des Wortes die ›Auslöschung‹ eines Menschenlebens im Bild nachvollzogen. So ist hier das Gestaltungsmittel selbst die Bildaussage. SP

296

297

Horst Antes (geb. 1936)
297 Maskierte Figur auf Gelb 1965
Öl auf Leinwand; 120x100; Inv. 5118
Mit skurrilen menschlichen ›Kopffüßlern‹ hat Antes seit 1959 seine Bildwelt bevölkert. Der Figurentypus besteht nur aus Kopf und Gliedmaßen. Das Gesicht ist im Profil gegeben. Die Fragmente erkennbarer Anatomie sind in ein System von Flächen einbezogen, die teils Folie bleiben, teils raumbildend wirken. Der oftmals zeichnerische Pinselstrich modelliert sowohl die Figur als auch die Flächen. Die auf den Gelb-Blau-Kontrast ausgerichtete Farbskala läßt die Formen kompakt erscheinen. Doch trügt der Eindruck von Festigkeit: Wie der Kontur des Gnomen an vielen Stellen aufgebrochen ist, ist Plastisches plötzlich plan, Fläche geht in Raum über und umgekehrt. Zu dieser Unsicherheit passen die zur plumpen Gestalt in Widerspruch stehenden Details des Gesichtes: Winzige gebleckte Zähne im geöffneten Mund, zwei übereinanderstehende, scharf nach hinten blickende Augen suggerieren Mißtrauen, wenn nicht Angst. SP

298

Cy Twombly (geb. 1928)
298 Der Tod des Giuliano de Medici 1963
Öl und Kreide auf Leinwand; 200x100; Inv. 5243
Sofort entsteht die Frage, in welchem Zusammenhang Bild und Titel stehen. Der Titel spielt auf ein konkretes historisches Ereignis an: Der Florentiner Giuliano de Medici wurde bei einer Verschwörung der Familie Pazzi gegen die berühmten Medici 1478 ermordet. Twombly zeigt das Geschehen nicht. Zu sehen ist hier nur eine aus aggressiven Strichen gefügte, abstrakte Komposition. In den blauen und grauen Strichbündeln aber wird ein Sitz erkennbar, den man möglicherweise sogar als Thron deuten kann. Auf der Höhe der Lehne konzentrieren sich rote Farbflecke wie Blutspuren. Twombly schuf nicht mehr ein traditionelles Historienbild mit den Porträts der beteiligten Personen. Er gibt nur wenige, fast abstrakte Hinweise auf ein entsprechendes Ereignis. Indem die historischen Figuren fehlen, erhält es einen allgemeinen Charakter und ist ebenso mit anderen, ähnlichen Geschehnissen belegbar. Es wird zu einem Sinnbild anonymer Gewalt. CV

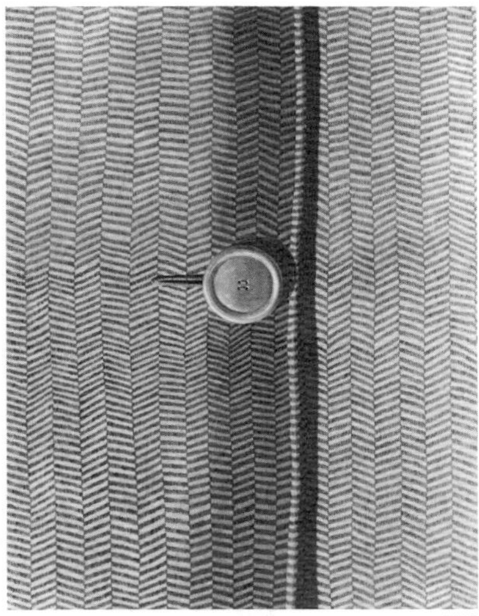

299

Domenico Gnoli (1933-1970)
299 Knopf 1967
Öl/Sand auf Leinwand; 170x130; Inv. 5196
Wie zahlreiche andere Künstler in den sechziger Jahren hatte sich auch Gnoli ausschließlich auf Alltagsgegenstände spezialisiert. Er nahm sie ›unter die Lupe‹, ließ Ausschnitte ein ganzes Bild füllen. Hier ist es ein Teil eines Jacketts. Durch die fast mikroskopische Vergrößerung erhält der Gegenstand eine andere Bedeutung: Wir vergessen seine Funktion und der Ausschnitt entwickelt ein ästhetisches Eigenleben. Den Knopf sehen wir als magischen Bildmittelpunkt, die Stoffkante als Bildachse. Im Muster der Jacke entdeckt man einen Rhythmus und das Spiel der Farbnuancen. Auf diese Weise schärft der Künstler unseren Blick für Einzelheiten. Wir lernen die sonst nicht beachtete Vielfalt des Kleinen mit mehr Aufmerksamkeit zu sehen. CV

Gotthard Graubner

300 Farbraumkörper – mesas I 1973/74

Öl auf Leinwand, darunter Synthetik-Watte und Schaumstoff; 202:205 cm; Inv. 5239

Zunächst überwiegt ein bräunlicher Farbton. Aber Graubners Bild will nicht monochrom sein: Bei näherem Hinsehen entdecken wir überraschend viele Farbwerte. Grün-, Blau- und Rottöne schimmern auf. Es sind übereinanderliegende, transparente Farbschichten, die sich wie Nebelschleier verweben und wieder auflockern. Wir werden sensibel für feinste Nuancen und beginnen, Farbe als etwas Lebendiges zu empfinden. Das beabsichtigt Graubner: Angesichts seiner Gemälde spricht er von der »Haut« des Bildes, vom »Puls« der Farben und von der »atmenden Flächen«. Indem die Leinwand mit Schaumstoff und Watte unterpolstert ist, wird der Eindruck des Weichen, Organischen noch intensiver. Das Polster hat die Farbe scheinbar aufgesaugt, bildet ein »Farbkissen«. Graubner vereint so die visuelle Phantasie mit dem Tastsinn – daher »Farbraumkörper«. Seine Bilder haben etwas Romantisches, Ahnungsvolles. Ihre zart verschwimmenden Farben lassen an abstrakte Nebellandschaften denken. Er selbst ist überzeugt, daß ein Künstler der Romantik, wie der von ihm bewunderte Caspar David Friedrich, in heutiger Zeit ähnlich malen würde. CV

300

Shusan Arakawa (geb. 1936)

301 Das Gegebene 1969

Acryl auf Leinwand; 300x200; Inv. 5256

Das Bild des Japaners Arakawa erscheint zunächst als eine willkürliche Zusammensetzung von Plänen, Farbklecksen, schablonierten und handgeschriebenen Worten. Man fragt sich nach einer Verbindung der Zeichnungen und Worte: Mit den vielfältigen Bildelementen umschreibt Arakawa das Thema »Raum«: Ein in alle vier Ecken gesetzter Wohnungsgrundriß gibt einen begrenzten Lebensraum vor. Die punktierten Rechtecke im Zentrum der Komposition ziehen nur noch die Außenbegrenzungen nach. Eine weitere – landschaftliche – Assoziation erzeugt der Text darunter: Er weist auf Kinder, die in der Nähe eines Berges spielen. Diese zeichnerischen und sprachlichen Hinweise regen die Phantasie des Betrachters an. Er soll sich ein ›Bild‹ machen. Die Angabe »Focus here« ist sogar die Aufforderung, einen festen Standpunkt zu beziehen. Dann aber wird die bildliche Vorstellung abrupt gestört. Ebenfalls durch Farbe und Schrift entsteht Widerstand: Ein Farbklecks wurde in die Mitte geschleudert. Der große Schriftzug heißt: »Nein: Sagt das Zimmer.« Im linken unteren Grundriß steht »forgotten«. Links oben ist die Bezeichnung »living room« auf den Kopf gestellt. Eine längere, handgeschriebene Frage befindet sich auf der rechten Bildhälfte. An manchen Stellen ist sie durch Farbspritzer unkenntlich gemacht. Hier faßt Arakawa das Problem des Bildes zusammen: Die Beziehung zwischen Sprache, Wahrnehmung und der gegebenen Welt. In seinem Bild zweifelt er an der objektiven Gültigkeit unserer Umwelt. CV

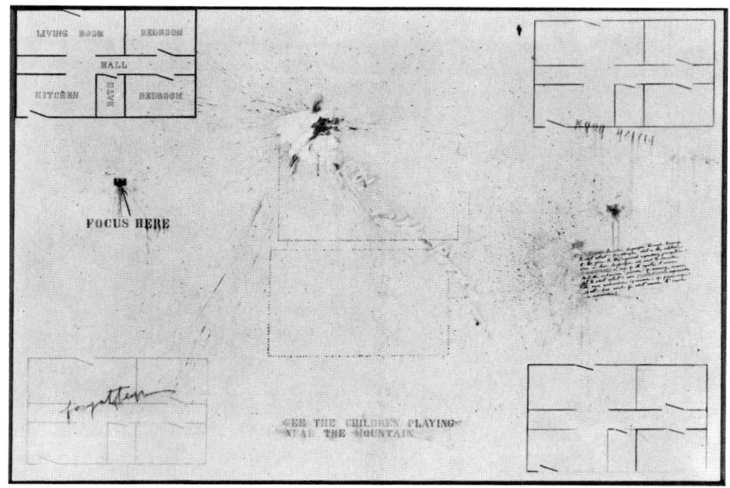

301

302

Werner Tübke (geb. 1929)
302 Der Strand von Roma Ostia I 1973
Mischtechnik auf Spanplatte; 80x170;
Inv. 5234
Zwischen zwei Strandkörben, die links und rechts die Komposition abschließen, bewegen sich die Figuren in kühnen, ineinander verschränkten Drehungen und Wendungen. Tübke, der für seine Vorliebe altmeisterlicher Maltechniken und Motive bekannt ist, benutzt hier die manieristische ›figura serpentinata‹ des 16. Jahrhunderts, die gedrehte Körperdarstellung, als Ausdrucksträger der verschiedenen seelisch-menschlichen Regungen der Strandbesucher. Da ist das selbstvergessene, unschuldige Spiel des nackten Knaben links, das zweifelnde Vorwärtsdrängen des bärtigen Mannes, der traumverlorene Schlaf der Frauen, die schmerzvolle Verrenkung des Jünglings oder der von Alter und Krankheit gezeichnete Alte im Strandkorb zu sehen. Nicht eine heiter entspannte, sondern eine – durch das gedämpfte Licht noch unterstützte – melancholisch-verlorene Atmosphäre bestimmt diese Strandszene. RH

Bernhard Heisig (geb. 1925)
303 Die Pariser Kommune 1979
Öl auf Leinwand; Triptychon: 160x152, zweimal 160x75,5; Inv. 5290
Das Thema der Pariser Kommune (1870/71), zu deren Niederschlagung sich die feindlichen Truppen der Franzosen und Deutschen vereinten, beschäftigte Heisig seit 1956. Die Dramatik der Ereignisse, hier in drei Szenen sinnbildhaft zusammengefaßt, wird in den karikaturartigen Zügen der Dargestellten wie in der expressiven Farb- und Formsprache spürbar. Links reißt eine Frau, wohl die ›Freiheit‹, im ersten Siegestaumel die Fahne mit ›Vive la Commune‹ empor, im Mittelteil gehen Männer und Frauen mit aufgepflanzten Bajonetten und angstvoll verzerrten Gesichtern gegen den Feind vor, rechts ist die Allianz der traditionellen Widersacher jeder Revolution in Figuren und Symbolen für Prostitution, Kirche, Militär und Kapital dargestellt. SP

303

Hermann Albert (geb. 1937)
304 Vier Urlauber 1972
Acryl auf Leinwand; 190x156; Inv. 5208
Wie für einen Schnappschuß posieren zwei Urlauberpaare bebrillt und in Badebekleidung auf einer Hollywoodschaukel. Eine typische Touristen-Erinnerung an kurze Ferienfreuden. Aber das Vergnügen ist nicht echt. Albert entlarvt die Situation, indem er sie auf Charakteristisches zuspitzt: Die typische Freizeitkleidung, der Schön-Wetter-Himmel und die fast kitschige Farbgebung decken das klischeehaft-werbeorientierte Verhalten der Urlauber auf. Auch die Figuren selbst werden nicht verschont: Sie haben dumpfe, gewöhnliche Gesichter. Die Damen, die sich als attraktive Bikinischönheiten präsentieren wollen, geben nur ihre unvorteilhafte Figur preis. Die besitzergreifende Pose ihrer Begleiter hebt deren selbstgefälliges, prahlerisches Gehabe hervor. Albert übt mit diesem Bild beißende Kritik am deutschen Spießbürgertum und seinem aufgesetzten Vergnügen. CV

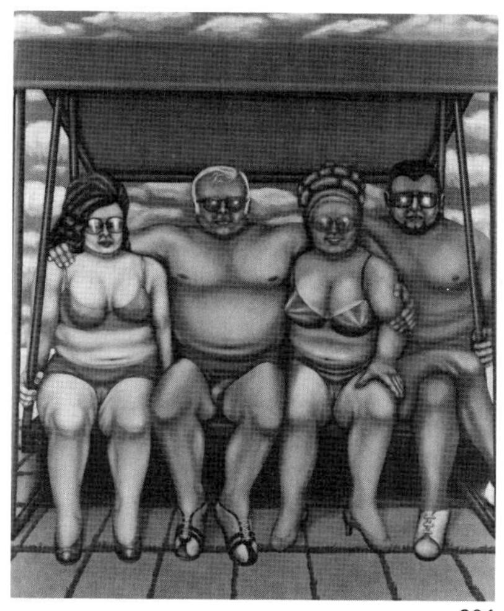

304

Gruppe Crónica
(Manuel Valdés, geb. 1942;
Rafael Solbes, geb. 1940)
305 Magritte und die Spione 1971
Acryl auf Leinwand; 122x122; Inv. 5181
Die beiden Spanier Valdés und Solbes, die seit 1964 ihre Werke kollektiv malen, begreifen ihre Kunst als kritische Reflexion der Realität. Charakteristisch für ihre Arbeit ist die gezielte Verwendung von Motiven aus dem gesamten Bereich der visuellen Medien und Künste, der Fotografie, des Comic und der Kunstgeschichte. Hier haben sie Magrittes 1939 entstandenes Bild ›Die Wolken‹ zitiert. Zwischen einer Anzahl scheinbar hintereinander stehender Staffeleien mit leeren Rahmen, in deren Mittelpunkt Magrittes Bild zu sehen ist, tauchen zwei Männer auf. Die Verunsicherung, die von Magrittes surrealistischen, die gewohnten Erfahrungen außer Kraft setzenden Werken ausgeht, dient der Kennzeichnung der heimlichen Welt der Spionage, die unerwartet und bedrohlich ins Bild tritt. RH

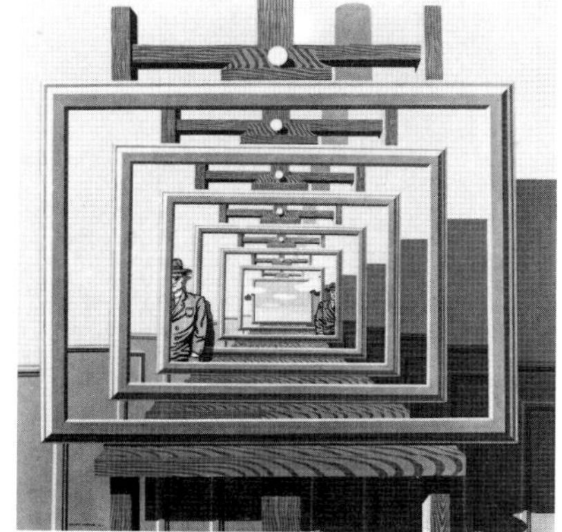

305

Ben Schonzeit (geb. 1942)
306 Haus (weggeblasen) 1975
Acryl auf Leinwand; 250x166,5; Inv. 5282
Der Amerikaner Schonzeit gehört zu den sogenannten Photorealisten. Auf der Suche nach Themen photographiert er selbst Gebrauchsgegenstände des täglichen Lebens. Seine Bilder widmet er kleinen, gewöhnlichen Dingen. Als isolierte Bildmotive erhalten sie einen neuen Wert. Hier ist es der Ausschnitt aus einem Filmstreifen. Der Rand der Filmrolle bildet gleichsam den Rahmen. Die dreiteilige Szene des ›weggeblasenen‹ Hauses ist das Bildgeschehen. Wie andere Künstler der hyperrealistischen Malweise fordert Schonzeit den Betrachter auf, sich mit den verschiedenen Wahrnehmungsmöglichkeiten unserer Umwelt auseinanderzusetzen. In diesem Bild zeigt er uns drei Methoden des Festhaltens von Wirklichkeit: Die Szenen eines Films, das Photo, schließlich die Umsetzung in ein Gemälde. Die veränderte Sehweise unserer Zeit wird reflektiert. Unsere Wahrnehmung erfolgt zunehmend durch technische Medien und deren Tricks. Auch die völlige Deformation kann festgehalten werden. Die Bilder erinnern an Filmausschnitte aus einer Modelluntersuchung über die Wirkung der Atombombe: Ein Haus wird im Fall einer Explosion einfach ›weggeblasen‹. CV

306

307

Robert Cottingham (geb. 1935)
307 Boulevard Drinks 1976
Acryl auf Leinwand; 198x198; Inv. 5244
Wie ein Reklamephoto mutet unser Bild an. Als ehemaliger Werbegraphiker verbindet Cottingham Sujets der Werbung mit einer photorealistischen Malweise. Auch hier behandelt er sein Lieblingsthema: Das Detail einer Hausfassade. Durch die Aufnahme aus der Froschperspektive wird die große Reklameschrift zum Hauptblickfang. Als Malvorlage diente eine Photographie, die während des Malprozesses auf die Leinwand projeziert wurde. Daher entspricht die gestochene Darstellung nicht dem gewöhnlichen Sehen des menschlichen Auges. Sie ist übergenau. Man sieht die Wirklichkeit durch die Linse einer Kamera und deren Brennschärfe: Das Objektiv ist hier auf die Leuchtschrift eingestellt, der untere Teil zeigt leichte Verwischungen. So zeigt Cottingham, wie sich unsere Sehgewohnheiten durch technische Manipulation verändern. CV

Jörg Immendorf (geb. 1945)
308 Welt der Arbeit 1984
Öl auf Leinwand; 284x330; Inv. 5351
Die Farbe ist mit sicherem Instinkt für das Unästhetische gewählt, fast mit Lust an böse zueinanderstehenden Tonwerten und feindseligen Kontrasten: Blau–Violett, Schwarz–Braun und Rot–Gelb bestimmen die aggressive, brutale Atmosphäre in dem perspektivisch-illusionistischen Raum, der eine Mischung aus Untergrund-Bahnhof und Museums-Galerie scheint. Halb Dielen, halb Schienenstränge führen Linien durch endlos hintereinandergereihte Räume zu einem fernen gelben Fluchtpunkt, der Tageslicht, fast »Freiheit« verheißt gegen die bedrückende, künstlich kalte Neonröhren-Stimmung des Schauplatzes, der trotz seiner vielfigurigen Belebtheit eher einer Hölle gleicht als einer Galerie. Vielleicht aber ist für Immendorff dies dasselbe. Sein Privat-Museum jedenfalls zeigt Ausstellungs-Objekte, die alle Versatzstücke seiner selbsterfundenen Polit-Symbolik sind und der »Café-Deutschland«-Szenerie entstammen: Ein Thema, das ihn seit 1978 fesselt. So sehen wir ihn selbst in der Vitrine im Vordergrund, der ehemalige runde Caféhaustisch wird zum Malen benützt, Hitler schaut Immendorff von außen über die Schulter. Wieder der Künstler selbst droht links mit geballten Fäusten aus einem Bild heraus, das Publikum reagiert gestikulierend auf seine Fingerringe, die Symbole der Teilung Deutschlands zeigen: Ein Historienbild, das auch von der Schwierigkeit erzählt, subjektives Erleben in ein objektives Geschichtsbild umzuformen. SP

308

A. R. Penck (geb. 1939)
309 T 3 (R) 1982
Kunstharz auf Leinwand; 200,4 x 299; Inv. 5347
Die riesige schwarze Fläche ist mit weißen Zeichen übersät. Es sind abstrakte Einzelformen, darunter Buchstaben und mathematische Symbole. Aus dieser eigentümlichen Kombination von Chiffren setzt sich eine menschliche Figur mit erhobenen Armen zusammen. In seiner naiv anmutenden Primitivität erinnert das Bild an die mythische Malerei uralter Kulturen. Die Zeichen wirken wie runenartige Symbole, die in den Anfängen der Kunst unsichtbare Mächte bannen sollten. Für Penck gilt auch in moderner Zeit noch dasselbe Grundthema: Die Begegnung des Einzelnen mit beängstigender, weil undurchschaubarer Macht. Wie schon durch den Titel angedeutet, ist Pencks Bild eine Auseinandersetzung mit unserem Computerzeitalter: Die Anatomie des Menschen ist hier reduziert auf unverständliche Zeichen. Die erhobenen Arme der Figur bringen ihr Ausgeliefertsein im heutigen Wirrwarr der Formeln zum Ausdruck. CV

310

309

Markus Lüpertz (geb. 1941)
310 Schwarz-Rot-Gold – dithyrambisch 1974
Gouache und Kreide auf Packpapier, teilweise auf Karton, aufgezogen auf Leinwand; 262 x 197,5; Inv. 5251
Aus Kanonenrädern, Brustpanzer, Stahlhelm und einem Spaten wurde eine figürliche Komposition geschaffen. Es sind ausschließlich Requisiten des Krieges. Obwohl eigentlich keine Person abgebildet ist, denkt man unwillkürlich an die Darstellung eines Soldaten. Die Farben, entsprechend dem Titel, vorwiegend Schwarz, Rot sowie ein goldener Ockerton, stehen möglicherweise symbolisch für Deutschland. Lüpertz aber bleibt bei Andeutungen. Farben und Gegenstände sind nur Versatzstücke, die Hinweise geben. So kann man die Kriegstrophäen und die farbliche Anspielung als ironische Verarbeitung deutscher Kriegsvergangenheit verstehen. Der Titelzusatz ›dithyrambisch‹, von der Gedichtform ›Dithyrambus‹ abgeleitet, unterstreicht die lyrisch-anspielungsreiche Absicht des Bildes CV

Emil Schumacher (geb. 1912)
311 Lacrima 1977
Öl auf Holz; 170 x 250 cm; Inv. 5632
Lacrima: Träne. Fließspuren von tintenartiger Farbe, hauchzart oder kräftig, strukturieren die Bildfläche, deren Tonwerte zwischen intensivem, dunklem Braun und feinen Verdünnungen davon über weißem Grund wechseln, mit wenigen, kaum sichtbaren Akzenten von Blau, Rot, Rosa und Gelb. Trotz der extremen Beschränkung auf fast ausschließlich zwei Farbkontraste entfaltet sich in den Bildgrenzen Lebendigkeit, Sinnlichkeit – allerdings eine sehr subtile. Das vornehme Zusammen von Braun und Weiß, das sich in vielen Schichten zu überlagern, zu durchdringen scheint, erlaubt keine Derbheit. Die verwaschenen Spuren der Farbe sind Zeugen der flüchtigen Zeit, die den darüber Nachsinnenden in Melancholie versetzen. Die Spur des Wassers, im Antlitz des Menschen als Träne sichtbar, ist Ausdruck von beidem: Vergänglichkeit und Melancholie. SP

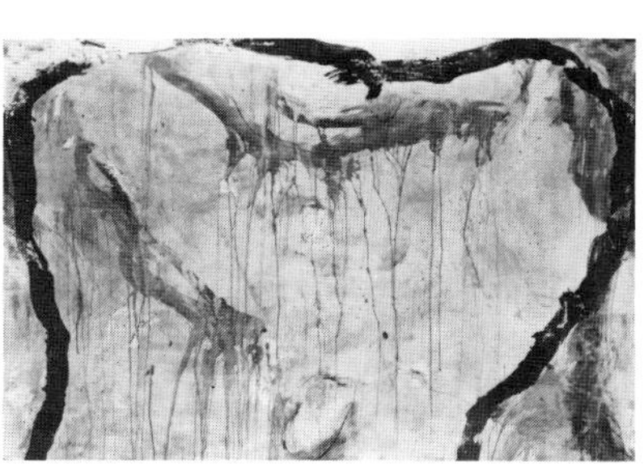

311

312

Franz Timmermann (tätig Mitte 16. Jh.)
312 Lukrezia 1536
Öl auf Buchenholz; 18,5x14; Inv. 587
Timmermann wurde 1538 vom Hamburger Rat zur Ausbildung nach Wittenberg zu Lucas Cranach geschickt, dessen Schüler er vermutlich schon früher war. Gerade das Lukrezia-Motiv weist den Einfluß Cranachs auf. Nach römischer Sage wurde die tugendhafte Gattin des Lucius Tarquinius Collatinus vom Sohn des Königs Tarquinius Superbus entehrt, worauf sie sich selbst erdolchte. Im Mittelalter wurde Lukrezia wegen dieser Tat zu den neun Heldinnen gezählt (u.a. Elisabeth von Marburg, Birgitta von Schweden). Eingang in die Kunst fand das Lukrezia-Thema erst in der Renaissance. Am häufigsten ist das Motiv, wie sie sich selbst erdolcht (auch bei Cranach). Indem man Lukrezia als moralisches Leitbild propagierte, wurde auch eine positive Bewertung des Selbstmordes möglich. HWS

Hinrik Funhof (gest. 1484 oder 85)
313 Maria im Ährenkleid
Öl auf Eichenholz; 136x81,5; Inv. 602
Funhof übernahm 1475 die Werkstatt des Hamburger Malers Hans Bornemann nach der Heirat mit dessen Witwe. Er arbeitete vornehmlich für das Hamburger Domkapitel. Die ›Maria im Ährenkleid‹ war ursprünglich im Besitz des Maria-Magdalenen-Klosters. Maria trägt ein ährenverziertes Kleid, das mit Strahlenkränzen besetzt ist. Dies galt in der mittelalterlichen Marienmystik als Symbol der ersehnten Fruchtbarkeit. Das Motiv wurde vermutlich in deutschen Frauenklöstern des 14. Jhs. entwickelt, basierend auf dem Hohen Lied (7, 2), das auf Maria als »guter Acker, der ohne Saat Getreidehaufen hervorbrachte«, verweist. Die Gottesmutter wird von einer Stifterin in Klostertracht angebetet. Es war Jan van Eyck, der zuerst die knienden Stifter als Ganzfigur vor die Maria plazierte. Die nüchterne Architektur und die schlanken Proportionen der Figur weisen auf Dirk Bouts Einfluß hin. HWS

313

314

Jacob Jacobs (gest. 1618)
314 Gertrud Moller, Frau des Syndicus Vincenzius Moller
Öl auf Eichenholz; 100,4x75,4; Inv. 227
Die Dargestellte ist die Tochter des Hamburger Bürgermeisters Diedrich von Eitzen. Sie ist reich mit den ihren gesellschaftlichen Stand kennzeichnenden Insignien ausgestattet. Gertrud Moller trägt ein Kleid aus Goldbrokat, auf dem Mieder schmale silberne Ketten, darüber eine lange, schwarze, ärmellose Samtjacke. Die Haube ist aus einem perlenbestickten Goldstoff angefertigt. Die Würde – aber auch Last – ihrer gesellschaftlichen Stellung scheinen die drei schweren, goldenen Halsketten zu versinnbildlichen. Von den Anhängern sind zwei als Arbeiten des Medailleurs Hans Reinhart zu erkennen (z.B. Karl V. und Kurfürst Johann Friedrich der Großmütige). Diese Noblesse wird im Hintergrund durch den Seidenvorhang und die Säule – spätere Hinzufügungen – unterstrichen. HWS

315

Otto Wagenfeldt (?) (1610-1671)
315 Das Vogelnest
Öl auf Eichenholz; 63,8x49,5; Inv. 244
Während im 17. Jahrhundert Kinder häufig in der Haltung von Erwachsenen porträtiert wurden, konzentriert sich Wagenfeldt hier ganz auf das kindliche Spiel. Ähnlich lebhaft haben Rubens und Blomaert Kinder mit Vögeln dargestellt. Die Bedeutung des Bildes geht über das bloße Genre hinaus. Der Vogel erscheint bei Marienbildern und Darstellungen der Heiligen Familie als Hinweis auf Tod und Auferstehung der Seele. Der flämische Philosoph Justus Lipsius (1547-1606) erinnerte einen Freund, der um sein Kind trauerte, an ein Motiv auf griechischen Grabstelen: »Das Leben gleicht einem Vogel, den ein Kind in den Händen hält: manchmal fliegt er schon früh davon.« Auch Wagenfeldts Darstellung kindlicher Neugier ist auf diesem Bedeutungshintergrund zu verstehen. HWS

316

Otto Wagenfeldt (1610-1671)
316 Der Tod um 1650
Öl auf Leinwand; 76,6x55; Inv. 263
Die um 1649/50 erbauten Orgelemporen der Jacobi-Kirche waren ursprünglich mit über 50 Gemälden geschmückt. Einige davon befinden sich seit 1906 in der Kunsthalle, unter ihnen ›Der Tod‹. Das Bild, das eine Sterbende zeigt, deren Seelenheil keineswegs gesichert ist, ist von den religiösen Auseinandersetzungen der nachreformatorischen Zeit geprägt: Gerade noch wurde der Kranken vorgelesen, da tritt der Tod an sie heran, entreißt ihr den Atem, der als weißer Hauch durch seinen Mund gesogen nach oben fährt und sich mit dem Licht einer Engelserscheinung vereinigt. Vom Teufel bedroht, der die Gesetzestafeln des ›Alten Bundes‹ emporhält und damit auf die Höllenqualen anspielt, die der Mensch dem vorreformatorischen Glauben nach im Fegefeuer zu erleiden hatte, wendet sich die Sterbende in ihrer Qual Christus als Sieger zu. Dieser ist erschienen mit der Auferstehungsfahne und den Gesetzen den ›Neuen Bundes‹, den Gott durch seinen Erlösertod mit den Menschen schloß. SP

Juriaen Jacobsz (um 1625-1685)
317 Der Mathematiker Johann Adolf Tassius 1652
Öl auf Leinwand; 93,8x72,8; Inv. 446
Die bürgerliche Bildnismalerei setzt ein wohlhabendes und selbstbewußtes Bürgertum voraus. Tassius (1585-1652) war seit 1629 Professor für Mathematik am akademischen Gymnasium in Hamburg, somit ein Mann von gesellschaftlichem Rang. Für Berufsporträts ist bezeichnend, daß der Porträtierte mit den Attributen seiner Tätigkeit dargestellt wird. Tassius hält Zirkel und Armillarsphäre in den Händen. Die Ringkugel (Armilla) ist ein altes astronomisches Gerät zur Messung von Himmelskoordinaten, der Zirkel ein Instrument der Mathematik. Die Adresse des auf dem Holzpostament liegenden Briefes weist Tassius als den Porträtierten aus. Das Gelehrtenbildnis ist äußerlich bescheiden, zeugt aber in Haltung und Ausdruck deutlich von Geist und Selbstbewußtsein des Dargestellten. HWS

317

318

Matthias Scheits (um 1630- um 1700)
318 Spaziergang
Öl auf Leinwand; 38,5x46,5; Inv. 256
Der ›Spaziergang‹ steht in der Tradition des ›Liebesgartens‹, jenes Bildmotivs, das das Zusammensein vornehmer Damen und Herren in idyllischer Landschaft zeigt. Oft wurden in solchen Darstellungen Sehnsüchte nach einem friedlichen Leben verbildlicht, häufig gerade in gesellschaftlich unsicheren Zeiten. Andererseits kann auch ein befreites Lebensgefühl nach Jahren der Not zum Ausdruck kommen. Dies mag bei Scheits' ›Spaziergang‹ der Fall sein. Im Entstehungsjahr des Bildes, 30 Jahre nach Beendigung des 30jährigen Krieges, hatte sich Hamburg zur reichsten Stadt Deutschlands entwickelt. So strahlt das Paar beim Lustwandeln höfischen Glanz aus, ein ungewohntes Bild in einer Stadt, die von bürgerlichem Kaufmannsgeist beherrscht wurde. Vielleicht deutet die gezierte Schrittfolge an, daß man sich zum Tanz anschickt. Gleichsam mit ›horchenden Augen‹ wendet sich das Paar von der musizierenden Gruppe am Waldrand ab. Obwohl es sich beim ›Spaziergang‹ um ein vertrautes Thema Haarlemer Tradition handelt – Scheits empfing bei Wouwerman wesentliche Anregungen – wird der Pinselstrich und die Farbpalette in diesem Bild von einer Leichtigkeit und Helligkeit bestimmt, die erst für Watteau und das ganze 18. Jahrhundert charakteristisch werden wird. HWS

Jacob Weyer (gest. 1670)
319 Die Kreuztragung Christi
Öl auf Eichenholz; 57,7x72,9; Inv. 592
Man nimmt an, daß Weyer in Haarlem ausgebildet wurde und dort unter dem Einfluß des Ph. Wouwerman und des Jacob de Wet I. stand. Vor allem in der deutschen und niederländischen Kunst des 15. und 16. Jahrhunderts entwickelte sich die Kreuztragung zu einem figurenreichen Zug mit Schergen, Soldaten, berittenen Hohenpriestern und allerlei Volk. So zeigt auch Weyer ein buntes Gemisch an Figuren, die in ihren südländisch anmutenden Trachten eher in des Malers Zeit beheimatet zu sein scheinen, als im Jahr des historischen Ereignisses. Christus ist unter der Last des Kreuzes und dem Tritt eines Kriegsknechtes zusammengebrochen. Simon von Cyrene versucht ihm zu helfen. Vor Christus kniet die hl. Veronika mit dem Schweißtuch. Seit 1400 ist dieses Motiv in Darstellungen der Kreuztragung bekannt. Es hat seinen Ursprung in der Legenda aurea, die vom Abdruck des Antlitzes Christi auf einem Schweißtuch berichtet. Die dramatischen Effekte der Passionsspiele sind hier ins Bild umgesetzt. Nach Wilhelm von Bode ist Weyers ›Kreuztragung‹ der des Jacob de Wet I. verwandt, nur sei sie bei dem Hamburger Maler ›etwas bunter und härter‹. HWS

319

320

Matthias Scheits (um 1630-um 1700)
320 Ein musizierendes Paar
Öl auf Eichenholz; 29,8x24,0; Inv. 257
Das Bild des ›Musizierenden Paares‹ hat den Charakter einer schnell hingeworfenen Farbenskizze. Das Zimmer besteht nur aus Andeutungen von Räumlichkeit. Der geigespielende Jüngling mit seinem federgeschmückten Hut lehnt an einem Tisch, während die singende Frau in einem Sessel sitzt, der sich eher ahnen als mit den Augen umreißen läßt. Das Thema ›Musik‹ stand in der holländischen Kunst des 17. Jahrhunderts in Blüte. Die Laute, die hier links auf dem Boden liegt, ist das am häufigsten dargestellte Musikinstrument in den holländischen Bildern. Oft hatte sie allegorischen Charakter, d.h. im Zusammenhang mit den ›Fünf Sinne‹-Darstellungen stand sie als Sinnbild der Musik für das Gehör. Bei Scheits scheint eher eine andere übliche Verbindung vorzuliegen, die Verknüpfung des Themas ›Musik‹ mit dem der ›Liebe‹. HWS

321

Georg Hinz (wohl 1630-1688)
321 Kleinodienschrank 1666
Öl auf Leinwand; 114,5x93,3; Inv. 435
Den in Altona und Hamburg tätigen Hinz bezeichnet Joachim von Sandrart 1675 als ›Meister in stilligenden Sachen‹. Eine besondere Form des Stillebens ist die Darstellung des Kunstkammerschrankes. Dieses Möbel ist die verkleinerte Form eines Kunst- und Raritätenkabinettes. Die Sammlungen von Wunderwerken aus Kunst und Natur, die man seit dem 16. Jahrhundert im höfischen wie im bürgerlichen Bereich findet, hatten den Anspruch, in anschaulicher Weise ein Modell der Welt zu sein. Hinz malte unser Bild für das dänische Königshaus. Im mittleren Bildfeld hängt ein Ovalmedaillon mit dem Porträt Friedrichs III. von Dänemark (1648-70). Das gegenüber angebrachte Medaillon mit zwei Negerköpfen spielt wohl auf die von Christian IV. erworbene und von Friedrich III. gesicherte Handelskolonie Guinea an. Die Darstellung eines Kleinodienschrankes ist Beleg für den Reichtum des Sammlers, weist aber auch auf die Vergänglichkeit irdischen Glückes hin (Uhr unter Prunkpokal, Totenschädel). »Naturalia wie Artificialia sind sorgfältig arrangiert wie ein Kunstsammler sie auch arrangieren könnte. Die Komposition des Bildes scheint nicht Leistung des Malers zu sein, sondern vom Ordnungssinn des Sammlers bestimmt. Erst ein genauerer Blick läßt das Können des Malers offenbar werden ...« (Katalog Münster 1980) Das Bild ist nicht nur Beispiel für die Virtuosität des Künstlers, für Versinnbildlichung von Prunk und Vergänglichkeit, sondern auch – wie oben angedeutet – ein historisches Dokument dänischer Kolonialpolitik. HWS

Georg Hinz (wohl 1630-1688)
322 Frühstücksstilleben
Öl auf Leinwand; 80,0x74,5; Inv. 437
Die Vielzahl und Qualität der Stilleben in der Hamburgischen Kunst des 17. Jahrhunderts zeugt von der Beliebtheit dieser Gattung. Hinz war hierin der früheste und bedeutendste Meister. Hinz ist an niederländischen Beispielen der 30er und 40er Jahre des 17. Jahrhunderts orientiert. Das Arrangement aus Käse, Brot und Fisch ist nicht nur Augenweide und tägliche Nahrung. Die schlichte Gegenwart der Dinge erinnert an die Vergänglichkeit des Irdischen. Brot und Fisch – der Hering war die Speise der Armen in der Fastenzeit – können auch als Hinweis auf die Eucharistie verstanden werden. Der Fisch als Symbol Christi ist ein altes christliches Zeichen. HWS

322

323

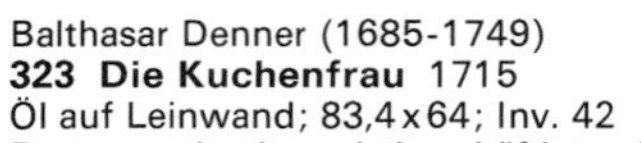

Balthasar Denner (1685-1749)
323 Die Kuchenfrau 1715
Öl auf Leinwand; 83,4x64; Inv. 42
Denner galt als meistbeschäftigter Porträtist und Stillebenmaler Norddeutschlands. Mit seinem Bild der ›Kuchenfrau‹ entsprach er dem bürgerlichen Geschmack. Die Vorbilder sind in den Niederlanden zu suchen, in die Denner 1714 zum ersten Mal reiste. Der Bildaufbau erinnert an Abraham Blomaerts ›Frau mit Henne‹, die Denner in einem Nachstich gekannt haben kann. Die Sorgfalt, mit der er auf jedes Haar und jede Hautfalte eingeht, weist auf den Rembrandt-Schüler Gerrit Dou hin. Die ›Kuchenfrau‹ ist nicht als Porträt zu verstehen, sondern im Sinne von Volkstypen als idealisierendes Genre. Denner versteht es, den Vertretern des unteren Standes Würde zu verleihen. Der nimbusartige Schimmer hinter dem Kopf steigert diesen Eindruck. HWS

324

Balthasar Denner (1685-1749)
324 Drei Kinder des Ratsherrn B. H. Brockes
Öl auf Leinwand; 110,8x90,5; Inv. 35
In den Darstellungen der Kinder des Ratsherrn Brockes (Inv. Nr. 35, 36 u. 37) kommt die Tradition der aristokratischen Repräsentationsbilder zum Ausdruck. In Kleidung und Verhalten wirken die Kinder wie kleine Erwachsene. Bei diesem vermutlich zuletzt entstandenen Bild (Inv. Nr. 35) kommt unter dem Eindruck der französischen spätbarocken Malerei atmosphärische Duftigkeit zum Tragen, wie auch hier das Kindsein am ehesten seinen Ausdruck findet. Auffallend sind die Attribute, die der Künstler den Kindern in die Hände gibt. Die beiden Brüder halten Pflaume und Feige, eindeutige Symbole weiblicher Sexualität in den Händen. Die Schwester dagegen ist mit einer Ranke aus Vergißmeinnicht, Primeln und Rosen geschmückt, Zeichen liebevollen Treuebeweises. Das sexistisch anmutende Gebaren der Knaben wird mit diesem moralischen Leitbild beantwortet. In der Hand hält das Mädchen eine Erythrina, eine seltene, exotische, in dieser Zeit auf dem Kontinent neue Gewächshauspflanze. Sie kann als Zeichen von Kultiviertheit und Wohlstand der Familie Brockes verstanden werden. HWS

325

Franz Werner Tamm (1658-1724)
325 Blumenstrauß um 1722
Öl auf Leinwand; 92,0x74,0; Inv. 471
Das Bild zeigt in einer reich geschmückten Vase einen Strauß aus Levkojen, Nelken, Winden und anderen Blumen. Tamm wurde von niederländischen Meistern des 17. Jahrhunderts beeinflußt, bei denen sich das dekorative Blumen- und Fruchtstück großer Beliebtheit erfreute. Zunächst sah man die Blume als Mahnbild der Vergänglichkeit an. Allmählich traten aber die moralisierenden Tendenzen zurück. Man begnügte sich mit dem Abbild der vielfältigen Flora. In diesem Sinne schreibt auch Alfred Lichtwark: »Für die Bildung des Auges gehören die Stilleben von Jacobs und die Frucht- und Blumenstücke von Tamm zu unseren kostbarsten Besitztümern.« (1899). HWS

326

327

Jean Laurent Mosnier (1743/44-1808)
326 Elisabeth Hudtwalker, Frau des Senators Martin Hudtwalker 1798
Öl auf Leinwand; 69x57,5; Inv. 485
Mosnier war seit 1788 Mitglied der Französischen Akademie. Während der Revolutionsjahre weilte er in London (1791-96) und anschließend in Hamburg (bis 1801). Das Bildnis der Hamburger Senatorengattin beschrieb Lichtwark bereits 1898: »Frau Senatorin Hudtwalker, eine schöne, jugendliche Erscheinung, sitzt im sommerlichen Strassenanzug auf einem vergoldeten Stuhl mit grünem Polster. Sie trägt einen Strohhut mit fallendem Rand und mit stahlblauem Atlasband, ein weisses Batistkleid, unter der Brust mit weisser Atlasschleife zusammengehalten; der blauseidene Umhang ist von den Schultern gesunken. Über Stirn und Augen liegt der Schatten des Hutrandes. Um den zarten Mund schwebt ein leises Lächeln. Aber wir werden von dem lieblichen jungen Antlitz nicht entfernt so energisch angezogen wie von dem virtuos ausgedrückten Strohhut, in dessen Schleifen das Licht spielt, und von der delikaten Toilette.« HWS

Johann Heinrich Wilhelm Tischbein (1751-1829)
327 Mädchen mit Blumen um 1825
Öl auf Leinwand; 91,5x76,2; Inv. 568
Ein Mädchen in einfachem, ausgeschnittenen weißen Gewand bindet einen Kranz aus Vergißmeinnicht. Diese Blume gilt als Sinnbild der Treue. Über ihrer ›Beschäftigung‹ scheint die junge Frau die Welt vergessen zu haben. Die Fingerstellung verrät feinfühlige Sorgfalt. Bedingt durch den unfertigen Zustand des Bildes geht der Griff ins Leere. Die Blüten scheinen zu schweben, das Spiel der Finger erhält den Charakter des zaubernden Eingriffs. Die Figur zeichnet sich durch lineare, klassizistische Strenge aus. Dies versucht Tischbein dadurch zu mildern, daß er dem antikisch wirkenden Profil ein kräftiges Inkarnat verleiht. Goethes bissiger Kommentar, Tischbeins Frauendarstellungen sähen dadurch aus wie angemalte Puppen, scheint nicht ganz aus der Luft gegriffen. HWS

328

Johann Heinrich Wilhelm Tischbein (1751-1829)
328 Bildnis der Dichterin Engel Christine Westphalen
Öl auf Leinwand; 41x34; Inv. 567
Das Bild ist Dokument des stillen Beobachtens der von Tischbein geschätzten Dichterin. Für die Hamburgerin (1758-1840) war das Werk Goethes richtungsweisend. Christine Westphalen hält ein Buch in den Händen, in das sie ihre Gedichte zu schreiben pflegte und überliest eine Strophe. Das über ihre Augen fallende Haar, das den konzentrierten Blick nur ahnen läßt, unterstreicht das Insichgekehrtsein der Dichterin. Tischbeins Eindrücke von der römischen Antike, die er in Rom und Neapel gewann, formen dieses Porträt. Die Tracht, der Schreibtisch und die für ein Bildnis aus dieser Zeit ungewöhnliche, an Münzen erinnernde Profilstellung sind von antikischem Gepräge. Um so erstaunlicher ist, daß Tischbein dieses Formenrepertoire durch einen impressionistischen Pinselstrich auflöst, zumal er mehr dem Zeichnerischen als dem Malerischen verpflichtet war. HWS

Friedrich Carl Gröger (1766-1838)
329 Lina Gröger, die Pflegetochter des Künstlers 1815
Öl auf Leinwand; 62,2x53; Inv. 1035
Der aus Plön stammende, vor allem in Lübeck und Hamburg wirkende Kröger, war einer der gesuchtesten Bildnismaler seiner Zeit, dessen Bilder einem in den Herrenhäusern des Landes am meisten begegneten. Charakteristisch für seine Porträtkunst ist das Brustbild. Dabei verzichtete er meist auf die Einbindung der dargestellten Person in den Raum. Diese Einförmigkeit erklärt sich aus der Menge der Aufträge. Seine Kunst repräsentiert das Erstarken des bürgerlichen Geistes. Dies wird an einem Ort wie Hamburg besonders deutlich. Auffallend ist, daß er beim Bildnis seiner Pflegetochter, einer intimen, vom persönlichen Verhältnis bestimmten Arbeit, nicht vom offiziellen Porträttypus abrückt. Dennoch spürt man die intensive Auseinandersetzung mit der Dargestellten, deren Ausdruck von verhaltener Anmut bestimmt wird. HWS

329

330

Carl Julius Milde (1803-1875)
330 Frau Notar Johann Hübbe 1830
Öl auf Leinwand; 22,5x20; Inv. 1174
Das Porträt der Maria Christine Hübbe (1774-1842) ist das Gegenstück zum Porträt ihres Gatten, des Hamburger Notars Johann Heinrich Hübbe (1771-1847; Inv. 1173). Während dieser im vom Betrachter abgewendeten Halbprofil kühle Strenge ausstrahlt, wendet sich seine Gattin mit einem warmherzigen, etwas Melancholie ausstrahlenden Blick an den Betrachter. Das Bildpaar zeigt – trotz der für den privaten Gebrauch üblichen Kleinformatigkeit – das traditionelle gesellschaftliche Rollenverhalten von Mann und Frau. HWS

Johann August Krafft (1798-1829)
331 Der Richter Jacob Wilder 1819
Öl auf Leinwand; 47x39; Inv. 1195
Als Lichtwark auf die Datierung des Bildes stieß, glaubte er angesichts der hervorragenden Qualität an einen Schreibfehler. »..., mit irgend etwas mir bekanntem aus Hamburg vor 1819 hat dies Bild keine Ähnlichkeit, auch mit Runge nicht.« Der 1798 in Altona geborene Krafft hat wenig künstlerische Spuren in der Hansestadt hinterlassen. 1816 ging er an die Akademie in Kopenhagen. Von Geldnot geplagt, entschloß er sich 1819, nach Rom zu gehen. Noch im November dieses Jahres entstand das Porträt des Richters in Landkirch auf Fehmarn. Es zeigt den Richter nicht in seiner Amtstracht, sondern in seiner häuslichen Umgebung in Hausrock, Zipfelmütze, mit Pfeife und Buch. »Ein großer Meister wie Krafft schuf auf einem abgelegenen Dorf auf einer abgelegenen Insel ein großes Kunstwerk, das auf Jahrzehnte niemand sehen sollte als die Bauern, die es bestellt hatten.« (Lichtwark) HWS

331

Erwin Speckter (1806-1835)
332 Christus erscheint den drei Marien am Grabe 1829
Öl auf Leinwand; 51,2x51,3; Inv. 1218
Der Münchner Aufenthalt (1825-27) bewirkte bei Speckter eine Loslösung von der zeichnerischen Formauffassung. Er erkannte, daß die Stimmung des Bildes durch die Wahl der Farben mitbestimmt wird. Speckter gab den Farben einen gedämpften Klang, versuchte sie einander anzugleichen und vermied helle Kontraste. »So herrscht eine sichere Ökonomie im Farbbau; Haupt- und Nebenteile der Komposition werden schon fürs Auge getrennt. Die Form ist nun nicht mehr von gläserner Schärfe, sondern weich und rund modelliert« (Victor Dirksen, 1924). Deshalb galt unser Bild bei den Zeitgenossen als ›Wagestück‹. Eigenwillig verfuhr Speckter auch mit der Bibel, er vereinte drei Textstellen: Die Frauen am Grab; Christus erscheint Maria Magdalena als Gärtner; die Salbung im Haus des Lazarus. HWS

332

Erwin Speckter (1806-1835)
333 Die Schwestern Hermine, Ida, Malvine und Adelheid 1825
Öl auf Leinwand; 37,8x36,2; Inv. 1220
In einem medaillonhaften, Intimität ausstrahlenden Rahmen stellt Speckter seine vier Schwestern dar. In der Mitte steht Hermine, die Älteste. Sie hält das spätgeborene Schwesterchen Adelheid auf dem Arm. Links reicht Malvine der Kleinen eine Windenblüte. Rechts steht Ida mit verschränkten Armen. Der Aufbau des Bildes wirkt hieratisch streng. Hermine und Ida verstärken diesen Eindruck durch ihre ernsten Blicke. Nur das Darreichen der Blume ist als liebevoller, spielerischer Moment ein Gegengewicht zur strengen Haltung der älteren Schwestern. HWS

333

Erwin Speckter (1806-1835)
334 Jakob und Rahel 1827
Öl auf Leinwand; 26,4x35,5; Inv. 2722
Einen nachhaltigen Eindruck für Speckters christliche Kunst stellte Memlings Passionsaltar (1491) in Lübeck dar, den er 1823/24 zeichnete. Noch entscheidender beeinflußte ihn der Nazarener Overbeck mit seinem Lübekker Altarbild (1824), das vielfigurig wie ein spätmittelalterliches Gemälde den Einzug Jesu in Jerusalem schildert. Die statuarische Ruhe der Personen und die kühle Farbigkeit in dem Bild ›Jakob und Rahel‹ lassen das nazarenische Vorbild deutlich werden. Nach dem 1. Buch Mose Kap. 29 verdingt sich Jacob zweimal für sieben Jahre als Hirte bei seinem Onkel Laban, um dessen Tochter Rahel zur Frau zu erhalten. HWS

334

335

Julius Oldach (1804-1830)
335 Engel Sophia de Hase, die Tante des Künstlers 1828
Öl auf Leinwand; 36,5x27; Inv. 1104
Oldach, der im Alter von 26 Jahren der Schwindsucht erlag, gehört zu der Gruppe Hamburger Künstler um Speckter und Wasmann, die ihre religiös-mittelalterliche Gesinnung mit der miniaturhaft-feinen Technik des biedermeierlichen Realismus verbanden. Lichtwark schrieb über Oldachs Porträtkunst: »Ein Schema gibt es für Oldach nicht. Er wählt für jeden, den er malt, die Haltung aus der genauesten Kenntnis der Persönlichkeit. Er hat ja übrigens ausschließlich Verwandte und Freunde gemalt« (1899). Neben Oldachs Fähigkeit zur visualisierten Charakterstudie besticht seine Liebe zum Detail, das er in der jeweils eigentümlichen Stofflichkeit wiederzugeben versteht. So fällt hier besonders die Spitzenhaube mit weißen Federblumen und grünlich-weißen Atlasblättern ins Auge. Eine weiße, wundervoll gezeichnete Spitzenkrause umschließt den Hals. HWS

336

Julius Oldach (1804-1830)
336 Der Bildhauer Otto Sigismund Runge um 1829
Öl auf Eiche; 18,3x14,4; Inv. 1112
Otto Sigismund Runge (1806-1839) war der Sohn Philipp Otto Runges. Nach seiner Ausbildung als Bildhauer in Dresden, Berlin und München ging er 1827 nach Rom, wo er Anleitung durch B. Thorvaldsen fand. Seit 1829 war er wieder in Hamburg ansässig. Er starb, während er an der Ausschmückung des Winterpalastes in St. Petersburg beschäftigt war. Da das Profilbildnis des jungen Bildhauers fast wie ein Reliefporträt wirkt, könnte man glauben, Oldach hätte sich in diesem Bild dem künstlerischen Arbeitsfeld des Porträtierten annähern wollen. Lichtwark schrieb über dieses Bildnis: »Es ist ein sehr durchgearbeitetes Werk, das an Holbeins und Dürers Vorbild gemahnt. Mit dem dunklen üppigen Haar und dem schwarzen Rock kontrastieren die frische Hautfarbe und das rote Halstuch, neben dem ein kleines Stück des weißen Hemdkragens sichtbar wird.« HWS

337

Julius Oldach (1804-1830)
337 Hermann und Dorothea 1828
Deckfarben auf Pergament; 9,1 x 7,1; Inv. 1931
Wie sein Malerkollege Speckter beschäftigte sich Oldach mit der Miniaturmalerei. Sie standen damit in Opposition zu den Monumentalarbeiten der bestimmenden Corneliusschule. Die dargestellte Liebesszene verlangte nach einem intimen Format. Goethe wählte für seine Versdichtung ›Hermann und Dorothea‹ als historischen Hintergrund das Jahr 1796, in dem linksrheinische Deutsche vor den französischen Revolutionstruppen fliehen. Der Wirtshaussohn Hermann lernt dabei Dorothea kennen, die für Flüchtlingskinder sorgt. Die Liebe zwischen den beiden wird von Hermanns Vater nicht geduldet, er wünscht sich eine ›reiche Partie‹. Erst als er durch Dritte von dem vorbildlichen Einsatz Dorotheas hört, stimmt er der Heirat zu. Speckter stellt den Weg zur elterlichen Wohnung dar: »Und so fühlt er die herrliche Last, die Wärme des Herzens, / Und den Balsam des Athems, an seinen Lippen verhauchet, / Trug mit Mannesgefühl die Heldengröße des Weibes.« HWS

Louis Gurlitt (1812-1897)
338 Wassermühle bei Christiania 1834
Öl auf Papier auf Pappe; 31 x 31; Inv. 1155
Der in Altona geborene Gurlitt erhielt seinen ersten Unterricht bei Günther Gensler. 1832 setzte er sein Studium an der Akademie in Kopenhagen fort. Von dort unternahm er Reisen nach Norwegen und Schweden. Den Reiz der nordischen Landschaft verstand Gurlitt in seinen Gemälden festzuhalten. Bei dem Bild einer Wassermühle bei Christiania (seit 1929 ›Oslo‹) war sein Interesse ein spezielleres: Die technische Anlage der Kanal- und Stauvorrichtung nimmt den ganzen Vordergrund ein. Es ist eine Studie zum Fließverhalten des Wassers in einem künstlichen Kanal mit Hindernissen und Sperren. Einen auffallend großen Raum gibt er auch dem von Erosion gezeichneten Abhang mit einem umgestürzten Baum. In dieser Studie geht es Gurlitt vorrangig um die Darstellung der Wasserkräfte. Das Streben nach Erfassen der Unmittelbarkeit der Natur erklärt Gurlitts häufige und ausgedehnten Reisen, die ihn nicht nur durch Skandinavien, sondern auch durch Italien führten. HWS

338

Adolph Vollmer (1806-1875)
339 Frische Brise auf der Elbe um 1830
Öl auf Leinwand; 23,7 x 32; Inv. 1160
Vollmer gehörte mit Christian Morgenstern zu den Bahnbrechern des frühen malerischen Realismus in Hamburg. Im Gegensatz zu Morgenstern hat er das kleine Format nie aufgegeben und auch die gefällige spätromantische Malweise gemieden. Das Thema unseres Bildes ist nicht die Topographie des Elbufers, sondern die frische Brise. Die Kraft des Windes treibt die Wellen gegen das flache Ufer, beugt das Schilf und bläht die Segel kräftig auf. Das Spiel von Licht und Schatten auf der Wasseroberfläche läßt auf Sonnenlöcher in der Wolkendecke schließen, die vom Wind aufgerissen werden. Die ›Frische Brise‹ ist ein ausgezeichnetes Beispiel einer vom Stimmungsrealismus bestimmten Malerei. HWS

339

Adolph Vollmer (1806-1875)
340 Bei der Aumühle um 1830
Öl auf Papier auf Pappe; 27,5 x 38,1; Inv. 1161
Aumühle ist heute Endstation der Stadtbahn über Bergedorf hinaus am Sachsenwald, ein überlaufenes Ausflugsziel an sonnigen Tagen. Auch Vollmer belebte den Ort mit menschlicher Gegenwart, lehnte als deutlichstes Zeichen die Fischreuse an die Weide im Vordergrund und ließ am jenseitigen Ufer der Aue ein Haus gelbrötlich aufleuchten. Doch integrierte er die dort wahrzunehmenden Menschen wie die Zeichen ihres Tuns in die noch urwüchsige Landschaft. Adolph Vollmer entschied sich nach einer gründlichen Ausbildung in Kopenhagen und weiten Reisen von München aus zur Rückkehr ins heimatliche Hamburg – anders als sein Generationsgenosse Christian Morgenstern, der im Süden blieb. Mit so verschiedenen Motiven wie Hamburger Stadtwinkeln, Fluß- und Seestücken sowie Holsteiner Gegenden, entfaltete er bei aller Bescheidenheit im Format eine reiche Malerei. In Gewässern sich spiegelnde Wolken wußte er ebenso zu verlebendigen wie gleichartig im See erweiterte Laubgruppen. GH

340

341

Christian Morgenstern (1805-1867)
341 Haus im Wald von Frederiksdal bei Kopenhagen 1828
Öl auf Papier auf Pappe auf Leinwand; 27,6x33; Inv. 1115
Morgenstern setzte sein künstlerisches Studium nach seinem Hamburger Aufenthalt seit 1824 bei S. Bendixen ab 1827 an der Akademie in Kopenhagen fort. Von dort aus unternahm er Studienreisen nach Norwegen und Schweden. In unserem Bild hat er ein Haus im Wald bei Kopenhagen ›porträtiert‹. Gustav Pauli schrieb 1925 dazu: »Eine kleine Perle dänischer Landschaftsmalerei ist das ›Haus im Walde‹ – nach einem Motiv aus Fredricksdal bei Kopenhagen. Hier haben wir die beseelte Landschaft ohne handgreiflich bedeutenden Kommentar durch gefühlvolle Staffage. Der nächste Schritt von Friedrich aus ist getan. Die Stimmung ist die eines anheimelnden Friedens. Das stille Häuschen in der Lichtung des Buchenwaldes wirkt beglückend – wodurch? Nur durch die Reinheit und Einfachheit, mit der der Maler in gedämpften Farben ganz naiv als Naturstudie auszudrücken vermocht hat, was ihn selber an dieser Stelle bewegte.« Das Bild wirkt wie eine Erinnerung an einen friedvollen Aufenthalt im Jahre 1828. HWS

Christian Morgenstern (1805-1867)
342 An der schwedischen Küste 1828
Öl auf Papier auf Pappe; 25,2x33,1; Inv. 1127
Auf der Rückseite notierte der Sohn des Künstlers: »An der schwedischen Küste (bei Callen) gemalt von Chr. Morgenstern – 1828 ...«. Ein Ort »›Callen‹ ist indessen heute an der schwedischen Küste nicht bekannt. Gemeint ist die Halbinsel ›Kullen‹, die der dänischen Insel ›Seeland‹ nördlich gegenüberliegt. 1827-1829 reiste der in Hamburg geborene Christian Morgenstern skizzierend in der skandinavischen Gebirgswelt. Er gehört zu den ersten, die deren wilde unberührte Landschaft im südlicheren Europa bekannt machten, besonders in München. Denn hier setzte Morgenstern seit 1830 seine Landschaftsstudien fort, wie auch in Italien und in der Schweiz. GH

342

343

Christian Morgenstern (1805-1867)
343 Blick auf den Brocken 1829
Öl auf Papier auf Pappe; 28,5x32,5; Inv. 1123
Eine 1829 datierte Bleistiftzeichnung im Kupferstichkabinett der Hamburger Kunsthalle gibt das gleiche Motiv nach rechts erweitert wieder: Der Vordergrund ist zu einer Rampe um das Tal und den in der Ferne sich erhebenden Brocken vervollständigt. Es liegt nahe, in dieser breitformatigen Komposition eine Studie zu dem verschollenen Gemälde ›Felsenpartie am Ilsenstein mit der Aussicht ins flache Land im Harzgebirge‹ zu sehen, das Morgenstern für den Prinzen Christian von Dänemark ausgeführt hat. Unser Bild kann als Teilstudie angesehen werden oder auch als eine später ausgeführte verkürzte Fassung. Hierfür spricht, daß die offene Spannung in die Tiefe rechts mehr Kraft hat als die abgerundete Komposition der gezeichneten Version. Auch ist das Verhältnis der lebhaft im Sonnenlicht konturierten Felsen im Vordergrund zu den ruhig zusammenfassenden Bergzügen ausgewogen. Allerdings waren die breit und ornamental angelegten Veduten beim Publikum beliebter. GH

Jacob Gensler (1808-1845)
344 Ewer auf dem Sande an der Elbe
um 1841
Öl auf Papier auf Pappe; 28x42; Inv. 2317
Es ist Ebbe. Grauockerfarbener Schlick reicht vom Vordergrund bis weit in die hochgezogene Bildtiefe, wo fern das Ufer erkennbar ist. Zähe Rinnen im Schlick sind durch den Sog des Wassers entstanden, der die Schiffe rechts nahe dem Ufer zur Ruhe zwingt. Ohne Segel recken sie ihre Masten in den gleichförmig lichten Himmel, der seinerseits mit windlos brütender Hitze zu lasten scheint. Spiegelungen einiger Masten in einer Lache lassen ahnen, daß mit wiederkehrender Flut geschäftige Regsamkeit die Szene verändern kann. Solche Geschäftigkeit der Land- und Seeleute zu schildern, entsprach eigentlich Genslers Neigungen. Die scheinbar unscheinbare Natur zu beobachten, gelang ihm nebenher. Sie in ihrer stillen Macht so selbstverständlich eindrucksvoll wiedergegeben zu haben, verdient um so mehr Bewunderung. Zudem war das Motiv ungewöhnlich in einer Zeit, als andere der Naturgewalt des Meeres nur im Gang der Wogen und in der Gischt der Brandung nachspürten. GH

344

Jacob Gensler (1808-1845)
345 Hamburg nach dem Brande von 1842 1842
Öl auf Mahagoni; 45,1 x 52,8; Inv. 5098
Unser Bild ist sowohl in stadtgeschichtlicher wie auch in künstlerischer Sicht ein wichtiges Dokument. Meist verlieren in dieser Zeit die ausgeführten Gemälde Genslers – gerade wenn es sich um topographische Ansichten handelt – von der Frische der Studien. Daß es bei diesem Bild anders ist, begründete G. Pauli 1925: »Hier kommen seine besten Eigenschaften zu Worte in der Feinheit der Luftstimmung, in der starken Umrißwirkung der rauchenden Brandruinen mit den schwarz verkohlten Balken des großen Wasserrades, neben denen sich drei Burschen an den Räumungsarbeiten zu schaffen machen. Es ist neben massenhaften treuen und dankenswerten Aufnahmen das einzige wertvolle Gemälde, das der Katastrophe von 1842 sein Dasein verdankt.« Gensler wählte den Blick über die ›Kleine Alster‹ auf die ›Neue Börse‹, Sitz der Handelskammer, die als einziges großes Gebäude der Innenstadt den Brand überdauert hat. Links erhebt sich der Turm von St. Katharinen. HWS

345

Jacob Gensler (1808-1845)
346 Strand bei Blankenese 1842
Öl auf Papier; 34,2x49,3; Inv. 1319
Jacob Gensler war der begabteste von drei malenden Brüdern in Hamburg. Mit Vorliebe wandte er sich Szenen aus dem Leben von Fischerfamilien zu, ob an der Ostsee, in Scheveningen oder in der näheren Umgebung Hamburgs an der Elbe. Landschaften studierte er meist im Hinblick auf solche Genregemälde. Doch bedeuten seine Skizzen in ihrem lockeren Farbenreichtum für uns heute Meisterwerke der Landschaftscharakterisierung. In unserer Studie erscheint die Elbe wie ein weiter See, neben dem die Blankeneser Höhen rechts wie flache Hügel anmuten. Der Eindruck von Weite wird durch den Schwung des Ufers und die Helligkeit des im Wasser sich spiegelnden Himmels am Horizont erreicht. Hierhin läßt sich der Blick um so lieber lenken – insbesondere dorthin, wo schwindende Segel den Zug des Flusses in die Ferne verdeutlichen und Wasser und Himmel ineinanderwachsen –, da im Vordergrund regenschwere Wolken zusammengeballt bleiben und das Land nächtlichem Dunkel entgegensinken lassen. GH

346

347

Hermann Kauffmann (1808-1889)
347 Landleute bei der Mittagsruhe 1841
Öl auf Mahagoni; 56,4x50; Inv. 1201
Zu Kauffmanns Lieblingsthemen gehört die Heu-, Korn- und Kartoffelernte. Eine wiederkehrende Variante ist die Ruhe auf dem Feld. In unserem Bild ist ein alter Mann an eine alleinstehende Buche gelehnt. Der in die Bildmitte ›gepflanzte‹ Baum trägt zur strengen, auf Symmetrie bedachten Komposition bei. Der Blick des Alten, der während der Mittagsruhe keinen Schlaf findet, geht nachdenklich in die Ferne, wo sich Wolken zusammenbrauen. Ein junger Bauer und eine junge Frau sind dagegen in einen erholsamen Schlaf gefallen. Ihre Ruhe ist ungestört, so merken die Schattensuchenden nicht, daß das Sonnenlicht auf sie geglitten ist. Lichtwark schreibt: »Für jene Zeit ist das Sonnenlicht mit all seinen Reflexen auf den Körpern und auf dem Baumstamm vorzüglich ausgedrückt.« (1893) Die Sorge des Alters und jugendliche Unbekümmertheit finden in dieser Dreiergruppe ein anschauliches Bild, das von einem warnenden, bedrohlichen Gedanken mitbestimmt wird: Während der Rechen vor dem jungen Paar liegt, ist die Sense über eine Astgabel gelegt – schwebt über ihren Köpfen. Assoziationen an das Motiv vom Schnitter Tod stellen sich ein und geben dieser Darstellung aus dem Volksleben einen sinnbildhaften Zug. HWS

Thomas Herbst (1848-1915)
348 Pferde am Wasser 1877
Öl auf Leinwand; 45x72; Inv. 2885
Ein die Hamburger Malerei des 19. Jahrhunderts mitprägender Künstler ist Thomas Herbst. Er studierte an den Akademien in Frankfurt, Berlin, Weimar und München. In der Weimarer Zeit entwickelte sich eine intensive Zusammenarbeit mit Max Liebermann. Dieser überredete ihn auch 1877 zu einem siebenmonatigen Parisaufenthalt. Obgleich die Diskussion um den Impressionismus öffentlich und im Kreis der Künstler gerade am heftigsten war, entdeckte Herbst seine Liebe zu Delacroix und Corot, den Vorläufern der Impressionisten. Der persönliche Kontakt zu den französischen Künstlern war spärlich, zu groß war noch die Ablehnung der Deutschen infolge des 70/71er-Krieges. Das 1877 in Paris entstandene Bild ›Pferde am Wasser‹ zeigt die deutlich aufgehellte Palette des Freilichtmalers. Herbsts besonderes Interesse galt den Grüntönen am niedrigen Gebüsch des Ufers und in den Spiegelungen des Wassers. HWS

348

349

Thomas Herbst (1848-1915)
349 Bauernmädchen 1895
Öl auf Leinwand; 94x58; Inv. 2175
Herbsts ›Bauernmädchen‹ erinnert an Liebermanns Bild ›Eva‹. Die beiden Künstler hatten sich an der Weimarer Akademie kennengelernt und verbrachten 1877 sieben Monate in Paris in einem gemeinsamen Atelier. Das auf etwas zu groß geratenen Füßen stehende Bauernmädchen ist von Herbst in leichter Untersicht gesehen. Das Mädchen scheint auf die Erwachsenen herabzuschauen. Doch Haltung und Blick zeichnen sich durch Verhaltenheit aus. Zudem hat sie den Hut abgenommen, was von Respekterbietung gegenüber Maler und Betrachter zeugt. Das landschaftliche Ambiente ist bei der flotten Malweise nur in Andeutungen ausformuliert. Der rechts den Weg begrenzende Zaun trägt zu einer gewissen Tiefenwirkung des Bildes bei. Es wäre falsch, Herbst als Impressionisten zu bezeichnen. Dort aber, wo eine verlebendigende Malweise thematisch erforderlich war, verstand er es, den Pinsel entsprechend zu führen. HWS

Valentin Ruths (1825-1905)
350 Das Blockhaus am Hamburger Hafen 1848
Öl auf Papier auf Pappe; 25,3x34,4; Inv. 2026
Das 1655 von Hans Hamelau erbaute Blockhaus stand am Eingang zum Niederhafen auf der Kehrwieder-Bastion, gegenüber dem als Zoll- und Wirtshaus dienenden Baumhaus. Das Blockhaus wurde 1852, das Baumhaus 1857 abgerissen. Beide Häuser am Hafen hat Ruths jeweils »porträtiert«. Es waren seine ersten Ölgemälde, denn eigentlich arbeitete er seit 1843 als Lithograph. Das ›Blockhaus‹ ist dem Schema der Ansichtenlithographien verwandt. Rechts führt eine beschattete Architektur perspektivisch in das Bild ein, links geht der Blick ungehindert in die Ferne zu einem Meer von Masten und Segeln. Die perspektivische Flucht der alten Kaimauer rechts und die Fahrtrichtung des Bootes im Vordergrund lassen das Heck der Barke als Konzentrationspunkt der Ansicht erscheinen. Das Blockhaus – Thema des Bildes – erscheint demgegenüber im Mittelgrund am Rand. Im langsamen Gleiten des Bootes im Vordergrund, in der Blickrichtung der beiden Insassen formuliert Ruths das Motiv von Architekturbetrachtung. In dieser Blickregie hebt sich das ›Blockhaus‹ von den gängigen Hafenansichten ab. HWS

350

351

Valentin Ruths (1825-1905)
351 Die Heide bei Bispingen 1887
Öl auf Papier auf Leinwand; 34,5x52,1; Inv. 1086
Ruths zeigt mit der ›Heidelandschaft‹ ein Stück norddeutscher Heimat, die auch durch Alfred Lichtwarks Förderung bild- und museumswürdig wurde. Der sandige Boden ist mit Heidekraut und Wacholder bestanden. Das Zutagetreten der geologischen Struktur gibt Ruths die Gelegenheit zu einer reizvollen Komposition und läßt den in die Weite der Heidelandschaft gleitenden Blick nicht als willkürlich erscheinen. Die Lichtwirkung geht vornehmlich vom hellen Himmel und dem hellorangefarbenen Sandhang an der linken Seite aus. Diese Partie fällt besonders auf. »Der Übergang von dem gegenständlich unbestimmt gehaltenen Vordergrund ... zu den genauer definierten Landschaftsformen des Mittelgrundes läßt die Verwandlung eines einfach über den Bildgrund gezogenen Farbflecks in eine gegenstandsbeschreibende Form besonders deutlich bewußt werden.« (A. Schug, 1956). Die malerische Umsetzung macht deutlich, welches Abstraktionsvermögen erst die Naturanschauung zum Bild werden läßt. HWS

Valentin Ruths (1825-1905)
352 Der Mittag 1884
Öl auf Leinwand; 350x250; Inv. 5134
Für das 1867 fertiggestellte Treppenhaus der Kunsthalle schuf Ruths acht Bilder – vier Tageszeiten (italienische Landschaften) und vier Jahreszeiten (deutsche Landschaften). Der Auftrag wurde ihm 1880 zugesprochen, vier Jahre später war die gesamte Dekoration fertiggestellt. Es ist bemerkenswert, daß der Haupteingang zu einer Kunstsammlung mit Landschaftsbildern geschmückt wurde. In anderen Museen gab man an dieser Stelle historischen und mythologischen Themen den Vorzug. Bedingt durch die Räumlichkeiten wählte Ruths für seine Landschaften ein ungewöhnlich großes Format. Neben einem Weg, der sich zu einem fernen Dorf durch die Hänge windet, rastet eine Familie vor einer Brunnenstube, durch ein Blätterdach vor der Sonne geschützt. Der Mann hält einen Esel, während die Frau ihr Kind stillt. Wie in den anderen drei italienischen Landschaften ist die Tageszeit auf die in der Natur anwesenden Menschen bezogen. Auch stellen sich angesichts der rastenden Familie Gedanken an die Hl. Familie auf der Flucht nach Ägypten ein. HWS

352

353

Arthur Illies (1870-1952)
353 Heidelandschaft bei Harburg
um 1896
Öl auf Leinwand; 75x90; Inv. 1779
Illies, der sich in seiner Kunst der norddeutschen Stadt und Landschaft verschrieben hat, schrieb 1896 über seine Arbeit in der Heide: »Der Charakter der Heide stellt mich nun vor ganz neue Notwendigkeiten der malerischen Mittel. ... Die Farbigkeit des Lichtes war hier entscheidend. Die Heide ist schwer und auch, wenn sie im Sonnenglast hell und licht wird, so dominieren doch nicht die Spektralfarben. Ihre Monumentalität liegt in Farben, die sich gegenseitig nahe stehen. Es gibt hier außerdem viel weniger Einzelheiten und mehr große Flächen im Bilde, und die Übergänge sind breit. Ich komme daher sehr bald dazu, meine Heidebilder mit rein hingesetzten Übergängen beginnend zu untermalen, dann große farbig in sich zusammenhängende Flächen dazwischen zu setzen und auf dieser Untermalung, die im Grunde eine Übertreibung des farbigen Eindrucks darstellt, erst das Bild zu beginnen.« HWS

Julius Ehren (1864-1944)
354 Innenansicht eines Finkenwerder Fischerhauses um 1895
Öl auf Leinwand; 105x90; Inv. 1773
Die ›Innenansicht‹ gehört zu der Sammlung von Bildern aus Hamburg, die A. Lichtwark 1889 angeregt hat. Maler wurden aufgefordert, Hamburg und das Hamburger Land zu studieren, denn daß »das Volksleben am Hafen, das Leben der Fischer und Schiffer, auf der Elbe, dem Meer oder zu Hause einen unerschöpflichen und bisher kaum berührten Schatz neuer und eigenartiger Motive enthält, ist der deutschen Kunst bisher entgangen.« (A. Lichtwark 1897). Vor allem sollten diese Bilder die Museumsbesucher aus Hamburg, »das lebendige Heimathgefühl« ansprechen. »... aber auch dem auswärtigen Kunstfreund wird sie (die Galerie) um so anziehender sein, je mehr sie als ein Product des Bodens erscheint.« In diesem Sinne kommt Ehrens Bild der Charakter einer volkskundlichen Studie zu, die durch die Wahl des Ausschnitts – der Blick in die ineinandergehenden Räume – und das reflektierende Abendlicht auch einen ästhetischen Wert besitzt. HWS

354

355

Ernst Eitner (1867-1955)
355 Das Alstertal bei Wellingsbüttel 1894
Öl auf Leinwand; 115x95; Inv. 1740
Alfred Lichtwark kaufte das ›Alstertal‹ für die ›Sammlung von Bildern aus Hamburg‹. Zum einen war sie für die einheimischen Freunde der Kunsthalle gedacht, zum anderen sollte ein Gegengewicht zum französischen Impressionismus, einem Sammlungsschwerpunkt fast aller damals avantgardebewußten Museen, aufgebaut werden. »Nicht Hamburgensien, sondern Kunstwerke sollen geschaffen werden.« (1897) Bei Eitner, der vor allem die Landschaft des oberen Alstertales liebte, verband sich eine naturalistische Darstellungsweise mit einer impressionistischen Anwendung der Farbe. So sind hier die Bewegung im Gras und die Lichtreflexe auf dem fließenden Wasser von besonderem Interesse. Illies schrieb über die gemeinsame Arbeit mit Eitner: »Wir unterhalten uns ständig darüber, wie wir dies oder das sehen, und wie es auf dem Bild erscheinen müßte. So gelangen wir zu einem immer intensiveren Studium der Erscheinungen unserer Heimat.« HWS

Arthur Siebelist (1870-1946)
356 Der Künstler und seine Schüler 1902
Öl auf Leinwand; 184x205; Inv. 1764
Siebelist verbrachte die Sommerzeit mit seinen Schülern auf dem Land. Die Idee eines Gruppenbildnisses beschäftigte ihn längere Zeit. Sie wurde 1902 während eines Aufenthalts in Hittfeld umgesetzt. Siebelist arbeitete drei Monate an diesem Werk, meist in freier Natur. Dargestellt sind von links nach rechts: F. Friedrichs, A. v. Clausewitz, F. Nölken, A. Siebelist (im Hintergrund), W. Vollmer (mit Skizzenbuch), A. Rosam und F. Ahlers-Hestermann. Siebelist wählte das Motiv des gemeinsamen Abendspazierganges, um die Künstlichkeit eines gestellten Gruppenporträts zu vermeiden. Bei dem Gang durch das Dorf macht der Lehrer die Schüler auf ein ›malenswertes‹ Motiv aufmerksam. Dieses liegt außerhalb des Bildes, Siebelist deutet mit der Linken darauf hin. Das Moment des Angesprochenseins überträgt sich durch den Blick der Gruppe aus dem Bild auf den Betrachter. HWS

356

Franz Nölken (1884-1918)
357 Selbstbildnis im Atelier 1904
Öl auf Leinwand; 122x104; Inv. 2739
Dieses Bildnis wurde 1939 gegen ein Selbstbildnis aus dem Jahre 1913 eingetauscht (1946 zurückerworben, Inv. 2819). Es erinnert in der Formbehandlung und Farbabstimmung an Cézanne – eine künstlerische Auffassungsweise, die dem nationalsozialistischen Kunstgeschmack entgegenstand. Unser neun Jahre früher entstandenes Bild wird dagegen von einer naturalistischen Auffassung bestimmt. Nölken steht isoliert mitten im Raum. Sein Malgerät hält er einsatzbereit in den Händen. Der kritische Blick – die Zigarette lässig im Mundwinkel – läßt Selbstbewußtsein erkennen. Der ›sezierende‹ Blick, der hier auf den Betrachter fällt, gilt auch dem Künstler selbst. Im Bild des Spiegels verschmelzen Maler und Modell. Während der Vordergrund von konzentrierter Spannung beherrscht wird, wirkt der Hintergrund gelöst: Dort sitzt der Künstlerfreund Friedrich Ahlers-Hestermann und blättert entspannt in einem Buch. Die beiden Künstler hatten sich 1900 im Schüleratelier von Arthur Siebelist kennengelernt. Den gemeinsamen Ausbildungsweg setzten sie 1907 in Paris bei Henri Matisse fort. Ahlers-Hestermann ließ sich nach dem 1. Weltkrieg wieder in Hamburg nieder, Nölken war noch 1918 gefallen. HWS

357

Rudolf Jacobi Zeller (1880-1948)
358 Arbeitslose 1908/09
Öl auf Leinwand; 205,5x170,5; Inv. 1767
Mit sparsamen Mitteln und ohne äußere Dramatik schildert Zeller die Notlage der Hafenarbeiter. Das nasse Pflaster der engen Gasse und der neblig trübe Hintergrund deuten die Hafenumgebung an. Das Milieu zeigt sich auch in der Kleidung, vor allem der Kopfbedeckung der Männer. Da der tägliche Bedarf an Arbeitern im Hafen je nach Umschlag der Güter schwankt, waren immer die am meisten von Arbeitslosigkeit Betroffenen die »Zettelleute«, Arbeiter, die sich jeden Morgen erneut um eine Arbeitserlaubnis und eine Beschäftigung bemühen mußten. Hier stehen sie in einer Gruppe zusammen, ermüdet vom Warten, dem Nichtstun ausgeliefert, hat sich eine melancholische, fast stumpfe Gleichgültigkeit auf ihre Gesichter gelegt. Diese Männer sind eine stumme, doch lebendige Klage gegen ein System der Arbeitsorganisation, das dem Menschen die Sorge um das tägliche Brot für sich und seine Familie jeden Tag neu aufbürdet. SP

358

359

Kurt Lohse (1892-1958)
359 Johannes A. Baader 1929
Öl auf Holz; 90,5x63; Inv. 2534
J.A. Baader (1876-1955), auch ›Oberdada‹ und ›Dada-Prophet‹ genannt, nahm von 1918 bis 1920 aktiv an der Dada-Bewegung in Berlin teil. Er war Mitarbeiter am ›Dada-Almanach‹ und Mitorganisator der ›Ersten Internationalen Dada-Messe‹ in Berlin. Baader verfaßte das Buch ›Vierzehn Briefe Christi in seinem Heim‹ und gab das Flugblatt ›Die grüne Leiche‹ heraus. Nach 1920 war er als freier Journalist beim Hamburger Fremdenblatt tätig. Lohse war seit 1926 wieder in Hamburg ansässig. Während seiner Dresdener Akademiejahre hatte er sich mit Otto Dix befreundet. Das Bildnis Baaders erinnert auch an Dix' Porträtauffassung. Die ausladenden Falten der Jacke werden der Stofflichkeit des Kleidungsstückes nicht gerecht. Hier verselbständigt sich der Pinselstrich, der andererseits auch als Verweis auf den agilen Charakter des Dargestellten verstanden werden kann. HWS

360

Eduard Bargheer (1901-1979)
360 Selbstbildnis 1929
Öl auf Leinwand; 80x69,5; Inv. 2496
Nach Abschluß des Studiums am Hamburger Volksschullehrerseminar entschied sich Bargheer 1924 endgültig Maler zu werden. Er begann als Schüler von Friedrich Ahlers-Hestermann an der Kunstschule Gerda Koppel. Das fünf Jahre später entstandene Selbstporträt ist schwungvoll gemalt. Person wie Hintergrund werden von einer nach links tendierenden Bewegung ergriffen. Während die Farben und das Licht- und Schattenspiel im Porträt noch am Gegenständlichen orientiert sind, entwikkeln Farbe und Form in Hintergrund ein Eigenleben. Hier findet Bargheer zu Formen »reiner Malerei«. HWS

361

Karl Kluth (1898-1972)
361 Gustav Schiefler 1932/34
Öl auf Leinwand; 140x100,5; Inv. 2974
Das Porträt Schieflers ist ein Jahr vor dem Tod des ehemaligen Landgerichtsdirektors (1857-1935) vollendet worden. Schiefler war ein bedeutender Sammler moderner Graphik. Er verfaßte Graphik-Werkverzeichnisse von Max Liebermann, Edvard Munch, Emil Nolde und Ernst Ludwig Kirchner. Zusammen mit Alfred Lichtwark trug er zur Förderung der Hamburger Künstler bei. In unserem Bild steht Schiefler vor einem dunkeltonigen Landschaftshintergrund, der kaum Tiefenwirkung aufweist. Die geballten hellen Wolken vor tiefdunklem Himmel, typisch für die nördliche Hemisphäre wirken geheimnisvoll und bedrohlich. In ihnen wird der Einfluß Munchs deutlich. Schieflers Gesichtsausdruck wirkt wie von grellem Licht geblendet. Doch das Tasten mit dem Stock macht deutlich, daß es sich nicht um eine augenblickliche Beeinträchtigung des Sehvermögens handelt. »... Karl Kluth aber sah 1932 hinter den individuellen Einzelzügen seines erblindeten Modells das Schicksal selber und schuf ein Sinnbild des hilflosen Tastens in ewiger Nacht«. (Heydorn 1974) HWS

Karl Ballmer (1891-1958)
362 Straßenbild 1931
Öl auf Leinwand; 80,5x100,5; Inv. 5085
In der Schweiz geboren, kam Ballmer 1922 nach Hamburg und fand hier Anschluß an die ›Sezession‹. Er bezeichnete sich selbst ›zur gleichen Hälfte‹ als Maler und philosophischer Schriftsteller. Nach dem 1. Weltkrieg war er für zwei Jahre Mitarbeiter am Goetheanum in Dornach. Anthroposophische Ideen spielen in seinem Werk eine große Rolle. Die sich auflösenden Konturen einer städtischen Architektur – das Bild ist in Hamburg entstanden – erinnern an das schemenhafte Abbild des nach anthroposophischer Anschauung im grobstofflichen Körper verborgenen feineren Astralleibes. Graphische und malerische Elemente verschmelzen in dieser Szenerie, die Palette wird von blassen, verwaschenen Farben bestimmt. Neben den Momenten von Abstraktion waltet in diesem Bild ein surrealer Zug. Die Straßen sind leergefegt. Die Fassaden wirken wie perforierte Hüllen. Die Bodenständigkeit der Bausubstanz verflüchtigt sich – reale Architekturerfahrung ist in ein Traumbild gekehrt. HWS

362

Willem Grimm (geb. 1904)
363 Winterlandschaft in den Vierlanden 1930/31
Öl auf Leinwand; 60x81; Inv. 5087
Der gebürtige Darmstädter Grimm kam schon 1924 nach Hamburg und schloß sich hier der Künstlergruppe der ›Sezession‹ an. In diesem Kreis fand er zur norddeutschen Landschaft als Thema der Malerei. In der ›Winterlandschaft‹ schaut der Betrachter von erhöhtem Standpunkt auf einen ausgefahrenen Weg mit tiefen Wagenspuren, der zwischen Bauernhäusern, Bäumen und einem Holzstoß in die Tiefe des Bildes führt. Dort sieht man auf Deich und Elbe. Die Palette wird von Blaugrau, Braun, Schwarz und dunklem Grün bestimmt. Der Eindruck winterlicher Dämmerung stellt sich ein. Der Pinselstrich ist grob, will die Strukturen des aufgeweichten Bodens und das Schmelzen des Schnees auf Bäumen und Dächern wiedergeben. Der im Zusammenhang mit Grimms Landschaften gebrauchte Begriff des ›expressiven Lyrismus‹ findet in diesem Bild ein bezeichnendes Beispiel. HWS

363

Arnold Fiedler (geb. 1900)
364 Winterlandschaft 1937
Tempera auf Pappe; 66,5x96,5; Inv. 2844
Die ›Winterlandschaft‹, in der sich die Formensprache auf der Grenzlinie zwischen Gegenständlichem und Abstraktion bewegt, strahlt eine fröstelnde Atmosphäre aus. Doch man fühlt sich nicht nur physisch berührt durch die deutlichen Spuren des Winters, den schneebedeckten Abhang und den gefrorenen Fluß. Das gekenterte Boot, die Einsamkeit in der Landschaft tragen zu diesem Eindruck auf einer psychischen Ebene bei. 1937, im Entstehungsjahr des Bildes, ging Fiedler aufgrund des von den Nazis gegen ihn verhängten Ausstellungsverbotes nach Paris – Fiedler war Mitglied der 1933 aufgelösten ›Sezession‹. Im Exil fand er nicht das idyllische Leben der Bohemiens vor, sondern den zermürbenden Kampf um die bloße Existenz. Die Exiljahre wurden zu einer entbehrungsreichen Zeit der Überwinterung. Die ›Winterlandschaft‹ stammt aus der ›Sammlung Emmy Ruben‹, die 1948 als Geschenk an die Kunsthalle ging. Emmy Ruben (1875-1955) kaufte während der Nazizeit Bilder der öffentlich verfemten Sezessionisten. HWS

364

365

Willem Grimm (geb. 1904)
365 Rummelpott 1949-51
Öl auf Leinwand auf Spanplatte; 100x80; Inv. 2957
Nach dem Krieg wurde für Grimm der ›Rummelpott‹ zum Hauptthema in seinem malerischen wie auch graphischen Werk. Rummelpott ist ein Hamburger Brauch. An Silvester verkleiden sich die Kinder und ziehen singend von Haus zu Haus, um Gaben zu erheischen. »Rummel rummel roopen – Giff mi Appelkooken – Lat mi nich to lange stohn – denn ick mutt noch wiedagohn.« Grimm reiht drei maskierte Gestalten in buntem Kostüm vor einem lebendig roten Hintergrund auf. In den Masken sind die Grenzen zwischen jugendlichem Übermut und dämonischer Strenge fließend. Breite, schwarze Pinselstriche umreißen die Figuren und setzen Zeichen für die Modellierung des Kostüms. Masken und Verkleidung tragen schon in natura die Ansätze zur Abstraktion, die Grimm hier zu einem farbigen Dreiklang ausformuliert. HWS

Fritz Flinte (1876-1963)
366 Selbstbildnis
Öl auf Leinwand; 140x100; Inv. 2977
Flinte hat sich immer wieder porträtiert – doch nicht im Sinne eitler Selbstdarstellung. Seine Bildnisse sind Dokumente des Alterns, der Annäherung an den Tod. Der Künstler hat sich aus der Bildmitte nach links gerückt. Die Gestalt ist in einen alten, abgenutzten Mantel gehüllt. Kraftlos hängt der linke Arm herab. Über dem schmächtigen Körper wirkt der Schädel überproportioniert. Umgeben von einem dunklen Haarkranz leuchtet die Stirn. Die Augen liegen in dunklen Höhlen, der Mund ist nur angedeutet. Der Ausdruck, der dieses Porträt bestimmt, läßt sich mit den Sätzen umreißen, mit denen Flinte eines Tages einen Freund in seiner Wohnung begrüßte, in der er zurückgezogen lebte: »Wenn man auf dem Absterbeetat steht, dann freut man sich über jeden Besuch, der noch kommt. Ich kann nirgends mehr hingehen. In meinem Alter muß man sich auf einen weiteren Gang vorbereiten ...« Die endgültige Fassung dieses Selbstporträts war bis 1937 in der Kunsthalle. Sie wurde als ›entartet‹ entfernt und gilt seither als verschollen. HWS

366

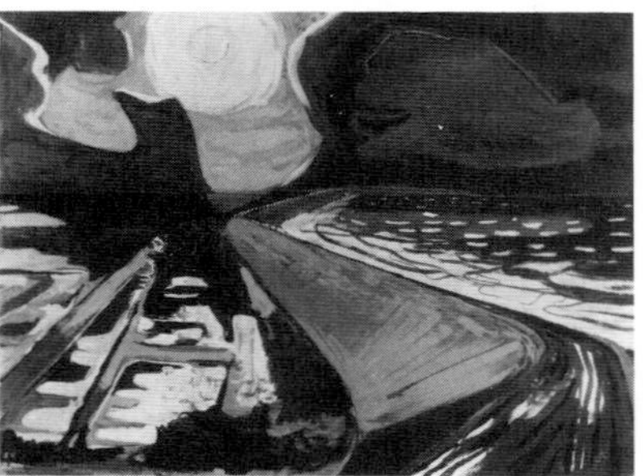
367

Karl Kluth (1898-1972)
367 Küste in Nordschleswig 1931
Öl auf Leinwand; 75x100; Inv. 2854
Kluth widmet sich wie seine Malerkollegen aus der Gruppe der ›Sezession‹ der norddeutschen Landschaft – nicht im Sinne eines Porträts, sondern Natur – verstanden als Stimmungsträger. Die Komposition des Bildes ist streng, die landschaftliche Szenerie durch ein Liniengefüge herausgearbeitet, wobei die Binnenstruktur der einzelnen Flächen von einem dynamischen, von der Natur abstrahierenden Pinselstrich bestimmt wird. Das obere Drittel des Bildes nimmt ein kalter, graublauer Himmel ein, wobei Kluth darauf verzichtet, die Wolken in ihrer Stofflichkeit wiederzugeben. Darunter teilt in der Bildmitte der Deich in Form einer S-Kurve das Land vom Meer. Kluths Auffassung dieses menschenleeren Küstenabschnittes unter einem bedrohlich wirkenden Himmel vermittelt Schwermut. Von der Gestaltung und Wirkung fühlt man sich an Munch erinnert, der für Kluths Schaffen wegweisend war. HWS

Joachim Albrecht (geb. 1916)
368 Komposition 63/5 Neuer Totem
1961
Öl auf Leinwand; 130x60; Inv. 5091
»Über meine Arbeit etwas auszusagen, scheint mir verfehlt. Der Entschluß zum Bild macht dieses zur einzigen Aussage. Der Gegenstand von Sprache und Bild kann zwar der gleiche sein, die bildnerische Information jedoch wird immer eine von der sprachlichen verschiedene sein, ...« (1972). Albrecht gilt als Vertreter ›Konkreter Kunst‹, einer Kunst, die keinerlei semantische Information vermittelt. Es liegt hier nicht einmal eine Abstraktion von gegenständlicher Umwelt vor. Die bildnerischen Elemente stellen nur sich selbst dar. Auf einem weißlichgrauen, teils gelblichen Grund sind verschieden große Vielecke angeordnet. Durch das enge Hochformat wird der Eindruck von Gestapeltem und Verkantetem unterstützt. Die dunklen Flächen sind farblich leicht variiert. Schwarz oben und unten, dazwischen dunkles Grün und zweierlei dunkles Braun. Feine Schwarzlasuren überziehen die farbigen wie die hellen Flächen. So tritt trotz der Einfachheit der Komposition eine Vielfalt von zurückhaltenden Nuancen auf. HWS

368

369

Willy Breest (1891-1952)
369 Komposition 1950
Öl auf Leinwand; 100x90; Inv. 3528
Nach dem Krieg gründeten dem Sezessionsstil nahestehende Künstler die ›Gruppe 45‹. Es war vor allem Willy Breest, der diese Gemeinschaft auf neue Leitlinien einstimmen wollte: weg von der losen Ausstellungsgemeinschaft und dem überlebten Sezessionsstil, hin zur programmatischen Ausrichtung auf den am Konstruktivismus orientierten Neoplastizismus. Die permanenten Konflikte innerhalb der Gruppe ließen 1957 deren Aktivitäten einschlafen. Die ›Komposition‹ strahlt Ruhe aus durch die Balance sich anscheinend ausschließender Eindrücke. Das Viereck in der Mitte scheint einerseits als Energiezentrum die zum Bildrand offenen Vielecke auseinanderzudrängen, andererseits kann die innere Form auch als ein in Bedrängnis geratenes Viereck gelesen werden. Dieser Eindruck erstarrter Bewegung wird durch das Liniengefüge verstärkt, das die Figuren zu halten scheint. HWS

Reinhard Drenkhahn (1926-1959)
370 Strandläufer 1955
Öl auf Leinwand; 120x100; Inv. 3533
Seit dem Sommer 1953 hielt sich Drenkhahn immer wieder an der See auf. Dort fand er zum Thema der ›Strandläufer‹, das ihn bis 1958 beschäftigen sollte. Anfänglich machte er Skizzen von laufenden menschlichen Gestalten, die sich am Strand gegen den weiten Himmel zeichenhaft abhoben. Drenkhahn abstrahierte vom Naturvorbild und kam zu jenen bizarren, gleichzeitig geharnischt aber auch porös wirkenden Gebilden der ›Strandläufer‹. Zur Formfindung in der Malerei dürften auch seine gleichbetitelten Plastiken beigetragen haben, die er aus Strandgut, Draht und Gips anfertigte. Als Vorbilder benannte Drenkhahn Wols und Fritz Flinte, von dessen spätimpressionistischen ›Kinder-am Strand‹-Bildern (Inv. 2501 und 2502) ein Impuls für das Thema der ›Strandläufer‹ ausgegangen sein dürfte. HWS

370

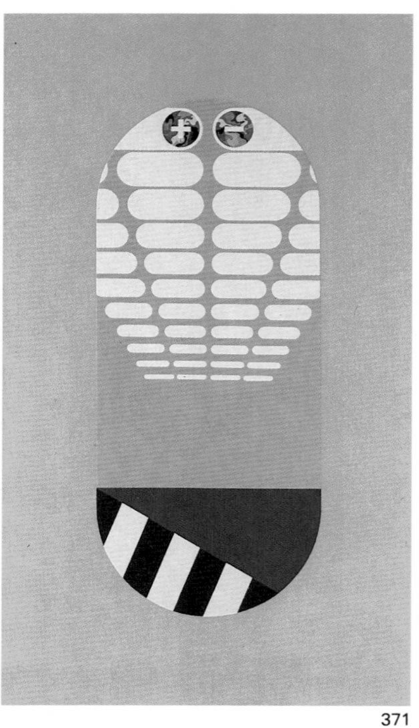

371

Jürgen Kleinhammes (geb. 1937)
371 Die Neue Landschaft: Das Gewitter von Greenwich 1966
Dispersion und Kasein auf Nessel; 150x86; Inv. 5121
Ein intensives Gelb, wie man es aus der Welt von Verkehr und Technik kennt, umschließt das eigentliche Bildmotiv. Eine ausgestanzt wirkende Öffnung gewährt einen Blick auf eine Landschaft – Reminiszensen an das traditionelle romantische Fenstermotiv klingen an. Die Landschaft setzt sich aus signalhaften Farben und Zeichen zusammen. Grün steht für die Pflanzenwelt, Blau für den Himmel. Die stilisierten Wolken sind in die Tiefe gestaffelt und geben dem Bild trotz der dominierenden flächigen Malerei räumliche Wirkung. Aus der Zentralperspektive ausscherend, ist eine wie mit Fahrbahnmarkierungen versehene schwarze Fläche vor das Grün geblendet. Über all dem stehen am Himmel die Zeichen für Plus- und Minuspol. Kleinhammes arbeitet mit dem Zeichenrepertoire einer technisierten Umwelt, deren visuelles Vokabular nicht Kommunikation, sondern unmittelbares Reagieren fördert. Diese technoide Bildhygiene verliert erst auf dem Hintergrund eines seelenlos erlebten Alltags ihren formalästhetischen Reiz und gewinnt damit an kritischer Aussage. HWS

Almir Mavignier (geb. 1925)
372 Verschiebung und Farbwechsel 3 1968
Öl auf Leinwand; 141x100; Inv. 5171
Vier Quadrate sind übereinandergeschichtet und gegeneinander verschoben. Die Quadrate werden aus einem Punktraster gebildet. Die Punkte gewinnen zur Mitte der Fläche an Größe und tragen somit zu einer plastischen Wirkung bei. Die Nuancen des Gelbs wechseln von einer Grünbeimischung zu einem warmen Orange. So sind die punktierten Flächen auch durch die Farbgebung voneinander unterschieden. »... – und der Punkt, den er mit Paul Klee als Energiepunkt begreift, als Treffpunkt zweier Linien, als Kraftpunkt konkurrierender Richtungen, wird ihm zum Ausgangspunkt und einzigen Thema seiner Malerei.« (Wieland Schmied, 1968) Bei Mavignier wird der Punkt – mit Pinzette und Nagel aufgetragen – greifbar. Die Malerei steht an der Schwelle zum Relief. Während sich die Komposition durch eine strenge Ordnung auszeichnet, beinhaltet der nicht gänzlich manipulierbare Farbauftrag, der Licht auffängt und Schatten wirft, einen Funken von gegen die strenge Komposition opponierender Freiheit – ohne sie freilich aufzulösen. HWS

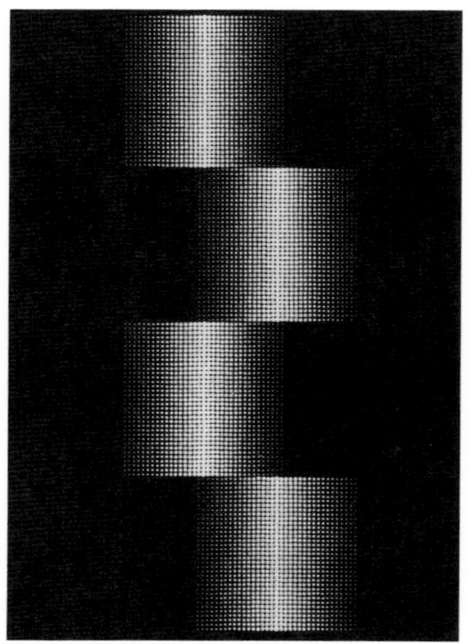

372

Paul Wunderlich (geb. 1927)
373 Aurora (Hommage a Runge) 1964
Tempera auf Leinwand; 160x130; Inv. 5096
Nietzsche schrieb, daß große Kunst sich dadurch auszeichne, in jedem ihrer Momente auch anders gedacht werden zu können und daß sie in sich den Anreiz besäße, eine Veränderung zu suchen. Die Auseinandersetzung der Künstler im 20. Jahrhundert mit der Kunstgeschichte ist nicht etwa Ausdruck der eigenen Sprachlosigkeit. Meist werden die im historischen Werk enthaltenen Gedanken in ästhetischen Umformulierungen mit unserer eigenen Zeit konfrontiert, um die Uneingelöstheit jener historischen Ansprüche zu verdeutlichen. ›Hommage‹ ist in diesem Sinne nicht die unkritische Künstlerverehrung, sondern der Versuch, kritisches, immer noch auf Erfüllung beharrendes Gedankengut zu reaktivieren. Wunderlichs Werk zeichnet sich durch einen kunsthistorischen Zitatenschatz aus, auch wenn sich bei seinem Umgang mit Bildern von Dürer und Manet der Eindruck des Spiels mit

ästhetischen Variablen einstellt. Anders seine ›Aurora‹, die sich auf Runges ›Morgen‹ bezieht. Dieses Bild (aus dem geplanten Zyklus der vier Tageszeiten) basiert auf einem biblischen Topos: »Deine Kinder werden dir geboren wie der Tau aus der Morgenröte« (Psalm 110.3). Aurora wird bei Runge zum Typus der Verheißung – auch der politischen. Dieses hoffnungsvolle Erwachen kommentiert Wunderlich. Die Symmetrie der Komposition und der gemalte Rahmen sind beibehalten, doch die räumliche Wirkung ist nivelliert. Anstelle der Aurora erscheint ein schwarzes Rechteck, durch das ähnlich einer Röntgenaufnahme ein grünlich-weißes weibliches Skelett hindurchschimmert. An die Stelle des Neugeborenen plaziert Wunderlich ein rotes, liegendes Rechteck. Auroras Herolde – ähnlich skelettiert – sind an den Rand des Innenbildes gedrückt. Die blühenden roten und weißen Lilien des Rahmens sind nur noch in Andeutungen vorhanden. Das ornamentale Zusammenspiel von Pflanzen und Engeln, die taufrische Vitalität, hat sich in eine krude Farbmaterie aufgelöst. Aurora ist in Verwesung übergegangen. Runges Hoffnung setzt Wunderlich ein Bild der Desillusionierung entgegen. HWS

373

374

Peter Nagel (geb. 1941)
374 Junge im schwarzen Schlauchboot
1969
Eitempera auf Leinwand; 110x100; Inv. 5210
Nagel begann mit seinem Kunststudium in den frühen 60er Jahren, als Tachismus und abstrakter Expressionismus dominierten. Dies reflektierend heißt es im Programm der von ihm mitbegründeten Gruppe ›Zebra‹: »Wir fordern ... für die Malerei eine allgemein-verbindliche gegenständliche Grundlage.« (1965) Nagels Bilder, die nach Fotovorlagen und unter Zuhilfenahme der Spritzpistole entstehen, zeichnen sich durch plakative Farbbehandlung und klare Formbegrenzung aus. Seine Bildwelten wirken hierdurch kühl und distanziert. So erscheint bei dem ›Jungen im Schlauchboot‹ die kindliche Vitalität wie ›gefroren‹. Sein Gericht scheint alt, seine Körperlichkeit wirkt ungesund, ›aufgeblasen‹ wie das Boot, in dem er sich befindet. Die kindliche Freude am Spiel ist erstickt. Nagel zeigt hier wie in vielen seiner Bilder das Ertrinken der Kinder im Meer der technisierten Kulturwelt. HWS

Klaus Kröger (geb. 1920)
375 »15.5.81« 1981
Öl und Kunstharz auf Leinwand; 140x110; Inv. 5319
In ihrer stumpfen, braun-grünen Farbgebung ist die Bildfläche einem Stück Mauer oder einer Schiefertafel vergleichbar. Wie mit weißer, leicht auswischbarer Kreide ist ein Datum, der 15.5.1981, in die Mitte geschrieben. Ein karges Bild, das uns innehalten läßt: Man weiß nicht, welche Bedeutung dieser längst verstrichene Tag für den Künstler selbst hatte, beginnt aber, in der eigenen Vergangenheit zu forschen, nach gewesenen Geschehnissen, Gedanken und Gefühlen zu suchen. Krögers Gemälde ist der bildliche Versuch, wenigstens einen Tag vor dem Vergessen zu retten: Das gleiche Gefühl, aus dem Daten und Namen auf Häuserwände gekritzelt werden. Das hier gezeigte Verlöschen erzeugt unsere eigentliche Betroffenheit. Wir erschrecken, weil uns das unaufhaltsame Fortschreiten der Zeit bewußt wird, in welchem einzelne Tage unwesentlich werden. Wir spüren, daß sich auch unsere eigene Existenz in der Unendlichkeit der Zeit verliert. CV

375

376

Marco Zoppo (1433-1478)
376 Madonna in der Glorie und andere Studien
Feder in brauner Tinte auf eingefärbtem Papier; 254x171 mm, Verso: Madonna lactans mit musizierenden Engeln und einer Frau in Anbetung; Inv. 21506

Diese Zeichnung bildet zusammen mit einem weiteren Blatt des Kupferstichkabinettes (Inv. 21505) und sieben anderen Blättern in Braunschweig, im Cabinet des Dessins des Louvre, im Städelschen Kunstinstitut Frankfurt, im British Museum (2) und in München das sogenannte ›Madonnenskizzenbuch‹ Zoppos. Es entstand in der ersten Hälfte der Siebziger Jahre des 15. Jahrhunderts in Venedig und enthält eine Fülle von Anregungen des ursprünglich von der expressiven Kunst des Ferraresen Cosimo Tura (1430-95) geprägten Zoppo. Zoppo zeichnete die Gruppe der Pharisäer unten rechts in Anlehnung an die Stiftergruppe auf Piero della Francescas berühmter ›Geisselung‹ (Urbino), und in der Gruppe mit der Madonna und dem anbetenden Johannesknaben unten links wurde der Knabe vielleicht zum ersten Mal in der Kunstgeschichte nackt dargestellt. Sch

Fra Filippo Lippi (1406-1469)
377 Der Heilige Stephan vertreibt den Dämon aus einem besessenen Mann
Silberstift und Deckweiß auf rötlich präpariertem Papier; 326x225mm; Inv. 21 239
Zwischen 1452 und 1464 unternahm Fra Filippo Lippi die Ausmalung der Chorkapelle des Domes von Prato, eine der ersten großen zyklischen Wandmalereien der italienischen Renaissance, wo er auf gegenüberliegenden Wänden Szenen aus dem Leben der Heiligen Stephanus (links) und Johannes d. Täufers (rechts) in Freskomalerei darstellte. Die Zeichnung, Vorlage zu einem kleinen Teilstück der auf drei übereinanderliegenden Wandfeldern geschilderten Stephanusgeschichte, gibt einen engen, aber klar determinierten Innenraum wieder: So mittelalterlich die Legende ist, so fixiert und unumstößlich drückt sich hier die bildnerische Idee aus. Die Handzeichnung galt der zweiten Generation der doch so experimentierfreudigen Renaissancemaler noch nicht als Mittel künstlerischen Versuchens. Sie begriffen das Zeichen vielmehr noch als Sammeln von Ergebnissen der Beobachtung und der Erfahrung. Sch

377

Florentiner Meister (zwischen 1470 und 85)
378 Zwei Gewand- und eine Aktstudie an einem Modell
Silberstift auf rötlich getöntem Papier, mit dem Pinsel weiß gehöht; 195x274mm; Verso: Studien eines vortragenden Lehrers und eines Scholaren. Inv. 21044
Zwischen 1470 und 1485 entstand in Florenz erstmals eine Schule der Figurenzeichnung, in der eine Reihe relativ junger Maler und ihre Werkstätten von so ähnlichen Anschauungen und Bedürfnissen bestimmt waren, daß mehr als zweihundert mit Silberstift auf farbig präparierten Papieren gezeichnete, über viele Sammlungen verteilte Studienblätter nur schwer an bestimmte Maler zuzuschreiben sind. Offenbar in den Werkstätten von Sandro Botticelli (1444-1510), Filippino Lippi (1457-1504), Domenico Ghirlandaio (1449-1494) und deren Freunde wurden Leone Battista Albertis Lehren, wie sie in dessen damals schon vor fast einem halben Jahrhundert formulierten Schriften ›De Pictura‹ und ›De Statua‹ überkommen waren, in der Zeichnung vor dem Modell erprobt. Dort heißt es: »Die Bewegungen der Jünglinge seien leicht, gefällig, mit einer gewissen Schaustellung hohen Mutes und tüchtiger Kraft.« Sch

378

379

Florentiner Meister (um 1460/70)
379 Die Sintflut
Feder in Braun, laviert, auf Pergament; 285x413 mm;
Inv. 21080
Neben zwei weiteren Federzeichnungen auf Pergament entstammt dieses Blatt dem ›Libro‹ Giorgio Vasaris, jener ersten namhaften Zeichnungskollektion der europäischen Kunstgeschichte, die der Hofmaler der mediceischen Großherzöge und Verfasser der Künstlerbiographien in 10 Bänden angelegt hatte. Für Vasari waren diese drei Blätter Arbeiten des Maso Finiguerra, des – laut Vasari – Erfinders des Kupferstiches in Italien. Auf alle Fälle ist unser Blatt die Vorlage für den Stich des Francesco Rosselli. Die heutige Forschung gruppiert um die 3 Pergamentzeichnungen etwa 100 Studienblätter (vorwiegend in den Uffizien, Florenz) und eine 99 Blatt umfassende Bilderchronik im British Museum, die von unbekannten Zeichnern der zweiten Florentiner Renaissancegeneration herrühren müssen. Sch

Francesco Rosselli (1445- vor 1513)
380 Die Sintflut
Kupferstich; 270x407 mm; Inv. 25 a
In Italien entstanden die ersten Kupferstiche nach 1460. Francesco Rosselli, Bruder des Malers Cosimo Rosselli, gehört zu den ersten namentlich bekannten Kupferstechern von Florenz. Dort lassen sich nach 1460 zwei unterschiedliche Stecherstile, die ›feine‹ sowie die ›breite Manier‹ erkennen. Die eine wurde vor allem mit dem Werk des Baccio Baldini, die

380

andere mit dem Namen Francesco Rosselli in Verbindung gebracht. Die Stiche des ›feinen‹ Stils zeichnen sich durch unregelmäßige Strichlagen und starke bzw. schwache Gravierungen, die des ›breiten‹ Stils durch regelmäßige und gleich starke Linien und Schraffuren aus. Rosselli mußte seine Platte bald neu überarbeiten, um sie wieder nutzbar zu machen. Dabei stach er vor allem die Himmelspartien neu. Das Kupferstichkabinett besitzt Abzüge vom ersten und zweiten Zustand der ersten Platten und vom zweiten der wiederholten Platte. Sch

Antonio del Pollaiuolo
(1431/32-1498)
381 Kampf nackter männlicher Gestalten
Kupferstich; 403x603 mm;
Inv. 46
Antonio del Pollaiuolo und Andrea Mantegna (1431-1506) waren die einzigen bedeutenden italienischen Künstler der Renaissance, die sich auch als Stecher betätigten. Während Mantegna 7 Platten stach, hinterließ Pollaiuolo nur einen einzigen Kupferstich. Pollaiuolo war als Goldschmied ausgebildet worden, entwickelte sich zum Bronze- und Marmorbildhauer und fand schließlich früh zur Malerei. Entwürfe für Stikkereien und Webereien und zu Nielloarbeiten kennzeichnen das Bild eines Künstlers, der die handwerklichen Fähigkeiten mit denen des bloßen Entwurfes verband. Antonio und sein Bruder Piero waren, so Vasari, die ersten Künstler, die Leichen sezierten. So konnte diese Darstellung zum Musterblatt für den italienischen Renaissancekünstler werden. Panofsky hat darin die erste von drei Darstellungen zur Geschichte des Titus Manlius Torquatus erkennen wollen. Sch

381

Ferraresischer Meister um 1465
382 Prima Causa
Kupferstich, leicht aquarelliert; 179x100mm; Inv. 49280
Das letzte aus einem Zyklus von insgesamt 50, traditionell ›Mantegnas Kartenspiel‹ genannten Blättern. Manche Darstellungen sind dem Tarockspiel entnommen, jedoch ist der Zyklus eher eine freie Illustration des mittelalterlichen Weltbildes, in das antike Vorstellungen aufgenommen wurden. In fünf Gruppen von je zehn Blättern gegliedert, werden die Stände (Gruppe E), Apoll und die Musen (Gruppe D), die ›Freien Künste‹, um ›Dichtung‹, ›Philosophie‹ und ›Theologie‹ auf zehn Darstellungen ergänzt (Gruppe C), die sieben Tugenden zusammen mit den Prinzipien des ›Lichtes‹, der ›Zeit‹ sowie des ›Kosmos‹ (Gruppe B) und schließlich das astronomische System des Ptolemaeus (Gruppe A) vorgeführt: hier finden sich auf neun Blättern Personifikationen der sieben Planeten, der Fixsterne und des ›primo mobile‹, auf dem zehnten und letzten des gesamten Zyklus, dem hier vorliegenden ›Prima Causa‹, die ›Erste Ursache‹ oder GOTT. Gott wird hier durch ein Diagramm seines Universums vermittelt. ER ist nicht mehr und nicht weniger als das GANZE. Nämlich: der innerste Kreis bedeutet die Erde, welche vom innersten Ring, dem Wasser, umgeben ist. Dann folgen die Ringe der Luft und des Feuers. Danach die Firmamente der sieben Planeten, das runde Band der Fixsterne, der Kreis des ›primo mobile‹ und schließlich die drei äußersten Ringe der Dreieinigkeit mit ihren allseitig ausgehenden Strahlen. Sch

382

Meister ES (tätig um 1440/68)
383 Geburt Christi
Kupferstich; 144x207mm; Inv. 10304
Dieses Blatt reicht tief in die Geschichte der Graphik und ihrer Erforschung hinab. Als einer der offenbar frühesten Arbeiten des ersten Stechers, von dem ein umfassendes Werk (317 Stiche) erhalten blieb, tauchte es erstmals in der Sammlung von William Ottley (1771-1836) auf, der seinerseits die Graphikforschung mit dem epochemachenden Buch ›Inquiry into the Origin and early History of Engraving‹ 1816 begründete und es dabei vorstellte. Als 1837 Ernst Georg Harzen das Blatt aus Ottleys Nachlaßversteigerung erwarb, kam damit ein Stich nach Hamburg, von dem sich nur noch ein weiteres Exemplar erhalten hat. Meister ES zeigt sich hier noch vor seiner Ausbildung einer durch die Linie bestimmten Technik: strich- und punktartige Verletzungen des Metalles schufen das Bild eines als Goldschmied ausgebildeten Meisters, der bei vielfältiger Naturbeobachtung den Dingen einen subjektiven Rang erteilt. Sch

383

Der Hausbuchmeister (tätig 4. Viertel 15. Jh.)
384 Maria mit Kind, der Hl. Anna und dem Hl. Joachim
Kaltnadelstich; 151x91mm; Inv. 3712
Zwischen den ersten meist noch anonymen Generationen von Holzschnitt- und Kupferstichkünstlern und Dürer, dem Vollender altdeutscher Graphik, steht der Hausbuchmeister. Seine Herkunft gilt als ebenso ungewiß wie seine Bedeutung unumstritten ist. Eine halbe Generation vor Dürer – und darin Schongauer vergleichbar – äußert sich hier ein Maler und nicht mehr ein Goldschmied in der Graphik, die er in der Technik des gratigen Kaltnadelstiches mit malerischem Effekt ausstattet. So streng durch eine steinerne Schranke die heiligen von den nicht heiligen Mitgliedern im ganzen doch ›Heiligen Sippe‹ abgegrenzt werden, so fröhlich und spielerisch äußern sich die Gestalten. Der Hausbuchmeister gestaltete christliche und antike Themen mit der Freiheit, die nur eine von Traditionen unbeschwerte, neue Kunstgattung gewähren kann. Sch

384

385

Leonardo da Vinci (1452-1519)
385 Karikaturkopf eines alten Mannes
Rötel. Die Konturen sind zur Übertragung teilweise mit einem Rädchen perforiert; 98x82 mm; Inv. 21482r.
Das Blatt (entstanden um 1492) bildete das rechte obere Viertel einer von Leonardos Schüler und Erben, Francesco Melzi (1493- um 1570) zerschnittenen Zeichnung, die zwei einander anschauende Paare von Karikaturköpfen zeigte. Unser Kopf eines eifernd dreinschauenden Mönches mit progenetischem Kinn und animalisch gedrungener Nase blickt auf eine alte Frau mit vorspringendem Oberkiefer, fliehendem Kinn und einer extrem ausgebildeten Halsmuskulatur, während das Paar darunter eine Karikatur auf Dante und Beatrice gewesen sein dürfte. Leonardo, der eine Lehre der Proportionen des menschlichen Körpers an einer Vielzahl von Studien empirisch niederlegte und theoretisch formulierte, suchte in seinen Karikaturen das Gegenteil der als Schönheit erkannten regelhaften Proportion: die Abweichung hiervon, die Karikatur, konnte einerseits die Richtigkeit seiner Suche bestätigen, andererseits glossierte er damit eine in seiner Zeit sich ausbreitende bürgerliche Kunst, die in den Niederlanden und Norditalien Portraits einer zu Selbstbewußtsein erwachten Schicht in zuweilen atemberaubender Drastik schuf. Sch

Ferraresischer Meister (um 1465)
386 Der Tod des Orpheus
Kupferstich; 145x214mm; Inv. 22
Von der neuesten Forschung dem Meister des ferraresischen Tarockspieles zugeschrieben, hat sich dieser Stich nur in unserem Exemplar erhalten. Das Pathos der Figuren geht auf antike Vorbilder zurück und steht dabei in starkem Kontrast zu einer streng gebauten Landschaft mantegnesken Zuschnittes. Ihre Formationen sind so schroff und kahl wie Ovid sie in den Metamorphosen für diese Szene beschreibt: Der um Eurydike trauernde Sänger, der seine Liebe zum Weib mit der zu Knaben vertauscht hat, wird von wilden Maenaden erschlagen. Sie benutzen die Werkzeuge der Bauern, die zusammen mit Pflanzen und Tieren unter dem Ansturm der Weiber das Land verlassen haben. Der ferraresische Künstler scheint die Orpheusdichtungen des Phanokles und des Plutarch gekannt zu haben, die berichten, daß die Thraker als Rache für die Ermordung des Sängers ihren Weibern blaue Zeichen in die Haut tätowierten, damit diese das Verbrechen nie vergäßen. Donati hat das Knotensignet oberhalb der Figurengruppe als Muster dieser Strafmaßnahme gedeutet. Sch

386

Albrecht Dürer (1471-1528)
387 Der Tod des Orpheus Datiert und monogrammiert u. M.: 1494 Ad;
Feder in Braun; 289x225mm; Inv. 23006
Orpheus, der nach dem tragischen Tod von Eurydike das Weib verschmähte, wird von lykischen Frauen erschlagen. Ovid berichtet, Orpheus habe daraufhin als erster die Thraker gelehrt, ›Liebe auf zarte Knaben zu übertragen.‹ Dürer übernahm die Figuren des ferraresischen Stiches (Nr. 386) und setzte sie vor Bäume anstelle vor Felsen und in einen engeren Landschaftsausschnitt. In die Baumkrone zeichnete er eine Schriftbanderole mit den Worten: »Orfeuss der Erst puseran« (Päderast). 1494 entstanden, gehört dieses Blatt in das Jahr, in dem Dürer, nach kurzer Rückkehr von der Lehrzeit in Basel, sich abermals auf die Wanderschaft nach Venedig machte. Auch andere Arbeiten dieser Zeit machen sein Interesse an italienischer Kunst deutlich, wobei schwer zu sagen ist, ob diese Arbeiten noch in Nürnberg oder schon in Italien entstanden sind. Edgar Wind sah in diesem Blatt eine Karikierung humanistischen Interesses am Orpheuskult und wies darauf hin, daß gerade die Humanisten – wie etwa Dürers Freund Pirckheimer – den Gegenstand ihrer Verehrung auch zu glossieren pflegten. Sch

387

Ambrogio de Predis
(1455-1522?)
388 Studien zum Bildnis einer jungen Frau
Silberstift auf blau präpariertem Papier, Weißhöhungen;
137x205mm; Inv. 21478
Das menschliche Bildnis im Profil festzuhalten, gehört zu den widersprüchlichen Seiten der Renaissancemalerei, die doch mit Hilfe der Zentralperspektive gerade gelernt hatte, die dritte Dimension, das Räumliche, darzustellen. Verständlich wird das Interesse der Renaissancemaler am Profilbildnis erst, wenn man die Eindringlichkeit ihrer Beobachtung von plastischen Werten, wie sie von Licht und Schatten bedingt sind, zur Kenntnis nimmt. Ambrogio de Predis, Hofkünstler bei Ludovico Sforza in Mailand, hinterließ vor allem Profilbildnisse. Sichere Technik und scharfe Beobachtung in diesem Blatt liefern das Abbild eines bis in seine Kreatürlichkeit wahrgenommenen Individuums.
Sch

388

Hans Holbein d. Ältere (1460/70-1524)
389 Bildnis Konrad Würffel
Silberstift auf rötlich präpariertem Papier;
122x91 mm; Inv. 23907
Von keinem Meister der Dürer-Zeit sind so viele Bildnisse erhalten wie von Hans Holbein dem Älteren. Wenn sein Sohn schließlich, Hans Holbein der Jüngere, das Portrait zur wichtigsten Bildgattung der Renaissance umgestaltete, mag er von Jugend her die Portraitskizzenbücher seines Vaters vor Augen gehabt haben. In der Tat ist schon das Andachtsbild der 2. Hälfte des 15. Jahrhunderts nicht zu denken ohne die Darstellung des Stifters, der sein Bildnis als Bekenntnis seines Glaubens aber auch als Mäzen zu sehen wünscht. Konrad Würffel, der Dargestellte, ist als Baumeister an den Münsterbauten von Überlingen 1508-10 und von Konstanz 1505-12 nachgewiesen, ein mittelalterlicher Unternehmer also, der zugleich Architekt und Inhaber einer Baufirma war. Holbein notierte seinen Namen und das Steinmetzzeichen seiner Werkstatt und hielt den Ausdruck eines offenbar von Bürden belasteten und von Zweifeln verzehrten Menschen fest. Sch

389

Albrecht Dürer (1471-1528)
390 Das Liebespaar
Feder in Braun; 258x191 mm; Unregelmäßig beschnitten; Inv. 23918
Entstanden während der Wanderjahre Dürers nach 1490. Das Paar zeigt Baseler Kostüme, und die Kritik hat, wenn nicht ein Selbstporträt Dürers, so doch eine Darstellung seines Lebensgefühles während der Baseler Jahre mit ersten künstlerischen und gewiß auch persönlichen Erfolgen darin gesehen. Die Darstellung einer so entfalteten Kleiderpracht schließt nach mittelalterlicher Vorstellung auch das Gegenteil, nämlich die Eitelkeit des Irdischen ein. Jedenfalls sind wichtige Elemente dieser Zeichnung – etwa in der Haltung der Figuren – dem Stich des Hausbuchmeisters ›Junger Mann und Tod‹ entnommen. Dort begegnen sich ein aufgeputzter Jüngling und die zum Skelett abgemagerte Gestalt eines Mannes.
Sch

390

391

Albrecht Altdorfer (1480-1538)
391 Hl. Christophorus 1510
Feder in Schwarz und Weiß auf grün-blau präpariertem Papier; 214 x 143 mm; Inv. 22 887
Wie der überdimensionale Mast und die Segel eines Schiffes steht Christophorus mit dem Christusknaben im Meer vor felsiger Küste wie in einer Wasserlache.
Albrecht Altdorfer, Hauptrepräsentant der ›Donauschule‹, hat als erster Natur und Landschaft als übergreifende Kategorien des Ausdrucks in die Kunst eingeführt, und seine Vorstellungskraft hat die Bilder gelegentlich bis in die Überwirklichkeit gesteigert. Mehr noch als bei dem um ein Jahrzehnt älteren Dürer entsteht Altdorfers Werk nicht mehr als professionelle Aufgabe gegenüber kollektiven Institutionen wie Kirche, Kloster, Zunft und Rat, sondern aus individuellem Können für eine aufnahmebereite Schicht. Diese Zeichnung ist ein dreifarbiges Bild, wie es die Graphik eine halbe Generation nach Dürer am typischsten ausbildete. Sch

Lucas Cranach d. Ältere (1472-1553)
392 Der heilige Christophorus
Farbholzschnitt; 281 x 194 mm; Inv. 11 072
Cranach gilt erwiesenermaßen als Erfinder des sogenannten ›Clair-Obsur‹, des farbig gedruckten Holzschnittes. Es hatte fast eines Jahrhunderts bedurft, die Kunst des gedruckten Bildes gegen die farbige Miniatur und den kolorierten Einblattholzschnitt als Schwarz-Weißkunst durchzusetzen. Wenn Cranach und unmittelbar darauf die Augsburger Künstler des Kreises um Kaiser Maximilian den Farbdruck anstrebten, so bezeichnet dies, daß der Höhepunkt der Entwicklung ›altdeutscher‹ Graphik damals schon überschritten war. Cranach, seit 1505 Hofkünstler bei Kurfürst Friedrich dem Weisen in Wittenberg, hat wie niemand anders die Gestalten und Ereignisse der Reformation festgehalten. Sch

392

Wolf Huber (um 1490-1553)
393 Stehender männlicher Akt in Landschaft um 1512
Feder in Schwarz und Weiß auf blau-grün präpariertem Papier, Pinsel in Grau; 229 x 161 mm; Inv. 1953/56
Ein nackter Mann, der das Bewußtsein seiner Existenz mit argwöhnischem Ausdruck und halb gespreizter, halb verlegener Geste zur Schau stellt. Er und die Landschaft um ihn herum sind blitzartig beleuchtet. Wolf Hubers Kunst gehört der ›Donauschule‹ an, die ausdrucksbetonte Figuren in oft phantastisch weiten und ausführlichen Landschaften vorstellt. Obwohl dieses Blatt in Hubers künstlerischen Anfänge gehört, schließt gerade die technisch brillante Ausführung und der mit Hell-Dunkelwirkung realisierte ekstatische Ausdruck eine gewisse Schematisierung ein. So ließen sich seine Vorlagen in wirkungsvolle doch stereotype Holzschnitte umsetzen. Seiner religiösen Tafelmalerei kamen diese Eigenschaften am meisten zugute. Sie ist Ausdruck der Massenbewegungen ihrer Zeit. Sch

393

Albrecht Dürer (1471-1528)
394 Die Entführung auf dem Einhorn
1516
Eisenradierung; 308x213 mm; Inv. 10633
Kurz nachdem Dürer in einer Phase vorwiegend graphischer Arbeiten seine drei Meisterwerke des Kupferstiches geschaffen hatte (1513/14), versuchte er sich in der Radierung (5 Blätter 1515-18). Wenige Jahre zuvor hatten Daniel Hopfer und seine Söhne, angeregt durch die Ornamentätzung auf Waffen, die ersten Bilddrucke von geätzten Eisenplatten genommen. Dürer eignete sich diese neue, die Überwindung des Metallwiderstandes umgehende Technik an, indem er die Radiernadel mit der Leichtigkeit der Zeichenfeder handhabte. Einer eindeutig literarischen Erklärung widersetzt sich die Darstellung dieses Blattes. Ob Pluto und Proserpina oder Nessus und Dejanira, die bildnerische Phantasie ist stärker als ikonographische Vorbilder. Sch

394

Cristofano Robetta (1462- nach 1522)
395 Allegorie auf die Macht der Liebe
Kupferstich; 308x282 mm; Signiert auf der Tafel im Baum: Robeta; Inv. 157
Die 44 Kupferstiche Robettas sind die Arbeiten eines Goldschmiedes. Unprofessionelle Zeichnung und mangelnde Konsequenz und Systematik in der Führung des Grabstichels sind die geltenden Vorwürfe gegen sein gestochenes Werk. Auch nahm Robetta nicht nur Anregungen von älteren wie jüngeren Malern seiner Epoche auf (Pollaiuolo, Filippino Lippi, Perugino, Pintoricchio), sondern benutzte in weitem Maße deutsche und niederländische Vorbilder des Kupferstiches, allen voran Dürer. Trotz allem liegt über seinem Werk der Zauber einer Kultur, die Selbstbewußtsein naiv zur Schau zu stellen vermag. Florentiner Mädchen und Jünglinge sind hier kaum mehr einer mythologisierenden Deutung empfohlen als durch die dreifache Beifügung Amors, der einmal seine Pfeile zum Wurf erhebt, das andere Mal fesselt und schließlich am rechten Rande mit dem glücklichen Paare einig ist. Sch

395

Marcantonio Raimondi (1480-1527/34)
396 Adam und Eva
Kupferstich; 241x175 mm; Inv. 290
Marcantonio Raimondis graphisches Werk ist so etwas wie eine zeitgenössische Bilddokumentation der Entwicklung der Hochrenaissance. Im bolognesischen Atelier des Malers, Goldschmiedes und Stechers Francesco Francia ausgebildet, reicht seine Entwicklung in Kompositions- und Stechstil vom späten Quattrocento bis zu Raffael. Seine Bedeutung beruht darin, daß hier zum ersten Mal ein überragender Stecher vor allem *ein* epochemachendes Werk – nämlich das von Raffael – verbreitete, ähnlich wie später Rubens und Watteau durch die Graphik zum Vorbild ihrer Generationen wurden. Dabei verfuhr Marcanton nicht wie die Reproduktionsstecher neuerer Zeit. Raffaels Gemäldevorzeichnungen, die ihm häufig als Vorlage dienten, enthüllten nachweislich nicht immer die letzte Redaktion der Komposition. Darüberhinaus pflegte er Raffaels Entwürfen oft nur die Elemente zu entnehmen, die seiner Vorstellung entsprachen. Sch

396

Sandro Botticelli (1444/45-1510)
397 Studie an einem weiblichen Modell
Silberstift auf rötlich präpariertem Papier; 160x110mm; Inv. 21 357
Obwohl die Kritik sich seit über 60 Jahren mit diesem Blatt beschäftigt, konnte man sich bisher weder über das Geschlecht der Dargestellten noch über die vermutliche Funktion der Zeichnung verständigen. Die einen erinnerte die Haltung des Modells an die der ›Verlassenen‹ in dem mittlerweile als ›Trauer des Mardochai‹ gedeuteten Gemälde der Galleria Pallavicini in Rom. Andere verbanden es mit dem ekstatischen Figurenstil der Spätzeit Botticellis und fanden Vergleiche mit den Berliner Zeichnungen zur ›Göttlichen Komödie‹. Im Unterschied zu den übrigen Zeichnungen Botticellis handelt es sich hier offenbar um eine Aktstudie, die ohne den Zwang, Vorlage für eine Gestalt in anderer Materie zu sein, natürlichen, wenn auch etwas unbequemen Bewegungen des Körpers nachgeht. Sch

397

Raffael (1483-1520)
398 Kopf eines Cherubim
Schwarze Kreide und Kohle auf hellbraunem Papier; 300x235 mm; Inv. 21 592
Schon im Mittelalter wurden die Cherubim als die mit Menschenkopf versehenen göttlichen Mächte der Kraft (auf einem Stierleib) und der Geschwindigkeit (über Flügeln) dargestellt. Später erschienen sie als Glorиolen aus Kinderköpfen über dem göttlichen Geschehen. Auch Raffael hat mit geflügelten kindlichen Wesen einige seiner Altarbilder eingefaßt, wenngleich hier die Luftperspektive eine sehr verschwommene Erscheinung verursachte. Gleichwohl nutzte er die Unabhängigkeit von einem Modell sowie die Möglichkeit, hier einen ›idealen‹

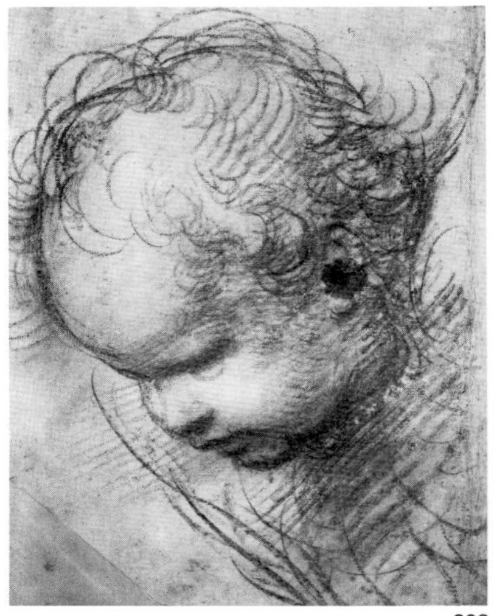

398

Kopf darstellen zu können zu einem so plastischen Erscheinungsbild, daß die fortschrittlichsten Maler seiner Zeit ihn darum hätten beneiden können. Geradezu kalligraphisch wirkt auch der vorwiegend aus Rundungen bestehende Duktus der Kreide. Sch

Jacopo Pontormo (1494-1557)
399 Allegorie der Weisheit
Schwarze und weiße Kreiden; 353x262 mm; Inv. 21 173
Eine schöne Frau streckt sich aus der Fülle eines fallenden Gewandes empor. Ihre Linke hält einen Spiegel umfaßt. So sollte sie eine Allegorie der Weisheit personifizieren, die neben anderen Tugenden auf dem Deckengemälde einer Loggia in der Villa Medici zu Careggi bei Florenz erscheinen würde. Neben der ›Weisheit‹ haben ähnliche Personifikationen den Reichtum, die Gerechtigkeit, Sieg, Frieden

399

400

und Ruhm verkörpert. Diese 1536 entstandenen Freskomalereien haben kaum eine Generation überdauert und waren im Auftrag von Herzog Alessandro Medici (1511-37) entstanden. Doch hat Allessandro Medici die neu geschmückte Loggia kaum genießen können: als er sich auf das Angebot einer Nacht bei seiner schönen Cousine Laudomia einließ, fand er statt ihrer seinen Vetter Lorenzino, der ihn erdolchte. Sch

Polidoro da Caravaggio (um 1500-1543)
400 Die Auferweckung des Lazarus
Pinsel in brauner Tusche über schwarzer Kreide auf braun präpariertem Papier, Weißhöhungen; 205 x 286 mm; Inv. 21 446
Zu den Leistungen der italienischen Hochrenaissance gehört gelegentlich die Darstellung einer fast autonomen Landschaft. Um ein Geschehen authentisch darzustellen, hatten bislang wirklichkeitsnahe Hintergründe genügt. Die Venezianer Tizian und Giorgione sowie der Sienese Peruzzi hatten dagegen Landschaft zu einem Gegenstand ganz eigener poetischer Reize gemacht. Als Polidoro zwei Jahrzehnte später Szenen aus dem Leben der Heiligen Magdalena und Katherina von Siena malt, findet das Bildgeschehen in zwei überwältigend monumentalen Landschaftskompositionen statt, die an antiken Landschaftsmalereien geschult zu sein scheinen. Sch

Francesco Parmigianino (1503-1540)
401 Hirtenidyll
Federzeichnung; 203 x 153 mm; Inv. 21 267
»Es regt der Greis zum schmeichelnd Spiel der Flöte an und süße Zier entflammt den Jüngling, Lorbeerkrone!« Mit diesem Motto unterschrieb Lucas Vorstermann (1595-1675) den Stich, mit dem er diese Zeichnung reproduzierte. Die Gestalten des alten wie des jugendlichen Hirten erinnern an Vergils 1. Ekloge, wo der Alte den Jungen überzeugt, die heimischen zugunsten fremder Weidegründe nicht aufzugeben. Alters- und Reifeunterschied der Hirten stellte Parmigianino heraus auch um seiner Zeichnung einen moralisierenden Sinn zu geben: der weise Greis hält dem Jüngling die Krone der Tugend vor Augen und läßt ihn danach greifen. Der Lohn dafür ist der Lorbeerkranz. Der manieristische Maler Parmigianino gab seinen Gestalten klassische Proportionen und stattete sie mit dem Tugend-Ideal (virtus) der Renaissance aus. Sch

401

402

Pellegrino Tibaldi (1527-1596)
402 Polyphem
Zeichnung mit schwarzer Kreide;
445x312 mm; Inv. 21 297
Eine Kreuzung zwischen dem Weltenrichter Christus in Michelangelos Jüngstem Gericht und Batman erscheint dieser rohe Kerl. Er dürfte am Modell gezeichnet worden sein und ist die bis in Einzelheiten übereinstimmende Vorzeichnung zu dem Zyklopen in Tibaldis Deckenfresko, in dem der geblendete Riese unter den aus seiner Höhle hinausziehenden Schafen Odysseus und seine Gefährten aufzuspüren sucht. Der nach unten ausgestreckte linke Arm tastet die Felle der Schafe ab. Das Fresko befindet sich als eines von insgesamt neun Deckenfresken im zweiten der beiden mit Darstellungen aus der Geschichte des Odysseus geschmückten Sälen im ehemaligen Palazzo Poggi, Bologna. Tibaldi hatte diese Dekorationen 1554-56 für die Familie seines römischen Gönners, des Kardinals Poggi, gemalt. Sie sind ein Hauptwerk des Manierismus in Norditalien, und diese Zeichnung verbindet sich ihnen als Studie. Sch

Federico Zuccari (1540-1609)
403 Die Verleumdung des Apelles
Lavierte Federzeichnung in Braun;
400x537 mm; Inv. 21 516
Als Federico Zuccari die Ausmalung der Florentiner Domkuppel 1579 vollendet hatte, spottete man, sie sähe wie ein Waschkessel von innen aus. Daraufhin zeichnete Zuccari eine ›Klage der Malerei‹, die als Anklage und Rechtfertigung im Kupferstich veröffentlicht wurde. Auch diese Zeichnung, Vorlage zu einem 1572 veröffentlichten Stich von C. Cort, ist das allegorische Bild der cholerischen Klage des Künstlers. Dabei bediente er sich der bei Lukian überlieferten Begebenheit aus dem Leben des griechischen Malers Apelles (tätig 2.-4. Jh. vor Chr.). Mit einem Auftrag für König Ptolemäus an dessen Hof in Alexandria weilend, hatte Eifersucht die heimischen Künstler verleitet, Apelles der Verschwörung gegen den König zu zeihen. Apelles konnte seine Unschuld beweisen und malte ein figurenreiches, in der Beschreibung überliefertes Bild. Zuccari hat es mit gewissen Abweichungen nachgestaltet: Die Verleumdung hat den Künstler erfaßt, der in Begleitung Merkurs und der Wahrheit auftritt. Ein unwissender tyrannischer Richter mit Eselsohren, hinter dem zwei Frauengestalten Dummheit und Verdacht verkörpern, kann von Minerva nicht an seiner Rache gehindert werden, die dem Verleumdeten droht. Der Sklave links gibt ein Bild davon. Sch

403

Dirk Vellert (nachweisbar 1511-1544)
404 Moses schlägt Wasser aus dem Felsen
Federzeichnung in brauner Tinte und grauer Lavierung; 283 mm Durchmesser; Inv. 22546
Als Zeichner, Kupferstecher, Formschneider aber vor allem als Glasmaler wirkte Vellert in Antwerpen, der zu Anfang des 16. Jahrhunderts rasch erblühten Kunstmetropole der Niederlande. Dürer begab sich 1520/21 auf seiner letzten großen Reise für fast ein Jahr dorthin, und Vellert, wiederholt Dekan der Lukasgilde, gab ein Gastmahl zu seinen Ehren in Gesellschaft vieler Notabeln. Diese Zeichnung ist einer von vier Entwürfen zu Glasfenstern mit der Geschichte des Moses. Sch

404

405

Lucas van Leyden (1494-1533)
405 Adam und Eva
Kreidezeichnung; 282 x 195 mm; Inv. 22108
Darstellungen von Adam und Eva als Mann und Frau prägen das Bild der Renaissance im Norden. Es bedeutete die Überwindung des mittelalterlichen Verzichtes auf Körperlichkeit. Dürer hatte mit seinem Kupferstich ›Adam und Eva‹ 1504 eine neue Norm der Vergegenwärtigung des menschlichen Körpers sowie die Grundlagen seiner Proportionslehre geschaffen. Vor dem ikonographischen und theoretischen Ernst Dürers wirken die acht Adam und Eva-Darstellungen des Lucas van Leyden von ebenso eindringlicher wie spielerischer Beobachtung. Nur eine dieser Darstellungen ist eine Zeichnung: dieses Blatt nämlich. Sch

Hendrick Goltzius (1558-1617)
406 Die Gefährten des Kadmus von einem Drachen überfallen
Braun lavierte Federzeichnung mit Weißhöhungen; 167 x 225 mm; Inv. 1926/227
Goltzius zeichnete dieses Blatt sowie 51 weitere Darstellungen mit Geschichten aus Ovids Metamorphosen. Er, der mit einem Œuvre von fast 400 Holzschnitten, Kupferstichen und Radierungen zu den bedeutendsten Maler-Stechern der niederländischen Kunstgeschichte zählt, ließ diese wie die übrigen 51 Zeichnungen von Schülern stechen. Andererseits hat Goltzius immer wieder nach fremden Vorlagen Graphik geschaffen. Perioden der Zeichnung und Perioden der Graphik wechselten einander ab. In dem Bewußtsein, die Kunst seines Landes den neuesten Strömungen zu erschließen, entstand diese Kadmus-Darstellung unter dem Einfluß der spätmanieristischen Schulen B. Sprangers und F. Zuccaris. Ihre farbige Gestaltung geschah mit dem Geschmack für den Clair-Obscur-Holzschnitt, den Goltzius in die Kunst seines Landes einführte. Sch

406

407

Cornelius Massys (vor 1508- nach 1557)
407 Landschaft
Federzeichnung auf blauem Papier; 187x280 mm; Inv. 22358
Zwischen Joachim Patenir (1475/80-1524) und Pieter Brueghel (1525-69), dem Begründer und dem Vollender der Landschaftsdarstellung in der frühen niederländischen Malerei, malte und zeichnete Cornelis, Sohn des berühmten Quentin Massys, seine berühmten ›Weltlandschaften‹. Wenngleich er den Übergang vom Vordergrund zum Mittelgrund allzu abrupt geschehen ließ, zeigen seine Bilder doch ein Ungeteiltes, Ganzes: Die Gegensätze von Wasser und Land, Gebirge und Ebene, von Unbebautem und Stadt sind hier ohne den Zwang einer Perspektive vereint. Sch

Pieter Brueghel (1525-1569)
408 Der Sommer 1568
Federzeichnung; 220x286 mm; Inv. 21758
Pieter Brueghel war der erste bedeutende niederländische Maler, der Zeichnungen für Stecher anfertigte, so daß sein für die Öffentlichkeit bestimmtes Werk aus Gemälden und gestochenen Bildern besteht. Ein Unbekannter stach diese Zeichnung etwa 1570 in einer Reihe der Vier Jahreszeiten. Brueghels Beobachtung des Volkslebens und der Landschaft war der Anfang einer Entwicklung, die die Malerei und Zeichnung im 17. Jahrhundert in verschiedene Fachgebiete spaltete. So eingehend er nach dem Leben zeichnete, seine Gestalten gehören noch ständischen Ordnungen an, seine gestochenen Bilder und ihre Vorzeichnungen treten zyklisch auf oder folgen dem kollektiven Bewußtsein von Sprichwörtern bzw. der Hl. Schrift. Sch

408

409

David Vinckeboons (1576-1629)
409 Simson zerreißt den Löwen 1608
Blau lavierte Federzeichnung; 175 x 226 mm; Inv. 22 647
Vorzeichnung zu einem zeitgenössischen Stich von P. Serwouters. Die Geschichte des alttestamentlichen Simson ist hier in eine nördliche Waldlandschaft verlegt, und Simson erinnert an einen Landmann. Roemer Visscher brachte in seinem Emblembuch der ›Sinnepoppen‹ (Amsterdam 1614), einer moralisierenden Sammlung bebilderter Devisen, ebenfalls den Mann, der sich hier allerdings mit dem Schwert über einen Löwen stürzt. Die Devise dazu lautet ›ehrgeizige Unbedachtsamkeit‹. Ohne Zweifel hat auch Vinckeboons hier nicht den vom Geist Jahwes beseelten Helden, sondern das Beispiel eines Aufschneiders darstellen wollen. Sch

Hendrick Avercamp (1585-1634)
410 Wahrsagende Zigeuner
Aquarellierte Federzeichnung; 179 x 260 mm; Inv. 21 647
Archivaufzeichnungen von Kampen, dem Geburts- und lebenslangen Wohnort Avercamps, halten für die Jahre 1617 und 1625 fest, daß man ›einige Heiden‹, die am ›Schwarzen Deich‹ kampierten, verjagt habe. Avercamp, genannt ›der Stumme von Kampen‹, gehört zur ersten Generation einer von thematischer Eingrenzung befreiten Kunst, die sich zudem typisch holländischer Landschaften sowie des Alltagslebens annimmt. Doch auch diese Einstellung bewahrte Kampen nicht davor, im Alltag das Herausfallende, Kuriose, Interessante zu suchen. Die »zierliche Schärfe und reinliche Heiterkeit« (M.J. Friedländer) seiner Beobachtung stellt ihn an die Spitze jener ersten unverwechselbar holländischen Generation von Malern, Zeichnern und Radierern. Sch

410

411

Willem Buytewech (1591-1624)
411 Edelmann
Braun lavierte Federzeichnung;
155x75 mm; Inv. 21777
Buytewech ging als der ›witzige Willem‹ in die Kunstgeschichte ein. Der ersten Generation einer spezifisch holländischen Künstlerschaft angehörend, gilt er als der Begründer des Bildtypus ›Innenraum mit fröhlicher Gesellschaft‹. Außer ihm hat nur Frans Hals die ausgelassenen Stimmungen einer jungen Generation so ausgedrückt wie er. Dabei galt seine Beobachtung ebenso der Landschaft wie den Speisen und Trachten der nördlichen Niederlande. So radierte er sieben Modegecken in national unterschiedlichen Kostümen und charakterisierte die jungen Leute seiner Zeit in Haltung, Aufmachung und Ausdruck zwischen Hanswurst und Stutzer. Sch

412

Roelant Savery (1576/78-1639)
412 Felsen
Kreide- und Pastellzeichnung;
443x346 mm; Inv. 22488
In Flandern geboren und durch den achtzigjährigen Krieg nach Holland verschlagen, kam Savery in die Dienste Kaiser Rudolfs II. (1576-1612) nach Prag, von wo aus er sich 1606-08 in die tirolischen Alpen begab. Dem Kunstinteresse des Kaisers zu entsprechen, bedeutete nicht nur, dessen Sinn für die Geschmacksverfeinerungen der Spätrenaissance zu teilen, sondern in allen Äußerungen der Natur seltene Abbildungen und Mutationen zu suchen. So stehen Saverys Felsstudien in der Kunst jener Zeit vereinzelt da. Es sind Versuche, die Landschaft unbelebt auf den Prüfstand ihrer physischen Beschaffenheit zu stellen. Sch

413

Adriaen Brouwer (1605/06-1638)
413 Studien
Braun lavierte Feder- und Bleistiftzeichnung;
220x330 mm; Inv. 34130
Flämisch von Geburt und Temperament verbrachte Brouwer einige Jahre im holländischen Haarlem im Kreis von Frans Hals. Wenige Jahre verblieben ihm schließlich im heimischen Antwerpen. Ein Bohèmien avant lettre, schilderte er das Leben der Bauern und kleinen Leute bei Trunk, Kartenspiel oder dem Bader. Einer koloristischen Begabung, die dem Vergleich mit Rubens und van Dyck standhält, entspricht sein zeichnerischer Genius. Seine Zeichnungen sind spontane Skizzen von der Sicherheit und dem Abstraktionsvermögen eines van Dyck. Sch

414

Jan van Goyen (1596-1656)
414 Landschaft mit Dorf und Kirche 1649
Lavierte Kreidezeichnung; 169 x 273 mm; Inv. 21 988
Eine Reisegesellschaft auf einem Fuhrwerk hat zur Tränkung der Pferde bei einem Dorf Halt gemacht. In ganzer Bildbreite führt der Fahrweg am unteren Rand vorbei. Van Goyen gehört als holländischer Landschaftsmaler des 17. Jahrhunderts bereits einer zweiten Generation von Künstlern an, die nicht mehr so sehr das Typische in klarer Erscheinungsweise darstellen wollen, sondern dem selbständigen Ausdruck von Pinsel und Stift den Vorrang geben. Auf diese Weise entsteht ein ›atmosphärisches‹ Bild holländischer Landschaft. Sch

Jacob van Ruisdael (1628-1682)
415 Blick in den Hof des Hauses der St. Sebastiansschützengilde am Singel in Amsterdam
Lavierte Kreidezeichnung; 226 x 216 mm; Inv. 22 467
Nach 1670 zeichnete Ruisdael aus den rückwärtigen Fenstern eines Hauses in der Handboogstraat diesen Hof, der hinter dem Schützenhaus und einem Artilleriemagazin lag. Ruisdael stellte nicht nur Wälder und Wasserfälle dar, sondern fand ein ähnliches Interesse an der unregelmäßigen Anlage einer geschichtlich gewachsenen Stadt, aus der er hier einen für das Ganze typischen Winkel festhielt. Als ›schilderachtig‹ (der Malerei würdig) galten so reich gegliederte Ansichten wie dieser Blick in den Schützenhof. Sch

415

Pieter Jansz Saenredam (1597-1665)
416 Inneres der St. Janskerk in Utrecht 1636
Aquarell und Federzeichnung; 384 x 495 mm; Inv. 22 485
Niemand anders als Saenredam vermochte die aller Bilder beraubten Kirchen des neuen calvinistischen Bekenntnisses in seinem Lande so illusionslos darzustellen. Die Nüchternheit seiner Bilder ist voller Poesie, was einen hohen dokumentarischen Wert dann nicht ausschließt, wenn es sich um mittlerweile veränderte oder gar verschwundene Architekturen handelt. Saenredam verwandte dieses Aquarell etwa 3 Jahrzehnte später als Vorlage zu einem Gemälde (heute in Rotterdam), das er kurz vor einer durchgreifenden Veränderung der Kirche 1658 malte. Sch

416

417

Rembrandt van Rijn (1606-1669)
417 Christus am Ölberg
Rohrfeder- und Pinselzeichnung, stellenweise mit Deckweiß; 184x301 mm; Inv. 22413
Die Mittel von Rohrfeder und Pinsel allein genügten Rembrandt, um die unterschiedlichsten graphischen Strukturen einer von Helldunkelkontrasten geprägten Komposition festzulegen. Auch das mit dem Engel von links oben hereinbrechende Licht wird durch starke Rohrfederzüge eingrenzend betont. Vor Christus und dem tröstenden Engel ist der Kelch skizziert als Metapher auf die bevorstehende Passion und den Opfertod, gegen den Christus sich noch sträubt. Rembrandt legte diese und eine zweite Zeichnung in Dresden einer kleinen hochformatigen Radierung zugrunde, die zwischen 1652 und 1660 entstanden sein muß. Sch

418

Rembrandt van Rijn (1606-1669)
418 Der Hl. Hieronymus bei der Lektüre
Lavierte Rohrfederzeichnung; 250x207 mm; Inv. 22414
Offenbar in einer italienischen Landschaft hat Rembrandt den lesenden Hieronymus dargestellt. Er, der auf die Frage, warum er Italien nicht besuchen wolle, antwortete, er habe keine Zeit und es gäbe genügend italienische Bilder in Holland, konnte seine Vorstellungen von südlicher Landschaft aus alten und neuen bildlichen und literarischen Quellen speisen. Die südliche Landschaft schließlich bot für eine Hieronymus-Darstellung die Geborgenheit, die im Norden nur das schützende Haus hatte. Rembrandt fertigte nach dieser Zeichnung 1652 eine Radierung. Sch

419

Aert van der Neer (1603/04-1677)
419 Regennasse Landschaft im Mondlicht
Pinsel in brauner und grauer Tusche, Pastell und weiße Kreide; 202x315 mm; Inv. 22228
Obgleich man vergeblich versuchen würde, seine Landschaften zu lokalisieren, habe van der Neer nie ›unholländische oder naturwidrige Motive‹ gemalt, bemerkte noch 1918 Hofstede de Groot. Aert van der Neers Mondschein- und Winterlandschaften ebenso wie seine Feuersbrünste zeigen die holländische Natur allerdings unter den Bedingungen erleuchteter Dunkelheit wie belebter Winterstarre. Neben Hunderten von Gemälden lassen sich nur 10 Handzeichnungen für Aert sichern. Dieses Blatt gehört zu den typischsten holländischen Zeichnungen des 17 Jahrhunderts.
Sch

420

Rembrandt van Rijn (1606-1669)
420 Christus wird dem Volke gezeigt 1655
Kaltnadelstich; 358x455 mm; Inv. 6192
Rembrandt hat seine Radierungen ohne Vorlage und kommerziellen Drucker in der ihm eigenen Fruchtbarkeit und Kreativität geschaffen. An den ›Drei Kreuzen‹ (1653-60) ebenso wie an diesem Blatt hat er während verschiedener Etappen gearbeitet, wobei seine Überarbeitungen Veränderungen zustandebrachten, die das ursprüngliche Bild weitgehend widerriefen. Hier hat er anstelle einer Zuschauermenge vor der Tribüne diese mit zwei Bogen versehen, hinter denen sich dumpfe Gewölbe verbergen. Auch die Beschneidung der Druckplatte am oberen Rand verstärkt die Wirkung von bedrückender Gewalt. Sch

Hercules Segers (1589/90-1638)
421 Das von Bergen eingeschlossene Tal
Weichgrundradierung in Schwarz auf Leinen, Deck- und Wasserfarben; 108x194 mm; Inv. 9646
Zu einer Zeit, als Malerei und Graphik immer mehr eine Angelegenheit des Bürgertums und dessen Bedürfnis nach Abbildung des Konkreten wurden, hoben sich Künstler wie Rembrandt und Segers hervor, für die Gestaltung ein Experiment bedeutete. Segers machte dabei die Landschaft zu seinem eigentlichen Thema. Die 183 erhaltenen Drucke von insgesamt 54 bekannten Platten sind z. T. auf Stoff gedruckt und nachträglich koloriert. Keiner der Drucke ist identisch mit einem anderen.
Sch

421

422

Anton van Dyck (1599-1641)
422 Die Gefangennahme Christi
Schwarze Kreide, weiße und rote Kreiden auf braunem Papier, mit der Feder in brauner Tinte übergangen; 533 x 403 mm; Inv. 21 882
P. P. Rubens hat zwar nicht diese Zeichnung, wohl aber das Gemälde (heute im Prado) über einem Kamin seines Hauses hängen gehabt, für das dieses Blatt die Vorzeichnung ist. Die ›Gefangennahme Christi‹ hat van Dyck während der Zeit, in der er bereits als Meister der Antwerpener Gilde mit Rubens zusammenarbeitete (1618-20), in drei Fassungen gemalt. Die Beobachtung, daß gerade der junge van Dyck seine Gemälde in oft mehreren unterschiedlichen Fassungen ausführte, weil sie als Werke eines Wunderkindes gesucht waren, widerspricht doch nicht der Tatsache, daß kompositionelle Entscheidungen oft auf der Leinwand fielen, die Vorzeichnung also nicht allein maßgebend für die malerische Gestaltung war. Nach mehreren Entwürfen und Studien zeichnete van Dyck dieses Blatt mit Kreidestiften, um die Partien, die er für definitiv hielt, mit der Feder zu übergehen. Die Kombination verschiedener Zeichenmaterialien sowie der ungleichmäßige Grad ihrer Vollendung bestimmen den Ausdruck dieses Blattes. Sch

423

Jan van Huysum (1682-1749)
423 Stilleben
Grau lavierte Kreidezeichnung; 395 x 307 mm; Inv. 1952/91
Jan van Huysum war Landschafts-, vor allem aber Stillebenmaler. Mit ihm erlebt die im 17. Jahrhundert begründete nordniederländische Stillebenkunst einen Höhepunkt, der allerdings zeitlich wie geschmacklich im 18. Jahrhundert liegt. Das dekorative Vermögen eines Zeitalters sammelt sich in diesen Stilleben. Sie wirken mit ihren freien und geistreich andeutenden Linien wie Aphorismen auf eine sich auflösende Bildwelt. Sch

424

Giovanni Benedetto Castiglione (1610-1670)
424 Laban und Rahel
Ölfarbenzeichnung auf weißem Papier; 401 x 577 mm; Inv. 21 155
Castiglione hat als Maler die Szenen aus dem Alten Testament und der antiken Mythologie mit Vorliebe gestaltet, in denen das Hirtenleben beschrieben wird. Als Graphiker charakterisieren ihn zwei Eigenarten. Er zeichnete seine großformatigen Blätter mit Pinsel in Öl und gilt als einer der ersten – wenn nicht der erste – Graphiker, die Monotypien gedruckt haben. In seinen Ölzeichnungen versuchte er, die Malerei der Handzeichnung, mit seinen Monotypien die Einmaligkeit der Zeichnung dem Druck anzunähern. Sch

Claude Lorrain (1600-1682)
425 Landschaft mit Merkur und Apoll als Hirt 1673
Federzeichnung in brauner Tinte, mit grauer Tusche laviert; 193 x 215 mm; Inv. 24 007
Dem liebestrunkenen flöteblasenden Hirten Apoll hat Merkur die Rinder gestohlen und ist dabei, sie zu verstecken (Ovid, Metam. II, 654 ff.). Mißgunst und Eifersucht bestimmen die Götter bei Ovid, doch Claude Lorrain und sein Jahrhundert interessierte daran nur die unverdorbene Natur und unkompromittierte Menschen. Dabei schuf Claude einen Typus der ›klassischen‹ Landschaft, die erstmals den Kategorien des in akademischen Augen Niedrigen und Zufälligen entrissen wurde. Sch

425

426

Bartolomé Murillo (1618-1682)
426 Himmelfahrt Mariens
Braun lavierte Federzeichnung über schwarzer Kreide auf gelblichem Papier; 215x197 mm; Inv. 38570
Wenn Farbe und Zeichnung als Gegensätze seit der Renaissance betrachtet wurden, so kann die Geschichte der Malerei dem nicht widersprechen. Murillo hat als einer der großen Künstler im 17. Jahrhundert, dem Jahrhundert der Malerei, kaum mehr als hundert Zeichnungen hinterlassen, und es gibt keinen Anlaß zu glauben, daß dies nur ein zufälliger Rest aus einem großen Œuvre ist. Der Maler der ›manera vaporosa‹ war wenig festgelegt auf bestimmte zeichnerische Techniken. Neben farbigen Kreiden hat er Feder und Pinsel sowie Kombinationen von beidem eingesetzt. Eine der eigenartigsten der im Hamburger Kupferstichkabinett bewahrten Murillo-Zeichnungen ist denn auch diese Studie, die ein Bild barokken Formverständnisses entwirft, mit ihren wellig verlaufenden Konturen und den lavierten kleinen und großen Schattenpartien. Sch

Giovanni Battista Caracciolo (1570-1637)
427 Kinderkopf
Federzeichnung; 223x172 mm; Inv. 21142
Caracciolos Kunst entfaltete sich in Neapel unter dem Einfluß Michelangelo da Caravaggios, der bei einem halbjährigen Aufenthalt in Neapel 1606/07 mit sechs Kirchenbildern der neapolitanischen Malerei den Weg ins 17. Jahrhundert gewiesen hatte. Sein einsiedlerischer Charakter und seine Bewunderung der Werke der Carracci müssen Carracciolo zu einem eifrigen Zeichner gemacht haben. Sein Biograph De Dominici berichtet von einem Band sorgfältig eingeklebter Zeichnungen nach der Galerie Farnese in Rom. Allerdings haben sich nur wenige seiner Zeichnungen erhalten. Charakteristisch erscheint hier die exakte Beobachtung von Licht und Schatten, die, zudem mit der Feder vorgetragen, an die Radierversuche des Künstlers erinnert. Sch

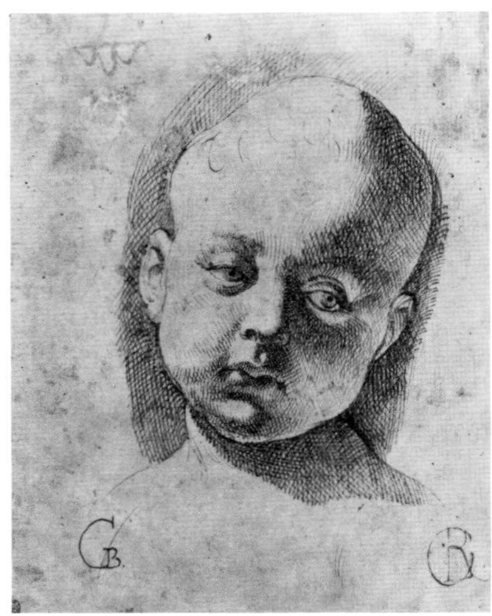

427

428

Carlo Dolci (1616-1686)
428 Heiliger in der Glorie
Zeichnung mit schwarzen und roten Kreiden; 402x284 mm; Inv. 21185
Carlo Dolcis zeichnerisches Werk besteht vor allem aus Studienblättern, die in roten und schwarzen Kreiden auf meist farbigen Papieren durchgeführt sind. Im Allgemeinen zeigen sie einen ungewöhnlich hohen Grad der Ausführung. Dies läßt nicht nur auf des Künstlers Arbeitsweise schließen, sondern sie auch in Analogie sehen mit einer künstlerischen Auffassung, die dem Ausdruck des Gefälligen, leicht zu Begreifenden den Vorzug vor barockem Pathos gibt. Dolcis Gestalten sind naiv und bewegen sich in unkomplizierten Bildkompositionen. Gelegentlich könnten sie nazarenischen Bildern entsprungen sein. Sch

Federico Barocci (1526-1612)
429 Die Heilige Lucia
Schwarze Kreidezeichnung auf grün-grauem Papier; 400 x 258 mm; Inv. 21 055
Nach 1588 entwarf Barocci ein Altarbild für die Kapelle der Familie Danzetta in S. Agostino in Perugia gleichzeitig mit einer Rosenkranzmadonna für eine religiöse Bruderschaft in Senigallia. Die Ausführung des Bildes in Perugia, das sich heute im Louvre befindet, überließ er allerdings seinem Neffen Francesco. Dieser hielt sich an die Figurenstudien seines Onkels und setzte sie zu einem Bild mit der ›Madonna und Heiligen‹ zusammen. Barocci griff bei diesem Entwurf zur Lucia auf den Engel in einer ›Verkündigung‹ zurück, die er wenige Jahre zuvor für die Kapelle des Herzogs von Urbino in der Wallfahrtskirche von Loreto gemalt hatte. Etwa tausend Figuren- und Gewandstudien haben sich von Barocci erhalten. Sie zeugen von einer Beobachtung der Natur während des naturfeindlichen Manierismus. Barocci war ein Vorläufer der die Natur als oberstes Gesetz erkennenden Richtungen, die sich erst wieder mit den Carracci durchsetzen sollten. Sch

429

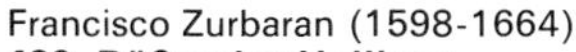

Francisco Zurbaran (1598-1664)
430 Büßender Heiliger
Schwarze Kreide auf weißem Papier; 170 x 107 mm; Inv. 38 647
Zehn Kreidezeichnungen auf weißen bzw. blau präparierten Papieren mit Heiligendarstellungen jeweils als Einzelfigur wurden seit ihrer Erwerbung im Jahre 1891 mit mehr oder weniger Überzeugungskraft Zurbaran zugeschrieben. Neben zwei weiteren Blättern in anderen Sammlungen sind sie die einzigen Zeichnungen, die den Anspruch erheben, von der Hand des großen Malers zu stammen. Im Streit und Zweifel über die Zuschreibung vergaß man leicht, die nüchterne und doch so sensible Zeichnung dieser ikonenhaften Bilder zu beachten, die doch den ganzen Charakter von Modellstudien haben und den ikonographischen Geboten des Tridentiner Konzils in geradezu veristischer Form folgen. Sch

430

Juan Valdés Leal (1622-1690)
431 Das Haupt Johannes d. Täufers auf einer Schüssel
Kreidezeichnung; 163 x 230 mm; Inv. 38 620
Valdés Leals Kunst ist der Murillos thematisch wie stilistisch eng verwandt und teilt mit ihr die ›sanften und lieblichen‹ Züge der Schule von Sevilla. Das Haupt Johannes des Täufers hat Valdés mehrfach, unter anderem in einem Einzelbild des Hochaltars der Karmelitenkirche von Córdoba, gemalt, Opfer und mystischer Gegenstand der Verehrung zugleich. Wie Murillo hat Valdés als ›malerischer Maler‹ zeichnerische Mittel in einer eminent malerischen Weise eingesetzt, indem er den weichen Kreidestrich trotz Einfarbigkeit zur Bestimmung von Ton- bzw. Helldunkelwerten benutzte. Das hielt ihn auch nicht davon ab, das skizzierte Johannesbild mit Kreuzesstab, Geißel und dem Schlachtmesser ikonographisch vollständig zu machen. Sch

431

Wolfgang Heimbach (um 1615- nach 1678)
432 Beim Briefschreiben
Federzeichnung; 181 x 127 mm; Inv. 23390
Selbst eine so bescheidene Kunst wie die des taubstummen Malers aus Oevelgönne in den bremischen Marschen konnte sich im 17. Jahrhundert in Deutschland nicht entwikkeln. So hat Heimbach sich im Kreis der Amsterdamer Maler von Gesellschaftsstücken um Willem Duyster umgesehen und später in Rom von den Licht- und Schatteneffekten Carravaggios beeindrucken lassen. Auch das Bürgertum, dem seine Kunst angestanden hätte, bot nicht hinreichend Auftraggeber, so daß Heimbach sich in Sold und Gunst der Höfe u. a. von Oldenburg, Florenz und Kopenhagen zu begeben hatte. Die ihm versagten Sinne des Gehörs und der Stimme hat er umso deutlicher seinen Gestalten zu geben versucht, doch eigenartigerweise bleibt es hier leicht beim Gestus eines sprachlosen Ausdrucks. Sch

432

Johann Liss (um 1590-1629)
433 Streitende Gobbi-Musikanten 1621
Feder in Braun, braun und grau laviert; 96 x 130 mm; Inv. 23507
Dies ist ein Stammbuchblatt, auf das der Künstler seine der Commedia dell'Arte entnommene Szene streitender Gobbi (Buckliger) gezeichnet hat. In Holstein geboren, im Haarlem des Frans Hals ausgebildet und in Rom mit den Weihen der neuen Barockmalerei versehen, schuf Liss als der neben Elsheimer bedeutendste deutsche Maler des 17. Jahrhunderts in einem knappen Jahrzehnt sein bedeutendes kleines Œuvre in Venedig. Deutschland konnte einem Maler ersten Ranges damals weder Vorbilder noch ein Wirkungsfeld bieten. Die Thematik der Satire fand Liss damals unter den Malern Italiens weit verbreitet, so etwa im Kreise der Carracci in Bologna wie auch bei dem Lothringer Jaques Callot, der damals am Hofe der Mediceer in Florenz wirkte. Sch

433

Matthias Scheits
(um 1625/30- um 1700)
434 Der Satyr beim Bauern
Federzeichnung, braun laviert; 190 x 262 mm; Inv. 30717
Aesops Fabel berichtet über den halb erfrorenen Satyrn, der von einem Bauern aufgenommen und mit gekochten Speisen bewirtet wird. Als der Satyr entdeckt, wie der Bauer die heiße Suppe kalt pusten muß, um sie zu genießen, wendet er sich von den Menschen als doppelzüngigen Wesen ab. Diese Beschreibung des Menschen und des Satyrs diente seit der Renaissance als inhaltliche Vorlage für Werke der bildenden Kunst und wurde von der Emblematik mit Eifer ergriffen, allerdings immer gegen den zivilisierten Menschen. Malern gab es Anlaß, Interieurs mit Speisenden zu schildern, wobei dem heutigen Betrachter der Unterschied zwischen den tafelnden Menschen und dem animalischen Satyr gering erscheint. Voller Spontanität und mit sicherem Zugriff schilderte der Hamburger Matthias Scheits die Bauernfamilie, die eher an flämische denn an holländische Vorbilder denken läßt. Sch

434

Honoré Fragonard (1732-1806)
435 L'Armoire oder: Der überraschte Liebhaber
Pinselzeichnung in sepiafarbener Tusche;
340 x 465 mm; Inv. 24005
Fragonards erotische Kunst ist nicht Satire, sondern Zeugnis subtiler ästhetischer Empfindung. Die Deutung seiner Bilder ist nicht wie bei Daumier vorweggenommen, sondern dem Betrachter überlassen, der seine Sympathien oder Antipathien hier dem beschämten Mädchen, dem entdeckten Liebhaber oder den erzürnten Eltern geben kann. Wie immer bei Fragonard ist das dargestellte Ereignis auf seinem Höhepunkt dargestellt, was nicht allein durch die Bewegung der Figuren, sondern auch in der Disposition des Bildaufbaus angedeutet wird. Fragonard schuf diese und eine ähnliche Zeichnung als Entwürfe für eine 1778 erschienene eigenhändige Radierung, die in ein aus nur zehn Motiven bestehendes druckgraphisches Œuvre des Künstlers gehört.
Sch

435

François Boucher (1703-1770)
436 Der Weidenbaum
Schwarze und weiße Kreiden auf ehemals blauem Papier;
327 x 442 mm; Inv. 1951/219.
»Alles hat dieser Mensch, nur nicht die Wahrheit«, lautete Diderots zeitgenössisches, von der klassizistischen Kunsttheorie geprägtes Urteil über Boucher. So spielte die Natur und mit ihr Landschaft als Inbegriff der ›Wahrheit‹ nicht die Rolle im Schaffen Bouchers, wie die Aufklärung sie wünschte. Studienblätter der Landschaft finden sich selten bei ihm, obwohl und gerade weil seine gemalten Landschaftsszenerien den poetischen Glanz der Idylle an sich haben. Zeichnungen wie diese entstanden denn auch als ›Proben‹ eines um seines romantisch-erotischen Zaubers geliebten Könnens. Sch

436

Jean-Baptiste Greuze (1725-1805)
437 Häuslicher Friede
Zeichnung in schwarzer Kreide, gewischt;
304 x 246 mm;
Inv. 1951/240
1766 zeichnete Greuze dieses Blatt, um es in einer Radierung von J.-M. Moreau reproduzieren zu lassen. Dessen künstlerische Eleganz sollte allerdings nicht darüber hinwegtäuschen, daß Greuze's Absichten, die er mit solchen Darstellungen verband, den idealistischen Moralvorstellungen seiner Zeit entsprachen. Nach Diderot hatten Kunst und Literatur »die Tugend liebenswert, das Laster aber verächtlich« zu machen. Greuze selber galt mit seiner rührseligen Thematik ländlichen Glückes und häuslichen Friedens als »Maler der Moral, der Wohltätigkeit und des Gewissens«.
Sch

437

438

Alessandro Magnasco (1681-1747)
438 Eremit
Zeichnung mit roter Kreide, Tusche und Ölfarbe; 477x360 mm; Inv. 21 552
Mit Magnasco endet die Reihe großer Künstlerpersönlichkeiten der älteren Florentiner Malerei. Niemand anders als der letzte Mediceer auf dem großherzoglichen Thron in Florenz, Gian Gastone (1723-37), hatte eine ausgesprochene Vorliebe für Magnascos exzentrische Thematik in Malerei und Zeichnung, für dessen asketische Eremiten, Zauberer, Zigeuner und Bettler, die in vibrierender Pinsel- und Zeichenschrift dargeboten erscheinen. Das Schlafgemach, in dem der letzte Mediceer seine letzten Jahre verbrachte, soll eher einer Höhle geglichen haben, deren unfrische Gerüche der Fürst dadurch vor Besuchern zu beseitigen suchte, daß er ganze Ladungen frischer Rosen über Böden und Polster ausstreuen ließ. Magnascos dem Rokoko nahes Formverständnis blieb für den weiteren Verlauf des 18. Jahrhunderts in Italien ohne bedeutende Nachfolge. Sch

Giovanni Battista Piranesi (1720-1778)
439 Innenansicht eines Kerkers
Braun getuschte Pinselzeichnung über Rötel; 155x216 mm; Inv. 1915/648
Unter dem Eindruck der römischen Ruinen sowie als Erinnerung an die venezianische Radierkunst der Tiepolo brachte Piranesi, kaum nach Rom gelangt, die 14 Blätter der ›Carceri‹ heraus. Später hat er geäußert, er sei zum Radierer des alten wie des neuen Rom geworden, da seiner Generation eine hinreichende Beschäftigung als Architekten wegen mangelnder Aufträge verwehrt gewesen sei. Diese kleine Zeichnung ist der Entwurf zum 14. Blatt der ›Carceri‹. Sie entwirft einen über Eck gesehenen Irrgarten kolossaler Architektur, deren Ausmaße in ihrer letzten Begrenzung allerdings kaum eingefangen zu sein scheinen. Unter bewußter Ausschaltung rational zu begreifender Strukturen, zeichnete Piranesi Labyrinthe, die einerseits an das seit Bibiena in Mode gekommene ›Bühnenbild über Eck‹ erinnern, andererseits aber von den graphischen Architekturphantasien des Louis Quinze abgeleitet werden. Sch

439

440

Giovanni Battista Piranesi (1720-1778)
440 Maskierte vor einer Puppenbühne
Lavierte Federzeichnung über schwarzer Kreide; 258x183 mm; Inv. 1915/638
Maskiert ging man in Venedig während des 18. Jahrhunderts nicht nur zu Festen und beim Karneval. Um diese Atmosphäre des Scheins vollständig zu machen, läßt Piranesi seine Kostümierten vor einer Puppenbühne erscheinen, die allerdings kaum Beachtung findet. Die wenig identifizierbaren Gestalten bieten sich vorwiegend vom Rücken dar und sind völlig miteinander beschäftigt. Eine solche Darstellung steht der Karikatur nahe, die gerade im venezianischen Kreis der Tiepolo eine verbreitete Kategorie der Handzeichnung und Graphik war. Piranesi, dessen Ruhm mit der Verherrlichung des antiken und modernen Roms verbunden ist, stammte aus Venedig, wo er während seiner Jugend wichtige Anregungen von der Radierkunst der Tiepolo empfangen hatte. Sch

441

Francesco Guardi (1712-1793)
441 Lagunenlandschaft
Braun lavierte und grau aquarellierte Feder- und Pinselzeichnung; 192 x 335 mm; Inv. 1917/494
Seit Julius Meier-Gräfe Guardi in seine ›Entwicklungsgeschichte der modernen Kunst‹ (1914) aufnahm, wurde dessen malerisches Genie nicht wieder – sondern erstmals entdeckt. Geringer Erfolg als Figuren-, Portrait- und Stillebenmaler und ein unvorteilhaftes Abschneiden beim Vergleich seiner Architekturbilder mit denen Canalettos verdunkelten seine geschichtliche Bedeutung. Guardi, der Impressionist avant lettre, hat Veduten und Capricci – jene frei erfundenen Landschaften und Architekturen – mit einer farbigen und zeichnerischen Freiheit gemalt und gezeichnet, die zu den schönsten Schöpfungen des Rokoko gehören. Seine Zeichnungen, von denen sich etwa vierhundert erhalten haben, atmen die Weite und lichte Atmosphäre der Lagune. Sch

Antonio Canale (1697-1768)
442 Inneres der Markuskirche in Venedig mit Sängerkanzel 1766
Federzeichnung, grau aquarelliert; 355 x 271 mm; Inv. 21 112
»Ich Zuane (Giovanni) Antonio da Canale habe die vorliegende Zeichnung von den Sängern in der Dogenkirche S. Marco, Venedig, im Alter von 68 Jahren ohne Augengläser gemacht, im Jahre 1766.« Diese Zeile schrieb Canaletto voller Stolz am Ende seines Lebens unter die Zeichnung, die in ihrer Ausführlichkeit gewiß im Atelier entstand nach einer vor Ort als Umrißzeichnung aufgenommenen Studie. Daß Canale mit Hilfe der Camera Optica gezeichnet hat, sich also der verkürzenden oder erweiternden Sicht einer Linse anvertraute und deren Bild gelegentlich korrigierte, wissen wir aus zeitgenössischen Berichten. Auf diesem Blatt mit der bis in den Hintergrund gleich bleibenden Schärfe der Beobachtung herrscht ein naiver Positivismus, der die Schwächen des menschlichen Auges großzügig übersieht. Sch

442

443

Johann Sebastian Bach (1748-1778)
443 Ideallandschaft 1776
Pinselzeichnung in brauner und blauer Tusche; 322x457 mm; Inv. 40377
Mit den Attributen eines fürstlichen Parkes und einer seiner Zeit idealen Wildnishaftigkeit stattete Bach seine Landschaft aus, in der zwei weibliche Wesen – halb Flora, halb Gärtnerin – posieren. Sein Vater, Carl Philipp Emanuel Bach, war einer der berühmtesten Musiker Deutschlands und schickte den Sohn in Hagedorns Zeichnungsakademie nach Leipzig, die unter A. F. Oeser schon den jungen Goethe auf einen antikischen Kunstgeschmack festgelegt hatte. In Rom verlosch Bachs kurzes Leben, doch dort hatte er auch die ›mythologische Landschaft‹ gefunden, in der er Reales und Ideales in Vorwegnahme romantischer Ideen zu vereinen suchte. Sch

Daniel Chodowiecki (1726-1801)
444 Kind auf dem Stuhl sitzend
Bleistiftzeichnung; 117x95 mm; Inv. 42268
Mit Chodowiecki beginnt die Reihe deutscher Illustratoren, die sich über Menzel, Klinger und Kubin bis ins 20. Jahrhundert fortsetzte. Mit Menzel verbindet Chodowiecki die Herkunft aus handwerklicher Kunstübung. Der anfängliche Maler von Miniaturen, die eleganten Dosen aufgesetzt wurden, entwickelte sich zum Illustrator der ›Minna von Barnhelm‹ und zahlreicher Taschenkalender. Er war überdies ein geübter Stecher. Seine gezeichneten und gedruckten Bilder schildern das zu Selbstbewußtsein erwachte Bürgertum und einen Adel, der sich durch edle Gesinnung auszuzeichnen trachtete. Seine anziehendsten Zeichnungen entstanden ohne Absicht der Illustration, und das Kind, das er hier festhielt, widersprach gewiß den Vorschriften des Freiherrn von Knigge, die dieser damals über anständiges Sitzen zu erteilen hatte. Sch

444

Johann Wolfgang Baumgartner (1712-1761)
445 Die Geschichte König Davids
Feder- und Tuschzeichnung auf blauem Papier, weiß gehöht; 382x611 mm; Inv. 1963/126
Offenbar als Vorlage für einen Kupferstich verfertigte Baumgartner diese Zeichnung, die wichtige Augenblicke aus Davids Leben in einem Interieur festhält: seine Bestrafung für den Tod des Nebenbuhlers Urias durch das Sterben des eigenen Kindes. Im Durchblick auf eine Landschaft ist der tragische Tod seines Sohnes Absalom zu erkennen, und sein Sieg über die Philister ist in dem Tafelbild auf der Rückwand dargestellt. Die Kartusche am unteren Rand dagegen zeigt den Untergang König Sauls. Baumgartner übte also eine epische ›Erzählweise‹ mit einer Haupthandlung und eingeflochtenen zeit- und ortsverschobenen Nebenschauplätzen. Er folgte dabei jenen Vorstellungen des aufkommenden italienischen Barock um 1630, nach denen Monumentalmalerei aus über- und untergeordneten Szenen zu bestehen habe. Darüber hinaus waren die Grenzen ornamentaler und figürlicher Kunst bei Baumgartner fließend. Sch

445

446

William Blake (1757-1827)
446 Ugolino mit seinen Söhnen im Gefängnis
Tuschzeichnung in Grau über Bleistift; 250 x 360 mm; Inv. 1980/138
Dante hatte in seiner ›Divina Commedia‹ das Schicksal des ghibellinischen Grafen Ugolino in Pisa beschrieben, der bei seinem Streben nach Macht vom guelfischen Gegenspieler Erzbischof Ruggieri zusammen mit seinen Söhnen dem Hungertod ausgesetzt wird. Blake schuf diese Zeichnung 1780/85 und verwandte sie 1793 als Vorlage zu einer Illustration in dem 17 Stiche umfassenden Kinderbuch ›The Gates of Paradise‹. Hier unternahm es Blake, neben den vier Elementen die körperliche wie die spirituelle Geburt des Menschen darzustellen. Dazu kamen Darstellungen typischer Erfahrungen des Menschenlebens, so etwa sein Ahnen des Unendlichen, Todesangst, Alterstorheit, Todesahnung sowie – im Falle der Ugolino-Darstellung – Empörung und Zweifel an Gott. Sch

Johann Heinrich Füssli (1741-1825)
447 Perseus und die Graien
Federzeichnung in Braun; 440 x 520 mm; Inv. 1974/2
Zeus' Goldregen machte Danae schwanger, woraus Perseus geboren wurde. Doch dessen Existenz war von Anfang an von der tödlichen Eifersucht seines Onkels beschattet, der dem Jungen Taten zuwies, die nur den Tod oder die Glorie des Helden einbringen konnten. Auf dieser Zeichnung sucht Perseus den Graien, Schwestern der Gorgonen, ihr gemeinsames einziges Auge zu entreißen, um so an die unsichtbar machenden Waffen zu kommen, mit denen er Medusa zu töten hatte. – Füssli hat seine vom ›Sturm und Drang‹ geprägten Anschauungen, den alten Göttern ähnlich, mit den Gesten des Titanen vertreten. Die Kunst seiner Zeit pflegte die Idylle, so daß er seine Vorbilder im vergangenen Zeitalter Michelangelos, des ›Terribile‹, suchen mußte. In seinen ›Aphorismen‹ findet sich die Beobachtung: »Sanftheit liegt auf der einen, die Grimasse auf der anderen Seite des Ausdrucks. Fadheit ist der Narrheit, Überspanntheit der Geisteskrankheit verwandt.« Sch

447

448

Francisco de Goya (1746-1828)
448 Paar mit Sonnenschirm 1797
Pinsel in Grau und Schwarz; 221x135 mm; Inv. 38545
Der Sinn dieser Begegnung bleibt in der Schwebe: Ein junges Paar steht unter dem Sonnenschirm beisammen, durch Blickrichtung und Haltung verschränkt, hinter ihm ahnen wir anonyme Passantinnen. Die verschieden dunklen Lavierungen auf dem hellen Blattgrund schaffen den Eindruck von Sonnenlicht, gehen aber über das Gegenständliche frei hinweg und stellen eine selbständige Bildordnung von ebensoviel Spannung wie Transparenz her. Ein Blatt aus einem Skizzenbuch, das trotz seines kleinen Formats malerischen, geradezu bildhaften Charakter hat. In diesem sogenannten Madrider Album führt Goya die Menschen seiner Zeit in ihren typischen Gesten und in ihrem gesellschaftlichen Zusammenhang vor Augen, wobei er den flüchtigen Eindruck in gleichnishaften Konstellationen zusammenfaßt. Diese Bildnotizen verarbeitete er in den folgenden Monaten in seinem satirischen Radierzyklus der »Caprichos« zu einer abgründigen Deutung der spanischen und damit allgemein der menschlichen Gesellschaft. In unserem Albumblatt überwiegen jedoch die Spontaneität des Augeneindrucks und eine spielerische Heiterkeit noch diese kritische Sehweise. HH

Francisco de Goya (1746-1828)
449 Der Tod des Pepe Illo 1815/16
Rötel, rot laviert; 190x313 mm; Inv. 38533
Zu den nicht veröffentlichten Radierungen der später so genannten ›Tauromaquia‹ gehört als Vorzeichnung dieses Blatt. Goya arbeitete an dem Zyklus, in dem er die Geschichte und die gegenwärtige Ausübung des spanischen Nationalsportes behandelte, in den Jahren um 1815, zu einer Zeit, als er in der politischen und intellektuellen Diskussion scharf umstritten war. Wir können davon ausgehen, daß er auch hier zumindest subversiv mit seiner Kunst in diese Auseinandersetzung eingreifen wollte: Die Verherrlichung des Stierkampfes konnte als Demonstration des Patriotismus in den Jahren der Restauration gelten, seine Spielregeln als Sieg des Verstandes und der Geschicklichkeit über den Instinkt der Natur, seine Popularisierung als Zeichen von Demokratie. Doch Goya begnügt sich nicht mit einseitiger Parteinahme: Er zeigt, daß Brutalität und grausame Schaulust bei allen Beteiligten im Spiel sind. So schildert er die tödliche Situation, in der der Stier den gefeierten Torero auf die Hörner nimmt, als Zusammenprall der Kräfte, die ihren Ausdruck im Kontrast von Hell und Dunkel finden. Durch die frei eingesetzte Mischung der technischen Mittel teilt sich diese Spannung der ganzen Zeichenfläche mit. Die lichtdurchflutete Arena wird zum Schauplatz dämonischer Mächte. HH

449

Asmus Jacob Carstens (1754-1798)
450 Selbstbildnis um 1785
Pastell; 328 x 206 mm; Inv. 22942
›Sturm und Drang‹ scheinen aus dem Selbstbildnis des Dreißigjährigen zu sprechen. Hinter ihm liegen Konflikte: die Auseinandersetzung mit den Lehrmeinungen der Kopenhagener Akademie, eine aus Geldmangel abgebrochene Italienreise, der Zwang, sich in Lübeck als Porträtmaler das Brot zu verdienen. Programmatisch bezeichnet der auf Jütland geborene Künstler sich in der lateinischen Beischrift als »Historienmaler von der Halbinsel Cimbern«, denn einer Erneuerung dieser Gattung aus idealistischem Geist und einer Rückkehr zu den mythischen Quellen galt sein Bestreben. Die Bildform des Porträts mit seiner reinen Frontalität und dem Verzicht auf jedes überhöhende Attribut, der fast herausfordernde Blick, erweisen, daß Carstens diese Erneuerung an die Selbstverantwortlichkeit des Genies zu binden wagte. Folgen auch die zarte Farbigkeit und die feine, individualisierende Modellierung der Zeichnung noch der Konvention der Zeit, läßt doch der Ausdruck Carstens' später formulierte Devise erahnen, er diene nicht der Akademie, sondern der Menschheit. HH

450

Joseph Anton Koch (1768-1839)
451 Die Serpentara bei Olevano mit Hirten um 1820
Bleistift, Feder und Pinsel in schwarzer, grauer und brauner Tusche; 400 x 583 mm; Inv. 1955/76

Im Jahre 1803 hatte Koch für sich und für den Kreis der deutschen Maler in Rom die kleine Bergstadt Olevano entdeckt. Das ungewöhnlich vielfältige Panorama dieser Gegend bot ihm in der Natur den universalen Reichtum, den er in seiner Kunst verwirklichen wollte. Seine Landschaft ist objektiv und sozusagen episch aufgebaut aus in sich gleichwertigen Einzelelementen in harmonischer Ausgewogenheit. Dabei dienen die Treue zur Wirklichkeit, mit der er alle Bildgegenstände bis in die Tiefe zeichnerisch erfaßt, und die geologischen Kenntnisse ihm dazu, das Typische und Zeitlose zur Anschauung zu bringen. Charakteristisch ist, wie sparsam er die Vegetation behandelt, um die immanente Struktur der Landschaft hervortreten zu lassen. Koch sucht die Natur nicht in ihrer momentanen Erscheinung darzustellen, sondern in ihrer unwandelbaren Ordnung und ihrer mythisch-historischen Dimension. Daher die Zeitlosigkeit der Staffage: Mit ihren einfachen Tätigkeiten scheinen die Menschen in ursprünglichem Einklang mit der Natur zu leben, der sie sich auch formal einfügen: ein einfaches Dasein als ein Leben in Freiheit und als utopisches Modell harmonischer Gemeinschaft. HH

451

452

Philipp Otto Runge (1777-1810)
452 Ossian 1804/5
Feder über Spuren von Blei; 397x241 mm; Inv. 34217

Runges Zeichnungen zu den Dichtungen des fiktiven gälischen Barden sind Zeugnisse der Ossian-Begeisterung, die zu einer Inspirationsquelle der romantischen Kunst wurde. Zugleich stellen sie Neudeutungen des Textes im Sinne seiner Farbenlehre und einer kosmischen Symbolik dar. Zu den drei ›Charakterbildern‹ der Hauptgestalten, welche darin die Handlung gliedern sollten, gehört dieses Blatt. »Ossian sitzt auf der höchsten Felsenspitze mit der Harfe, zusammengesetzt aus dem Schwerdt Fingal's, Bogen und Horn; das Horn ist die untere Seite und es brauset ein Strom heraus, der sich in eine Schlucht stürzt; Bäume stürzen nach, so wie ein Fels vor Ossian's Fußtritt herab. Über ihm der Nordstern, und da er mit der Rechten zum Schilde greift, so steht er mit Schild und Harfe wie zwischen Himmel und Erde«. Durch die Verschmelzung der Attribute von Kampf und Musik in der Harfe ist er ehemaliger Krieger und Sänger zugleich. Seine Dichtung erscheint als ›Naturpoesie‹ im Sinne Herders, deren Strom aus dem Resonanzkörper eines Delphins hinabrauscht. Charakteristisch für diese Werkgruppe ist, wie Runge den schönlinigen Flächenstil des Vorbildes Flaxman kantig aufbricht und absichtlich erstarren läßt – ein Wille zur Archaisierung, der seinen künstlerischen Neuansatz kennzeichnet. HH

Philipp Otto Runge (1777-1810)
453 Niltal-Landschaft 1805/6
Pinsel in Grau über Bleistift; 389x501 mm; Inv. 34155

Unter den Zeichnungen zu Runges Gemälde der ›Ruhe auf der Flucht‹ gibt diese Rätsel auf: Die Quadrierung deutet darauf hin, daß es sich um einen Entwurf handelt. Die bildhafte Durchführung des Blattes, in dem wir die heiligen Figuren in Naturformationen wiederzuerkennen meinen, könnte auf eine Rückübersetzung des Themas in die reine Landschaft schließen lassen. Daß Figur und Natur so ihren Stellenwert als Rahmung einer Komposition vertauschen können, in der ein Landschaftsausblick mit der aufgehenden Sonne über dem Niltal das Zentrum bildet, macht uns Runges Idee von der Erneuerung der religiösen Malerei deutlich. Anstatt durch das Historienbild will er Heilsgeschehen durch Naturgeschehen sinnfällig machen, zugleich umgekehrt das biblische Motiv zum Symbol des Naturlebens und als ›Morgen‹ eines neuen Weltzeitalters mit der Geburt Christi interpretieren. Daher nach den Worten seines Bruders Daniel sein Vorsatz, »selbst in historischen Kompositionen der Naturumgebung womöglich dieselbe Bedeutung und Würde wie den Personen zu geben (und umgekehrt), ja sie so gut wie diese in Handlung zu setzen.« HH

453

454

Philipp Otto Runge (1777-1810)
454 Der Morgen 1807
Feder und Pinsel in Braun und Grau über Spuren von Blei; 836 x 627 mm; Inv. 34184
Was das Gemälde des ›Kleinen Morgen‹ in der Farbe ausdrückt, macht die Konstruktionszeichnung in der Monochromie sinnfällig: das Erscheinen des Lichtes im Morgen der Natur. Es tritt in den gestalthaften Symbolen hervor, die sich vor dem hellen Grund in verschiedenen Dunkelwerten silhouettieren und zugleich transparent werden. Wir erkennen darin nicht nur Runges künstlerische Herkunft aus der Praxis des Scherenschnitts, sondern auch die Essenz seiner Farbtheorie, nach der die Polarität von Finsternis und Licht im physikalischen und religiösen Sinne der Qualität der Farben zugrunde liegt. Runge hat seine Vision in die strenge geometrische Konstruktion von Maßverhältnissen und Zirkelkreisen gefaßt. HH

Caspar David Friedrich (1774-1840)
455 Engel in Anbetung
um 1826 oder 1834
Sepia über Bleistift; 185 x 267 mm; Inv. 41116
In einer siebenteiligen Folge von Sepiazeichnungen stellt Friedrich die Lebensalter in gleichnishafte Übereinstimmung mit den Tages- und Jahreszeiten. Er deutet den Menschen im Zusammenhang der Naturgeschichte und zugleich im Hinblick auf den christlichen Erlösungsglauben. In diesem Schlußblatt kehren die Menschenseelen in Gestalt von Engeln über Wolken schwebend in den Himmel zurück und beten das Göttliche in der Erscheinung des Lichtes an. Darin wird der Gedanke von Auferstehung und ewigem Leben sinnfällig, doch ist die jenseitige christliche Gottesvorstellung gleichsam in der Unendlichkeit des Weltalls aufgelöst, wie sie in der Entgrenzung des Bildraums anschaulich wird. HH

455

456

Caspar David Friedrich (1774-1840)
456 Landschaft mit Pavillon um 1797
Feder, Tusche, Aquarell; 167x217 mm;
Inv. 1928/3
Die Zeichnung des 23jährigen enthält im Ansatz Friedrichs eigene Interpretation der Landschaft, indem sie aus Naturgegenständen und Werken von Menschenhand einen Sinnzusammenhang herstellt. Das Hauptmotiv, ein Pavillon, den er bei Klampenborg nördlich von Kopenhagen gesehen hat, erscheint gleichsam entrückt hinter der durchsichtigen Barriere von Gebüsch und einem Tor, das den Zugang über eine Brücke versperrt. So tritt die dunkle Hütte mit dem abgestorbenen Baum im Vordergrund rechts in symbolische Beziehung zu dem lichten Gebäude im Hintergrund. Hütte und Palast – in diesem Gegensatz ist nicht nur ein Thema der Architekturtheorie der Zeit und der unterschiedlichen Lebensweise von einfacher Naturnähe und verfeinerter Kulturnähe enthalten, sondern auch ein politischer Aspekt. HH

Caspar David Friedrich (1774-1840)
457 Mondaufgang am Meer (Sonnenuntergang über dem Meer)
um 1835/37
Sepia über Bleistift, schwarz umrandet; 256x385 mm; Inv. 1952/131
In dieser Zeichnung findet Friedrich das Symbolische im Bild der Natur selbst. Auffallend ist darin gerade das Fehlen jeder Spur des Menschen und jedes pittoresken oder dramatischen Motivs. Die Landschaft erscheint gleichsam in einem Urzustand. Wie von einem erhöhten Standpunkt aus gesehen, wirkt sie als ein Ausschnitt aus dem Erdball, eine Vorstellung, die durch die kreisförmige, fast kreisende Wolkenbildung verstärkt wird. Über die Felsblöcke und das Ufer hinweg, die fast nicht über den Horizont ragen und dem Auge keinen Halt bieten, wird der Blick mit der Lichtbahn in die Ferne geleitet, wo die Welt sich in Helligkeit entgrenzt. Friedrichs reife Zeichentechnik, in der durchscheinende Sepiatöne in verschiedenen Schichten eine fast geometrisch geordnete Feinstruktur von Bleistiftstrichen überlagern, ist geeignet, diesen Gedanken als atmosphärisches Stimmungsbild eindringlich zu machen. HH

457

Franz Horny (1798-1824)
458 Frau beim Castagnetten-Tanz
um 1820-22
Feder; 184x147 mm; Inv. 1950/136
Das Skizzenbuch, aus dem dieses Blatt stammt, enthält Studien von Pflanzen und Landschaften, von Einzelfiguren und Gruppen, die der Künstler als eine Art Arsenal für größere Kompositionen verwendete. Sie stammen aus den Jahren, in denen er sich wegen eines Lungenleidens aus der Stadt Rom in das ländliche Olevano zurückgezogen hatte: Joseph Anton Koch hatte ihn gelehrt, den Charakter dieser heroischen Landschaft und den natürlichen Lebensausdruck ihrer unverbindlichen Menschen in seinen Zeichnungen zu gestalten. Daß Horny in erster Linie Zeichner ist – ein Zeichner par excellence – läßt schon diese scheinbar anspruchslose Studie erkennen. In dem klaren, durchsichtigen Strichbild, vor allem in den fein schraffierten Partien, könnte man den Einfluß Kochs und Schnorrs sehen. Doch völlig eigenständig ist die freie Variabilität der graphischen Mittel zwischen Detailtreue und formaler Offenheit. In kräftigen schwungvollen Strichen scheint die Tanzgebärde der Frau wie aus dem Vorgang des Zeichnens selbst entwickelt. Wie im Schwebezustand überlagern sich abstrakt lesbare und gegenstandsgebundene Linien vor dem hellen Blattgrund. So wird nicht nur der Eindruck von Helligkeit erweckt, sondern zugleich der ästhetische Eigenwert der Zeichnung zum Vorschein gebracht. HH

458

Friedrich Wasmann (1805-1886)
459 Landschaft bei Dorf Tirol um 1840
Pinsel über Bleistift mit wenigen Weißhöhungen; 200x273 mm; Inv. 35181
Die künstlerischen Anfänge Wasmanns sind den Nazarenern verpflichtet. Als der Hamburger sich jedoch in Südtirol aufhält, findet er in seinen gemalten und gezeichneten Studien den Weg zu einem malerischen Realismus, der uns im Rückblick als zukunftsweisend erscheint. So ist auch in diesem Blatt – Vorstudie zu einem Gemälde – das Gegenständliche nur bis zur Erkennbarkeit angedeutet. In der groben Faktur bleiben alle Formen offen. Anstelle einer kontrollierbaren Festlegung und Modellierung der Bildgegenstände erwecken die Überlagerung von flächigen Formelementen und der Wechsel von feiner Bleistift- und energischer Tuschzeichnung den Eindruck von Raum und Atmosphäre, wobei der helle Grund als Lichtträger mitwirkt. Gerade die spontane, ungelenk wirkende Handschrift macht die Originalität und Unmittelbarkeit seiner Naturwiedergabe, fern aller akademischen Routine, sichtbar. Im Gegensatz zu Koch, dem er sich in Rom angeschlossen hatte, sucht er in solchen Skizzen nicht das Bleibende, sondern das Flüchtige in der Natur festzuhalten. HH

459

460

461

Julius Schnorr von Carolsfeld (1794-1872)
460 Bildnis des Freiherrn von Stein
1821
Feder; 261 x 201 mm; Inv. 1930/8
Dreimal hat Schnorr dieses Porträt des preußischen Ministers und Staatsreformers gezeichnet, zuletzt für die schwedische Kronprinzessin Karolina Amalia. Von ihrer Hand stammt wahrscheinlich die Bemerkung auf dem alten Unterlagebogen unseres Exemplares »Ich sah ihn oft in Rom 1821«. So stellt das Blatt ein Zeugnis für die Begegnung von Persönlichkeiten aus dem europäischen Geistesleben dar, wie es sich in jenen Jahren in Rom konzentrierte. Schnorr lebte dort als einer der ›Capitoliner‹ genannten deutschen Künstler, deren Idealismus für Nation und Religion den Ideen Steins entgegenkamen. Schnorr vereinigt in dieser Porträtzeichnung die Rückbeziehung auf die ›altdeutsche‹ Porträtgraphik des 16. Jahrhunderts und die eindringliche Wiedergabe des Physiognomischen mit der übergeordneten Absicht, durch ein reines Strichbild aus Parallelen und Kreuzschraffuren ein gültiges Bildnis zu schaffen. HH

Victor Emil Janssen (1807-1845)
461 Greisenkopf 1834
Schwarze Kreide; 367 x 290 mm; Inv. 41 240
Fast überdeutlich sind die Gesichtszüge, der zahnlose Mund, die furchenartigen Falten des alten Mannes wiedergegeben, Haupthaar und Bart wie in jedem einzelnen Haar, jeder Strähne durchgezeichnet. Zarte Wischungen dienen der plastischen Durchmodellierung, unterschiedliche Druckstärke des Kreidestiftes erzeugt eine Chromatik von Weiß zu Schwarz, die zur Verlebendigung beiträgt. Doch sind diese naturalistischen Mittel nicht Selbstzweck, sondern fügen sich einem System von Linien und formalen Entsprechungen, das zugleich als abstrakte Ordnung gelesen werden kann, einer Ordnung von Vielfalt und Strenge. Diese Durchdringung von Wirklichkeit und Idee entspricht der Bestimmung der Zeichnung. Sie ist Bildnisstudie und, wie das erstaunte Aufblicken des Mannes vermuten läßt, zugleich Vorarbeit zu einer religiösen Komposition, einer ›Vekündigung an die Hirten‹. HH

462

463

Friedrich Overbeck (1789-1869)
462 Die Speisung der Armen 1813
Bleistift; 191 x 243 mm; Inv. 1949/162
Die Illustration der Bibel gehörte zu den Aufgaben, die den Nazarenern seit den ersten Jahren ihrer Künstlergemeinschaft vorschwebte. So zeichnete auch Overbeck diese Darstellung als erste zu einer geplanten Folge der sieben Werke der Barmherzigkeit. Das Blatt selbst erweist, daß die Zeichnung den Nazarenern als selbständiges, ja als höchstes künstlerisches Medium gelten konnte. Denn die Reinheit der Mittel, das durchsichtige, kontrollierbare Strichbild konnte ihnen als Ausdruck ethischer Gesinnung dienen. Als Kronzeugen für diese Auffassung sahen sie die als ›mittelalterlich‹ verstandenen Meister der Epoche um 1500 an, von denen hier mehr Dürer und Lucas van Leyden als die Italiener Vorbild gewesen zu sein scheinen. An ihnen lernte Overbeck nicht nur die verständliche Bildsprache und die Treue zum Detail, ›altdeutsch‹ sind auch seine Art der Unterschrift und sogar die Monogrammierung auf einem Täfelchen. HH

Adolph Menzel (1815-1905)
463 Frau Märker 1846
Schwarze und braune Kreide, weiß gehöht, auf braunem Papier; 177 x 246 mm; Inv. 1954/198
Menzel zeichnet die Frau seines Freundes, des Justizrates Märker, eine Studie intimen Charakters, in der die gelöste Haltung des Modells der Spontaneität der Zeichenweise und der Ausschnitthaftigkeit der Komposition zu entsprechen scheint. Doch erkennen wir selbst in dieser Momentaufnahme das sichere Kalkül, mit dem Menzel die Figur und selbst die Schrift in die Bildfläche bringt. ›Durchräsonnieren‹, sich des Motives mit allen Mitteln der Zeichnung zu vergewissern, war Absicht des Beobachters und Historiographen. In Blättern wie diesem, die persönlicher Sympathie entstammen, wird solch nüchterne Sicht vor allem durch die Lichtwirkung atmosphärisch überhöht. HH

Adolph Menzel (1815-1905)
464 Ehrenbürgerbrief der Stadt Hamburg für G. C. Schwabe 1887
Deckfarben und Aquarell auf Pergament; 605 x 460 mm; Inv. 1972/84
Im Jahre 1886 schenkte der Wollhändler C. G. Schwabe der Kunsthalle seine Sammlung von 128 meist englischen Gemälden. Zum Dank dafür verlieh ihm seine Vaterstadt die Ehrenbürgerwürde, und der Bedeutung des Anlasses entsprechend beauftragte sie Menzel mit der Ausführung der Urkunde. Das Dokument geriet zu einer geradezu barock anmutenden Komposition, in der Menzel alle Register seiner Erfindungskraft und seiner technischen Bravour zieht. Der Staatsauftrag forderte ihn offenbar zu einem Aufgebot allegorischer Motive und historisierender Mittel heraus. HH

464

465

Edward Burne-Jones (1833-1898)
465 Zwei Studienköpfe 1874
Bleistift; 328x249 mm; Inv. 1922/157
Angetreten war die englische Bruderschaft der Präraffaeliten mit dem moralischen Anspruch, die Einfachheit der Kunst ›vor Raffael‹ mit größter Naturtreue zu vereinigen. Bei den Malern der zweiten Generation, so vor allem bei Burne-Jones, schlug der Widerstand gegen das viktorianische Empire um in einen weltflüchtigen Ästhetizismus, der die Kunst in ein Traumreich entrückte. ›Präraffaelitisch‹, an Botticelli erinnernd, sind auch in diesem Blatt die Gesichtstypen und die fließende, gefühlshaft bewegte und zugleich abstrakt schöne Linienführung. Die Stilisierung auf ein stereotyp anmutendes Schönheitsideal, das Vage im Ausdruck der beiden Frauenköpfe macht deutlich, wie sehr sich hier Künstlichkeit verselbständigt. Eine geradezu suggestive Leere gerät zum Bild unerfüllter Hoffnung. HH

Hans von Marées (1837-1887)
466 Lob der Bescheidenheit um 1879
Kohle und Deckweiß;
480x310 mm; Inv. 1914/137
Ob der moralisch-symbolistisch klingende Titel von Marées stammt, ist zweifelhaft. Schon die Zeichenweise nämlich läßt erkennen, daß er weder von einem fertigen inhaltlichen Programm noch von der Beobachtung des Details ausgeht, sondern seine Bildidee aus der Formvorstellung, der Logik des Aufbaus selbst entwickelt, mehr gemäß den Gesetzen der Natur gestaltet als Naturähnlichkeit herstellt. Bedeutsamer als die Gegensätze von Körperhaltung und Geschlecht erscheint die Auswägung der Bildgewichte und Richtungen. So entsteht aus der Anthropomorphie, der ursprünglichen Nacktheit der Figuren, das Inbild von Harmonie. HH

466

467

Edgar Degas (1834-1917)
467 Studie zu einem jugendlichen Johannes dem Täufer 1857
Bleistift; 438x290 mm; Inv. 1976/222
Die Modellstudie eines römischen Jungen, zugleich Vorarbeit zu einem unvollendet gebliebenen Gemälde. Aus der reinen Kontur in Verbindung mit fein modellierender Binnenzeichnung entsteht eine Darstellung von verhaltenem, etwas ungelenkem Charme. Es wird deutlich, wieviel Degas der Tradition der italienischen Klassik verdankt. Doch wird die Zeichnung nach seinem eigenen Wort für ihn zeitlebens das Mittel bleiben, die Form zu sehen, und mit dieser Auffassung der Linie als konstituierendes Bildelement und zugleich als Energieträger unterscheidet er sich wesentlich von dem Impressionisten, mit denen man ihn gemeinhin in einem Atem nennt. HH

Odilon Redon (1840-1916)
468 Frauenkopf unter einem Blütenzweig
Kreide; 525x377 mm;
Inv. 1951/81
»Man soll zuerst Visionen haben«, notierte Odilon Redon auf einer seiner Zeichnungen, und visionär, unerklärlich mutet auch dieser meditative Frauenkopf mit dem halbwachen Blick hin zu einem Lichtgebilde an. Unfaßbar wie eine Gloriole ist der Zweig, der ihn umrahmt. Mehr in ihrem Auftauchen aus dem Dunkel als aus einer nachprüfbaren optischen Logik nehmen die Motive Gestalt an. Für den Zeichner und Lithographen Redon war das Unsinnliche der schwarzen Kreide das Instrument des Geistes; das Helldunkel ein Mittel, Unsichtbares und Unbewußtes wie in einem Zwischenreich zu fassen. Die Abstraktion in der Graphik bedeutete für ihn wie Klinger und wie für Goya, auf den sich beide beriefen, die Freiheit, das auszudrücken, was keine andere künstlerische Technik vermag. HH

468

Max Klinger (1857-1920)
469 Alpdrücken 1879
Feder und Pinsel; 360x232 mm;
Inv. 33906
Dem Fortschrittsglauben und dem Materialismus der wilhelminischen Epoche setzte Max Klinger eine Bildwelt des Traumes und der Rätsel entgegen. Die ›Griffelkunst‹, Zeichnung und Radierung, bedeutete ihm das geeignete Instrument, seine Phantasien niederzuschreiben, ›nur technisch kontrolliert‹. Sie ist für ihn ›redende‹ Kunst, die auch dem Unschönen und Widerwärtigen Gestalt geben kann. Solche Verbindung von Kontrolle und Imagination, von Faszination und Grauen, macht die Wirkung dieser Zeichnung aus. Das Irreale des Traumbildes nimmt den Wirklichkeitsgrad des Realen an, indem das Absurde in einem beschreibenden und in sich logischen Liniensystem vorgetragen wird. Obwohl graphisch geklärt, bleibt der Alptraum ein Vexierbild. Angstgesichter werden nicht rational aufgelöst, sondern in der Form gebannt. HH

469

470

James Abbot Mc Neill Whistler (1834-1903)
470 Nocturne: Schmelzofen 1879/80
Radierung; 178x228 mm; Inv. 30928
Als Whistler 1879/80 in Venedig arbeitete, suchte er nicht die berühmten Monumente der Stadt auf, sondern die stillen Lagunen und Kanäle mit ihren malerischen Hausfronten. Schon mit dem Titel ›Nachtstück‹ für die Radierung gibt er zu erkennen, daß es ihm weniger um die Wiedergabe und Bedeutung einer bestimmten Ansicht geht als um eine abstrakt lesbare Harmonie im Sinne der Musik. Bildraum und Architektur setzt er in die Tonwerte feinster Ätzung und Kaltnadelstiche um, wie aufgelöst im Gegenlicht erscheint die Figur des Schmiedes im Schmelzfeuer des Hausinneren. Durch das Leerlassen der Bildränder, die Flächenbezogenheit der zeichnerischen Struktur und die Verteilung von Hell und Dunkel gerät das Motiv ins Schweben, wird mehr zur Phantasmagorie als zur Impression. Wir verstehen, daß Whistler sich auf den Meister des Helldunkels, auf Rembrandt, berufen hat. HH

Paul Cézanne (1839-1906)
471 Mühle am Fluß um 1900
Aquarell; 322x495 mm; Inv. 1963/100
Das Aquarell ist für Cézanne, zunehmend in seinen späten Jahren, das der Malerei gleichwertige Mittel, die ›Realisation‹ eines Bildes als einer Harmonie ›parallel zur Natur‹ herzustellen. Gerade die Transparenz der Farbe, ihr stets kontrollierter Einsatz läßt uns die kristallinische Formwerdung zur endgültigen Bildgestalt nachvollziehen. Statt aus modellierenden Linien und Umrissen baut er die tektonische Flächenstruktur aus in sich formhaltigen Elementen auf. Raum wird in der Fläche, Farbe als Form, Licht als Helligkeitswert begriffen, der den Dingen innewohnt. So ist die Natur der Subjektivität perspektivischer Sicht und dem ständigen Wechsel der Atmosphäre enthoben, das Bild nicht mehr Schein, sondern eine eigene Wirklichkeit. Cézanne hat damit eine Grundlage der Kunst des 20. Jahrhunderts geschaffen. HH

471

Henri de Toulouse-Lautrec (1864-1901)
472 Die Landpartie 1897
Lithographie in 5 Farben; 400x520 mm; Inv. 1914/541
Die Fülle der bewegten Eindrücke, das intensive Lebensgefühl des modernen Großstädters in seinen großformatigen Lithographien zu fassen und ihnen von den Plakatsäulen Durchschlagskraft gegen den Lärm der Straße zu verleihen, hat um die Jahrhundertwende Toulouse-Lautrec erreicht. Dazu verlieh er dieser Technik ein völlig neues Aussehen: Reportagehaft wirkende, kühne Ausschnitthaftigkeit in dynamischer Diagonale, ausdruckshaft gesteigerte, fließende Linien bindet er in ein spannungsvolles Flächensystem. Durch Weglassen erreicht er den Eindruck des Momentanen, durch die Einbeziehung des hellen Blattgrundes und zarte Spritztechnik den von atmosphärischer Helligkeit. Wie immer bei Toulouse verbindet sich auch in diesem Blatt formales Kalkül mit ironischer Zuspitzung. Es sind der australische Maler Charles Conder und Misia, die Frau des Verlegers Natanson mit ihrem Hund, denen wir bei ihrer Ausfahrt im damals hochmodernen dogcart nachschauen. HH

472

473

Max Liebermann (1847-1935)
473 Blick auf die Außenalster 1910
Pastell; 117 x 190 mm; Inv. 1949/91
Unabhängig von seinen Auftragswerken für die Kunsthalle schuf Max Liebermann in Hamburg eine Reihe von Ansichten der Außen- und Binnenalster, kleine Pastellbilder, in denen schon Alfred Lichtwark eine der Ölmalerei ebenbürtige Monumentalität und Wirkungskraft sah. Tatsächlich hat Liebermann Farbe und Form, die Leuchtkraft der Pastellkreide und eine abkürzende, treffsichere Zeichenweise verbunden, so daß atmosphärische Einheit und zugleich der Eindruck von Detailtreue suggeriert werden. Es entsteht die Impression einer Stadtlandschaft in dem für sie so charakteristischen weißlichen Licht und mit dem geselligen Treiben der Menschen in feiertäglichem Müßiggang. Über die Wasserfläche hinweg schaut man auf die Innenstadt mit ihren Türmen und Bäumen, die sich in der Atmosphäre verwischen. Liebermann gibt keine repräsentative Vedute, sondern seine persönliche Sicht, in der etwas von seiner Sympathie für die Hansestadt sichtbar zu werden scheint. HH

Lovis Corinth (1858-1925)
474 Walchenseelandschaft 1919
Aquarell und Deckfarbe; 271 x 371 mm; Inv. 1949/214
In der Reihe der Walchenseebilder, die seit 1918 in Corinths zweiter Heimat in Urfeld entstanden, sieht man heute die Vollendung seines Lebenswerkes. Von wechselnden Standpunkten aus hat er diese Landschaft im Wandel von Wetter, Tages- und Jahreszeit festgehalten. Doch ging es ihm nicht nur um eine Registrierung der flüchtigen Erscheinung im Sinne eines Impressionismus. Eine innere Ergriffenheit vor der Natur äußert sich in der Heftigkeit des malerischen Vortrags und in einem lockeren Ineinanderfließen von energisch gesetzten Farbflecken. Die Aquarelltechnik war ihm dabei besonders geeignet, mit ihrer Transparenz und Farbkraft das Übersinnliche, die geistige Sicht der Landschaft zur Anschauung zu bringen. In seinem letzten Lebensjahr faßte er dieses Ziel in den Satz: »Die wahre Kunst ist, Unwirklichkeit üben.« HH

474

475

Ernst Barlach (1870-1938)
475 Der Müde – Trost im Traum 1916
Kohle; 324 x 260 mm;
Inv. 1954/212

Ein zentrales Thema der Kunst Barlachs ist in dieser Zeichnung Bild geworden: ein Mensch, der im Traum einem höheren Anruf lauscht, der Mensch zwischen Zeit und Ewigkeit. Daß er Erde und Himmel nicht als wesenhaft getrennte Welten versteht, sondern die irdische Welt als durchdrungen vom überirdischen Geist deutet, macht die Struktur des Blattes mit ihrem das Gegenständliche übergreifenden, ausdrucksvoll gesteigerten Zeichenduktus anschaulich, der ebenso Körperlichkeit enthält wie er sie entmaterialisiert. Ein Armer oder Pilger ist es, dessen Haupt das engelshafte Wesen umfängt. Verzweiflung erscheint als Offensein für Erlösung. Barlach hat die Lithographie, die er nach dieser Vorzeichnung schuf, 1916 in der Zeitschrift ›Bildermann‹ veröffentlicht. Er mahnt damit zum Frieden, jedoch zu einem Frieden, den er nicht von der Tagespolitik erhofft, sondern in die Hände einer höheren Instanz legt. HH

Käthe Kollwitz (1867-1945)
476 Hamburger Kneipe 1901
Pinsel in Tusche und Deckfarbe;
205 x 238 mm; Inv. 1917/37

Bei ihrem Besuch in Hamburg begibt sich Käthe Kollwitz in das ›niedere Milieu‹, zeigt die nächtliche Seite des Großstadtlebens am Rande der Gesellschaft und unter dem Niveau ihrer Kultur: eine enge, düstere Spelunke, in der alte Menschen wie in einem Akt von Selbstbehauptung dem Leben Freude abgewinnen. Nicht nur galt das Engagement der Künstlerin den Unterprivilegierten. Die natürlichen Ausdrucksgebärden des Arbeitertypus erschienen ihr als bedingungslos schön. Diese Sympathie bekundet sich in unserem Blatt – Vorzeichnung zu einer Radierung – in der Spontaneität, mit der das Helldunkel des Raumes und die Gestik der Figuren in einen Wechsel von Flächen und Flecken [mit einer lose umschreibenden Zeichnung] übersetzt sind. Fern allem akademischen und sozialethischen Dogma hat Käthe Kollwitz hier Kneipenstimmung erweckt. Schon als junges Mädchen war Käthe Kollwitz mit ihrer Schwester durch die Königsberger Hafengegend gebummelt, wo abends die »Jimkes, Russen oder Litauer« auf flachen Schiffen die Ziehharmonika spielten und dazu tanzten: »Wenn meine späteren Arbeiten durch eine ganze Periode nur aus der Arbeitswelt schöpften, so liegt der Grund dazu in jenen Streifereien durch die enge, arbeiterreiche Handelsstadt. Der Arbeitertypus zog mich, besonders später, mächtig an« (Tagebuchblätter). HH

476

Emil Nolde (1867-1945)
477 Weiße und rote Amaryllis
Aquarell; 335x456 mm;
Inv. 1957/282
Übergroß sind die Pflanzen in den unbestimmbaren Bildraum gebracht, nah, fast wesenhaft stehen sie dem Betrachter gegenüber und scheinbar überschwänglich in ihrem Blühen und Leuchten. Nolde will die ursprüngliche Kraft der Natur im elementaren Mittel der reinen, lichthaltigen Farbe versinnlichen, und dabei gewinnt er der Technik des Aquarells neue Möglichkeiten ab. Er malt naß in naß auf angefeuchtetes Papier, so daß die Wasserfarben, kontrolliert, ineinander verfließen. Der künstlerische Schaffensprozeß wird so zu einem anschaulichen Gleichnis für das Werden und Enden in der Schöpfung. HH

477

Ernst Ludwig Kirchner (1880-1938)
478 Künstlerpaar 1909
Schwarze und farbige Kreiden; 342x443 mm; Inv. 1953/176
Für Kirchner bedeutet die Zeichnung eine spontane Fixierung sinnlichen Erlebens. Die aus dem Inneren erregte, abstrakte und nicht beschreibende Linie ist ihm die ›Hieroglyphe‹, in die er das Gesehene verwandelt. Nicht Deformation, sondern Neuform ist seine Absicht. So fügen sich auch in diesem Blatt die dynamischen, offen endenden Züge farbiger Kreide und die flächigen Elemente zum Ganzen der Bildgestalt. In dem für ihn entscheidenden Arbeitsjahr 1909 (in dem er von einer schönlinigen zu einer kantig gebrochenen Stilisierung findet) zeichnet er den Freund Erich Heckel und dessen Modell während eines Sommeraufenthaltes an den Moritzburger Seen: Das freie Leben in der Natur verleiht auch seinem Zeichenstift neue Energie. HH

478

Franz Marc (1880-1916)
479 Zwei Pferde 1911/12
Tusche und Aquarell;
143x209 mm;
Inv. 1953/60
Die Zeichnung wurde für das Almanach ›Der Blaue Reiter‹ verwendet, das Marc mit Kandinsky 1912 herausgab. Somit hat sie programmatischen Charakter. Das ›Geistige in der Kunst‹, das Kandinsky der abstrakten Malerei zuerkannte, wollte Marc einer abstrahierenden und symbolhaften Bildsprache anvertrauen. Die dem Menschen verlorengegangene paradiesische Reinheit glaubte er in der Kreatur wiederzufinden. Den farbigen und kämpferischen Kontrast der beiden Pferde fügt er in den Rhythmus der Flächenfigurationen ein: Zeichen für eine höhere schöpferische Einheit, losgelöst von allen zeitgeschichtlichen Bindungen und damit Utopie und Weltferne zugleich. HH

479

480

Frantisek Kupka (1871-1957)
480 Unregelmäßige Formen 1911/12
Aquarell und Deckfarben; 340x340 mm; Inv. 1973/56

»Creation«, Schöpfung war Kupkas Losungswort, unter dem er in den Jahren um 1910 fast gleichzeitig mit Kandinsky zur abstrakten Malerei fand. Nur in ihr, nicht im »sklavischen« Abbild, meinte er die »ganze Wahrheit« der Natur zu erfassen. Die Bedeutung des Kunstwerks ergibt sich für ihn »aus der Kombination von morphologischen Urbildern und den architektonischen Bedingungen, die seinem Organismus selbst eigen sind«. Das Aquarell ist eine frühe Verwirklichung dieser Einsicht. Organisch und zugleich tektonisch bauen sich die unregelmäßigen Formen in die Höhe auf, kontrastierend in Farbe und Energie und zugleich wie aus einem Rhythmus, einem Ordnungsprinzip sich fortzeugend. Raum und Fläche geraten ins Schweben. Aus dem durchlichteten Bildfeld erwächst die Vision kosmischer Kräfte. HH

Paul Klee (1879-1940)
481 Drei Vierer segeln 1940
Pinsel in schwarzer Tusche, Aquarell und Deckfarbe; 207x295 mm; Inv. 1952/287

Zu den letzten künstlerischen Äußerungen Paul Klees gehört dieses Blatt mit seinen lapidaren Bildzeichen. Drei Viererziffern werden durch Querbalken zu Segelbooten. Aus groben Pinselzügen gebildet, während Wasser nur durch Farbe und wenige Wellenlinien angedeutet ist, wirken sie mächtig, gemessen an der Bildfläche, und bedrohlich in ihrer Schwärze. Die segelnden ›Zahlen‹ beginnen sich unheimlich zu verselbständigen, so wie das Wortspiel des Titels zum Hintersinn gerät. Formale und mathematische Logik werden in Frage gestellt, indem die Zahl vier verdreifacht segelt. Der Betrachter wird an die Grenzen des Verstehens geführt. Klee hat in solche späten Arbeiten nicht nur eine persönliche Endsituation, sondern auch die politische Bedrohung durch den Zweiten Weltkrieg verschlüsselt. Sie bilden gleichsam »Variationen über das Thema Schluß-Strich« (Georg Schmidt). HH

Umberto Boccioni (1882-1916)
482 Zwei Studien zu dem Gemälde ›Die Stadt erhebt sich‹ 1910
Feder in Schwarzbraun; 103x167 mm; Inv. 1978/81

›La città che sale‹ – das Gemälde, das heute im Museum of Modern Art in New York verwahrt wird und das in diesen Skizzen vorbereitet ist, trug ursprünglich den Titel ›Die Arbeit‹. Thema ist der Arbeitsrhythmus einer modernen Großstadt am Beispiel Mailands, ein Bekenntnis zur aktuellen Gegenwart, als deren Prinzip die Futuristen die Schönheit der Geschwindigkeit proklamierten. Den Aufbruch der Stadt, ihr dynamisches Wachstum und ihr morgendliches Erwachen, faßt Boccioni in die Form eines riesigen Pferdes, gleichsam in sichtbar gemachte Pferdekraft. Lose umschreibende Konturen und durchsichtige, langgezogene Linienbündel macht er zu Trägern von Energie, die auch auf das netzartige Gerüst der wachsenden Hausfassaden übergreift. Bewegung und Licht lösen die Substanz der Körper auf, die rhythmisierte Fläche wird zum Zeichen für Masse und Energie, Raum und Zeit. – In der kleineren Skizze ist noch einmal die Komposition in einer Helldunkelstudie erprobt. HH

481

Oskar Schlemmer (1888-1943)
483 Gruppenkomposition 1935/36
Feder in Schwarz auf hellbraunem Papier; 280x221 mm; Inv. 1966/289
Die Figur im Raum, das Geborgensein und die Isolation des Einzelnen im Raum, ist Schlemmers thematischer Beitrag zur Kunst am ›Bauhaus‹. Es ist die Frage nach sinnvoller harmonischer Einordnung des Menschen in die Gemeinschaft zwischen Selbstentfaltung und Vereinsamung (Georg Schmidt). Um diese klassische Mitte zu gestalten, stilisiert er seine Figurinen auf der Geometrie angenäherte Grundformen in einem nicht mehr perspektivisch konstruierten Raum, der so als außen und innen erlebbar wird. Überschneidung und Durchdringung der Gestalten gehorchen einem Prinzip von Freiheit wie Bindung. Gerade die Federzeichnung macht dies in der Transparenz des Strichbildes anschaulich, das die einzelne Figur ebenso trennend umreißt wie es sie einem flächenbezogenen System parallel geführter Linien einfügt. HH

483

482

Lyonel Feininger (1871-1956)
484 Ostseestrand III 1925
Feder in Tusche, Aquarell; 282x448 mm; Inv. 1949/232
In der Landschaft der Ostsee-Strände fand Feininger in der Natur das vorgebildet, was er in seiner Kunst suchte: Weite, Licht und Stille. In seinen Aquarellen wie in seinen Gemälden hat er diese sinnlich wahrnehmbare Welt »geklärt und verklärt« (Langner). Die Formzerlegung der Kubisten deutet er um in den Rhythmus geometrisch geordneter Federstriche, die sich lockern und verdichten und mit der Aquarellfarbe ins Schweben geraten. So löst sich alles Dingliche transparent ins Räumliche auf. Das Wandelbare der atmosphärischen Erscheinung wird wie in einen Kristallisationsprozeß ins Unwandelbare und zugleich Visionäre überhöht. Wie in Gemälden C.D. Friedrichs verweist die Kleinheit der angedeuteten Figuren auf die Entgrenzung des Sichtbaren. HH

484

485

Raoul Hausmann (1886-1971)
485 ›P‹ um 1921
Collage; 312x220 mm; Inv. 1973/2
Auf die Verworrenheit der ersten Nachkriegsjahre reagierten die Berliner Dadaisten mit antibürgerlicher Gesinnung und politisch revolutionärer Haltung. Der Verlust eines geordneten Weltbildes führte sie zum Bruch mit einem einheitlichen Kunstprinzip. Die Collage mit ihrer chaotischen Überschneidung inhaltlicher und formaler Elemente und der unverschleierten Verwendung verbrauchter Materialien ist ihnen ein Mittel, ›einer verrückten Welt ihr eigenes Bild in den Rachen zu stoßen‹. Hausmanns Arbeit hat dafür geradezu programmatischen Charakter. Der starke optische Appell der Bildsignale und der heftig kontrastierenden Farben entsteht aus geschnittenen und zerrissenen Fragmenten: Postkarten, Fahrkarten, Eintrittskarten, Dada-Parolen, Wortfetzen und Autographen verweisen auf eine dadaistische Internationale und ihre Aktivitäten zwischen Berlin, Paris, Holland und Italien. Die persönliche Handschrift des Autors tritt dahinter zurück. Gesellschaft ist ihm wichtiger als Individualität, Leben mehr als Kunst. HH

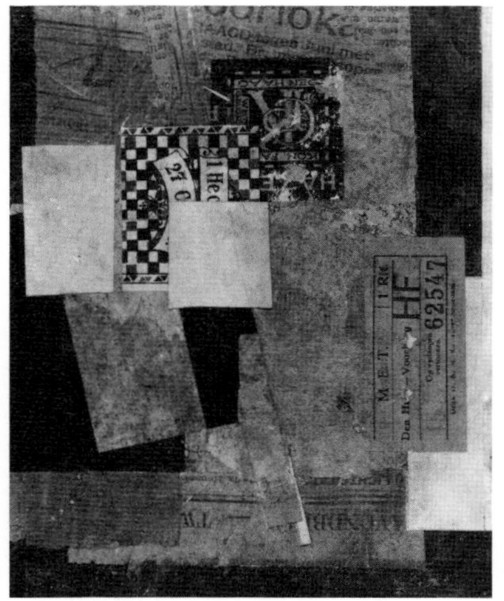

486

Kurt Schwitters (1887-1948)
486 M Z 66 Leiden 1923
Collage; 160x130 mm; Inv. 1961/3
»Aus Scherben Neues bauen« war das ›Merz‹-Programm von Kurt Schwitters, durch das er sich von den Berliner Dadaisten unterschied. Das Bauen aus Scherben bedeutete für ihn die Herstellung von Strukturen in einer neu zu schaffenden künstlerischen Wirklichkeit. Nach seiner Begegnung mit der holländischen Stijl-Bewegung findet er dafür eine neue konstruktive Form. In unserem Beispiel verweisen die verwendeten Reste profanen großstädtischen Lebens auf Holland. Verfallene Fahrscheine, Etiketten, Drucksachen haben sich den Charakter inhaltlichen Materials bewahrt und fügen sich doch zur sensiblen kompositorischen Einheit, die als abstrakte Ordnung gelesen werden kann. In ihr wird das Wertlose zur farblichen und stofflichen Kostbarkeit sublimiert, der poetische Charakter des Alltäglichen zum Vorschein gebracht. HH

Alberto Giacometti (1901-1966)
487 Frau im Sessel 1954
Bleistift; 596x419 mm; Inv. 1956/110
»Die Unerreichbarkeit der ganzen Realität«, ist die Grunderfahrung des Künstlers Giacometti. Die unendliche Annäherung an das Unbekannte ist das Thema des Bildhauers und Malers, für den die Zeichnung Schlüsselfunktion besaß. In der Zeichnung geschieht diese Annäherung an das Ungreifbare, Fremd durch eine Vielfalt raumschaffender Linien, ohne das Gegenständliche – Atelierecke, Sofa, Modell – in bestimmbare plastische Formen zu fassen. Das Eindringen der Leere, die Wischungen mit dem Radiergummi, das Sich-suchen und ›Ausstreichen‹ der Bleistiftstriche stellen die Bildwelt in Frage, indem sie sie erzeugen. Wie gefangen im Netzwerk erscheint die Menschengestalt, unerreichbar in ihrer Einsamkeit. Wie über einen Abgrund tut sich so die Einsamkeit des Künstlers im stummen Dialog mit seinem Modell vor uns auf. Arbeit war für ihn ein leidenschaftlicher Kampf, der bis zur physischen Zerstörung von eigenen Werken führte. HH

487

Max Ernst (1891-1976)
488 Plus agile que la lune 1925
Bleistift-Frottage; 208x160 mm;
Inv. 1966/300
Unter Berufung auf eine Satz Leonardos, daß man in einem Klecks alles mögliche, ja die Vision von Landschaften sehen könne, entdeckte Max Ernst 1925 seine halbautomatische Verfahrensweise der ›Frottage‹, einem Durchreiben von Holzmaserungen und anderen erhabenen Unterlagen. Aus den Zufallsprodukten der so gewonnenen Strukturen schuf er – ebenso meditativ wie aktiv – durch Lenkung, Akzentuierung und Variierung eine neuartige Welt landschaftlicher, pflanzlicher und tierhafter Gebilde, die wie organisches Leben erschaffen zu sein scheinen. Aus der Technik selbst entwickelte sich ihm eine ›Histoire naturelle‹, eine ›Geschichte der Natur‹ als eines ständigen Wachstums- und Verwandlungsprozesses. Vision und Wahrnehmung, Innenwelt und Außenwelt sind im Sinne des Surrealismus nicht mehr zu scheiden. Die unterschiedlichen durchgeriebenen Texturen beschwören Unorganisches und Organisches, Gesetz und Zufall. HH

488

Hans Arp (1886-1966)
489 Zerreißbild 1933
Schwarzes Papier auf weißem Karton;
313x244 mm; Inv. 1976/133
»Das Gesetz des Zufalls, das alle Gesetze in sich begreift«, sah Arp während seiner Züricher Dada-Zeit als Bedingung und Möglichkeit für Leben und Kunst an. Nur wer in Hingabe an das Unbewußte dieses Gesetz befolge, erschaffe reines Leben, das der Sinn der Kunst sei. In seinen ›papiers déchirés‹ der 30er Jahre ließ er Papierfetzen auf eine Fläche herabrieseln, damit sie wie von der Natur geschaffen schienen. Im Zerreißprozeß und in den dabei entstehenden ausgefransten Rändern ahmt er den Zufall und den natürlichen Verfall nach. Doch sind die vor hellem Grund fast plastisch und organisch wirkenden Elemente in eine geordnete Konstellation gebracht, die zugleich zu spielerischer Veränderung anregen würde, wären sie nicht festgeklebt. Auch damit ist der Arbeit ein naturhaftes Wandlungsprinzip immanent. HH

489

490

Max Beckmann (1884-1950)
490 Selbstbildnis mit Fisch 1949
Pinsel in Tusche über Kreide; 357 x 450 mm; Inv. 1951/61
Das Selbstporträt war für Max Beckmann nicht nur stets neu ein Prüfstein seiner Kunst und ein Rechenschaftsbericht über seine Lebenssituation. Im Bild des eigenen Ich versuchte er, »daß große verschleierte Mysterium des Daseins« zu begreifen. In unserem Blatt, einer der letzten Selbstdarstellungen, verbindet er in Ausdruck und Zeichenweise Strenge und Leidenschaftlichkeit, Selbstbehauptung und Abgründigkeit. Aus den schwarzen Strichen und Balken leuchtet das Weiß wie im gesteigerten Farbkontrast heraus. Dieses geistige Element faßt er gegenständlich im Attribut des Fisches, einem Symbol der Seele und ihres Fortlebens, das er den eigenen Augen naherückt. HH

Pablo Picasso (1881-1973)
491 Alter Mann und junge Frau im Licht 1967
Pinsel in Tusche; 500 x 610 mm; Inv. 1968/110
In Picassos Kunst spielt das Selbstbildnis, von einigen Frühwerken abgesehen, eine untergeordnete oder verschlüsselte Rolle. Doch sind seine zahllosen Darstellungen von Maler und Modell, Maler und Staffelei, und im Spätwerk von altem Mann und junger Frau als gleichnishafte Selbstdarstellungen zu verstehen. Es sind nicht nur Dokumente eines Künstlerlebens, sondern sie spiegeln das ›Drama‹ des menschlichen Lebens, das Picasso auf allen Stufen seines Schaffens und in ständiger Verwandlung gestalten wollte. Lebensfülle und zugleich ein Hauch von Melancholie sprechen aus diesem Alterswerk. Ebenso unmittelbar und energisch im Vortrag wie schemenhaft in der Andeutung der Gestalten, entrückt es das Paar in ein geheimnisvolles Helldunkel von labilem Gleichgewicht. HH

491

Fernand Léger (1881-1955)
492 Beinstudie 1951
Feder und Pinsel in Schwarz über Bleistift; 318x487 mm; Inv. 1960/26
»Die schweren Hände der Arbeiter ähneln ihren Werkzeugen und ihre Werkzeuge ihren Händen ... ihre Hosen erinnern an Gebirge und Baumstämme.« Dieser Satz Legérs könnte auf unsere Zeichnung gemünzt sein. Er trifft nicht nur die rein gegenständliche, überpersönliche Gestaltung dieser Hände und Beine eines Bauarbeiters, sondern führt ins Zentrum seiner Kunst. Mit ihr wollte er Modelle für einen harmonischen Ausgleich von Mensch und Technik, Mensch und Arbeit in einer freien Gesellschaft schaffen. – Das Blatt ist Teil einer Werkgruppe, in der er sich in den Jahren 1949-1951 mit dem Thema der ›Constructeurs‹, der Bauarbeiter, beschäftigte. Was als Studie und als Fragment erscheinen könnte, gewinnt kompositorischen Eigenwert. Entspannte Energie ist Thema und Technik seiner Zeichnung. HH

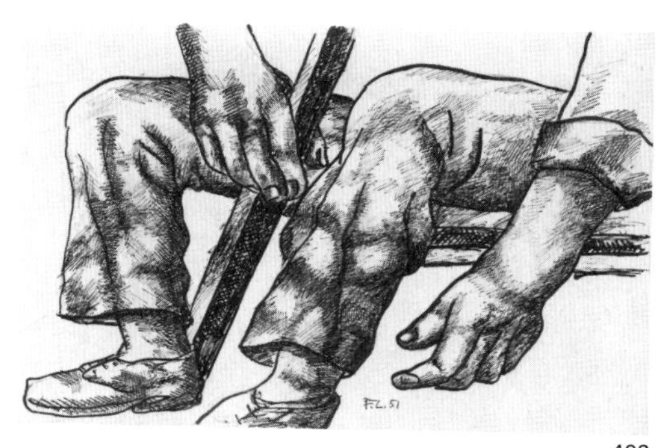

492

493

David Hockney geb. 1937
493 Mo in St. Mawes 1967
Farbstift und Tusche; 43x35,4; Inv. 1968/7
Mit dem Begriff »Pop Art«, mit dem man ihn in den frühen 60er Jahren etikettiert hat, ist Hockney nicht zu fassen. Zwar geht es auch ihm um eine unbekümmerte Einbeziehung der modernen Zivilisationswelt in seine Bilder, doch nicht in ihrem anonymen Massencharakter und ihrer technischen Reproduzierbarkeit, sondern in ihrer unmittelbaren Ansicht und privaten Bedeutung. So sind Familie und Freunde die Modelle seiner Porträts, das Porträtzeichnen ein Kernstück seines Arbeitens. In diesem Blatt mit dem Freund Mo besticht nicht nur die Sicherheit, mit der das Physiognomische knapp erfaßt ist. Der zarte Strich des Stiftes, der Gesicht und Hand an ihrer Oberfläche nachgeht, wird ergänzt durch die flächig gemalten Partien der Kleidung als selbständigem Bildwert. Formale Beschränkung und formale Freiheit, Sympathie und Distanz treten in ein Gleichgewicht von artistischem Kalkül. HH

Detlef Birgfeld geb. 1937
494 Gedankenflug I, 25.10.1982
Bleistift, Buntstift, Ölkreide, Farbstift; 48x63; Interversa-Stiftung 1983, Nr. 6
Vom Bildhauer, vom Modelleur, ist Birgfeld zum »Monteur«, zum Collage- und Montage-Künstler geworden. Auch mit dem Zeichenstift reproduziert er nicht, sondern findet er. Er entwickelt Figurationen, die die dritte Dimension miteinbeziehen. Ihre exzentrische Komposition, ihre Entstehungsweise aus sich überlagernden Linien, Wischungen, Collage-Elementen, entsprechen der Arbeitsweise des Bild-Hauers, der plastische Gebilde im Raum erfindet. Linie und Strich sind ebenso dynamisch wie sensibel, die Gebilde und Gestalten ebenso logisch wie grotesk. HH

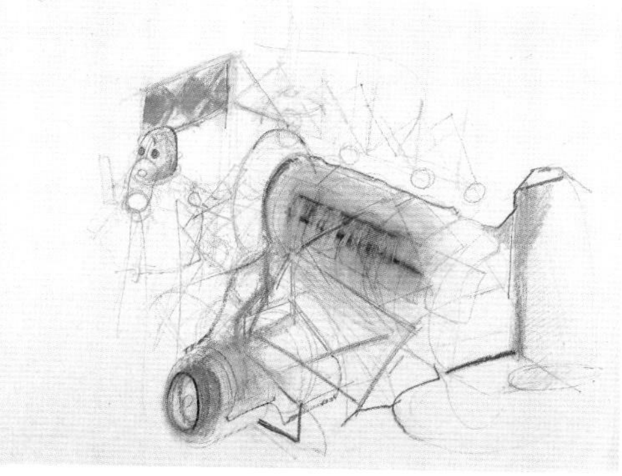

494

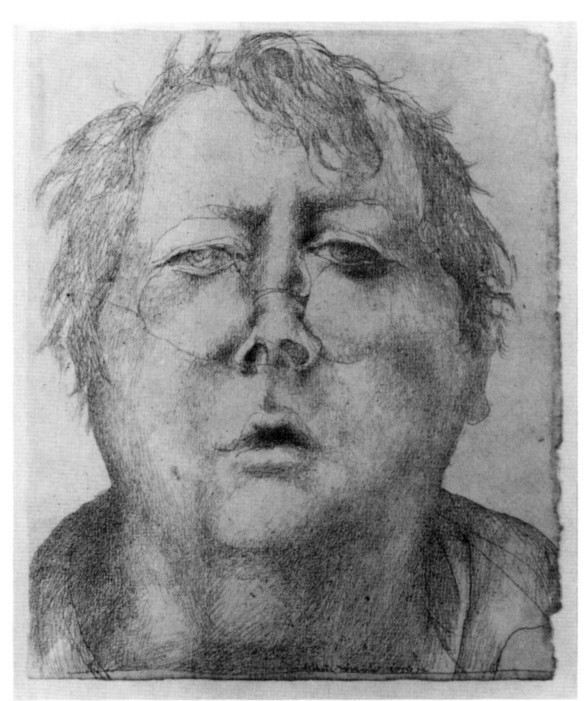

495

Horst Janssen (geb. 1929)
495 Selbst, römisch 25. Mai 1968
Bleistift; 295 x 230 mm; Inv. 1968/91
Für Horst Janssen ist das Selbst nichts endgültig Faßbares, sondern Gegenstand hellsichtiger, bohrender Erforschung auch des Widersprüchlichen. Daher die Maskierung in vielen seiner Selbstporträts und ihr Variantenreichtum. In unserem Blatt mit seiner Frontalität des Kopfes auf sockelartiger Halspartie mag er nachträglich eine Erinnerung an römische Bildnisse gesehen haben, was ihn zu dem erzählerisch klingenden Titel veranlaßte. Das Rollenspiel wird so zum Mittel der Selbsterkenntnis. Der hingebungsvollen Versenkung in das Spiegelbild entspricht die Führung des spitzen Bleistifts, der sich sensibel gleichsam unter die Oberfläche der Haut vortastet. HH

Arnulf Rainer (geb. 1929)
496 Übermalte Vertikalgestaltung 1956
Ölkreide und Öl; 620 x 850 mm; Inv. 1981/12
In seinen ›Vertikalgestaltungen‹ betrieb Rainer mit den Mitteln der dynamisierten Linie Untersuchungen über den elementaren Ausdruck, die ›Seismographie‹ der Gebärde. Die aggressive, wie verletzend und schneidend gestisch gezogene Linie ist Instrument und Ergebnis des Arbeitsprozesses, enthält Kunst und Leben in einem. Es ist eine Kunst ›im nackten Zustand ihrer Geburt‹, die sichtbar in das imaginäre Zentrum ihrer selbst zielt. Damit richtet sie sich auf ein Transzendentes, Unerreichbares, das nur als Verletzung, als Wunde sichtbar wird. Solche Selbstentäußerung des Menschen und Künstlers ist Rainers Thema geblieben. HH

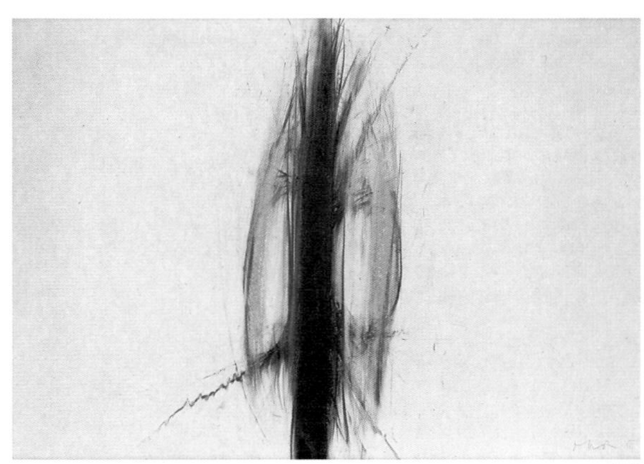

496

497

Walter Pichler (geb. 1936)
497 Menschen mit schlechten Füßen
1972
Bleistift, Buntstift und Tusche; 420x610 mm; Inv. 1973/11
Die Zeichnungen, die das Werk des Architekten, Bildhauers und Materialkünstlers als selbständige Gattung begleiten, zielen wie seine übrigen Arbeiten auf das Mythische einer persönlich geprägten Lebens- und Leidenserfahrung. Sie erfinden archetypisch anmutende Konstellationen von primitiven architektonischen Gebilden und anonymen Figuren, die Verbindung wie Fremdheit, Raum wie Ortlosigkeit vorstellen. Dabei wird das Gegenständliche, werden die fragil überlängten Gestalten durch die dünnlinige, nervöse Zeichenweise an die Grenze des Verschwindens zurückgeführt, schon indem sie aus der Hand des Zeichners entstehen. Eine aufs äußerste verfeinerte und sensibilisierte Technik gewinnt aus dem Bild des Vergehens ästhetischen Selbstwert, Schönheit entsteht aus ihrer Negation. HH

Franz Erhard Walther geb. 1939
498 Ölzeichnung 1979/80
Öl auf Papier; 29,7x21; Interversa-Stiftung 1983, Nr. 79
Was Franz Erhard Walther vor zwanzig Jahren für sich entwickelt hat, das Werk als Prozeß, hat er in seinen Ölzeichnungen zu neuen, sinnenhaften Lösungen geführt. Er schafft Zeichnung ohne Zeichnen, Kontur ohne Linie, verwendet Malmittel ohne Pigment. Handlung geschieht in der Herstellung und im Material, und der Materialprozeß in diesen Arbeiten ist noch nicht abgeschlossen, sondern voraussehend einkalkuliert. Das Öl auf dem feinen Papier läßt eine Transparenz entstehen, die den Blättern eine doppelte Ansichtigkeit verleiht, ein »Durchsehen« möglich macht. Auch das Sehen wird so als aktiv verstanden, denn je nach der Ansicht erkennt man in den wie organisch entwickelten, vom bewußten Eingriff kontrollierten Umrissen neue Figurationen und Ordnungen. HH

498

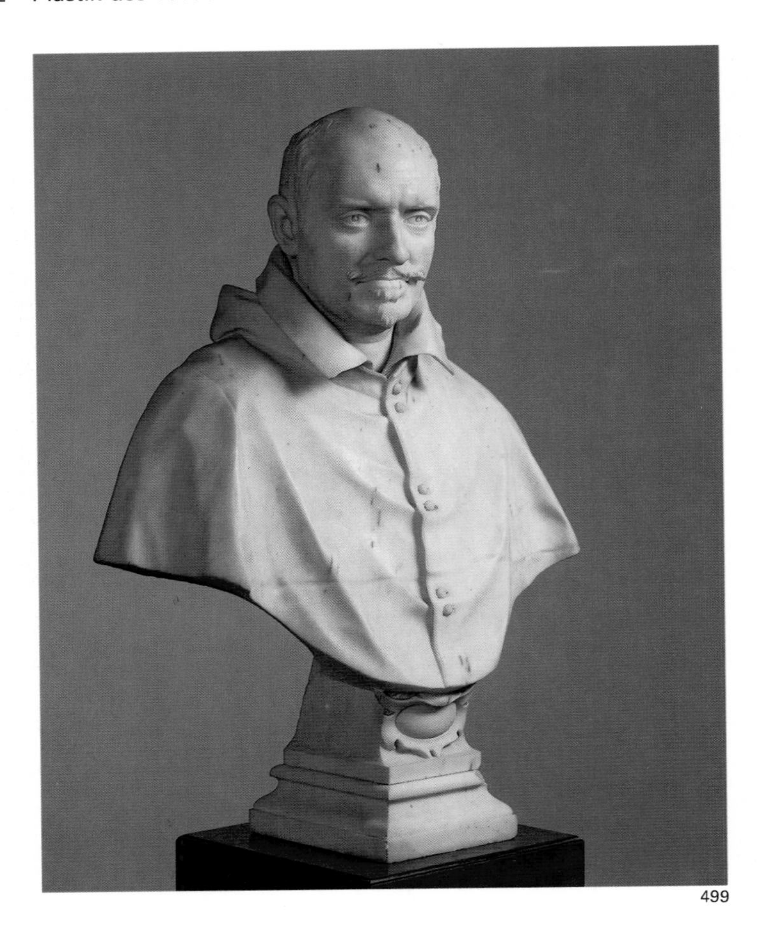

499

Giovanni Lorenzo Bernini (1598-1680)
499 Bildnis des Kardinal Alessandro Damasceni-Peretti-Montalto
Marmor um 1622/23
Freiherr J. H. von Schröder Stiftung 1910
88 x 65 x 30; Inv. 1918/60

Die von der römischen Antike her geläufige Form der Büste läßt, eben wegen ihrer Geläufigkeit, vergessen, daß wir es mit einer abgekürzten, ja, verstümmelten Skulpturengattung zu tun haben, die eher bildhaften Gesetzen folgt als bildhauerischen. Die Schauseite wird auf einen Grund bezogen, er sei eine Wand oder eine Nischenarchitektur. Keiner hat dies besser verstanden und sinnvoller durchdacht als Giovanni Lorenzo Bernini, der gerade in diesen Jahren anhand von vielen Bildnisaufträgen zur Sepulkralarchitektur in Rom die malerischen Eigenschaften seiner Plastik entwickelte. Was heute überrascht ist, daß immer noch genügend plastische Substanz erhalten bleibt, um der marmornen Erscheinung des Bildnisses ihre Wirkung selbst vor einem saalartigen Umraum zu sichern. So erhält sogar die konkrete Dinglichkeit des Steinkörpers den Reiz des rätselhaft Imaginären. Das gelingt in der kunstgeschichtlichen Entwicklung zwischen Michelangelo und Rodin nur Bernini. Er hat das transitorische Moment in die bis dahin von statischen Vorstellungen beherrschte Bildhauerei eingebracht; auf das Bildnis dieses Kardinals übertragen heißt das: Die Veränderung im mimischen Ausdruck, durch unendlich viele und fein aufeinander eingestimmte Entstellungen suggeriert, bewahrt im gemeißelten und polierten Stein die Züge eines lebendigen Menschen. GS

Johann Gottfried Schadow (1764-1850)
500 Bildnis Marianne Schlegel 1805
Gips; 58x37x17; Inv. 1954/26
Marianne Schlegel, die Tochter des Direktors der Berliner Münze, war Patenkind von Johann Gottfried Schadow. Die Büste ist also ein fast familiäres Dokument. Das lassen die repräsentativen und typisierenden Elemente in Schadows Klassizismus nicht ohne weiteres vermuten. Dennoch sind die intimen Züge nicht zu übersehen: Die Verschlossenheit der Vierzehnjährigen, der Verlust kindlicher Anmut und die ersten fraulichen Stilisierungsversuche in Haartracht und Kleidung. Wir befinden uns noch in bildhauerischen Traditionen des 18. Jahrhunderts: Die Empfindsamkeit und Realistik von Chodowieckis Stichen wirkt nach, ins bildhauerische Porträtfach bereits von Schadows Lehrer Alexander Trippel übertragen; aber auch die idealisierende Norm von Winckelmanns edler Einfalt und stiller Größe hat hier Eingang gefunden. GS

500

501

Friedrich Hagemann (1773-1806)
501 Bildnis Immanuel Kant 1801
Marmor; 51,5x23x29,5; Inv. 1939/82
Hagemann war ein Schüler und Gehilfe Schadows, verrät aber in seiner Kant-Büste weniger dessen Einfluß als die mittelbaren Nachwirkungen des Voltaire-Kopfes von Houdon. Hagemanns Marmorkopf, drei Jahre vor dem Tode des Philosophen entstanden, ist eine monumentale Huldigung; eine Wiederholung davon ziert bis heute das Grab. Der Kopf ist leicht vorgeneigt. Diese Neigung begegnet uns wieder in dem ›Einsamen‹ von Ernst Barlach (siehe 525). Gedankliche Schwere kommt somit fast wörtlich zum Ausdruck. Die Mimik ist von einer duldenden Gelassenheit. Ihre stilistische Nähe zum römischen Porträt des Stoikers Seneca kennzeichnet die gesuchte Distanz zum Lächeln des ›Kynikers‹ Voltaire; der physiognomischen Formensprache Houdons hingegen entkam Hagemann nicht. Geschult am Klassizismus Schadows, verstand er sie nur zu mildern, ihr gewissermaßen die seit Lavater erlernbare Geläufigkeit zu nehmen. Akzentuierende Belastung (ital.: caricatura) im Sinne des 18. Jhs. ist genug verblieben, wie etwa im Kinn des Dargestellten. Dies ist als Abkehr von der Schadowschen Formensprache zu werten. Diese Büste ist seit ihrer Entstehungszeit in hamburgischem Besitz (von Heß); damit verweist sie mit dem Revolutionsbild von Regnault auf den Kreis kaufmännischer und gelehrter Sammler, die 1789 die französische Revolution begrüßten (siehe 63). GS

502

Otto Sigismund Runge
(1805-1839)
502 Venus Piscatrix 1827/29
Leihgabe Dr. Fritz Runge
Marmor; 105x56x40
Otto Sigismund Runge ist der Sohn von Philipp Otto Runge (siehe 80, 336). Nach anfänglicher bildhauerischer Ausbildung in Dresden und in Berlin, schuf er diese Marmorgruppe in Rom unter Anleitung von Bertel Thorvaldsen (1768-1844). Runges Marmorgruppe erinnert uns daran, daß wir im Rom der Nazarener sind (siehe 96). In beinahe geschwisterlicher Eintracht bringt ein junges Mädchen einem puttenhaften Knaben das Angeln bei. Was liegt näher als zu vermuten, hier lehre Psyche Amor das Fischen? Zwar ist eine solche Geschichte weder mythologisch noch ikonographisch bezeugt, doch gibt es ein pompejanisches Gemälde mit einer Venus Piscatrix, das Runge gekannt haben wird. Oder liegt hier eine romantische Dichtung vor? Wir wissen es nicht. Die Überlieferung in der Runge-Familie spricht einfach von ›der Fischerin‹. GS

Pasquale Miglioretti (1823-1881)
503 Die Söhne Eduards IV
Geschenk Adolf Alexander 1869
Marmor; 139,5x87x64;
Inv. 1939/88
Zu den ältesten Stiftungen der Skulpturenabteilung gehört diese Marmorgruppe. Sie spiegelt den literarischen Geschmack der Zeit wider, denn der Titel evoziert eine Szene aus den Königsdramen Shakespeares (Richard III.): Die Ermordung der Söhne Eduards IV. Gewählt ist der Augenblick, in dem die Söhne die Schritte der Mörder vor der Tür ihrer Kammer hören. Miglioretti differenziert diesen Moment: Der Schoßhund hat das Geräusch zuerst vernommen, der Ältere (Prince of Wales) hat schon seine Schlüsse gezogen und will den Jüngeren aus seiner achtlosen Schläfrigkeit wekken, ohne sich und ihn durch Geräusche zu verraten. Das Detail ist aufs feinste ziseliert, die historische Draperie so korrekt, wie nach den damaligen Kenntnissen möglich, eingehalten; der wissenschaftliche Positivismus des 19. Jahrhunderts hat nun auch in der Plastik stilistische Konventionen des Klassizismus verdrängt. GS

503

Max Klinger (1857-1920)
504 Kassandra um 1895
Marmor; 62x31x27; Inv. 1980/10
Eine mythologische Gestalt von tragischer Dimension hat ihre bildhauerisch-malerische Gestaltung erfahren. Ihre Lebensnähe und Lebensferne vermitteln Schrecken. Der weichste und bildsamste Marmor, den es gibt, ist mit einer Farbschicht überzogen, die dünn genug ist, um die Kristalle des Marmors hindurchschimmern zu lassen, als hätte der Kopf eine lebendige Haut. Doch keine panoptikumhafte Illusion stellt sich ein; die Farben sind verfremdend gebrochen und ihr Auftrag ist streifig. Der Glanz der geblendeten Augen ist keiner naturalistischen Glasimitation anvertraut worden; Klinger hat hier reinen Bernstein verwendet. Und dennoch ist der Kopf reine Bildhauerei: Büstenschnitt und geneigtes Profil, Oberflächen und Höhlungen sind geradezu abstrakt aufeinander bezogen, ohne ins Dekorative abzufallen. GS

504

505

Reinhold Begas (1831-1911)
505 Mutter und Kind 1870
Vermächtnis Eduard L. Behrens 1895
Marmor; 154x72x62,5; Inv. 1918/62
Begas stand als Schüler von Christian Daniel Rauch (1777-1857) in der Tradition des Berliner Klassizismus, wie sie Schadow (siehe 500) begründet hatte. Bestimmender aber erwiesen sich die schwellenden Formen des römischen Barock, unter dessen Einfluß Begas um die Jahrhundertmitte geriet. Der Lyrismus der Mutter-Kind-Beziehung geht auf ein Rundbild Michelangelos mit Madonna und Kind zurück. Die Ausführung fiel entsprechend malerisch aus: Das Spiel des Lichts an der Oberfläche ergänzt die anatomisch und perspektivisch bildgerechte Komposition; aber die Gestalten sind auf Vorderansicht berechnet, wie für eine Nische geschaffen. GS

Adolf von Hildebrand (1847-1921)
506 Bildnis Marie Fiedler 1882
Terrakotta; 71x52x43; Inv. 1951/4
Marie Fiedler war die Mutter des Kunsttheoretikers und einfühlsamen Mäzens Konrad Fiedler, der mit Hildebrand und Marées (siehe 165) eng befreundet war. Fiedlers Aufsatz ›Moderner Naturalismus und künstlerische Wahrheit‹ war gerade erschienen (1881). Der Verismus dieser Plastik überrascht. Trotz aller Treue im Detail ist er von anderer Art als der der Marmorgruppe von Miglioretti (siehe 503). Die Wahrheit wird in ihrer ganzen Widersprüchlichkeit vorgetragen. Der mimische Ausdruck tritt in seiner ganzen Komplexität hervor, teilt aber auch etwas von der persönlichen Wärme der Dargestellten mit. Das Hüftstück ist allansichtig wie der Mensch, der dazu gestanden hat. Als Plastik ist es von einer büstenhaften Geschlossenheit, greift aber räumlich in alle Richtungen aus, von der rückwärts geneigten Brustfläche an sogar auch nach oben. GS

506

507

Jean-Baptiste Carpeaux (1827-1875)
507 Ugolino mit seinen Söhnen 1859
Campesche Historische Kunststiftung
Bronze; 53x33x24; Inv. 1979/7

Carpeaux war ein Lehrer Rodins (siehe 507). Als Bildhauer der Jahrhundertmitte deutete er die Bewegung in der Plastik szenisch. Sein ›Ugolino‹ aber ist ein Wendepunkt. Zwar ist die Gruppe auf einen Vers in Dantes Göttlicher Komödie bezogen, drückt aber zugleich die Stimmung aus, die den mit seinen Söhnen im Hungerturm gefangenen Grafen Ugolino erfaßt. Die monumentalen Formen vom malerischen Detail bis zur Kegelkomposition haben Rodin zu seinem Denker inspiriert (1888). Dargestellt ist die Selbstverstümmelung Ugolinos: »Hab ich in beide Hände mir gebissen« (Hölle, XXXIII, 20). Voraus ging das Angebot seiner verschmachtenden Söhne, daß er sein Leben retten soll, indem er von ihrem Fleisch ißt; die symbolische Selbstverzehrung begleitet seine Ablehnung des Kannibalismus an seinen Söhnen. Aber die Versuchung bohrt sichtlich weiter. Nach Tagen erliegt er ihr, als sämtliche Söhne gestorben waren. GS

Auguste Rodin (1840-1917)
508 Pierre de Wiessant 1885
Geschenk Peter Margaritoff
Bronze; 197x117x94; Inv. 1950/18

Losgelöst von der für den Marktplatz von Calais geschaffenen Monumental-Gruppe zur Erinnerung an die Bürger, die 1347 ihren englischen Belagerern entgegengingen, um durch ihre Hinrichtung die einzig erträglichen Kapitulationsbedingungen zu erfüllen, steht ihr Anführer Pierre de Wiessant nicht mehr bekleidet, wie sich die Gruppe im Denkmal vorfindet, sondern nackt – mit derselben Bewegung, die er auch im Denkmal ausführt. Aber was in der Gruppe als heroisches Drama in Erscheinung tritt, wird nun in der vereinzelten Gestalt zu einem Gestaltzeichen für Trauer und Resignation. Der feierliche Vortrag in einer wie choreographisch festgelegten Gebärde wird einem Körper anvertraut, dessen Nacktheit fern aller klassischen Erinnerungen gebildet ist. GS

508

509

Auguste Renoir (1841-1919)
509 Kleine stehende Venus 1913
Erworben aus Mitteln der Campeschen historischen Kunststiftung
Bronze; 61x32x20,5 (ohne Sockel)
Inv. 1957/15

Renoir hat sich erst in den letzten Jahren seines Lebens und mit fremder Hilfe mit Bildhauerei befaßt; so auch hier. Gleichwohl ist es ein durch und durch authentisches Werk. Dargestellt ist eine triumphierende Venus mit einem Apfel in der Rechten. Die Göttin der Zwietracht (Eris) hat, so berichten die Sockelreliefs nach Homer, einen goldenen Apfel als Preis für die schönste Göttin ausgesetzt, aber richten sollte ein Sterblicher, Paris, ein Sohn des trojanischen Königs Priamus. Es bewarben sich Juno (Hera), Minerva (Athene) und Venus (Aphrodite). Das Urteil fiel zugunsten der Venus aus, und die Folge war der trojanische Krieg. Unter Renoirs Regie aber wurde die Mythologie zum Gleichnis weiblicher triumphierender Schönheit. GS

Edgar Degas (1834-1917)
510 Grande Arabesque, Deuxième Temps 1882/95
Bronze; 43x28x61; Inv. 1952/20
Es gehörte zu den größten Überraschungen des Nachlasses dieses impressionistischen Malers, daß man eine Reihe völlig unbekannter Wachsmodelle von seiner Hand fand, darunter auch das Modell dieses posthumen Gusses. Die kühne Abkürzung von Hand und Fuß und die allein auf eine plastische Gewichtung hin angelegte Unregelmäßigkeit in der Anatomie geben einer Vorstellung Gestalt, welcher Degas als Maler nachging. GS

510

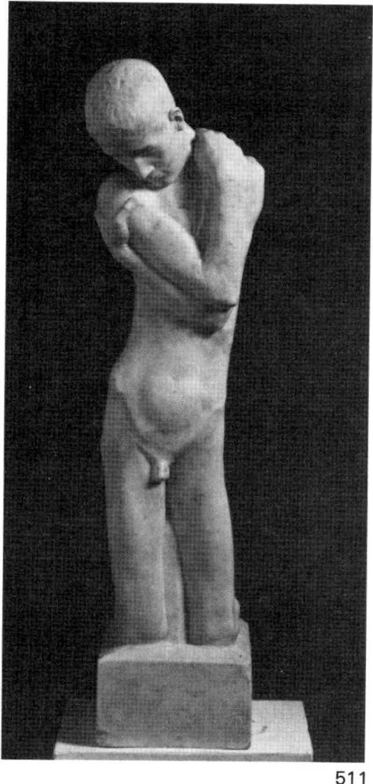

511

George Minne (1866-1941)
511 Kniender Jüngling 1898
Geschenk von Carl Georg Heise
Marmor; 79,5x17,5x40; Inv. 1980/5
Die kniende Gestalt ist in ihrem architektonischen Zusammenhang zu verstehen: Sie wiederholt sich fünfmal am Rande eines rund gefaßten Brunnens und blickt auf die Wasserfläche. Erinnerungen an die mythologische Gestalt des Narziß stellen sich ein. Die fünffache Wiederholung trägt zur Entpersönlichung der Gestalt bei. Der rechtwinklige, L-förmige Aufbau im Großen und der in unzähligen Details konkav wegmeißelnde und polierende Stil tun hier ihr übriges. Aber die fünffache Wiederholung erweist noch mehr: Die Gestalt erschließt sich simultan, wie der ganze Brunnen auf einem Blick erfaßt wird; die Zeitlichkeit im Umschreiten der Skulptur ist ausgeschaltet. Die Figur wird zum Zeichen. Ihre plastische Gegenwart wird eher aus ihrer architektonischen Bedingtheit als aus ihrer körperlichen Notwendigkeit verstanden. Dies gestattet eine sonst übersteigert wirkende Gestik. GS

Charles Despiau (1874-1946)
512 Torso 1928
Eigentum der Stiftung zur Förderung der Hamburgischen Kunstsammlungen Nr. 110
Bronze; 117,5x49x41; Inv. 1957/21
Despiau, wie Brancusi 1907 in der Werkstatt Rodins beschäftigt, wendet sich später Maillol (siehe 514) zu. Von ihm übernimmt er den architektonischen Aufbau der Figur, das erzählerische Element in der anatomischen Gestaltung, die Lichtführung der Oberfläche und den Hang zum mythologischen Zitat. Doch diese Beschränkung auf einen klassizierenden Eklektizismus erlaubt Despiau, seine lyrischen Fähigkeiten mitzuteilen. Nicht der Ausdruck und das Drama, nicht die Infragestellung von Form und Inhalt werden hier zum Thema, sondern eine vorher in dieser Form noch nicht beschriebene Menschlichkeit. Sie ist gehaltvoller als die der Plastik Kolbes, aber auch weniger dramatisch und melancholisch als die von Maillol. Despiau verbindet das Nymphenhafte mit dem Ekstatischen. Dieser jugendliche Torso bildet eine Gestalt vor, die in ihrer vollendeten Form zu einer Bacchantin wird: er ist daher auch als ›Torso der stehenden Bacchantin‹ in die Literatur eingegangen. GS

512

513

Medardo Rosso (1858-1928)
513 Lesender Mann 1894
Bronze; 25,5x28,5x28; Inv. 1977/6
Zwei Wege sind es, auf denen man sich der plastischen Gestalt nähern kann: der erinnernde und der ordnend wahrnehmende. Als plastisches Gebilde greift die Gestalt in den Umraum aus, ohne ihre zeichenhafte Körperlichkeit aufzugeben; als Abbild gibt es Anhaltspunkte genug, um Hut, Profil, geneigter Kopf, Bart, Mantel, Hand und Zeitung zur Wahrnehmungseinheit ›Lesender Mann‹ zusammenzufassen. Die Wege, auf denen man sich von allen Seiten der Plastik nähern kann, gehen ineinander über. Im Gegensatz zum knienden Jüngling von Minne (siehe 511) wird keine Simultaneität vorausgesetzt; sie stellt sich erst im Nachhinein ein, wenn die Plastik umschritten worden ist. GS

Aristide Maillol (1861-1944)
514 Kauernde 1930
Eigentum der Stiftung zur Förderung der Hamburgischen Kunstsammlungen Nr. 97
Marmor; 23x16x24; Inv. 1957/20
Ein unzeitgemäßes Werk des Bildhauers, der um die Jahrhundertwende Generationen von figürlich arbeitenden Kollegen beeinflußt hat. Der Torso und das Unvollendete in der Gestaltung des Materials stehen noch in einer Tradition, die Michelangelo begründet hat und Rodin neu belebte.
Eigener Herkunft ist der plastische Aufbau und die malerisch wie bildhauerisch befriedigende Antithese von Form und Gegenform, Richtung und Gegenrichtung, definierter Gestalt und unbestimmbarer Schlagspur, Licht und Dunkel. Auch die Einfachheit gehört dazu: Eine Frau ist in kauernder Stellung so tief vorgeneigt, daß ihre Stirn fast den Boden berührt. Nichts scheint natürlicher als das. Aber es handelt sich um eine reine Kunstfigur. GS

514

515

George Minne (1866-1941)
514 Drei Frauen 1896
Eichenholz; 62x44x24,5; Inv. 1948/8
Eine Dreiergruppe steht vor uns. Kopfzahl und Varianten im Faltenwurf heben die Dreiheit hervor, parallele Gebärden und Falten schließen das Ganze zu einem einheitlichen Relief zusammen. Wenige Skulpturen des internationalen Symbolismus zeigen ihre Beziehung zum späten Mittelalter so deutlich, wie die drei Frauen des Belgiers George Minne. Unmittelbare Vorbilder sind die trauernden Mönche an den burgundischen Fürstengräbern in Dijon von Claus Sluter (um 1400). Doch der romantische Bezug zum Herbst des Mittelalters – auch in dem Rückgriff auf das farblos belassene, unpolierte Eichenholz – ermöglicht eine Intensität des Ausdrucks, die seit der Spätgotik verloren gegangen ist. GS

516

Henri Matisse (1869-1954)
516 Der Rücken I 1909
Eigentum der Stiftung zur Förderung der Hamburgischen Kunstsammlungen Nr. 197
Bronze; 188 x 114 x 16,5; Inv. 1963/9
Der neutrale Reliefgrund ist zerklüftet, offenbar bestimmt, die tiefen Furchen und Gegensätze des plastischen Reliefbildes abzufangen. Eine malerisch illusionäre Raumwirkung steht einer durch und durch bildhauerisch gestalteten Massenkomposition gegenüber. Und dennoch merkt man gerade der Lichtführung des Rükkenaktes ohne eigentlicher Anatomie und ohne skelettartigen Aufbau an, daß hier noch malerische Lehren von Cézanne nachwirken. In den bis 1930 reichenden gleich großen Reliefs weiblicher Rückenakte in jeweils gleicher Stellung zog Matisse eine monumentale Summe seiner bildhauerischen Erfahrung. Das Motiv – ursprünglich antiker Herkunft – taucht in der Skulptur von Matisse 1907 zum ersten Male in einem geschnitzten Relief kleinen Formats auf. Eine Serie war zu diesem Zeitpunkt noch nicht beabsichtigt; sie ergab sich erst später, das figurale Thema immer abstrakter, aber massiger und einfacher gestaltend. GS

Constantin Brancusi (1876-1957)
512 Der Kuß 1907/08
Gips; 28 x 26 x 21,5; Inv. 1955/13
Noch heute macht die Einfachheit dieser Skulptur betroffen. Sie weist alle stilistischen Merkmale einer primitiven, um nicht zu sagen archaischen Kunst auf: Erinnerungen an romanische Konsolen und indische Tempelplastik stellen sich ein. Aber leicht zu übersehende Differenzierungen in der Umarmung des ›Mannes‹ und der ›Frau‹ setzen Beobachtungen voraus, die sich sonst nicht mit primitiven Darstellungen vereinigen ließen. Immerhin, dieser Kuß ist eine entschiedene Abkehr von der Komposition Rodins, bei dem Brancusi gerade gearbeitet hatte; mit Pablo Picasso und vor allem mit André Derain wußte er sich einig in der Zerstörung des Gemeinplatzes in der Kunst, für den in seinen Augen die berühmte Marmorgruppe Rodins als Beispiel stand. GS

517

518

Gustav Heinrich Wolff (1886-1934)
518 Hommage à Rodin 1928
Geschenk von Frau Dr. Agnes Holthusen
Marmor; 39x41,5x28,5; Inv. 1974/3
Gustav Heinrich Wolff hat eine Huldigung an Rodin in Marmor gemeißelt: Einen Geniuskopf, geglättet, zum Teil aber auch im groben Bossen belassen. Das Unvollendete als künstlerische Form, in Michelangelos bossierten Steinen entwickelt und von Rodin in seinen späten Werken neu entdeckt, wird hier in einem kühnen Querformat vorgeführt. Es ist eine spröde Kunst, die sich bewußt von expressionistischen Gebärden und modischen Formeln des künstlerischen Umfeldes fernhält. Der Kopf löst sich wie ein wiedererkennbares Bild aus der rohen Materie; die Materie verselbständigt sich als Bild in die umgekehrte Richtung: Das Unerkennbare verweist auf das Numinose, Dunkle, Vielsinnige. Beides zusammen, das erkennbare und unerkennbare Bild des Steins, aber verschmilzt zu einer Vorstellungseinheit, die Wolffs huldigender Genius-Allegorie auf Rodin Eindeutigkeit und Vielsinnigkeit zugleich sichert. GS

August Gaul (1869-1921)
519 Löwe 1904
Bronze; 128x43x233; Inv. 1918/64
August Gaul ging aus dem Umkreis von Reinhold Begas hervor (siehe 505): für ihn modellierte er in den 1880er Jahren an einem Denkmallöwen – ganz im Sinne der monumentalen Rhetorik der Jahrhundertwende. Danach wandte er sich dem Kreis um Hildebrand und Tuaillon zu (siehe 506), und seine Arbeiten wurden konzentrierter. Das erste große Werk, das Gaul als besten Tierbildhauer seiner Zeit auswies, war sein Löwe von 1904. Die Natur des Tieres wird jetzt anders gesehen, als illustrativ erzählende Tierbildhauer des 19. Jahrhundert es taten: In die Tektonik des plastischen Aufbaues wird etwas von der uns fremden Eigengesetzlichkeit des Tieres eingefangen und durch eine monumentalisierende Dramatik im Detail geadelt. Die glatte Oberflächenbehandlung hat hier eine ausgleichende Funktion. GS

519

Hermann Hahn (1868-1942)
520 Reiter 1908
Bronze; 276x173x300; Inv. 1920/17
Ein jugendlicher Athlet sitzt nackt und ohne Sattel – nur mit einem altgriechischen Reisehut bekleidet – auf einem Pferd; die Haltung ist eher dem Parthenonfries des Phidias abgesehen als der Natur. Das Tier, wie alle schreitenden Reiterstandbilder seit Marc Aurel mit erhobenem Vorder- und Hinterlauf, hat die kraftvollen Abmessungen der Pferde auf dem Markusdom in Venedig. Entscheidende Straffungen bis hin zu den Falten am Halse, aber auch Kopfproportionen sind den Pferden des Parthenonfrieses und Giebelfeldes des Parthenons entlehnt. Doch nicht nur im Eklektizismus setzt sich der klassizistische Stilwille Tuaillons durch, dem Hahn sehr nahe stand; der Reiter selbst ist wie das männliche Gegenstück zur Amazone Tuaillons vor der alten Nationalgalerie in Berlin, was sicherlich die Auftragserteilung der Hamburger Kunsthalle zum Guß dieser Plastik (1920) beeinflußt hat. Die bildhafte Einfügung in das architektonische Ambiente geht auf kompositorische Anregungen Hildebrands zurück (siehe 506), die das ›Fernbild‹ der Plastik berücksichtigen. GS

520

521

Aristide Maillol (1861-1944)
521 Der Fluß 1940
Blei; 124x230x163; Inv. 1953/12
Der Fluß war ursprünglich für eine etwa zwei Meter hohe Aufstellung am Grabe des Pazifisten Henri Barbusse bestimmt. Die einzig legitime Sicht ist daher die Untersicht. Hauptmotiv ist das Ruhen und Lasten zwischen Schultern und Hüften der auf ihrer linken Seite liegenden Figur. Der unstabile, stürzende Charakter dieser Lage wird durch die tiefe, geradezu hängende Lagerung des Kopfes betont, durch die wuchtige Balance der schweren Beine aber wieder aufgehoben und in eine Schwebelage zurückgeführt, der die abwehrend erhobene Gebärde der Arme ein spielerisches Element hinzufügt. Keine überirdische Gewalt hat diese Gestalt geworfen, sondern diese überläßt sich freiwillig der Instabilität. GS

Henri Laurens (1885-1954)
522 Die Wellentöchter 1934
Bronze; 75x159x48; Inv. 1961/20
Die Wellentöchter – Laurens stand seit 1909 den Kubisten nahe – sind die vergrößerte Version eines fließend-schwebenden Modells von schwimmenden Frauenkörpern von 1932. Die im kleinen Format erarbeitete Konfiguration hat zu einer Monumentalisierung gefunden, die bereits im Hellenismus einmal vorhanden war – in spielerisch-kämpferisch verstrikten Liegegruppen von Nymphen und Satyrn. Auffallend ist die Schwerelosigkeit; sie wird dadurch erreicht, daß die tatsächlich statisch relevanten Partien gegenüber den dynamisch ins Auge fallenden unterbetont sind, die Glieder schwerer als die Rümpfe, die aufwärtsgerichteten Bögen betonter als die abwärtsgerichteten. GS

522

523

Wilhelm Lehmbruck (1881-1919)
523 Betende 1918
Kunststein; 83x51,5x34; Inv. 1980/3
Die ›Betende‹ entstand in Zürich unter dem Eindruck einer unglücklichen Beziehung und einer Schaffenskrise: sie gilt als eines der allerletzten Werke vor dem Freitod des Künstlers. Die Form, von 1910 an aufs sparsamste als Bedeutungsträger und einer oberflächlichen Erscheinungsweise entgegen gestaltet, hat hier eine Ausmagerung erfahren, die in wesentlichen Partien den formalen Bestand der Plastik fast bis zur Drahtarmierung reduziert. Das ›Beten‹ bekommt somit eine jede Umweltwahrnehmung ausschließende Konzentration, die sich nach innen wie in unsichtbare Fernen nach oben richtet. Kein Zug des Gesichts und kein Muskel geben Auskunft über Inhalt der Bitte und Stimmung der Betenden; selbst die Geschlechtlichkeit scheint erloschen. Als Grabplastik in Zürich aufgestellt und wohl auch konzipiert, läßt die mit einem Schleier hinterfangene Gestalt mit einem Tuch in ihren ringenden Händen kaum eine einengende Deutung ihrer Erstarrung als Trauer zu. GS

Wilhelm Lehmbruck (1881-1919)
524 Stehende 1910/11
Kunststein; 200x50x55; Inv. 1921/8
Wilhelm Lehmbruck wird heute als der größte deutsche Bildhauer des frühen 20. Jahrhunderts angesehen. Die ›Große Stehende‹ ist sein erstes großes und stilistisch eigenständiges Werk, zudem das international bekannteste. 1910/11 in Paris entstanden, wurde es 1912 in der berühmten ›Internationalen Kunstausstellung des Sonderbundes westdeutscher Kunstfreunde‹ in Köln gezeigt und im Jahre darauf in der international bekannteren ›International Exhibition of Modern Art‹ in der ›69th Regiment Armory‹ in New York. Seitdem prägt diese Gestalt, die Lehren von Hildebrand und Rodin, Maillol und Modigliani in sich vereinigt, beiderseits des Atlantik die Vorstellung vom frühen Stil des jung verstorbenen Bildhauers. Noch in den zwanziger Jahren griff man auf sie zurück, als Mies van der Rohe den Deutschen Pavillon auf der Weltausstellung in Barcelona schuf; sie war der einzige skulpturale Schmuck auf dem Vorplatz eines Hauses, das fast ausschließlich aus Stahl und Glas zu bestehen schien. Das liegt an der für Lehmbruck eigentümlichen Verbindung von Lebensnähe und idealisierter Lebensferne. Mit anderen Worten: Der Atelierakt ist noch in Rodins Sinne gegenwärtig und zugleich geradezu metaphysisch abstrahiert; er drückt Irdisches und Jenseitiges zugleich aus, indem er anatomischen Befund und architektonische Strenge sich die Waage halten läßt. Lehmbruck findet nicht – wie etwa Lipchitz – den Weg zum Kubismus, aber er überschreitet auch den architonisch-skulpturalen Kompromiß Maillols. Die bildmäßige Wirkung seiner Plastik orientiert Lehmbruck noch an Hildebrand, achtet aber mehr auf eine Vielansichtigkeit. GS

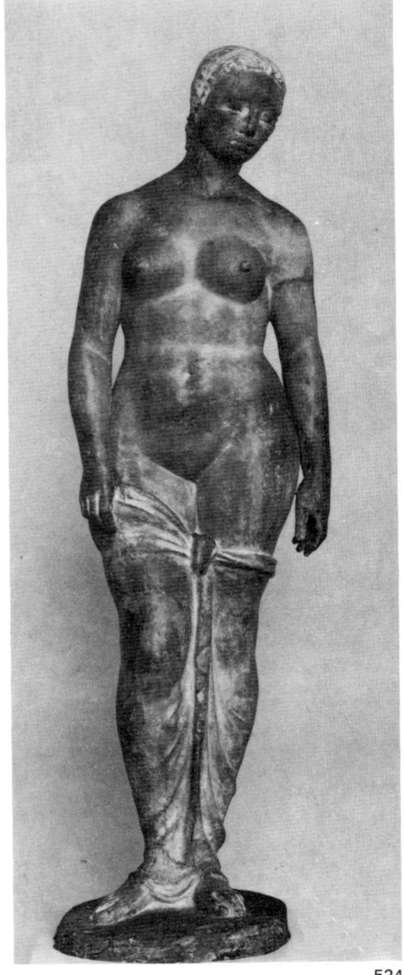

524

Ernst Barlach (1870-1938)
525 Der Einsame 1911
Eichenholz; 88x40x32; Inv. 1954/22
Ernst Barlach folgt mit dem ›Einsamen‹ einem antiken Thema: Diogenes auf der Suche nach einem ›Menschen‹; die Vergeblichkeit dieser Suche offenbart sich im gleichnishaften Gebrauch eines Lichtes am hellichten Tage auf einem mittelmeerisch belebten Markt. Die Gestalt Barlachs, die sich unter Einbeziehung von Gesichtszügen Immanuel Kants (siehe 501) auf diese Geschichte bezieht, ist in Umriß und Volumen norditalienisch im Sinne Niccolo Pisanos, in Material und Technik norddeutsch im Sinne Hans Brüggemanns. Wie für Barlachs unmittelbares Vorbild, George Minne (siehe 514), sind Rückgriffe auf das 14. und 16. Jahrhundert nicht ungewöhnlich. GS

525

526

Hermann Blumenthal (1905-1942)
526 Großer Schreitender 1935/36
Bronze; 180x48x77; Inv. 1946/1
Hermann Blumenthal hat mit dieser Gestalt ein Monument verhaltenen Widerstandes geschaffen, mitten in einer Zeit, als jugendliche Lebensfreude, brutale Kraft und ungehemmte Zuversicht verbindliche Inhalte der Plastik in Deutschland waren. Schreiten, Entschlossenheit, aber auch Gefangenschaft sind die Ausdrucksgebärden der rätselhaft verschlossenen Gestalt. Pathos und Lebensgröße sind der Erscheinung von Rodins Bürgern von Calais nicht unähnlich (siehe 508); die Form dagegen ist schlichter. Die Schlichtheit aber vereinfacht nicht gerade die Wirkung. In ihrem Widerspruch zu dem Pathos der gleichzeitigen offiziellen Kunst ist sie eindeutig, aber sie läßt auch Streben und Widerstreben, Hemmung und Entschlossenheit in ihren Gegensätzen hervortreten. GS

Ernst Barlach (1870-1938)
527 Mann im Stock 1918
Eichenholz; 73x46x46; Inv. 1952/18
Der gegen Ende des ersten Weltkrieges entstandene ›Mann im Stock‹ ist ein Schlüsselwerk Barlachs: Allansichtig und doch auf richtungsbezogene Fernsicht im Sinne Hildebrands berechnet; im expressionistischen Sinne modern und dennoch in Material und Machart einem norddeutschen Regionalismus verhaftet; neuzeitlich-westeuropäisch differenziert und zugleich von einer barbarischen Großzügigkeit und Freiheit, wie sie Barlach selbst mit seinem Rußlanderlebnis von 1906 in Verbindung brachte. Formal werden kompositorische Entsprechungen von Henry Moore (siehe 551) vorgebildet. Inhaltlich vollzieht sich in dieser Gestalt eine Auseinandersetzung mit Schuld und Trauer. GS

527

528

Pablo Picasso (1881-1973)
528 Maske 1901
Bronze; 19x14,5x12; Inv. 1961/21
Die Maske eines Mannes mit gebrochener Nase gehört zu den frühesten Bildwerken Picassos. Die malerische Wirkung, unterstützt von dem Spiel des Lichts über eine sensibel modellierte Fläche, täuscht etwas über den fundamentalen Charakter dieser bildhauerischen Arbeit hinweg. Nicht die kompakte Form eines Kopfes konstituiert hier die Form, sondern die scheinbar funktionsbedingte Krümmung der Maske. Zunächst sind anatomische Brüche festzustellen, die eine Mehransichtigkeit vorbereiten und bald zu kubistischen Lösungen führen werden. Der Ausdruck aber, ernst und fremd zugleich, verbindet symbolistische Vieldeutigkeit mit fauvistischen Übertreibungen. GS

529

Oto Gutfreund (1889-1927)
529 Cellospieler 1912/13
Bronze; 47x22x27; Inv. 1972/16
Ein Musikant spielt sitzend auf seinem Cello – so das Motiv im Sinne des 19. Jahrhunderts, wie es auch in der kubistischen Malerei Picassos gewahrt bleibt. Aber die Umsetzung verweist auf ein Nebenzentrum des Kubismus, wie es in Europa seinesgleichen suchte: Prag, das – alles andere als provinziell – zugleich aber auch abstrakte Kompositionsgesetze barocker Skulptur wiederbelebte. Hieraus erklärt sich auch die zeichenhafte Bündelung in der Erscheinung, die gegenseitige Durchdringung von Mensch und Instrument. Natürlich hat hier die raumausgreifende Plastik des Futuristen Umberto Boccioni Pate gestanden. Musikalische Assoziationen von Polyphonie und Kontrapunkt im atonalen Stil kommen auf, wie sie sich auch vor der kubistischen Malerei einstellen. GS

530

Jacques Lipchitz (1891-1973)
530 Sitzender Mann mit Klarinette II 1919
Eigentum der Stiftung zur Förderung der Hamburgischen Kunstsammlungen Nr. 340
Bronze; 76,5x39x29,5; Inv. 1980/7
Eine verschlossen wirkende Skulptur des synthetischen Kubismus: Die darstellenden Elemente wie Augen und seitlicher Haaransatz in Ohrhöhe, Armsilhouette und Beine, Klarinette, Schoß und Armbeugen sind eher beiläufige Hilfen zum Einstieg. Entscheidend ist die Komplexität der Erscheinung. Der Umriß ist von heraldischer Einfachheit, die räumliche Staffelung dank der Kuben geradezu architektonisch übersichtlich. Diagonale, von vorn nach hinten verlaufenden Bezüge von Pyramiden und Quadern, Flächen und Gegenflächen binden die gesamte Erscheinung auf eine erst nachträglich erkennbare, aber um so wirksamere Weise zusammen. Der synthetische Kubismus in der Malerei Picassos ist zugleich die Stunde der Bildhauerei seiner Nachfolge; was in den analytischen Vorstufen nur zeichnend und malend nachvollzogen werden konnte, kam nun der Neigung der Bildhauerei zur räumlich-körperhaften These entgegen. GS

Natan Altman (1889-1970)
531 Relief 1915 (1920)
Kiefern- und Buchenholz; 60x28,5x14,3; Inv. 1967/2

Natan Altman stellte 1915 gemeinsam mit Kasimir Malewitsch und Iwan Puni in der ›Letzten Futuristischen Bilderausstellung: 0–10‹ in St. Petersburg (Leningrad) aus, die vor allem durch das ›Suprematistische Manifest‹ von Malewitsch bekannt geworden ist. Der seiner Muldenwände beraubte Backtrog aus Kiefernholz und der Stampfkopf aus Buche für ein Butterfaß schließen sich zwar zu einem ›Relief‹ zusammen, weigern sich aber, ihre konkrete Erscheinung und ihre Wiedererkennbarkeit in den Dienst eines neuen Bildes zu stellen. Die Verfremdung in Anordnung und Bemalung (an den Stellen, wo die Muldenwände des Troges abgenommen wurden) dient – wie im Suprematismus überhaupt – einer eher geometrischen Ordnung und, wo ihr literarischer Sinn angesprochen wird, einer emblematischen Bedeutung, etwa als ›Brot und Butter‹, bäuerliche Welt, Fundament des materiellen Lebens. GS

531

532

Edwin Scharff /1887-1955)
532 Torso 1932
Bronze; 126x60x45; Inv. 1956/32

Edwin Scharff war 1913 Gründungsmitglied der Neuen Secession in München, die dem Blauen Reiter nahe stand. Nicht so sehr Kandinsky und Klee kamen seinen Intentionen entgegen als vielmehr Marc und Macke mit ihren Beziehungen zum ›Orphismus‹ von Robert Delaunay. Der poetische Klang, der Edwin Scharff in seiner Skulptur bis zum Ende begleitet hat, deutet in diese Richtung. Ein Zeugnis aus der mittleren Periode seines Schaffens ist hierfür der schwere weibliche Torso aus Bronze auf manganrotem Sandsteinsockel: Barockes und Archaisches gehen ein Bündnis mit der Natürlichkeit eines Atelieraktes ein. GS

Rudolf Belling (1886-1972)
533 Skulptur 23 1923
Eigentum der Stiftung zur Förderung der Hamburgischen Kunstsammlungen Nr. 280
Messing; 41,5x21,5x23,5; Inv. 1970/22

Von 1920 an hatte sich Belling intensiv mit dem Konstruktivismus auseinandergesetzt. Die ›Skulptur 23‹ ist wohl das bedeutendste Werk seiner Hand, das Zeugnis von dieser Auseinandersetzung ablegt. Erfahrungen aus dem Kubismus, Expressionismus und dynamisch bewegten Futurismus gingen hier ein, aber auch dadaistische Unbefangenheit mit Anlehnungen an Raoul Hausmann. Am nachhaltigsten setzte sich der konstruktivistische Einfluß einer russischen Gruppe durch, die Belling 1922 in der Berliner Galerie van Diemen sah: Gabo, Pevsner, Altman. Belling zerlegte einen Kopf in seine Bestandteile, reduzierte sie auf ihre einfachsten geometrischen Formen, schnitt und modellierte diese aus Gips und Draht und montierte anschließend die Teile zusammen; danach erst fertigte er die Güsse. GS

533

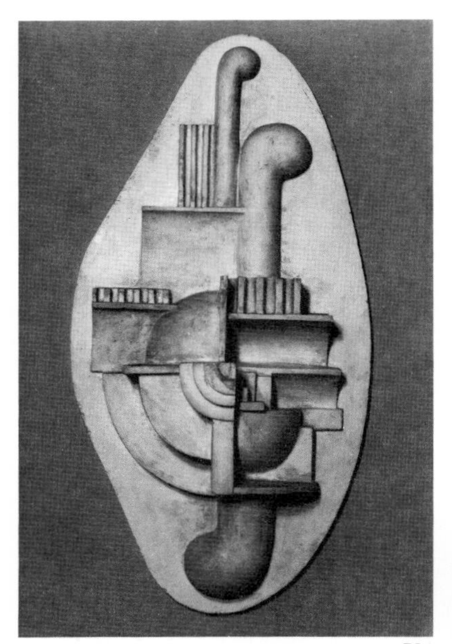

534

Oskar Schlemmer (1888-1943)
534 Wandrelief 1919
Gips; 50x25x10,5; Inv. 1956/43
In ein unregelmäßiges Oval einbeschrieben, erhebt sich ein Reliefbild in mehreren Stufen, teils architektonischen, teils rein geometrischen Charakters. Oskar Schlemmer war einer der einflußreichsten Konstruktivisten am Bauhaus in Dessau. Die Staatsgalerie in Stuttgart besitzt eine gemalte Fassung dieses Reliefs. Aber die Folgerichtigkeit und Strenge der bildhauerischen Komposition reicht aus, um die Farbfolge entbehrlich erscheinen zu lassen. Die kugeligen Formendungen erinnern an Léger (siehe 258), die architektonisch-geometrischen Entsprechungen gehen auf russische Konstruktivisten zurück, die etwas später auch Rudolf Belling inspirieren werden (siehe 533).
GS

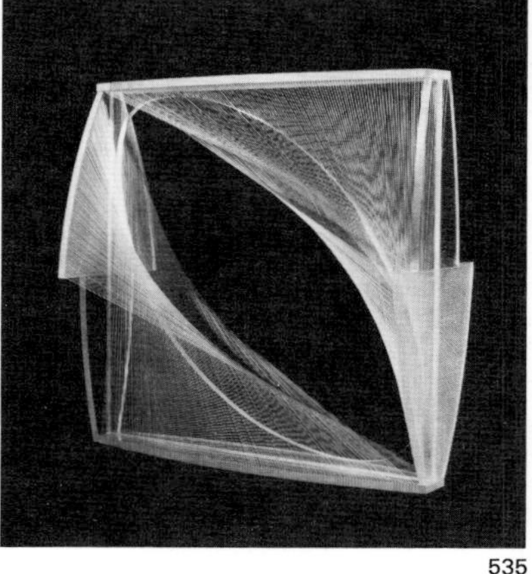

535

Naum Gabo (1890-1977)
535 Linear Construction No. 1 (Variation) 1942/43
Eigentum der Stiftung zur Förderung der Hamburgischen Kunstsammlungen Nr. 344
Acrylglas, Nylon; 46x46x18; Inv. 1981/3
Lineare Konstruktion Nr. 1 ist nicht nur durchsichtig, wie Gabos Skulpturen von 1923 an, sondern ist in ihrer Entmaterialisierung soweit vorangetrieben, daß ihre räumlichen Eigenschaften allein den linearen Energien von saitenartig gespannten Nylonfäden anvertraut werden: Vergitterungen, Bündelungen, gebogene imaginäre Flächen und Interferenzen beherrschen die Erscheinung. Dies ist neu und hat nicht nur die Bildhauerei revolutioniert. Die erstmalige Nutzung von Nylonfäden hat weit über Gabos Lebenswerk hinaus auf dessen Nachfolge und auf den Industrial Design gewirkt. GS

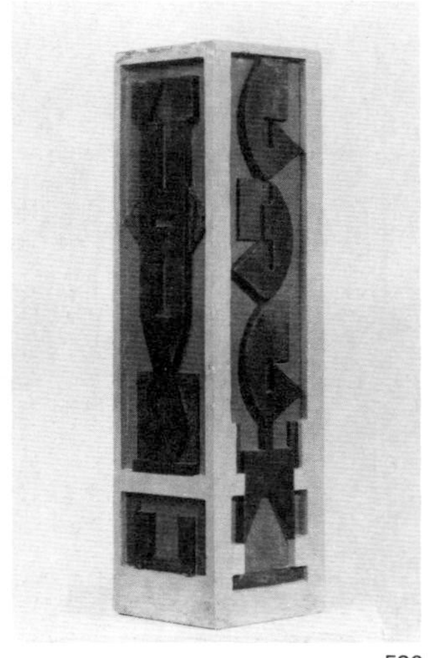

536

Auguste Herbin (1882-1960)
536 Vierseitiges Relief 1921
Zement; 53x13,5x13,5; Inv. 1981/1
Auguste Herbin ist im wesentlichen durch sein malerisches Werk bekannt geworden. Die ornamentale Geometrie des Reliefs verrät den Kanon, der auch Herbins Malerei beherrscht. Aber, was dort in eindeutigen Farbflächen hervortritt und sich gegenseitig voneinander absetzt, hebt und senkt sich als Reliefhöhe und Reliefgrund in Schwarz und Grau. Wie bildlich dieses Relief aufgefaßt ist, zeigt schon dessen Rahmung, aber das Objekt ist durch und durch Plastik: Unten stößt der Rahmen ins Relieffeld als Störung ein, setzt sich im Nachbarfeld fort und bildet so eine Sockelzone; auf diesem Wege wird das klassisch-architektonische Element jeder Skulptur anthropomorpher Herkunft in den zweipoligen Wechselgesang der rein geometrischen Reliefkompositionen eingeführt. Das Ragende des Quaders übernimmt die architektonische Anregung, und so tritt eine Deutbarkeit des vierseitigen Bildträgers als Pfeiler ein. Kaum aber sieht sich der Betrachter in diese architektonische Bedeutung ein, wird er über den energischen Wechsel von Relief zu Relief auf die Funktion des Objekts als Bildträger zurückverwiesen. GS

Hans Arp (1887-1966)
537 Schale mit kleiner Chimäre 1947
Stiftung Marguérite Arp-Hagenbach
Gips; 80x46,5x39; Inv. 1976/4

538 Träumender Stern 1958
Marmor; 98x85x60; Inv. 1960/20

539 Der große Stille 1963
Stiftung Marguérite Arp-Hagenbach
Gips; 140x36x36; Inv. 1976/15

Arps Surrealismus drückt sich in formalen Gegensätzen aus. Vor allem in seiner Plastik (vgl. 543) werden die Assoziationen nicht von fertigen oder abgebildeten Dingen ausgelöst, sondern von maßstäblichen und räumlichen Ähnlichkeiten mit Alltagserfahrungen. Dabei stand – ähnlich wie im malerischen und graphischen Werk von Paul Klee – die Assoziation thematisch nicht im Vordergrund; sie stellte sich erst als Folge des hantierenden Umgangs mit Form und Gegenform, Richtung und Gegenrichtung, Groß und Klein ein. Das bedeutet nicht, daß – war die sinngebende Tendenz nun einmal zu erkennen – von einem bestimmten Zeitpunkt an die Assoziation überhaupt keinen Einfluß auf die Gestalt gehabt hat. Aber die Ungewißheit darüber ist – auch wieder analog zum Werk Paul Klees – ein wesentliches Merkmal der Kunst Arps; es verträgt sich gut mit der abstrakten Form und ihren kaum faßlichen Übergängen.

Das älteste Objekt der hier abgebildeten Gruppe ist ›Schale mit kleiner Chimäre‹ von 1947, wie alle 15 Stiftungen von Marguérite Arp-Hagenbach aus dem Nachlaß originale Gipsform einer in Bronze gegossenen und in Marmor ausgeführten Auflage, die abgeschlossen ist. Der untere Teil eines Torsos annähernd lebensgroßen Maßstabs dient als Schale für den Mikrokosmos einer raupenhaften Chimäre.

Der ›Träumende Stern‹ von 1958 ist die große Marmorausführung eines Modelles, das 1949 entstand. Dieses Modell – auch dies ist der Hamburger Kunsthalle durch die Stiftung Marguérite Arp-Hagenbach übereignet worden – trägt den Titel ›Aus dem Lande der Gnomen‹. Allein der Maßstab entschied über die Assoziationen, die das Objekt im Betrachter auslöst: Während das 25 cm hohe Modell wie ein spielerisch bewegtes kleines Tier aussieht, macht die etwa ein Meter hohe Marmorausführung den Eindruck eines im Halbschlaf wandelnden Kindes. Die Austauschbarkeit der Titel verweist auf den rein formalen Charakter der Kunst Hans Arps; sie zeigt aber auch, daß Konsequenz in der Formgebung durchaus Freiräume poetischer Phantasie schaffen kann, die sich – ohne dem bildhauerischen Befund zu widersprechen – träumerisch-assoziativ, literarisch und surrealistisch artikuliert. GS

Der ›Große Stille‹ ist ein Spätwerk von 1963: Das harmonische Menschenbild, dem wir in den meisten Arpschen Plastiken begegnen, hat der Künstler in seinem Spätwerk enttäuscht aufgegeben. Arps späte Plastik ›Der große Stille‹ wirkt in seiner übersteigerten Länge und Kopflastigkeit wie eine Illustration zu dem Gedicht ›Die dünnen Langen‹ aus dem Zyklus ›Auf einem Bein‹ (1955). Die Symmetrie macht den ›Großen Stillen‹ zu einem Mahnmal, aber zu einem Mahnmal der Gefährdung. SP

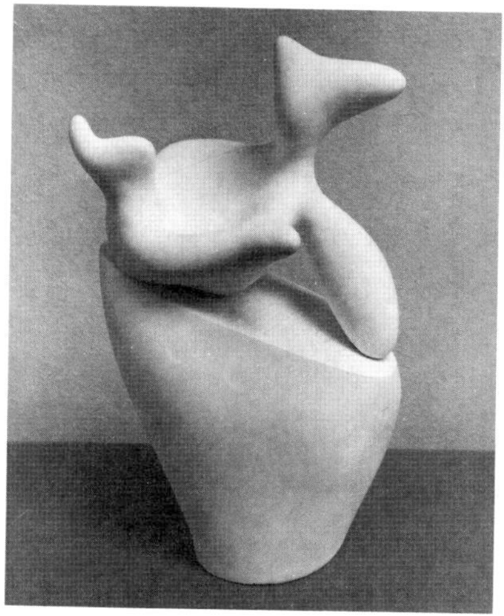
537

538

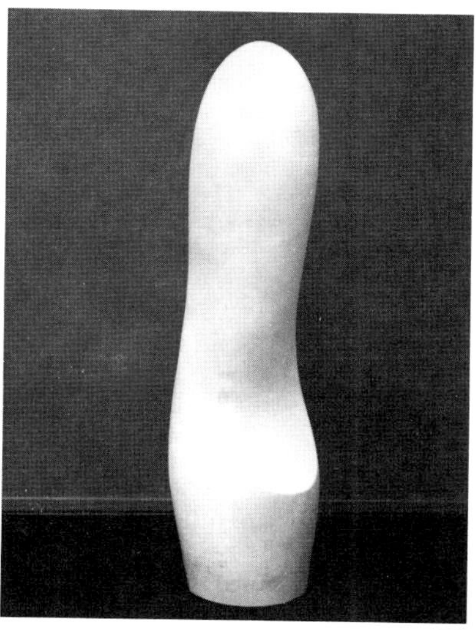
539

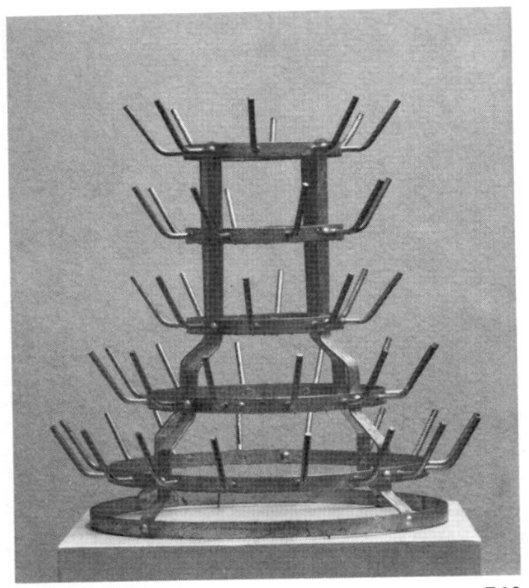

540

Marcel Duchamp (1887-1968)
540 Flaschentrockner 1914, 1970
Stahl, verzinkt; 50x50x50
Dieser Flaschentrockner stammt aus der Haushaltswarenabteilung des Pariser Kaufhauses La Samaritaine – man könnte also die Erwerbung wiederholen. Marcel Duchamp erwarb sein Exemplar 1914 in einem anderen Kaufhaus. Das Gerät dient zum Trocknen von Flaschen und findet sich in vielen französischen Haushalten. Gerade dieser profane Charakter aber machte das um die Jahrhundertwende gepflegte Geschwätz von der handwerklichen Bedingtheit der Kunst hinfällig. Doch keine schulmeisterliche Belehrung war das Anliegen des dankbaren Nutzers eines ›Ready Mades‹, sondern der subtile Nachweis, daß die kompositorischen Tugenden einer allansichtigen und raumausgreifenden Plastik auch in einem manufakturell gefertigten Gebrauchsartikel vereint sein können. GS

541

Paul Joostens (1889-1960)
541 Ohne Titel 1925
Assemblage; 26x21,5x11; Inv. 1980/8
Ein Kasten aus Sperrholz gibt den Blick in sein Inneres frei. Die Elemente sind von fremder Hand vorgefertigt. Allen gemeinsam ist die Gebrochenheit der Töne. Hieraus ergibt sich eine malerische Wirkung, unterstützt vom Guckkasteneffekt der Innenansicht. Demgegenüber macht sich die Erinnerung an den ursprünglichen Gebrauch der Einzelheiten geltend: Zigarrenkasten, Stahlbettkugel, Klöppel, Farbtiegel, Kokosfaser einer Matte, Bügelhaken und Streichholzschachtel. Das Disparate dieser Ansammlung von Vorstellungsinhalten schließt eine sprachlich bündige Thematik aus, erzeugt aber Erinnerungen an Mechanismen des Traumes. Die tatsächliche Gegenwart der Dinge hebt allerdings auch die beunruhigenden Nebenwirkungen der zunächst durch sie abgerufenen › Erregungsabläufe‹ (Freud) wieder auf, woraus sich die Ironie nicht nur dieses Beispieles surrealistischer Kunst ergibt. Im Gegensatz zum durchaus konkret gemeinten Suprematismus von Altman (siehe 531) tritt hier der metaphorische Charakter des Surrealismus in Erscheinung. GS

542

Man Ray (1890-1976)
542 Unzerstörbares Objekt 1972
Metronom; 23x11x11; Inv. 1973/8
Man Ray war ein Amerikaner in Paris und von den zwanziger Jahren an ein Exponent des Surrealismus. Die Idee, ein Metronom mit der Photographie eines linken weiblichen Auges auszustatten, ist in der Tat eine Grenzüberschreitung alltäglicher Erwartungen, wird doch neben der Rhythmik und dem Gehör völlig überraschend das Gesicht angesprochen, neben der Mechanik eines Metronoms das Abbild einer organisch gewachsenen Form vorgeführt. Das es ein weibliches Auge ist, legt deren Sinn auf eine subtile Weise fest, ohne daß eine sprachliche Erklärung stellvertretend für die Assemblage aus Ready Made und Photo eintreten könnte. GS

543

543 Raumansicht der Stiftung Marguerite Arp-Hagenbach
Marguerite Arp-Hagenbach, die Witwe eines der herausragendsten Bildhauer der ersten Jahrhunderthälfte und Wegbereiter des Surrealismus, stiftete 1976 der Hamburger Kunsthalle fünfzehn Originalmodelle, nachdem die Auflage der Bronzegüsse nach diesen Modellen abgeschlossen war. Damit war ein eventueller Mißbrauch durch unkontrollierte Nachgüsse ein für alle Male verhindert und zugleich ein Œuvre ins öffentliche Bewußtsein gebracht, das in dieser Vollständigkeit in keinem Museum der Welt zu sehen ist.

544

Marcel Duchamp (1887-1968)
544 Koffer 1936/41 (1955/68)
Multipel; 40x38x9; Inv. 1971/28
Der Koffer von Marcel Duchamp ist eine miniaturhafte Wiederholung entscheidender Teile seines Lebenswerkes: Graphik, Ready Mades (siehe 540), räumliche Environments. Als Rahmenwerk aber herrscht die Buchbindearbeit des Koffers vor. Vorarbeiten seit 1937 führten während der Kriegsjahre zu praktischer Anwendung: Duchamp konnte mit Koffern Teile seines Œurve retten. Die miniaturhafte Ausführung weist aber auf eine Tendenz voraus, die erst mit der Pop-Art ihre stilistische Artikulation erfahren hat: In den Miniatur-Tableaus von Robert Graham (siehe 569). GS

545

Julio Gonzalez (1876-1942)
545 Kaktusmensch 1939/40
Bronzeguß nach Schmiedeeisen; 78x25x15,5; Inv. 1958/10
Komposition und Abstraktion gehen auf Picasso zurück. Wie die ›Verliebten‹ (Abb. 549) war auch diese Skulptur ursprünglich aus Eisen geschmiedet. Im Gegensatz zu der älteren Skulptur ist hier nur eine Gestalt gemeint. Statt einer menschlichen Figur aber bauen sich stein- bzw. pflanzenförmige Elemente zu einer spannungsreichen Einheit auf, die äußerst indirekt eine weibliche Gestalt mit einem Kind im Arm in Erscheinung treten läßt. Die Maßstäbe laufen absichtlich der Lebenserfahrung zuwider: Der Kopf ist von antennenhafter Schmalheit, der Rumpf tritt hinter den Extremitäten zurück. GS

Alberto Giacometti (1901-1966)
546 Stehende 1948
Bronze; 167x16x34; Inv. 1962/1
Wie ein altgriechisches Stabkultbild mit stilistischen Zügen altsardischer Bronzen erhebt sich die Figur von annähernder Lebensgröße von einem großen, in sich geschlossenen Fußpaar, dessen Teilungslinie bis zur senkrechten Symmetrieachse fortgesetzt wird, die den Körper in seiner ganzen Länge bis hinauf zum Kopf teilt. Die Ausformung dieser Achse wechselt von konkav zu konvex. Fuß und Basis sorgen für einen plastischen Freiraum. GS

547

546

Marino Marini (1890-1979)
547 Bildnisbüste Carl Georg Heise
1961/62
Bronze; 36x18x21; Inv. 1967/3
Carl Georg Heise war 1945 bis 1955 Direktor der Hamburger Kunsthalle, aber bereits 1918 einer der engagiertesten Vorkämpfer moderner Kunst, was im Dritten Reich zu seiner Entlassung als Direktor des St. Annen Museums und des Behn-Hauses in Lübeck führte. Vor allem die Ankäufe des deutschen Expressionismus gehen auf ihn zurück; doch neben den Lücken, die 1937 durch die Aktion ›entartete Kunst‹ gerissen war, galt es ein Defizit zu schließen: Der Anschluß an die gegenwärtigen Strömungen nach dem Kriege. Hier begegneten sich der italienische Bildhauer mit seiner expressiven Menschlichkeit und der hamburgische Humanist aus dem Umkreis Aby Warburgs. So gehört Heises Kopf in die Nachbarschaft der anderen Köpfe von Marinis Hand von Strawinsky bis Moore, von den ›personaggi‹ des 20. Jahrhunderts, die Marini als Mitstreiter und Wegbegleiter seiner Kunst im Bildnis festhielt. GS

548

Marino Marini (1901-1980)
548 Pferd 1950
Bronze; 117x120x60; Inv. 1952/19
Marino Marini gehört zu den tragenden Erscheinungen der Bildhauerei der Nachkriegszeit, weit über Italiens Grenzen hinaus. Das Pferd in seiner anatomischen Ausdrucksfähigkeit ist ein Hauptmotiv seines Lebenswerkes. Seine Plastik, traditionell gespeist von der Monumentalität etruskischer Grabplastik, stand lange an Rang unweit der Bildhauerei Picassos und Moores. An der Expressivität der Körpersprache hat Picasso seinen Anteil, aber formale Feinheiten gehen auf chinesische Plastik der Han-Zeit zurück. Die Aussage hingegen ist persönlich, humanistisch in national italienischen Sinne des Wortes und antik im Sinne Platons. Und dennoch atmet es den Geist des zeitgenössischen und internationalen Existentialismus. GS

Julio Gonzales (1876-1942)
549 Die Verliebten II 1933/34
Bronzeguß nach Schmiedeeisen;
44,5x17x19,5; Inv. 1979/8
Die Verliebten von 1933/34 stammen aus einer Zeit, als sich Gonzales intensiv mit den formalen Synthesen von Picasso auseinandersetzte. Gonzalez war nicht nur der nehmende Teil; die Technik der Stahlverarbeitung erlernte Picasso von ihm. Auch scheint hier das dialektisch frei spielende Prinzip Picassos in einer Weise fortentwickelt, wie es Picasso selbst nie getan hatte: Das dialogisch zu verstehende Liebespaar ist in eine Gestalt zusammengefaßt; die Wechselbeziehung von Zuneigung und Antwort, Stützen und Stehen ist auf die anatomische Apparatur einer Figur beschränkt geblieben, deren Rumpf und Kopf dadurch natürlich als Körperteile unserer Daseinserfahrung in Frage gestellt werden. GS

549

550

Henry Moore (geb. 1898)
550 Drei stehende Figuren 1953
Bronze; 73x67x29; Inv. 1956/39
Henry Moores ›Three Standing Figures‹ von 1953 ist eine räumliche Verbindung dreier Skulpturen, die an sich wieder architektonisch-plastische Eigenschaften hat. Die Dreiheit ist seit der antiken Gruppe der Grazien eine klassisch gewordene Konfiguration. Doch was dort in einer in sich geschlossenen Gruppe nach innen wie nach außen wirkt, macht sich hier als reliefhafte Reihung geltend: Die ordnenden Elemente sind eher graphisch als plastisch, so daß sich auch keine Allansichtigkeit einstellt. Allen Figuren gemeinsam ist die – möglicherweise von Picasso und Gonzalez beeinflußte – Antithese von gepaarter Darstellung in den Extremitäten gegenüber blockhafter Einachsigkeit in Rumpf und Gliedern: An den Seitenfiguren sind es nur die Beine, in der Mittelfigur sind es nur die Arme, die bei den Seitenfiguren fehlen. Gleichmäßig ist auch die verkleinerte Form des Kopfes, wie sie bei Picasso und Gonzalez vorkommt; gleichsam antennenhaft krönen sie den jeweils sechsstufigen Aufbau der Figuren, der deutlich Ober- und Unterschenkel, Hüftregion und Rumpf, Brustregion und Kopfbereich unterscheidet. GS

Henry Moore (geb. 1898)
551 Innere und äußere Form 1953/54
Bronze; 200x69x69; Inv. 1961/19
Stiftung zur Förderung der Hamburgischen Kunstsammlungen Nr. 154
Henry Moore gilt heute neben Pablo Picasso als der bedeutendste Bildhauer der Gegenwartkunst; er war es zumindest in den vierziger und fünfziger Jahren. Seine innere und äußere Form von 1953/54 ist eines seiner verbreitetsten Werke: Eine überlebensgroße Gestalt voller Analogien zur menschlichen Figur und dennoch einem eher einzelligen Körperbau folgend, erhebt sich eine stehende Figur als Gleichnis für innere und äußere Form. Oder verweist dieses Gleichnis auf die Figur als ein Bild menschlicher Vorstellungen? Die Umkehrbarkeit von Fragen dieser Art ist eine Grunderfahrung vor dieser Plastik, deren formaler Stammbaum bis in das bildhauerische Lebenswerk von Arp, Gonzalez, Picasso und Rodin zurückreicht und umgekehrt in einem Spätwerk von Arp Nachfolge gefunden hat (siehe 539). Die Durchdringung von Raum und Körper war in der Bildhauerei durch Barlach vorgebildet (siehe 527); aber die Abstraktion geht weit über Barlachs figuralen Ansatz hinaus. Es läßt sich nicht leugnen, daß die Verbindung figuralen Denkens in der deutschen Plastik des 20. Jahrhunderts mit den zeitgenössischen Ansätzen Frankreichs in dieser Skulptur eine Vollendung erfuhr, die zur Zeit der Erwerbung international als klassisch empfunden wurde. GS

551

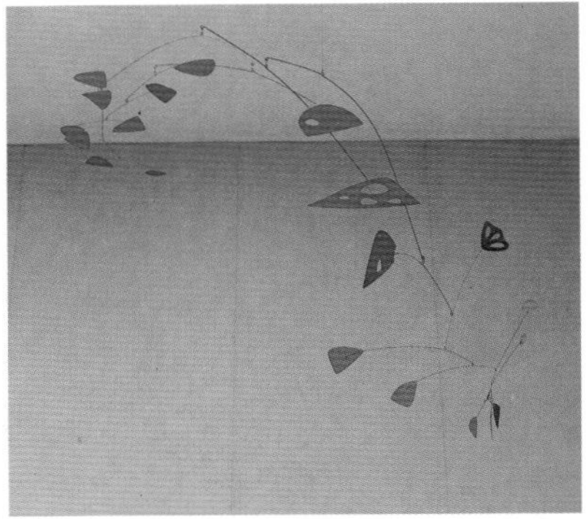

554

555

Alexander Calder (1898-1976)
554 Palme um 1959
Eisen; 305; Inv. 1967/3
555 Kaktus 1959
Stahl; 155x160x147,5; Inv. 1960/17
Das Prinzip der Mobiles von Alexander Calder ist das der Waage. Allein die Wiederholung, in diesem Falle mit zwanzig Einzelteilen, erzeugt eine Verwirrung, die dieses Prinzip in Vergessenheit geraten läßt. Es kommt in schwebendem Gleichgewicht zu einem freien Spiel von scheinbar unbegrenzten Möglichkeiten. In der Tat geht es um eine Vielfalt von Bildern, die sich frei in den Raum erstrecken, überraschend verengen, plötzlich verharrren und schließlich wieder in eine Bewegung übergehen, deren Gesetzmäßigkeit beruhigt, ohne zu langweilen. Organische Zusammenhänge drängen sich als Analogien auf, wie in diesem Falle durch den sinnfälligen Titel Palme erklärt wird. Hinzu kommt ein malerisch-illusionistisches Moment, woraus sich nicht zuletzt formale Anleihen bei Miró und Arp ergeben. Zweierlei Rot kommen zu Anwendung, so daß die natürlichen Schattenvarianten eine pigmenthafte dazuerhalten. Ein ultramarin-blaues Plättchen mit Perforierung sorgt dafür, daß die Farbe überhaupt als solche wahrgenommen wird.
Der urpsrünglich als Ingenieur ausgebildete amerikanische Bildhauer Alexander Calder hat neben seinen berühmten Mobiles sogenannte Stabiles geschaffen, die – aus Grobblechen geschmiedet und vernietet, wie sie sind – auf einen Werftplatz zu gehören scheinen. Ein durch seinen schwarzen Anstrich als konkrete Masse betontes Objekt nimmt wie ein dreidimensionales Seezeichen seinen Raum ein, ohne ihn als fester Körper zu verdrängen. Der Formenkanon ist, wie in den Mobiles, wiederum Arp und Miró verpflichtet. Die konkrete Gegenwart der Grobbleche bereitet in Verbindung mit der Einfachheit der Form eine Ästhetik vor, die in den Vereinigten Staaten zur ›Minimal Art‹ einer jüngeren Bildhauergeneration geführt hat. GS

Fritz Wotruba (1907-1975)
556 Torso 1953/54
Bronze; 80x28x20; Inv. 1967/8
Der Torso von Fritz Wotruba setzt sich zusammen aus nur vier Elementen: der Plinthe, den Zylindern der Beine – gerade aufgerichtet das rechte Bein, einmal geknickt das linke – und dem Rumpf, im Querschnitt eine unregelmäßige elliptische Form. Er ist eine stehende menschliche Figur von Maß, Klarheit und Einfachheit, erfüllt von raumbeherrschender Kraft. Zwar handelt es sich um einen Torso, dennoch fehlt der Figur die Wirkung des Bruchstückhaften. Auch der Verzicht auf Kopf und Arme ist ein Mittel der Beschränkung; das Stehen ist das einzige Motiv dieser Figur. Eine neue Zeichenhaftigkeit setzt sich durch: Sie ist formal begrenzt und dadurch überschaubar; zugleich sorgen harmonische Winkelübergänge weich bewegter Flächen für eine malerische Wirkung. Beides hat seine Nachfolge unter den malenden und bildhauernden Schülern Wotrubas gefunden, wie Wotruba selbst in einem Kontinuum malerischer und bildhauerischer Überlieferung steht. HRL/GS

556

Rudolf Hoflehner (geb. 1916)
557 Figur 102 K 1966
Stahl; 49x122,5x41; Inv. 1979/3
Die Figur 102 K des Österreichers Rudolf Hoflehner gehört zu den wenigen horizontalen, aber markanten Bildhauerarbeiten eines Lebenswerkes, das im wesentlichen durch ragende Gestaltungen gekennzeichnet ist. Eine Gruppe von skelettartigen Achsen, die sich mit ihren vier Gelenken wie Speiche und Elle eines Unterarmes zueinander verhalten. Die Vergleichbarkeit mit organischen Formen endet hier. An ihre Stelle treten statische Vergleiche von Brücke und frei schwebendem Arm und mechanische mit Pleuelstangen. Das dynamische Element ist allein, aber nachdrücklich durch die Auswuchtung von Detailformen vertreten, die Gelenke und Achsen in gleicher Weise erfassen. Hier konzentrieren sich auch die bildhaft skulpturalen Elemente in lebhaft wechselnden Gegensätzen konkaver und konvexer Form, Kerben und Stufen, Rundung und orthogonaler Geradflächigkeit. GS

557

Germaine Richier (1902-1959)
558 Königin aus der Gruppe der Schachfiguren 1959
Eigentum der Stiftung zur Förderung der Hamburgischen Kunstsammlungen Nr. 214
Geschenk von Dr. Kurt A. Körber
Bronze; 226x45x30; Inv. 1974/10b
Germaine Richier schuf in ihrem letzten Lebensjahre fünf Schachfiguren, die dann auf Lebensgröße gebracht und in Bronze gegossen wurden. Schemenhaft entfalten sich die Gestalten in Fläche und Raum. Die Dame tat es als böser Naturdämon mit einem Kopf, der an den Schädel eines Huftieres erinnert, mit einem aufgeblähten Leib, der aber nur aus Schale besteht, zudem statt des Nabels ein Loch hat. Die Unterarme strecken sich wie Fühler in die Höhe. Kaum eine Stelle an dieser Figur ist glatt; die Künstlerin hat beim Modellieren einen ungeformten Klumpen auf die Brust gesetzt, die rechte Seite ist angeschwollen, als säße da eine harte Geschwulst, die Arme sind strunkige Äste. Rodins Plastik der ›Buckel und Höhlungen‹ ist hier zu einem angsterregenden Exzeß getrieben. Richiers Stil überschreitet die Abstraktionen Picassos und die Auffassung von Plastik und Räumlichkeit Moores in Richtung auf eine Formlosigkeit, die in der gleichzeitigen Malerei als ›Informel‹ zum Durchbruch kommt. GS

558

Gustav Seitz (1906-1969)
559 Geschlagener Catcher 1963/66
Bronze; 198x103x119; Inv. 1967/4
Gustav Seitz (1906-1969) arbeitete drei Jahre lang an einem Monument, das nicht zuletzt ein Denkmal seines Selbstverständnisses ist. Stilistisch sind Anregungen von Germaine Richier nicht zu übersehen. Eine athletische Gestalt sitzt auf einem großen Betonblock. Die Arme fehlen, die herabhängenden Unterschenkel sind verschieden lange Stümpfe. Der Kopf zeigt wie der Rumpf starke Verletzungen. Was da massig vor uns sitzt, ist anatomisch ein Monstrum. Ebenso wie der Körperbau sind die Verletzungen allein bildnerisch sinnvoll. Man kann nicht sagen: »Der Kerl hat eine zerschlagene Fresse.« Vielmehr ist festzustellen, daß der kugelig geformte Kopf vom Bildhauer während der Arbeit durch Einkerbungen und Schründe in seiner plastischen Geschlossenheit zerstört worden ist; gleiches und ähnliches gilt für die gesamte Plastik. So, wie es an der Oberfläche neben den Zeichen der Zerstörung auch die der Ordnung gibt, die eingeritzten Richt-Linien auf Rumpf und Beinen, ist auch der Umriß - besonders in der Vorderansicht - von klarer Geschlossenheit. Der Rumpf ist wie ein Schild gebildet, die Asymmetrie der Schultern findet ihre Entsprechung in der Gestaltung der Beine. HRL

559

560

César (geb. 1921)
560 Armandine 1965
Bronze; 75x36,5x43,5; Inv. 1969/3
Der in Marseille geborene Bildhauer heißt César Baldaccini. Seine 1965 entstandene Armandine ist eine Stahlskulptur aus Fertigteilen und freien Ergänzungen, wie sie seit Julio Gonzalez (siehe 545) möglich sind. Wie die dortigen Skulpturen ist auch diese hier in einem Bronzenachguß vorhanden. Schon Picasso übernahm die Technik der Stahlassemblage von Gonzalez, und nach César sind es vor allem die Engländer und Amerikaner um Anthony Caro (siehe 568), die diese Methode im Anschluß an David Smith fortsetzten. César knüpft aber an die späten darstellerischen Skulpturen von Gonzalez an. Hinzu kommt eine autobiographische, humoristische Note, wie sie zwar bereits von Picasso vorgeprägt erscheint, hier aber sehr persönlich César zuzuordnen ist. Etwa gleichzeitig mit der Armandine verläßt César diese Technik, um sich Materialstrukturen zuzuwenden, für die er im eigentlichen Sinne berühmt geworden ist. GS

561

Arman (Armand Fernandez) (geb. 1928)
561 Der rote Wasserhahn 1973
Acryl, Epoxidharz, Armaturen (Metalle); 100x50x12; Inv. 1984/8
In Armans Werk wird das gefundene Objekt zerstörerisch entfaltet und in nachträglicher Synthese in den Griff genommen. Was mit den hölzernen Körpern eines Saiteninstruments oder Autoteilen in anderen Schaubildern geschah, geschieht hier mit den Resten abgebrochener Armaturen, die in geradezu informeller Streulage ein neues Bild ergeben, ohne im erstarrten Fluß des durchsichtigen Kunstharzes ihre körperlichen und räumlichen Eigenschaften zu verlieren. Die Fülle des Gleichartigen und Ähnlichen überwältigt den Betrachter wie die Fülle einfacher Strukturen der Op Art. Neben allen abgenutzten Teilen findet sich links oben ein fabrikneuer Hahn ohne Griff und Ventil, und mitten unter den Hähnen und Rohren findet sich diskret verborgen ein Stück, das nur unserer Lebenserfahrung nach dazugehört: Ein Stöpsel mit Kette. GS

562

Erich Hauser (geb. 1930)
562 Stahl 9 1962
Edelstahl; 48x56x21; Inv. 1963/4
Diese erste Museumserwerbung eines der prominentesten Stahlbildhauer im öffentlichen Raum, des Württembergers Erich Hauser, ist eine Schalenskulptur mit graphischen Eigenschaften, die die Hard-Edge zumindest in Deutschland vorwegnehmen. Daher verwundert es nicht, daß noch malerische Elemente des abstrakten Expressionismus und des Tachismus (Pierre Soulages und Hans Hartung) nachwirken. Statische Momente sind zu Paaren gespalten, lineare Bezüge durch Bruchlinien in ihrer Geradlinigkeit geleugnet. Spitzen vertikalen Winkeln stehen stumpfe von pflugscharartiger Raumstaffelung gegenüber. Dieses abstrakte Spiel von Formen und Entsprechungen, Täuschungen und Suggestionen ist neu. Sie hat im Werke von Hauser zu einer Klarheit geführt, die ihn mit Recht zu einem der einflußreichsten Bildhauer in Westdeutschland machte. GS

Bernhard Luginbühl (geb. 1929)
563 Kleiner Zyklop 1967
Stahl; 292x485x300; Inv. 1974/1
Ein Fabelwesen aus mediterraner Vorzeit, ein alpiner Schrat, ein technisches Tier, das als Schmiedehammer in einem Stahlwerk ebenso zu Hause sein könnte wie als Erntemaschine auf einem Hofe. Das ist die kleine Ausführung des Zyklopen des Schweizers Bernhard Luginbühl, deren großer Bruder in Winterthur steht. Die mennigefarbene Plastik greift räumlich-architektonisch aus und bündelt wiederum den Freiraum durch seine figurale Gestalt – sie vermittelt zwischen der Fassade des Neubaues der Hamburger Kunsthalle und dem verkehrsreichen Vorfeld des Hauptbahnhofs. Geht man in näherer Betrachtung auf das Gebilde ein, treten die sperrigen und agressiven Züge zurück. Ein mitempfindender, ja, hegender Instinkt stellt sich ein. Mit dem Künstler, der darum während der Aufstellung bat, ist der Betrachter froh, es in der Nähe des Hauses und flankiert von bergenden Baumkronen zu sehen. Kinder schließen auf ihre Weise Freundschaft: Sie klettern darin herum. GS

563

Tomitari Nachi (geb. 1924)
564 Ohne Titel (Unendlich) 1973
Aluminium; 270x270x85; Inv. 1974/11
Einmal in der Minute dreht sich ein Objekt von reichlich über Klafterbreite im spätklassizistischen Treppenhaus des Altbaues der Hamburger Kunsthalle, den repräsentativen Binnenraum als Objekt bündelnd, ihn zugleich aber wieder, gerade durch seine Drehbewegung, entlassend, ja, in seiner inneren Erstreckung bewußt machend. In jedem Falle lockt er die – möglicherweise durch lange Galeriegänge ermüdeten – Augenpaare an, das durch Gemälde und Skulpturen unvermeidbar einseitig belastete Wahrnehmungsvermögen überraschend entlastend. Im unendlichen Wechsel spiegelt es auf seiner gebürsteten Aluminiumoberfläche das dominierende Grau der Treppenhauswände wider, oder es entfaltet auf seiner chromgelb gespritzten Gegenseite einen intensiven Gegenklang. Die Grenzen des Objektes verschwimmen – dafür sorgt die feine Staffelung der Lamellen. Nur im rechten Winkel zum Betrachter frischt es die Erinnerung an seinen quadratischen Umriß auf. Wenn auch ohne Titel, so ist dieses Objekt des Japaners Tomitaro Nachi nicht ohne Eigenschaft: Unendlich. Die Einfachheit täuscht, wie so oft

564

in der japanischen Kunst, denn die Lamellen sind keineswegs einheitlich in Breite und Staffelung, sondern – je nach Winkelgeschwindigkeit und optischer Wahrnehmung – sprunghaft akzellerierend. GS

565

Eduardo Paolozzi (geb. 1924)
565 Neorema-Leoend 1964/74
Aluminium; 205x250x100; Inv. 1979/1
Ein Objekt aus zukunftsfremder Entrücktheit, ein städtebauliches Modell von weltraumgerechter Dimension, ein Organismus von umfassender, aber schwer zu überschauender Rationalität. Das sind die beabsichtigten Assoziationen einer der Pop-Art nahestehenden Plastik des Engländers Eduardo Paolozzi. Es vereint auf eine eigentümliche Weise anorganisch-statische Momente mit organisch-dynamischen in sich, denn bäumen sich nicht auch architektonische und – im Sinne von Kolbenmotoren – apparative Teile unter dem Druck von kräftigen Polypenarmen auf? Paolozzi selbst möchte – über die Assoziationen hinweg – über den Titel eine komplexe Metaphorik erreichen, etwa in dem Sinne einer verlorengegangenen Zivilisation; er meint das durchaus dichterisch und fiktiv zugleich, zeitlich entrückt in die Vergangenheit wie in die Zukunft, in der Erscheinung phantastisch und in seiner Architektur praktisch bis hin zu technischen und ökologischen Aspekten. GS

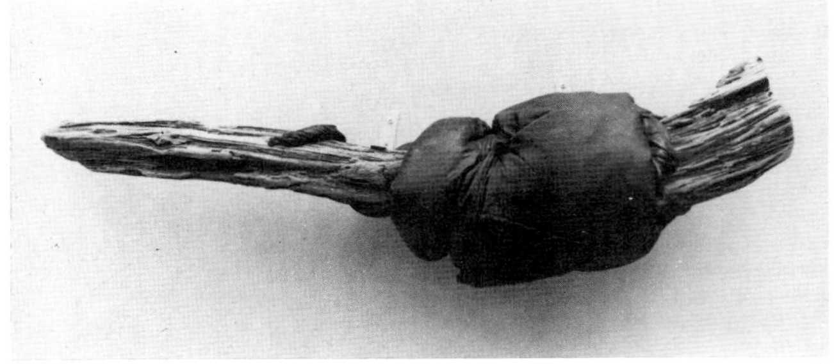

566

Horst Egon Kalinowski (geb. 1924)
566 Schlangeknoten I. 1975
Holz, Leder; 92x36x55; Inv. 1983/8
Wie ein Baumtier beutelt sich eine lederne Umhüllung um einen abgestorbenen knorrigen Ast, in seiner Verschlungenheit in sich ruhend, ja, in seiner aggressiven Bewegung behindert, aber eben doch auch bizarr genug, um die Bedrohung ahnen zu lassen, wenn man dieses Tier mit seinen schlangenartigen Endungen zu wecken wagt. Bild und Assoziation bieten sich in einer kultivierten Verarbeitung von Holz und Leder dar; die plastische Präsenz von Material und formaler Verwandlung löst Empfindungen aus, wie sie sonst nur in surrealistischer Malerei wachgerufen werden. Dennoch findet sich kein surrealistisches Zitat an. Vielmehr entwickelt Horst Egon Kalinowski seine Bildwelt aus der magischen Wirkung organischer Stoffe in lebensnaher Gestaltung. GS

Rafael Canogar (geb. 1935)
567 Die Rast 1972
Holz, Polyester, Fiberglas, Eisen; 163x122x82; Inv. 1975/1
Rafael Canogar ist Spanier und folgt den amerikanischen Realisten, insbesondere Segal (siehe 570). Was aber dort in Gips oder Naturfarben gehalten ist, taucht er in Schwarz und verwendet es wie eine schattenhafte Zeichnung – mit großen Freiräumen dazwischen. Wo sich aber in der Zeichnung der papierne Grund öffnet, tritt hier der eigentliche Raum auf, nur gelegentlich perspektivisch korrigiert durch über Eck gestellte Requisiten, etwa ein Sitz mit Gestänge. Canogars Thematik ist häufig politisch, in der Regel situationsbedingt wie eine Momentaufnahme. In diesem unpolitischen Motiv herrscht das Zuständliche des Rastens vor – die Person tritt hinter ihre Befindlichkeit zurück.
Seit der Wiederbelebung der kunstgeschichtlichen Diskussion um Velazquez vor etwa hundert Jahren ist viel über den spanischen Realismus nachgedacht worden. Canogar gibt einen sehr bildhaften Kommentar dazu, indem er über die Kunst des Weglassens das Wesentliche des Scheins betont. Auf diesem Wesentlichen aber beharrt er bis zur Identität des tatsächlichen Abgusses oder präparierten Objekts, das er doch nur darzustellen vorgibt. GS

567

Anthony Caro (geb. 1924)
568 Table Piece LVIII 1967
Eisen, Stahl; 51x81x78; Inv. 1977/8
Anthony Caro kam über eine ausgesprochen traditionsbetonte Bildhauerausbildung und über eine kurze Zusammenarbeit mit Henry Moore (siehe 550) erst auf Anregung des Amerikaners David Smith zu einem völlig gegenstandslosen Stil. In der Serie der Tischskulpturen, von denen diese die 58. ist, kommt die Abstraktion wie die letztlich von Gonzalez (siehe 549) beeinflußte Arbeit in Gegensätzen voll zum Tragen; denn es setzen sich vereinzelte Elemente voneinander ab, antworten aufeinander, bilden anschauliche Ensembles, ohne sich zu Bildern zu verfestigen, und dirigieren so den Betrachter als einen an den dialektischen Bezügen teilhabenden Partner. GS

568

Robert Graham (geb. 1938)
569 Ohne Titel 1965
Holz, Acrylglas, Gips, Watte, Email; 51x76,5x25,5; Inv. 1970/30
Geschenk von Richard Brooks und M.J. Francovich, Wilmington (Delaware)
Robert Graham ist ein Exponent der Pop-Art kalifornischer Prägung. Die künstlerisch scheinbar ambitionslose Welt der Juke-Boxes und Spielautomaten wird hier beschworen. Maßstäblich herrschen flohzirkusähnliche Verhältnisse. Der Abschied von gewohnten Würdeformeln der Skulptur scheint perfekt. Und dennoch ist etwas entscheidendes herübergerettet worden: die metaphorische Sinngebung – hier vorgetragen in surrealistischer Kombinatorik – und thematisch festgelegt auf eine sexuelle Bedeutung. Der in diesen Jahren von Kalifornien sich ausbreitende Gedanke der Bewußtseinserweiterung hat in diesem Objekt ein Vehikel gefunden von krasser wie geläufiger Eindringlichkeit und zugleich von einer metaphorischen Diskretion. Denn durch die skurrile Kombinatorik werden schließlich nur Bilder der Traumarbeit vorgestellt. GS

569

George Segal (geb. 1924)
570 Girl Putting on Mascara 1968
Mädchen (Atelierakt), sich die Wimpern tuschend
Gips, Bandagen, Requisiten; 142,5x102x81; Inv. 1970/1
George Segal begann als Maler: Matisse und Bonnard waren seine Vorbilder (siehe 203); sein Lehrer war Hans Hofmann in New York, wo er über Allan Kaprow Anschluß an die Happening-Bewegung fand. Seit 1958 verfestigen sich seine Aktionen zu realistischen Skulpturen in direktem Abgußverfahren und mit alltäglichen Requisiten. In ihrer Lebensnähe bestechend ist die Natürlichkeit der Haltung dieser Frau, die mit sich selbst beschäftigt ist – offenbar ein Atelierakt in seiner Pause. Und doch schwingen in diesem ›cantus firmus‹ des Realismus Obertöne mit, die über die Odalisken und Atelierakte von Matisse in die klassische Nacktheit der Antike zurückreichen, über Maillol (siehe 521) in die gewichtige Voluminosität antiker Frauengestalten und Proportionen. Denn der neutrale Gipston läßt jeden Bezug auf panoptikumartige Effekte obsolet erscheinen; vielmehr verweisen gerade die Requisiten eindeutig auf den abweichenden Realitätsgehalt der mit Bandagen befestigten Abgußform ohne Oberflächenbehandlung. GS

570

Frank Gallo (geb. 1933)
571 Kopf 1970
Epoxidharz; 25x36x27; Inv. 1972/6
Frank Gallo war ein Exponent der amerikanischen Kunstszene der sechziger Jahre: Brutal, realistisch und smart. Brutal ist die emotionale Bloßlegung des weiblichen Kopfes, realistisch bis an die Grenze der Wachsfigurenbildnerei und smart mit den subtilen Anspielungen auf das Bewußtseinsrepertoire des Betrachters von den widderhaften Ammonshörnern antiker Herkunft in der Frisur und der brüchigen Farbigkeit von Wachsmodellen der Renaissance Leonardos bis hin zu den ekstatischen Ausdrucksgebärden der Barockskulptur seit Bernini: Die volkstümliche Oberfläche der Pop Art verdeckt nur schwach die sophistischen Überlegungen, die aus einer übersättigten Kenntnis von Künstler und Betrachter zur wirklichkeitsnahen Vereinfachung geführt haben. GS

571

572

Walter Pichler (geb. 1936)
572 Modell einer guten Beziehung zwischen einem Mann und einer Frau 1971
Zwei Tiegel, Bronze, Sand; 50x350x245;
Inv. 1972/5
»Ich möchte eine gute Beziehung (Liebe) zwischen einer Frau und einem Mann erklären« und »Man muß das Modell im Regen aufstellen«. So heißt es auf einer Vorzeichnung. Gemeint sind zunächst die Tiegel der Bronzeplatte, die sich mit Wasser füllen sollen und von einer gewissen Höhe an kommunizierende Gefäße sind – eine Kerbe verbindet sie. Die Wirkungsweise erschöpft sich allerdings nicht in der modellhaften Emblematik. Die Verletzlichkeit des Sandes und die stabile Härte des in spiegelnden Reflexen sich optisch destabilisierenden Bronzeteiles lösen dialektische Überlegungen aus. Aber die stille Präsenz des Ganzen läßt an japanische Landschaftsgärten denken. Abgelöst von dieser Einstimmung wird Pichler zugleich wieder konkret: Ein ähnlich gestalteter Bodenfund vom Kalterer See, wo er aufwuchs, und die konvexe Umkehrung von Anbaumulden auf Lanzarote, auf die sich Pichler ausdrücklich bezieht, sind Einschlüsse autobiographischer Art. GS

Pavlos (geb. 1930)
573 Telephonbücher 1963
Papier, Karton, Holz, Acrylglas; 163x113x13;
Inv. 1976/18
Der volle Name des in Paris lebenden Griechen ist Pavlos Dionyssopoulos. Seine ›Telephonbücher‹ gehören zu den frühen Arbeiten: Rational wie Konstruktivisten, optisch im Sinne der gleichzeitigen Op-Art, surreal durch unkonventionelle Verarbeitung banaler Gegenstände. Die Alltäglichkeit des Objekts und die Einfachheit der Anordnung tragen zur Irritation wie zur humoristischen Auflösung der – genau besehen – keineswegs einfachen Wahrnehmungsvorgänge bei. Und dennoch laden die samtigen Schatten zwischen den Seiten der Bücher zum vagierenden Verweilen ein: Der Betrachter wird nicht nur – auf eine sehr diskrete Weise – belehrt, sondern auch – auf eine angenehme Weise – unterhalten. GS

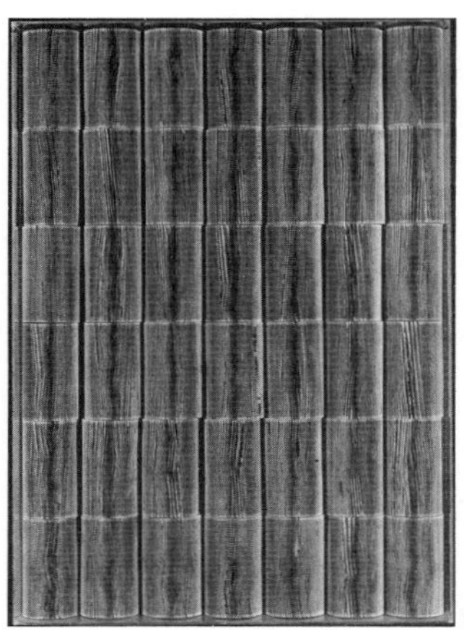

573

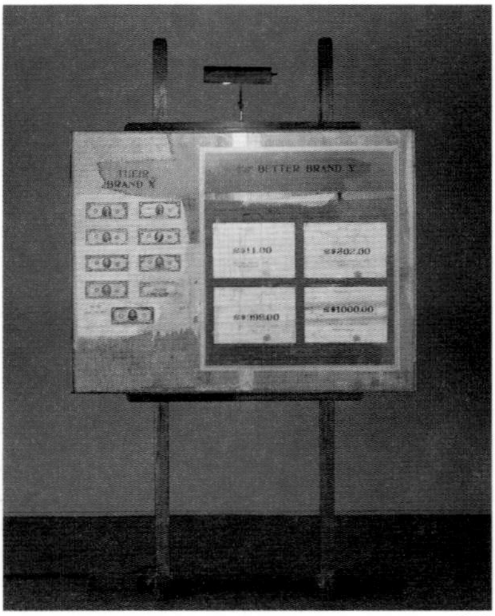

574

Edward Kienholz (geb. 1927)
574 Commercial 3 1972
Stahl, Zink, Holz, Papiere, Karton, Kunststoffe, Elektroeinrichtung; 200,5x122,5x73;
Inv. 1976/16
Der Untertitel dieses Objektes des heute in Los Angeles lebenden Edward Kienholz lautet: »So etwas wie eine Werbung für Aquarelle.« Wie ein Staffeleibild ist eine mit Kunststoff verglaste Reklamewand (amerik. = commercial) mit aufgeklebten aquarellierten Papieren, Kartons, eingestempelten und handschriftlichen Erklärungen aufgestellt: Der Werbeträger selbst wird zum Kunstobjekt gemacht; feierlich fällt das gedämpfte Licht einer Klavierlampe auf seine sichtbare Fläche. Es geht, so scheint es, um die Überlegenheit der Kunst – hier Aquarelle – vor amerikanischen Banknoten, und dies in rein kommerzieller Hinsicht. Verblüfft folgt man der handschriftlichen Argumentation, bleibt aber mit dem Gefühl zurück, einem volkswirtschaftlichen Scherz aufgesessen zu sein. Das Pathos des Ganzen widerspricht dem nicht gerade. GS

Ansgar Nierhoff (geb. 1941)
575 Zur Bildungsfrage (Automat) 1972
Stahl, Nessel, Bitumen; 138x100x100;
Inv. 1974/12
Ansgar Nierhoff gehört zu den Bildhauern, die in den frühen siebziger Jahren politische Themen aufgriffen. Anlehnungen an Stil und Attitüde der Kunstszenen in New York und Los Angeles waren seit der vierten Documenta in Kassel von 1968 nicht ungewöhnlich. Herausragend ist hier die formale Bewältigung und der Mut zur bildhauerischen These: Quadrat und Deformation, dauerhaftes und verletzliches Material, dynamisch-organische Details und euklidisch-anorganischer Grundsatz. Thematisch nimmt dieses Objekt von absichtsvoller Rohheit aus grob verschliffenem Edelstahl und geteertem Nessel auf die Gesamtschuldiskussion bezug, die damals auf dem Höhepunkt der Aktualität stand. GS

575

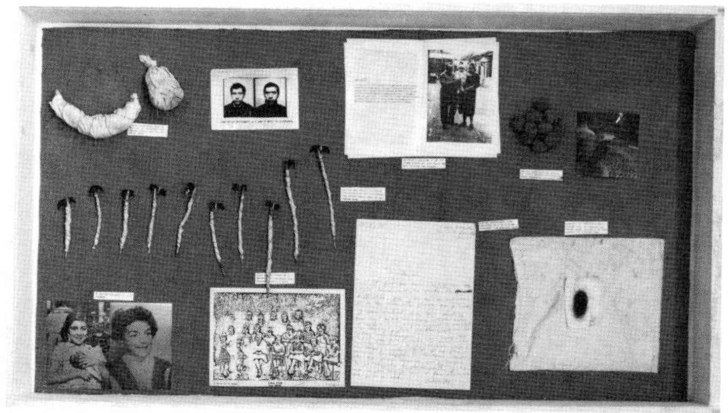

576

Christian Boltanski (geb. 1944)
576 ›Vitrine‹ 1973
Holz, Glas, Karton, Papier, Photopapier, Stoff, Haare, Stahl, Erde; 120x70x30;
Inv. 1975/10
Wie die etwas zu leicht gebaute und zu oft getünchte Vitrine eines französischen Heimatmuseums steht die ›Vitrine‹ des in Paris geborenen Christian Boltanski unter Kunstwerken der 1970er Jahre. Der Inhalt ist befremdlich: Zerbrochene und verbogene Rasierklingen, Körperhaare, Paßphotos, Lehmkügelchen von der Größe von Marzipankartoffeln – kurz, Spuren einer eher spielerischen und müßigen Beschäftigung. Hier wird unterspielt, denn was hier als infantile Dürftigkeit oder geradezu debile Unfähigkeit in Erscheinung tritt, unterliegt einem System, das – erläutert durch Beschriftungen – Beziehungen zwischen dem Individuum und seiner nach außen anonymer werdenden Gemeinschaft zu erkennen gibt. GS

Ulrich Rückriem (geb. 1938)
577 Skulptur 1919 1978
Dolomit, gespalten und zugeschnitten;
60x103x103; Inv. 1981/5
Ein Objekt, das aus der Stille wirkt. Alles ist zurückgenommen: Der Umriß, die Farbe, die Oberfläche. Kein Titel erzeugt Vorstellungsakkorde, kein formales Gleichnis drängt sich auf. Die einzigen Assoziationen weisen in die verhaltene Befindlichkeit von Objekten des Zen-Buddhismus. Aber sie gleiten nicht in diese Fernen ab. Über die Ecken und Kanten, gesägten Flächen und euklidischen Formen behauptet sich europäische Ideenlehre und gestalthafte Vision. Sogar die Zeit und die handwerklichen Spuren als ihre Zeichen kommen zu ihrem Recht; sie deuten an, daß die Versammlung von Blöcken ein Ergebnis der Zeit ist, und sie bewirken, daß die zeitliche Folge in der Wahrnehmung bewußt wird. GS

577

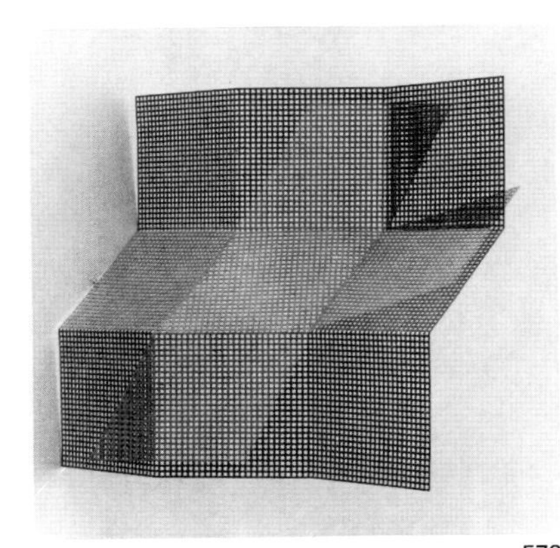

578

Bodo Baumgarten (geb. 1940)
578 Wehendes Kreuz 1979
Eisen; 88x88x75; Inv. 1980/2
Bodo Baumgarten begann als Maler, ging aber Mitte der sechziger Jahre zur Bildhauerei über. In ihrer Wirkungsweise sind seine hängenden Objekte Malerei geblieben. Die räumlichen Elemente sind durchaus im Sinne überlieferter Perspektivlehren zu sehen; die strukturellen und farblichen Eigenschaften sind denen der Malerei entlehnt. Die plastische Struktur ist auf ein Minimun beschränkt. GS

579

Jan Meyer-Rogge (geb. 1935)
579 Drei-Phasen-Würfel 1970
Holz; 3 Würfel zu je 80 cm Seitenlänge; Inv. 1973/4
Jan Meyer-Rogge überschritt in seinem dreiteiligen Objekt die räumlichen Grenzen der Bildhauerei in Richtung auf die Dimension der Zeit: »Die kubischen Formen und die logische Folge der Phasen sind technische Mittel, um die gegenseitigen Durchdringungen von zeitlichem Bewegungsablauf und gleichzeitiger Veränderung der räumlichen Situation darzustellen« (Meyer-Rogge). Dies geschieht nicht, wie im Falle Tomitaro Nachis (siehe 564) mit Hilfe der mechanischen Bewegung, sondern in der Veranlassung des Betrachters zu eigener Bewegung. Dies führt in die uralten Wahrnehmungsriten von Plastik und Architektur zurück, nimmt aber auch die konzeptionellen Möglichkeiten der kinetischen Plastik wahr: Die logische Präzision der euklidischen Form wird genutzt, um unter Ausschluß irritierender Gefühlsappelle den Betrachter auf die Grenzen seiner Wahrnehmungs- und Urteilsfähigkeit zu verweisen, ihn zugleich aber in eine konventionsunabhängige Wahrnehmung zuführen, wie es Kunst und Poesie schon immer getan haben. GS

Klaus Rinke (geb. 1939)
580 Wasserskulptur 1980
Nordisches Aquarell, Brackwasser, PVC-Schläuche, Leitungswasser, Stahlrohr, Stahlanschlüsse; 320x560x460; Inv. 1981/2
Eine Handlung ist in einen Aggregatzustand übergegangen. Der Aktionist Klaus Rinke hat Wasser aus einem Entwässerungsgraben der Haseldorfer Marsch unweit Hamburgs geschöpft und in transparente Schläuche gefüllt, die über den Fußboden eines Kabinetts der Hamburger Kunsthalle ausgebreitet sind: Ein großer Schlauch, gegen den Uhrzeigersinn wie eine Schnecke gedreht und – mit diesem durch einen Füllstutzen verbunden – ein unendlich langer dünner Schlauch, wie er für Fußbodenheizungen gebraucht wird, hier aber in unübersehbaren Windungen in alle Richtungen über und zwischen den Windungen des großen Schlauches. Ins Zentrum des Ganzen ist, schräg in die hintere Raumecke fallend, ein stählernes Rohr gestellt, gefüllt mit Leitungswasser, das es nach außen an einen Schlauch der kleinen Ordnung abgibt, der in dichten Windungen um das Rohr gewickelt ist. GS

580

Franz Erhard Walther (geb. 1939)
581 Vorläufige Handhabung 1963
Rote Scheibe mit vier Bändern, Holz, Baumwollstoff; Durchmesser der Scheibe 190; Länge der Bänder 200; Inv. 1983/2
Franz Erhard Walther begann in den frühen 1960er Jahren mit Objekten, die statt gesehen ›benutzt‹ werden sollten. Der ästhetische, d.h. reflektiert empfindende Bezug sollte zugunsten eines körperlich faktischen aufgehoben werden. Glieder, ja ganze Körper wickelten sich in Nesselleinen oder haben, wie hier auf einer Scheibe aus acht Sektoren aus Holzplatten, in rotbraunen Zeltstoff vernäht, das Grundmaß gegeben: Der Durchmesser entspricht der Körperlänge des Künstlers. Aber dieses Objekt hängt an der Wand wie ein Bild; die Gurte, an denen es hängt, wirken wie Arme, die herabhängenden Gurte wie rechtwinklig – wenn auch in die falsche Richtung – gebeugte Beine. Immerhin, die menschliche Ebenbildlichkeit hebt sich vor der wie ein Meditationsfeld zentrierten Scheibe auf. Und nicht nur das; der Titel verweist unerbittlich auf den provisorischen Charakter der Aufhängung als Bild. Andere »Handhabungen« lassen sich denken und durchführen, als da sind Faltungen, Verschnürungen u.a. GS

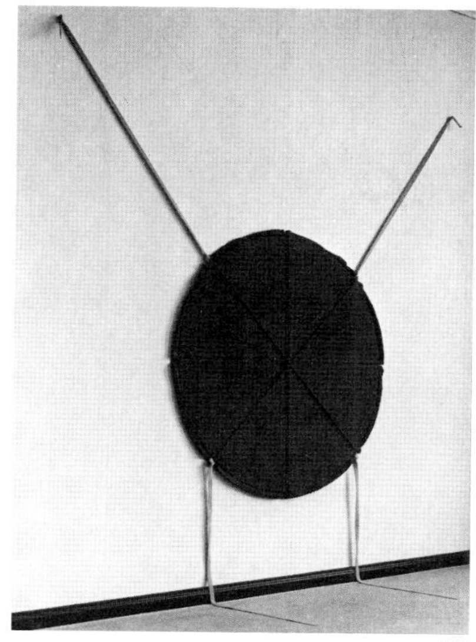

581

Gerhard von Graevenitz (1934-1983)
582 Sich deformierendes Viereck 1976
Aluminium, Holz; elektronische und mechanische Vorrichtungen; Durchmesser 170;
Tiefe 6,5; Inv. 1977/7
Gerhard von Graevenitz war Ingenieur. Erst spät wandte er sich der Bildhauerei zu, wie vor ihm Gabo und Nachi (siehe 535 und 564). Mit beiden teilt er die konstruktivistische Arbeitsmethode; wie beide kommt er zu kinetischen Lösungen. Meistens sind seine kinetischen Konstruktionen vor flächigen Tableaus angebracht, hinter denen sich eine komplizierte Mechanik und ein elektrischer Antrieb verbergen. Im Gegensatz zu anderen Arbeiten von ihm herrscht hier eine zeichnerische Struktur vor, reduzierbar auf eine quadratische Grundform mit quadratischen Binnenformen. Entscheidend aber sind Deformationen zu rhombischen Gebilden, rhythmischen Fortsetzungen von Phasen, zeichnerischen Entwicklungen von Linien und Umrissen. Der poetische Sinn in der folgerichtigen Entfaltung einfacher Strukturen entwickelt sich in keinem Werke anderer Kinetiker und Konstruktivisten so bildreich wie im Werke von Graevenitz's. Daher tut den bewegten Teilen seiner Objekte die Zusammenfassung auf einer einfarbigen und klar begrenzten Fläche gut. Der Objektgrund wird damit zum Bildträger. GS

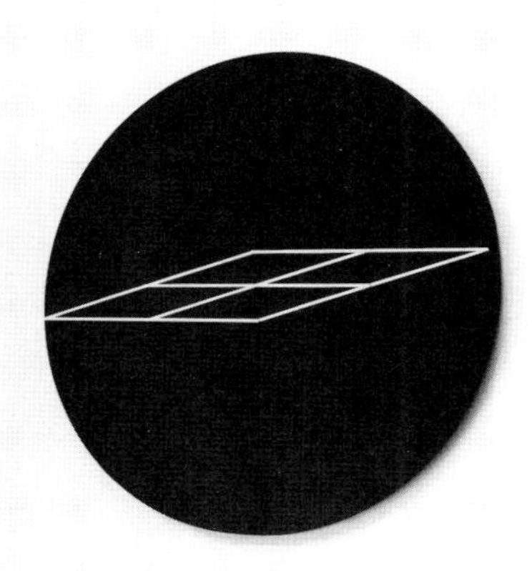

582

583

Emilio Vedova (geb. 1919)
583 Berlin 33/63 1963
Stahl, Holz, Hanf, Papier, Karton;
194 x 159 x 25; Inv. 1982/3
Dieses Objekt stand zu Recht zur Diskussion zwischen den Abteilungen für Gemälde und für Skulpturen, denn die reliefartige Anordnung der verschiedenartigen Materialien betont seine bildhafte Erscheinung als Materialbild. Gerade während seines Berlinaufenthaltes 1963 hatte sich der Künstler über räumliche Arrangements einer neuen reliefartigen Bildauffassung genähert, überschritt also – wie gleichzeitig Bernard Schultze – die plastische Grenze des Bildes sogar in Richtung raumschaffender Architektur. Doch dies bezieht sich auf die formalen Eigenschaften der lebhaften Komposition, die tief in den Raum des Betrachters ausgreift. Der Inhalt ist – wie in mittelalterlichen Bildern – inschriftlich festgelegt: Von EBREI (Juden) ist die Rede, BERLI (n) und die Jahreszahl 1933, alles Bezüge auf Hitlers Machtergreifung und ihre völkermörderischen Folgen. Aber auch die Aktualität wird beschworen mit der Nennung des Jahres, in dem diese Assemblage entstand. GS

James Reineking (geb. 1937)
584 Inside/Outside
(Zwei gleiche Massen) 1980/82
Stahl; Durchmesser 370, Höhe 18,5, Stärke 5; Inv. 1983/4

Die Vorstellung des Entwurfs kann – so scheint es – in ihrer Schlichtheit nicht mehr überboten werden: Zwei Grobbleche, wie sie im Werftbetrieb am Gebrauche sind, sind nach dem gleichen Radius gekrümmt bzw. geschnitten, so daß die Höhe des liegenden Kreisbogens identisch ist mit der Höhe des stehenden. Der Künstler legt sogar Wert auf die Identität der Massen (jeweils etwa 2 Tonnen). Das teilt sich in seiner Wucht wie in seiner geometrischen Überschaubarkeit mit. Aber die Überschaubarkeit ist es auch, die einerseits den bei so großen Objekten sonst naheliegenden Gedanken des Begehens ausschließt und andererseits die sonst unter hochrangigen Skulpturen seltene Eigenschaft überzeugender Photographierbarkeit bedingt. Das gilt auch für andere Arbeiten Reinekings. Die Raffinesse des perspektivischen Sehens macht die bis zur Architektur ausufernde Plastik zum Bild; die krude Materialität des Stahls macht das Bild zu einem seinen Umraum abweisenden Körper. GS

584

Münzen und Medaillen

Die Münzsammlung der Hamburger Kunsthalle scheint zunächst eine historische Kuriosität zu sein, denn dieser drittälteste Teil der Sammlungen mag auf den ersten Blick kaum zu den Beständen der Malerei (ab 1849) und Graphik (ab 1863) passen. Doch die Skulpturensammlung (ab 1892) ist jünger als sie, die mit Auflösung des Münzschatzes der 1874 von der Deutschen Reichsbank übernommenen Hamburgischen Staatsbank ins Haus kam. Der Kern der Sammlung antiker Münzen war somit vorhanden, und Lichtwark erweiterte diesen Ansatz bis in die Medaillenkunst seiner Gegenwart. Somit kam eine Gattung zu Ehren, die früher in den Kunst- und Wunderkammern schon aus methodischen Gründen den Kupferstichkabinetten näher standen als dem Kunstgewerbe. So hat auch ihre Bilderwelt ihren legitimen Ort in einer Sammlung, die sich vorwiegend anderer Bildträger annimmt. Das kommt auch in dem Ausstellungsraum dieser Abteilung zum Tragen (siehe Abbildung), die bis in die absoluten Maße und ins Detail hinein den Antikensaal aus Schinkels ›Altem Museum‹ in Berlin wiederholt. Hier finden sich auch – neben modernen Stücken (vgl. Seite 243) – Nachgüsse nach Werken Gottfried Schadows (1906) und zur Bausubstanz gehörende Abgüsse des Parthenonfrieses (siehe Abbildung) (1863/69). GS

585 Dekadrachmon, Syrakus (Sizilien)
(um 410 v. Chr.)
Silber; 43,28 Gramm; Unsigniertes Werk des Kimon. Vorderseite mit Quadriga, Rückseite mit Kopf der Quellnymphe Arethusa.

585

Das Zehndrachmenstück aus klassicher Zeit und im griechischen Syrakus geprägt war eine hochwertige Verrechnungseinheit von über 43 Gramm Silber und dem stattlichen Durchmesser von über 35 mm. Wenn auch nicht im Zentrum der griechischen Klassik geprägt, so ist diese Münze aus einer überaus reichen Hafenstadt der Kornkammer Sizilien moderner als die athenischen Münzen, die selbst in klassischer Zeit auf einer archaischen Stilstufe stehen geblieben sind (siehe 593). Zeitlich befinden wir uns mitten im Peloponnesischen Krieg; vor etwa 14 Jahren erlitten die Athener in Sizilien eine empfindliche Niederlage – ein deutliches Zeichen für die Verlagerung der wirtschaftlichen und politischen Macht zum Westen. Der eigentümlich amerikanisch klingende Satz des Syrakusaners Hermokrates, ›Sizilien den Sikelioten‹, 424 vor Christus gegen die Athener gesagt, wirkte sich mitentscheidend gegen Athen aus, das schließlich um 404 v. Chr. den Peloponnesischen Krieg verlor. Noch 413 v. Chr. versuchten sie vergeblich, Syrakus zu erobern; die Belagerung endete in einer Katastrophe. Zur Zeit, als die Münze geschlagen wurde, rieb sich Athen in Verfassungskämpfen auf. Bezeichnend für die damaligen wirtschaftlichen Verhältnisse war, daß im griechischen Mutterland zu dieser Zeit keine Silbermünze dieser Größe im Umlauf war. Überdies dokumentierte Syrakus seine kulturelle Ambition dadurch, daß es Münzbilder von ihrem Urheber signieren ließ. Daher kennt man den Künstler dieser Münze: Kimon.
Dargestellt ist der Kopf der Nymphe Arethusa, die Schutzgöttin der Stadt. Es ist eine Quellnymphe, deren Brunnen heute noch zu sehen ist; Pindar und Vergil haben sie besungen. Hier war das Zentrum der Wasserversorgung einer Großstadt, die in der Antike wesentlich größer war als heute. Auf der Rückseite bildet die Münze ein Wagenrennen ab: Über einer Quadriga fliegt eine Siegesgöttin (Nike); darunter sind Waffen verstreut, Beutestücke (Trophäen) aus dem Heer der 413 v. Chr. geschlagenen und vertriebenen athenischen Belagerer. Das Wagenrennen ist das Hauptereignis der alljährlich wiederholten Siegesfeier, der sogenannten Assinarischen Spiele. Die Zehndrachmenprägung ist das heute noch sinnfälligste Dokument der frisch erworbenen wirtschaftlichen Macht von Syrakus. Sie blieb nicht von langer Dauer, und die griechische Herrschaft auf Sizilien nahm im Westen der Insel bereits im 4. vorchristlichen Jahrhundert unter den Phöniziern von Karthago ein vorläufiges (siehe Nr. 607, 608) und im Laufe des 3. Jahrhunderts unter den Römern auf der ganzen Insel ein endgültiges Ende (siehe Nr. 604). GS

586 Stater, Sybaris (Lukanien)
(um 520 v. Chr.)
Silber; 8,23 Gramm; Vorderseite mit Stierdarstellung.

586

587 Stater, Kaulonia (Bruttium)
(um 530 v. Chr.)
Silber; 7,68 Gramm; Vorderseite mit schreitendem Apoll.

587

588 Stater, Kroton (Bruttium)
(530-510 v. Chr.)
Silber; 8,12 Gramm; Vorderseite mit Dreifuß.

588

Die klassische sizilische Prägung läßt bedeutende Vorläufer der archaischen Zeit im westlichen Großgriechenland ahnen. Vor allem zwischen 530 und 510 v. Chr. kommen eigentümliche Prägungen aus diesem Raum, alle aus griechischen Kolonien vom italienischen Festland nicht weit von der sizilischen Küste, von oben nach unten: Sybaris (das heutige Sibari), Kaulonia (Caulonia) und Kroton (Crotone). Es sind alles Statere von etwa gleichem Gewicht (um 8 Gramm), also offenbar derselben Norm zugehörig, dünn geprägt mit negativen Formen auf den Rückseiten; dort erscheint das Bild als Vertiefung (inkuse Prägung). Dargestellt sind ein Stier, Apollon, der mit einem Windgott auf seinem Arm die Luft reinigt, mit einem Hirsch zu seinen Füßen, und schließlich einen Dreifuß mit Kessel, Henkeln, Voluten und Schlangen zwischen den Füßen. GS

589 Stater, Insel Thasos
(500-465 v. Chr.)
Silber; 10,00 Gramm; Vorderseite mit Satyr, eine Nymphe raubend.

589

Auf dem Silberstater der Insel Thasos – noch aus archaischer Zeit – ist ein Satyr zu sehen, der eine Nymphe ergriffen hat und davonläuft. Sein Phallus zeigt an, wie die Sache enden wird; in jedem Falle handelt es sich um eine erotische Raubszene. Die bacchantische Szene weist auf den Dionysoskult, wie er unweit der Insel auf dem makedonischen Festland seit seinen vorgriechischen Berggeisterkulten gepflegt wurde und sich in griechischer Zeit auf der Insel einbürgerte. GS

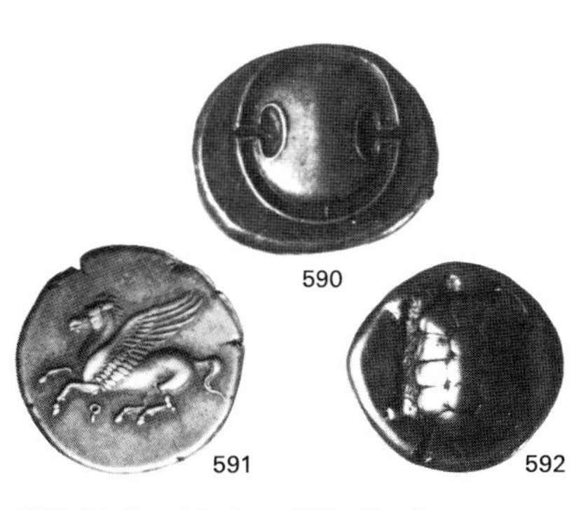

590 591 592

590 Stater, Theben (Böotien)
(379-338 v. Chr.)
Silber; 12,22 Gramm; Vorderseite mit böotischem Schild.

591 Stater, Korinth (Peloponnes)
(386-307 v. Chr.)
Silber; 8,55 Gramm; Vorderseite mit fliegendem Pegasus.

592 Stater, Ägina (um 380 v. Chr.)
Silber; 11,88 Gramm; Vorderseite mit Landschildkröte.

Die griechische Münzprägung ist kaum mehr als eine magistrale Gewichts- und Reinheitsgarantie. Die Bilder sind also nicht zuletzt Hoheitszeichen. Daher bildeten sich schon früh Symbole von heraldischer Einfachheit heraus, so der böotische Schild für die Stadt Theben, die Schildkröte für die Insel Ägina und der Pegasus für Korinth. GS

593

593 Tetradrachmon, Athen
(um 440 v. Chr.)
Silber; 16,61 Gramm; Vorderseite mit Kopf der Athena, Rückseite mit Eule.
Die athenischen Münzen kombinieren das Bild ihrer Hauptgöttin Pallas Athene mit deren Tier, der Eule. Beides ist so eng mit der magistralen Garantie für Reinheit und Gewicht athenischer Münzen verknüpft gewesen, daß man im Laufe der Zeit nur wenige stilistische Änderungen vorzunehmen gewagt hat. So kommt es, daß dieses Vierdrachmenstück von 440 v. Chr. zu einer Zeit entstand, als am Prägeort, dem Zentrum der griechischen Kunst und Kultur überhaupt, die Klassik ihren Höhepunkt erreichte, nichts davon aber in seiner Prägekunst zu erkennen war. Der archaische Typ von Kopf und Tier wurde also als heraldisch verbindlich angesehen. Im sizilianischen Syrakus dagegen war man trotz der kulturgeographischen Randlage viel unbefangener (siehe 585). GS

594 Stater, Tarent (Kalabrien)
(um 302-281 v. Chr.)
Silber; 7,93 Gramm; Rückseite mit Darstellung des nackten Phalanthos, auf einem Delphin reitend.

595 Stater, Dyrrhachion (Illyrien)
(um 450-350 v. Chr.)
Silber; 10,94 Gramm; Vorderseite mit Darstellung einer Mutterkuh, die ihr Kalb säugt.

594

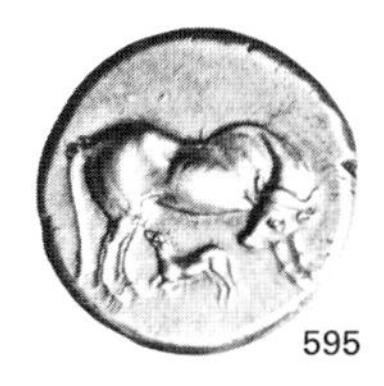

595

Zwei Beispiele einer bewegten Bildersprache bieten zwei griechische Hafenstädte, die nur sehr wenige Seemeilen über das Adriatische Meer hinweg voneinander entfernt sind: das süditalienische Tarent und das – heute in Albanien liegende – Durres (Dyrrachion). Die tarentinische Münze zeigt den mythischen

Gründer der Stadt, den auf einem Delphin reitenden Phalanthos. Die dyrrhachische Münze zeigt eine säugende Kuh, die ihr Kälbchen leckt. Es sind Silberstatere von unterschiedlichem Gewicht, woran zu erkennen ist, daß die Vielfalt der griechischen Maße, also auch der Gewichtsnormen, genau so verwirrend war wie etwa in Deutschland vor der Reichsgründung von 1871. Daher auch der in der Antike verbreitete Beruf der Wechsler, von denen auch das Neue Testament spricht. GS

596 Tetradrachmon, Amphipolis (?) (Makedonien)
Silber; 17,18 Gramm; Alexander der Große (336-323 v. Chr.), Vorderseite mit Kopf des Herakles mit Löwenfell.

596

Im Reiche Alexanders des Großen breiten sich Bildnisprägungen aus. Wie sein Vater Philipp II. wählt der Herrscher zunächst sein mythisches Vorbild; für Philipp war es Apollon (siehe 597), für Alexander war es Herakles, hier leicht zu erkennen an dem Fell des von ihm erlegten nemeischen Löwen. GS

597

598

597 Goldstater, Makedonien
8,56 Gramm; König Philippos II. (359-336 v. Chr.), Vorderseite mit Kopf des Apoll.

598 Goldstater, Pantikapaion (Kertsch) (um 350 v. Chr.)
9,07 Gramm; Vorderseite mit Panskopf.

Mit dem Ende des Peloponnesischen Krieges (404 v. Chr.) ist es auch mit der athenischen Vormacht im ägäischen Raum vorbei. Andere, vor allem wirtschaftlich überlegene Mächte treten an die Stelle des Mutterlandes, vor allem Makedonien. Dort wurden Goldminen entdeckt, die die griechische Silberwährung korrumpierten; den gleichen Effekt hatte das persische Gold im peloponnesischen Krieg, das den Spartanern zum Sieg verhalf. Bis zur Erschließung der makedonischen Goldminen hatte dementsprechend Persien mittelbar – über Sparta – und unmittelbar auf Sparta und die kleinasiatischen Kolonien Griechenlands die Macht in Griechenland inne. Doch mit der heute noch – nach Bodenfunden zu urteilen – immensen Goldprägung Philipps II. von Makedonien deutet sich ein Wandel an: sein Sohn Alexander der Große bestritt damit seine Eroberungen. Kennzeichnend ist der betonte Hellenismus auf den Münzen, der im Alexanderreich zum politischen Programm werden sollte. Etwa zur gleichen Zeit gab eine griechische Stadt auf der taurischen Chersonnes (Krim), Pantikapaion oder das heutige Kertsch, diesen Goldstater heraus. Der Reichtum dieser Stadt ergab sich aus dem Korn-, Wein- und Ölhandel. Als griechische Kolonie folgt sie einer falschen Etymologie, wenn sie zur Erklärung des ursprünglich persischen Ortsnamen einen Panskopf abbildet. GS

599 Tetradrachmon, Pergamon (Mysien, Kleinasien)
Silber; 17,05 Gramm; König Eumenes I. (262-241 v. Chr.), Vorderseite mit Bildnis des Philetairos.

599

Das beste Münzporträt des frühen Hellenismus ist das des Eunuchen Philetairos, des Begründers der pergamenischen Dynastie der Attaliden. Wir befinden uns im Zeitalter der Diadochenreiche in der Nachfolge Alexanders des Großen und seines Großreiches. Der Prägeort ist Pergamon im kleinasiatischen Mysien. Wie die meisten Münzporträts des Philetairos stammt auch dieses aus späterer Zeit, hier aus der Regierungszeit des Diadochenkönigs Eumenes I. (262-241 v. Chr.). GS

600 Drachme, Klazomenai (Ionien, Kleinasien) (um 500 v. Chr.)
Silber; 7,21 Gramm; Vorderseite mit geflügelter Eberprotome.

601 Drachme, Rhodos (394-304 v. Chr.)
Silber; 3,7 Gramm; Rückseite mit Rosenblüte zwischen zwei Knospen.

600

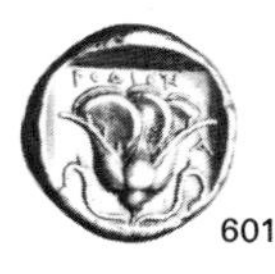
601

Noch aus archaischer Zeit (um 500 v. Chr.) stammt die Silberdrachme aus Klazomenai in der heutigen Bucht von Izmir (Türkei); sie bildet ein geflügeltes Ungeheuer ab, das in sagenhafter Vorzeit die Gegend unsicher gemacht haben soll: Ein geflügelter Eber. Aus klassischer Zeit (4. Jahrhundert v. Chr.) stammt die Drachme aus Rhodos mit dem sprechenden Wappen, einer aufblühenden Rose (griech. rhodon), wie im Falle von Pantikapaion (siehe 598) einer falschen Etymologie folgend. GS

602 Tetradrachmon, Pella (Makedonien)
Silber; 16,79 Gramm; König Antigonos II. Doson (227-221 v. Chr.), Rückseite mit Apollon, auf einem Schiffsbug sitzend.

602

Die Bilderwelt des Hellenismus hat der abendländischen Kunst und nicht nur ihr einen untilgbaren Stempel aufgeprägt. Vor allem das römische Imperium stand von der republikanischen Zeit an unter ihrem Einfluß. Und in deren frei gewählter Nachfolge nahm sich die Renaissance dieser Bildwelt an, wie in diesem Falle Michelangelo die liegend sitzende Jünglingsfigur des Schiffe schützenden Apolls in den Jünglingen der Decke in der Sixtinischen Kapelle von Rom wieder auftauchen ließ. Dieses Vierdrachmenstück aus Silber stammt aus der makedonischen Königsstadt Pella und wurde während der Regierung Antigonos II. Doson (227-221 v. Chr.) geprägt; sie stellt auf der Rückseite den nackten Apoll an einen Schiffsbug gelehnt dar. GS

603 Didrachmon, Kampanien (um 265)
Silber; 7,15 Gramm; Römische Republik, Rückseite mit der kapitolinischen Wölfin

604 Didrachmon, Süditalien (um 230)
Silber; 6,48 Gramm; Römische Republik, Vorderseite mit bartlosem männlichen Doppelkopf.

603

604

Etwa hundert Jahre später setzte die römische Silberprägung ein, als noch das griechische Gewicht (Drachmon) ausschlaggebend war. Zwei Vorläufer der römischen Denare aus dem mit griechischen Kolonien durchsetzten Süditalien spiegeln in der Darstellung der kapitolinischen Wölfin mit Romulus und Remus und dem bartlosen Doppelkopf (nicht Janus) den wachsenden Einfluß Roms in dieser Region wider. Das griechische Gewicht lag hier noch zugrunde, und auch der Stil ist griechischen Ursprungs, wenn auch in punischer Brechung. Aber der Typus leitet sichtbar zu den späteren italischen und stadtrömischen Silberprägungen des Imperiums über. GS

605

605 Bronzedrachme, Alexandrien
(143/44 n. Chr.)
24,98 Gramm; Rückseite einer Kaiserprägung (Antoninus Pius) mit Orpheusdarstellung.

In nachchristlicher Zeit haben sich szenische Darstellungen römischer Prägungen im griechisch sprechenden Ostteil des Reiches durchgesetzt, wie auch hier auf einer alexandrinischen Bronzemünze von Antoninus Pius (138-161) aus dem Jahre 143/44: Dargestellt ist Orpheus mit Lyra vor den Tieren, eine paradiesische Vision mit Affe, Storch, Panther, Pferd, Rind, Antilope, Löwe, Ziege, Nilpferd und Gazelle. Bildprägungen dieser Art stammen aus der hellenistischen Malerei und setzen sich über die Spätantike und mittelalterliche Buchmalerei bis in die Neuzeit fort. GS

606

606 As (Aes grave), Rom (um 230 v. Chr.)
Bronze; 244,47 Gramm; Römische Republik; Vorderseite Januskopf, Rückseite Schiffsbug.

Viel urtümlicher ist die römische Bronzewährung mit der groben, fast zeichenhaften Bildsprache. Es sind stadtrömische Güsse von ungewöhnlichen Ausmaßen, bis zu 13 Zentimetern im Durchmesser, und etwa ein ganzes Pfund schwer. Auf der Vorderseite ist der doppelgesichtige Kopf des Kriegsgottes Janus dargestellt, auf der Rückseite der Bug eines Kriegsschiffes mit Rammdorn. GS

607

607 Goldstater, Karthago
(350-320 v. Chr.)
9,42 Gramm; Vorderseite mit dem Kopf der Göttin Tanit.

608

608 Goldstater, Karthago
(350-320 v. Chr.)
9,56 Gramm; Rückseite mit stehendem Pferd.

Wie sich die griechische Herrschaft West-Siziliens von der phönizischen ablösen ließ, wurde das Münzbild von einem griechischen zu einem phönizischen. Dennoch färbte die griechische Bilderwelt zumindest stilistisch auf die phönizische ab, wie auf den beiden nordafrikanischen Goldstatern stadtkarthagischer Prägung zu sehen ist. Nicht mehr eine Quellnymphe ist es, wie früher in Syrakus, sondern die punische Göttin Tinnit oder Tanit, die Hauptgöttin Karthagos – sie folgt der griechischen Typologie der Kore-Persephone. Das ungezäumte Pferd bezieht sich auf die Gründungssage Karthagos. GS

609

609 Denar, Rom (um 145-138 v. Chr.)
Silber; 3,93 Gramm; Römische Republik, Vorderseite mit Kopf der Roma und Rückseite mit Dioskuren.

Die frühen republikanischen Prägungen von Silberdenaren zeigen auf der Vorderseite die Göttin Roma und auf der Rückseite die berittenen Dioskuren. Die Datierung ergibt sich nur aus den Inschriften, dann aber auch ziemlich genau; hier ist es die anderweitig bekannte Amtszeit des für das Münzwesen zuständigen Aedilen Marcus Attilius Saranus (um 145-138 v. Chr.). Bald danach setzen sich neben den Dioskuren auf den Rückseiten zwei- und vierspännige Rennwegen durch, Bigen und Quadrigen. GS

610

611

610 Denar, unbestimmte italische Münzstätte (um 106 v. Chr.)
Silber 3,90 Gramm; Römische Republik, Rückseite mit Wahlszene.

611 Denar, Gallien (um 48 v. Chr.)
Silber; 3,88 Gramm; Römische Republik, Rückseite einer Prägung C. Iulius Caesars mit Aeneas und Anchises.

Gegen Ende der republikanischen Zeit beherrscht das politische Bild die Münzprägung mehr und mehr. Auf der Rückseite des italischen Denars von 106 v. Chr. ist eine Wahlszene dargestellt, von der man nicht weiß, ob sie auf einen aktuellen Anlaß anspielt (Gesetz wegen Hochverrats) oder auf einen Vorfahren des edierenden Quaestors Gaius Coelius Caldus, der auch der Urheber des Hochverratsgesetzes war (Lex Coelia). Mit Sicherheit auf einen Vorfahren spielt die Münze von Gaius Iulius Caesar an: Sie stellt Aeneas dar, der seinen Vater Anchises aus dem brennenden Troja rettet: die julische Gens leitet sich von Aeneas ab, der mit Venus Romulus und Remus zeugte. Mit der Gründungslegende Roms unterstellte zumindest Caesar zugleich seine göttliche Abkunft, was für seinen imperialen Anspruch von Bedeutung werden sollte. GS

612

613

612 Denar, Rom (42 v. Chr.)
Silber; 4,12 Gramm; Römische Republik, Bildnis C. Julius Caesar.

613 Denar, unbestimmte kleinasiatische Münzstätte (30/29 n. Chr.)
Silber; 3,85 Gramm; Römische Kaiserzeit, octavius (Augustus).

Nach Caesars Ermordung (44 v. Chr.) tauchen die ersten Bildnisse auf: im Verlaufe der Bürgerkriege (bis 30 v. Chr.) setzt sich der imperiale Gedanke durch; die Republik findet ihr Ende. Was 42 v. Chr. noch mit einer Königsbinde hinreichend aus dem republikanischen Zusammenhang herausgehoben ist, endet bereits unter Kaiser Augustus (31 v. Chr.-14 n. Chr.) auf einem kleinasiatischen Denar mit einer Vergöttlichung Caesars, wie inschriftlich auf der Rückseite bekundet wird (CAESAR DIVI FILIUS): Der von Caesar adoptierte Octavius tritt hier als Sohn des göttlichen Vorläufers mit imperialen Anspruch auf; er legt sich den Titel ›Erhabener‹ (augustus) zu. GS

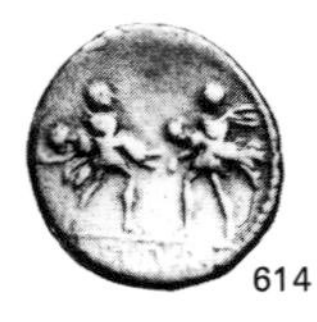
614

614 Denar, süditalische Münzstätte
(um 103 v. Chr.)
Silber; 3,83 Gramm; Römische Republik, Rückseite mit Laren.

Aus Süditalien, vielleicht aus Reggio in Calabrien (Rhegium), stammt der Denar mit den beiden Ortsgöttern (Laren), von denen der eine einen Hund streichelt. Bis in die modernen

Warenzeichen (z.B. Greyhound) setzen sich Bildprägungen fort, die mit diesem Denar von etwa 90 v. Chr. an die Pferderennen der Ludi Apollinares erinnern. Die Anspielung ist nicht ohne politischen Nebensinn: Der Münzbeamte Lucius Calpurnius Piso erinnerte an einen gleichnamigen Vorfahren, der diese Festspiele 212 v. Chr. eingeführt hatte. GS

618

617

617 Aureus, Rom (41-45 n. Chr.)
7,87 Gramm; Kaiser Claudius (41-54), Rückseite einer Prägung auf Nero Drusus, den Vater des Claudius und Bruder des Tiberius.

618 Aureus, Rom (57/58 n. Chr.)
7,72 Gramm; Kaiser Nero (54-68)

Die nicht zuletzt monetäre Vorherrschaft der römischen Kaiser vor allen anderen Verfassungsorganen gibt sich auch in der Goldprägung zu erkennen, die jetzt erst im römischen Weltreich aufkommt: Ein Aureus des Claudius von 41/45 n. Chr. mit einem posthumen Triumphbogen für dessen Vaters Sieg über die Germanen und ein Aureus von 57/58 n. Chr. mit dem Bildnis des noch jungen Nero. GS

615

615 Sesterz, Rom (40/41 n. Chr.)
Bronze; 27,09 Gramm; Kaiser Caligula (37-41), Rückseite mit Opferszene.
Mit der Heraushebung der kaiserlichen Person tritt eine neue Pietas in Erscheinung. Wie auf einer modernen Briefmarke wird ein aktuelles Ereignis gefeiert: Der Kaiser Caligula opfert vor einem Tempel. Die Inschrift besagt, daß es dem göttlich Erhabenen gilt (DIVUS AUGUSTUS) und die Prägung – wie in der Folge bei allen Kupfer-, Bronze- oder Messingprägungen – auf Beschluß des Senates erfolgte, abgekürzt SC (senatus consultu). Die für die Währung entscheidendere Silberprägung in Denaren fiel in die Verfügungsgewalt der Imperatoren. GS

619

619 Sesterz, Rom (90/91 n. Chr.)
Bronze; 19,95 Gramm; Kaiser Domitian (81-96), Vorderseite einer Senatsprägung auf Julia Titi, die Tochter des Titus und Gattin des Domitian, gestorben 91 n. Chr.
Ein anderes Ereignis, wohl eher sakraler als rein zufälliger Art, ist mit dem zweirädrigen Wagen angedeutet. Der Sesterz von 90/91 n. Chr. weist über die Umschrift auf Julia, Tochter des Kaiser Titus und Frau Kaiser Domitians. GS

616

616 Sesterz, Lyon (Lugdunum)
(64-66 n. Chr.)
Bronze; 26,86 Gramm; Kaiser Nero (54-68), Rückseite mit Janustempel
Ein Sesterz aus dem gallischen Lugdunum (Lyon) aus der gleichen Zeit zeigt den geschlossenen Janustempel: Es ist Frieden. GS

620

620 Sesterz, Rom (64-66 n. Chr.)
Bronze; 27,38 Gramm; Kaiser Nero (54-68), Rückseite mit Reiterbildnis.
Das Urbild reitender Herrscherbilder, verbindlich bis in die Gegenwart, findet sich auf der Rückseite eines Sesterzes von Nero aus den Jahren 64/66 n. Chr. GS

621

621 Sesterz, Rom (108-111 n. Chr.)
Bronze; 25,97 Gramm; Kaiser Traianus (98-117)
Die Kaiserbildnisse gehen in den folgenden zweihundert Jahren eine Wandlung durch, die vom Hellenismus ausgeht und in der byzantinischen Erstarrung endet. Wie in den byzantinischen Jahrhunderten selbst ist auch diese Zeit durchsetzt mit Renaissancen, also bewußten Rückgriffen auf klassische Formbestände des fünften vorchristlichen Jahrhunderts. Genau genommen unterliegt der Hellenismus selbst solchen periodischen Rückbesinnungen, wechseln doch geradezu barocke Schöpfungen (siehe 599) mit asketischen Vereinfachungen ab (siehe 602). In der römischen Bildniskunst setzt sich zudem – auch dies ein Erbe des Hellenismus, aber auch des eigenen Totenkultes (Maske) – ein individualistischer Verismus durch. Das Bildnis Trajans auf einem Sesterzen von etwa 110 n. Chr. ist ein gutes Beispiel. GS

622 623
624 625

622 Aureus, Rom (149 n. Chr.)
7,29 Gramm; Kaiser Antoninus Pius (138-161)

623 Aureus, Rom (174/75 n. Chr.)
7,28 Gramm; Kaiser Mark Aurel (161-180)

624 Aureus, Rom (141-161 n. Chr.)
7,19 Gramm; Faustina, Gattin des Kaisers Antoninus Pius

625 Aureus, Rom (201 n. Chr.)
7,35 Gramm; Kaiser Septimius Severus (193-211)

Ausnehmend gut erhalten sind die kaiserlichen Goldprägungen. Das hat zwei Gründe: Zum einen ist Gold ein weiches Material und folgt daher den Hohlformen des Bronzestempels leichter als andere Metalle (Silber und Bronze), es verletzt daher auch die Prägeform weniger: zum anderen war das Goldstück als hohe Verrechnungseinheit weniger im Umlauf: Wer ein Goldstück hatte, hortete es, bis größere Zahlungen anfielen. So sind die Kaiserbildnisse der Aurei die besten Bilddokumente neben den Marmorbüsten, denen sie voraus haben, daß keine Nasen abgeschlagen wurden und sonstige Korrosionen zu erleiden waren. Gold glänzt – ohne Oxydation und Patina bildende Schwefelverbindungen, wie sie Bronze und Silber anfallen – wie am ersten Tag, ganz gleich, wo es im Boden gelegen hat. GS

626

626 Sesterz, Rom (180 n. Chr.)
Bronze; 25,13 Gramm;
Kaiser Commodus (180-192)
Das Bildnis des Kaisers Commodus aus der Frühzeit seiner Regierung zeigt an, in welche Richtung die Stilentwicklung geht: Die Lokken verdichten sich zu einfachen Flöckchen, die Augen werden zu übergroßen Ausdrucksträgern. Bereits achtzig Jahre nach Trajan befinden wir uns auf dem Wege nach Byzanz (siehe 635-639). GS

627 Denar, Rom (218/19 n. Chr.)
Silber; 4,79 Gramm; Kaiser Elagabal (218-222)

628 Denar, Rom (231 n. Chr.)
Silber; 2,87 Gramm; Kaiser Severus Alexander (222-235)

629 Denar, Rom (236 n. Chr.)
Silber; 2,78 Gramm; Kaiser Maximinus I. Thrax (235-238)

630 Antoninian, Rom (238 n. Chr.)
Silber; 5,29 Gramm; Kaiser Pupienus (April-Juni 238 Mitkaiser von Balbinus)

628 629
627 630

Mit dem Denar des Elagabal von 218/19 befinden wir uns bereits im dritten nachchristlichen Jahrhundert. Die Vereinfachungen schreiten fort, und es ist nicht auf die grobe Technik des Stempelschneiders zurückzuführen. Denn selbst sorgfältige Ausführungen wie etwa der zwanzig Jahre jüngere Denar von Severus Alexander bildet den Typus der Münzen Konstantins des Großen vor. Das zeigt sich am Denar von Maximinus I. Thrax von 236 und zwei Jahre später von Pupienus. Allen diesen Münzen ist gemeinsam, daß sie in Rom, dem Zentrum des Reiches, geprägt wurden. GS

631

631 Aes (Doppelsesterz), Rom
(249-251 n. Chr.)
39,26 Gramm;
Kaiser Traianus Decius (249-251)
Wir befinden uns in einer schnellebigen Zeit; man sieht es an den kurzen Regierungsperioden der einzelnen Kaiser wie ihrer – kaum daß sie ihren Namen verdienen – Dynastien. Traianus Decius regierte nur zwei Jahre. Sein Bildnis auf dem Doppelsesterz zeigt – übrigens nicht zum ersten Male – alle obligatorischen Merkmale spätkaiserzeitlicher Münzbilder: Die Strahlenkrone (immer nur auf Doppelnominalen, also Doppeldenaren, Doppelsesterzen u.ä.), Harnisch und Soldaten-Mantel. Die Züge sind drastisch vereinfacht, geben aber immer noch hellenistische Darstellungskonventionen zu erkennen; aber die Haarbehandlung weist bereits auf Byzantinisches voraus. GS

632 633

632 Aureus, Antiochia (290/92 n. Chr.)
5,28 Gramm; Kaiser Diokletian (284-305)

633 Aes (Follis), Antiochia (um 335 n. Chr.)
3,72 Gramm; Kaiser Konstantin I. (der Große) (307-337)

Gegen Ende des dritten Jahrhunderts (Diokletian) unterliegen selbst die Goldprägungen der geradezu mittelalterlichen Vereinfachung. Das ist nicht etwa darauf zurückzuführen, daß diese Prägung aus der Provinz stammt (Antiochia). Rom ist in dieser Zeit selbst Provinz im kunsthistorischen Sinne. Es gibt keinen Teil des römischen Weltreiches, wo noch ein Hellenismus im klassizistischen Sinne gepflegt wird. So fällt die Prägung Konstantins des Großen von etwa 335 nicht weiter auf; und nur die Abkürzungen auf der Rückseite geben darüber Auskunft, ob der Prägeort Rom, Trier, Antiochia oder Byzanz ist. GS

634 635

636 637

634 Goldsolidus, Konstantinopel
(422/23 n. Chr.)
4,37 Gramm; Byzanz, Kaiser Theodosius II. (408-450)

635 Goldsolidus, Konstantinopel
(565-578 n. Chr.)
4,41 Gramm; Byzanz,
Kaiser Justinus II. (565-578)

636 Goldsolidus, Konstantinopel
(630-641 n. Chr.)
4,35 Gramm; Byzanz, Kaiser Heraclius mit seinen Söhnen (630-641)

637 Goldsolidus, Ravenna
(629-631 n. Chr.)
4,36 Gramm; Byzanz,
Kaiser Heraclius (610-641)

Um 400 setzt mit Kaiser Arcadius – so will es die allgemeine Übereinkunft unter Numismatikern und Historikern – die byzantinische Münzprägung ein. Es kommen neben Profilansichten, Dreiviertelansichten und fast gleichzeitig Frontalansichten vor. Der Goldsolidus des Justinus II. aber gehört bereits ins 6. Jahrhundert, der Goldsolidus des Heraclius mit seinen Söhnen – ein frontales Gruppenporträt – bereits ins 7. Jahrhundert. Das Doppelporträt desselben Kaisers stammt aus dem Exarchat Ravenna und ist gegen 630 zu datieren. Mit der Regierungszeit des Kaiser Heraclius ließ man die antike Numismatik enden; die byzantinischen Prägungen dauern bis zum Fall von Konstantinopel 1453 fort. GS

638

638 Brakteat
Silber; Heinrich I., Erzbischof von Mainz (1142-1152)
Aus dem gleichen Jahrhundert stammt der Silberbrakteat des Erzbischofs Heinrichs I. von Mainz, der Reichskanzler unter Friedrich Barbarossa war. Die relative Seltenheit des Edelmetalls im Mittelalter, aber auch das allgemeine Mißtrauen gegenüber großzügigen Legierungen mit Kupfer und Bronze führten zu hauchdünnen Prägungen. Im Osten sorgte eine zentrale Reichsgewalt für wenigstens soviel Rechtssicherheit, daß trotz inflationärer Münzverschlechterung das Vertrauen in die kaiserlichen Münzemissionen blieb; der Follis (gr. Beutel) an kleinen Bronzestücken im Gewicht römischer Erzprägungen wurde immer größer und schwerer, um das gleiche Silberäquivalent der mittleren römischen Kaiserzeit zu erreichen – der Name ›Follis‹ (ital. Follaro) ging später auf die Erzmünzen von Byzanz und seiner Nachbarstaaten über (vgl. 640). Im mittelalterlichen Westen mit seinen unzähligen lokalen Gewalten waren der tatsächliche Silbergehalt und das Gewicht ausschlaggebend. Gleichwohl wurde die hoheitliche Garantie zur Selbstdarstellung genutzt: Eine heraldisch ausgebreitete romanische Architektur scheidet den Primas des Reiches von einem ihm nachgeordneten Bischof. Das sich darin ausdrükkende Selbstverständnis stimmte den Kaiser bedenklich: Es führte unter anderem zu Heinrichs Absetzung als Erzbischof und Kanzler. GS

639

639 Skyphatos (Schüsselchen), Solidus aus Elektron
Gold-Silber-Legierung; 4,57 Gramm;
Byzanz, Kaiser Isaak II. Angelus (1185-1195)
Mit der schüsselförmigen Goldprägung des Kaisers Isaak II. befinden wir uns zeitlich bereits im hohen Mittelalter. GS

640 Follaro Königreich Sizilien, Brindisi
Bronze; König Roger I. (1072-1101)

641 Denar Königreich Sizilien, Brindisi
Silber; Kaiser Friedrich II. (1212-1250)

642 Burgbrakteat
Silber; Hamburg
Aus der Zeit der dänischen Herrschaft (1201-1224)

640 641 642

Das Nachleben der Antike vollzog sich auf verschlungenen Pfaden. Das Reiterbildnis des sizilischen Normannenkönigs Roger I. zeigt wie der Adler des Deutschen Kaisers Friedrichs II. in seinem sizilischen Reichsteil und die typisierte Burg des noch unter dänischer Herrschaft stehenden Hamburgs, daß die Bilderwelt der römischen Münzen eine Wiederbelebung erfuhr – Jahrhunderte vor Beginn der eigentlichen Renaissance. Die Reiterbildnisse des Mittelalters, sei es auf Münzen, sei es auf Siegeln, folgen, bewußt oder unbewußt einer Überlieferung gehorchend, Reiterbildnissen römischer Kaiser; in Byzanz hatte man das schon längst aufgegeben. Der Adler, von Haus aus ein Legionärszeichen, das dem Jupiter geweiht war, wurde zum Wappentier des Heiligen Römischen Reiches; nachfolgende Staaten wie die Bundesrepublik Deutschland und Österreich führen es heute noch. Im Mittelalter war es ein Unterpfand imperialen Anspruchs, als Byzanz durch Kreuzzüge und Einfälle von Normannen und Arabern paralysiert war. Die burgartige Stadtabbreviatur der hamburgischen Münze leitet sich von spätrömischen Denaren her, wie sie heute noch – gerade im germanischen Teil des römischen Weltreichs – sehr häufig gefunden werden. Diese Abkürzung ist über ein Stadtsiegel des 13. Jahrhunderts schließlich zum Wappen von Hamburg geworden, wie es noch heute geführt wird. Die Währungen sprechen allerdings eine unterschiedliche Sprache: Die sizilianischen Prägungen, auch die des dazugehörigen süditalienischen Festlandes, folgen dem noch antiken Fuß der byzantinischen Währung, die im Mittelmeer noch den Ton angab: als bronzener Follis (ital. Follaro) und silberner Denar. Der Hamburger Pfennig, der den Denar nur noch im Durchmesser nachahmt, ist dagegen die Teilmenge eines Pfundes (Mark) nach deutschem Gewicht. GS

Antonio Pisano (vor 1395/1455)
643 Bildnismedaille des Kondottiere Niccolo Picinino (um 1380-1444), 1441/42.
Bronzeguß; Durchmesser 90 mm;
Etwa zweihundert Jahre später führte die Wiederbelebung der Antike in ihrem klassischen Formbestande zur Wiederbelebung einer Münzgattung, die seit der römischen Kaiserzeit in Vergessenheit geraten war: Die Medaille. Es sind übergroße Prägungen, die nicht für den Umlauf gedacht waren, sondern als individuelle Auszeichnungen. Die Verleihung einer Medaille stellte ein besonderes Verhältnis zwischen dem Verleihenden und Beschenkten her. Das kann durchaus auf den Ausdruck freundschaflicher Verbundenheit beschränkt geblieben sein, was – je nach Rang, Einfluß und Macht der Partner – von unterschiedlicher Bedeutung gewesen ist. Da in der Kaiserzeit unserer Kenntnis nach ausschließlich Imperatoren die Gebenden waren, wird es jedesmal eine Auszeichnung gewesen sein. Und erst im italienischen 15. Jahrhundert treten kleine Potentaten als Verleihende auf. Wie auf den Münzen trägt auch die Medaille auf der Vorderseite das Bildnis des Auszeichnenden und auf der Rückseite eine Anspielung auf den Anlaß.

643

Mangel an antiquarischen Kenntnissen hat in der Frührenaissance dazu geführt, daß diese nicht selten mythologische Darstellungen im mittelalterlich heraldischen Sinne zu persönlichen Anspielungen wurden, etwa als Sinnbild mit dazugehörigem Spruch. Dargestellt ist hier der Kondottiere Nicolo Picinino. Der Künstler ist Antonio Pisano, genannt Pisanello. Er gilt als Gründer der wiederbelebten Medaillenkunst. Sicherlich ist es einem archäologischen Mißverständnis – Korrosion des Bodenfundes – zu danken, daß er und seine Nachfolger Medaillen nicht prägten, sondern gossen, wie es Medailleure und Bildhauer für selbstverständlich hielten, daß Bronzen patiniert waren. Für die Antike wahrscheinlicher ist, daß zumindest die Medaillen – auch die bronzenen – ihren goldartigen Metallglanz behielten. GS

644

Bertoldo di Giovanni (um 1420-1491)
644 Medaille der Medicäer auf die Beendigung der Pazzi-Verschwörung 1478
Bronzeguß; Durchmesser 66 mm;
Im selben Jahre 1478 wurde von einem Medailleur aus Sperandios Generation, Bertoldo di Giovanni, eine Gedächtnismedaille auf die Pazzi-Verschwörung in Florenz geschaffen. Bertoldo ist der Lehrer Michelangelos. Dargestellt ist das Attentat auf Giuliano de' Medici (1453-1478) unter der Kuppel des Florentiner Domes: Man sieht die Einfriedung (Tabernakel) mit angreifenden und fliehenden Menschen; einer stirbt – es ist Giuliano. Lorenzo de' Medici (1449-1492) gelingt es zu fliehen und die Attentäter, Angehörige der revoltierenden Familie Pazzi, zu bestrafen. Seit dem alexandrinischen Hellenismus ist nicht wieder eine so bildgemäße Darstellung auf Bronzemünzen und Medaillen vorgekommen (siehe 605); die ersten Vorbilder dieser Art schuf Pisanello. GS

645

Sperandio Savelli (tätig 1445-1504)
645 Bildnismedaille des bolognesischen Senators Virgilio Malvezzi 1478
Bronzeguß; Durchmesser 84 mm;
Der Modelleur der Bildnismedaille des Bologneser Senators Virgilio Malvezzi aus dem Jahre 1478 folgt generationsmäßig auf Pisanello: Sperandio Savelli aus Mantua; er arbeitete in Mantua, Ferrara, Mailand, Faenza, Bologna und Venedig. GS

646

Matteo de'Pasti (um 1420-1490)
646 Rückseite einer Medaille auf Sigismondo Malatesta (1417-1468) mit der Ansicht des Schlosses von Rimini 1446
Bronzeguß; Durchmesser 80 mm;
Matteo de'Pasti war ein Schüler Pisanellos. Die Rückseite einer Bildnismedaille des Renaissance-Fürsten und Gewaltherrschers Sigismondo Malatesta zeigt in räumlicher Reliefhaftigkeit das Zentrum seiner Macht: Die Festung von Rimini. GS

647 Thaler 1486
Silber;
Gegen Ende des 15. Jahrhunderts setzte die Prägestelle einer Silbermine im böhmischen Joachimsthal einen internationalen Standard, der zum Teil bis heute gilt: Der Thaler. Er folgt dem Gewicht des rheinischen Gulden, eine Silberwährung von einem Reinheitsgehalt, der heute noch international seiner hansischen Herkunft wegen nach einer englischen Gepflogenheit als Easterling oder Sterling zitiert wird. Bis zur Entdeckung der südamerikanischen Silberminen hatte das Deutsche Reich praktisch das Monopol an der Silberproduktion. Das setzte sich mit dem Joachimsthaler fort, der noch im amerikanischen Worte Dollar nachwirkt. Jedes Land, auch das durch die Silberminen von Lima in Peru reich gewordene Spanien, hielt sich der Einfachheit halber an den einmal gegebenen und bequem zu handhabenden Standard, der zuweilen noch heute als Theresienthaler seine monetären Funktionen erfüllt. Eines der ältesten Stücke ist ein ›Güldiner‹ des im Joachimsthal herrschenden Herzogs Sigismunds von 1486; er ist als Münzherr abgebildet, der Name ›Güldiner‹ erinnert an die – übrigens auch wie im holländischen Gulden – Konvertierbarkeit des rheinischen Gulden von Silber in Gold. GS

647

648

Hans Schwarz (1492-nach 1532)
648 Dürers Vater, Albrecht Dürer d. Ä. 1514
Bleiguß; Durchmesser 80 mm;
Albrecht Dürer selbst hat sich zumindest entwerfend mit der Medaillenkunst befaßt, wie an dem Bildnis seines Vaters zu sehen ist. Da er als Goldschmied begann, dürfte sein Anteil sogar größer sein. Immerhin, nach einer alten Zuschreibung gilt dieses Relief noch als ein Werk von Hans Schwarz. Auf alle Fälle dokumentiert neben der Stabius-Medaille von Peter Vischer auch dieses Werk die eminente Bedeutung Nürnbergs in der Belebung antiker Formen und Überwindung spätgotischer Manierismen altdeutscher Prägung (siehe 651) GS

649

Hans Reinhart d. Ä. (tätig 1535-1568)
649 Dreifaltigkeitsmedaille 1544/1556
Silberguß, zwei Teile; Durchmesser je 99 mm;
Wie stark noch gotische Formen nachwirken, sieht man in dem Gnadenthron von Hans Reinhart d. Ä. Aber nicht Unbeholfenheit oder gar unreflektierter Traditionalismus ist es, was hier waltet, sondern der Anfang einer Moduslehre: Der gotische Stil wird zum Signalrepertoir sakraler Bildinhalte und Architekturen; Reformation und Gegenreformation haben es ausgeschöpft. So kommt es auch im Bereich der Medaillen dazu, daß die unmittelbar tradierte Gotik von 1500 in neugotische Konventionen übergeht. GS

Hans Reinhart d. Ä. (tätig 1535-1568)
650 Spottmedaille 1544
Silber; Durchmesser 29 mm;
Von demselben Künstler stammt die Spottmedaille von 1544. Wir befinden uns mitten in der Reformationspolemik. Hier ist es ein Kardinal, dessen Bildnis sich bei einer Drehung um 180° in einen Narren mit Glockenkappe verwandelt. Dies ist nun keine Künstlerlaune – dafür wäre der Aufwand einer Silberprägung zu hoch –, sondern es ist ein Auftrag des sächsischen Kurfürsten Johann Friedrich (der Großmütige), einer der ambitioniertesten Reformatoren unter den deutschen Fürsten. GS

650

Peter Vischer d. J. (1487-1528)
651 Bildnismedaille auf den Dichter und Humanisten Johannes Stabius
(gest. 1522) 1522
Bleiguß; Durchmesser 73 mm;
Mit den Häuptern der Macht treten im Zeitalter des Humanismus auch solche der Poesie und Wissenschaften auf, wie hier auf der Bildnismedaille des Johannes Stabius von Peter Vischer d. J. aus Nürnberg. Stabius war vor allem Mathematiker und Astronom, aber auch, wie die Umschrift zeigt, ein – von Conrad Celtis – gekrönter Poet und Historiograph; er verfaßte unter anderem die Texte auf Dürers monumentalem Holzschnitt der Ehrenpforte Kaiser Maximilians I., den Stabius lange Zeit als Historiograph und Dichter begleitete. In dieser Eigenschaft hielt er sich in Nürnberg auf. Im wesentlichen lehrte er in Wien und gehört zu den Hauptexponenten des dortigen Humanismus.
GS

652

Nicolas Leclerc (tätig 1487-1507)
652 Hochzeitsmedaille Ludwigs XII. von Frankreich und Annas von Bretagne
1499
Bronzeguß; Durchmesser jeweils 110 mm;
Nicolas Leclerc schuf diese Hochzeitsmedaille in Zusammenarbeit mit Jean de Saint-Priest. Damit war der Formenkanon der Renaissance in die noch lange von der Gotik beherrschte französische Medaillenkunst eingeführt; in der Architektur setzte er sich noch später durch. Lyon ist nicht nur ein Zentrum nord-südlichen Austausches zwischen den Niederlanden, Frankreich und Italien, sondern auch des nordöstlich-südwestlichen Austausches zwischen dem Deutschen Reich und Spanien; es war auch der Ort, an dem etwa zwanzig Jahre später der Basler Hans Holbein d. J. französische und spanische Buchausgaben illustrierte.
GS

Alfonso Ruspagiari (1521-1577)
653 Selbstbildnis um 1560
Bronze; Durchmesser 82 mm;
Alfonso da Tomaso Ruspagiari war Medailleur in Reggio (Emilia), gehörte also den norditalienischen Manieristen an. Eine neue Sensibilität setzt sich durch, persönlich, exzentrisch, nicht frei von Zurschaustellung von Fragilität. Das Italien der Heerführer, Söldner und Gewaltherrscher der Renaissance ist mittlerweile unter die frühabsolutistischen Fürsten und eine französische und spanische Fremdherrschaft geraten: Die geistige Macht des Papsttums, durch die Reformation sichtlich gebrochen, erholte sich nur langsam durch Reformen. Aufklärerische Durchbrüche frühneuzeutlicher Gedankenkonventionen deuten sich an. Das Selbstbewußtsein der Künstler, nun sichtlich ein anderes als zu Leonardos und Michelangelos Zeiten, bietet sich dar, wie etwa in diesem Selbstbildnis der Jahrhundertmitte – in seiner poetisch-empfindsamen Art im Bereich der von Haus aus eher handwerklichen Kunst der Medaille ein Novum. GS

653

654

Giovanni Cavino (1500-1570)
654 Antinoos-Medaille
Bronze; Durchmesser 39 mm;
Giovanni Cavino aus Padua war ein Zeitgenosse Ruspagiaris und des noch unbekannten Meisters H. B. Ihn interessieren vor allem die römischen Münzbilder. Die Pegasusszene des Favoriten Hadrians, Antinoos in seiner mythologischen Rolle als Bellerophon, stammt aus einem hadrianischen Medaillon des zweiten nachchristlichen Jahrhunderts. Cavinos Werke streifen somit den Bereich der Reproduktion. In seiner Schule sind zahlreiche römische Münzen wiederholt, wenn nicht gar gefälscht worden, die erst im 18. Jahrhundert als ›Paduaner‹ des 16. Jahrhunderts erkannt wurden. GS

Meister H. B.
655 Herkulesmedaille um 1550
Silber; Durchmesser 43 mm;
Seit Michelangelo und Raphael hat die künstlerische Subjektivität als stilistischen Gegensatz klassizistische Eindeutigkeit hervorgerufen, ja, geradezu als akademische Norm erzeugt. Um 1550 sieht das so aus, daß die ersten an griechischen Originalen orientierten mythologischen Darstellungen auf Münzprägungen vorkommen, wie auf diesem Herkulesbild eines unbekannten italienischen, möglicherweise paduanischen Meisters H. B.; wüßte man nicht die Entstehungszeit, würde man an Winckelmanns Zeitgenossenschaft denken, so korrekt ist der klassische Kanon verstanden und reproduziert worden. GS

655

656

Antonio Abondio d. J. (1538-1591)
656 Kaiser Rudolf II. um 1577
Bronze; Durchmesser 36 mm;
Der mailändische Antonio Abondio arbeitete mit seinem Landsmann Arcinboldo, der als Maler aus Stilleben Porträts zusammensetzte, am Hofe Kaiser Rudolfs II. in Prag. Sein Stil vereint – im Gegensatz zu seinem manieristischen Landsmann – französische höfische Etikette der Bildniswiedergabe mit der klassizierenden Ruhe der Schula Cavinos. GS

Sebastian Dadler (1586-1657)
657 Hochzeitsmedaille auf Wilhelm II. von Oranje-Nassau und Maria von England in Den Haag 1641
Silber; Durchmesser,
Im 17. Jahrhundert setzt die bildliche Weitschweifigkeit der Medaillen ein. Historisches wird wie in einem Panorama vorgeführt und mit allegorischem vermengt. Spruchbänder und epigraphische Zeilen erläutern Anlaß und Zusammenhänge. Die Medaille wird zum informativen Vehikel wie die Briefmarke heute. Nur sie ist noch – wie ihr antiker Vorgänger – auszeichnendes Erinnerungsstück geblieben, wenn auch jetzt in – den politischen Gepflogenheiten und Bedürfnissen der Neuzeit entsprechend – hohen Auflagen: alle Höfe von diplomatischem Belang konnten zu Adressaten werden. So auch hier die Hochzeitsmedaille des deutschen Medailleurs Sebastian Dadler (1586-1657) auf die Eltern des späteren englischen Königs Wilhelms III. GS

657

Sebastian Dadler (1586-1657)
658 Neujahrsmedaille auf das Jahr 1654
Silber; 52 mm;
Die Rückseite einer Dankesmedaille von Sebastian Dadler aus dem Jahre 1654 führt in die uns fremd gewordene Welt der Emblematik ein: Ein dichterisches Bild – hier aus dem 67. Psalm – wird bildlich beim Wort genommen; die Wendung »und deine Fußstapfen triefen von Fett« wird – wenigstens was die menschliche Anatomie betrifft – im bildinhaltlichen Sinne wörtlich genommen. Aus den Wolken tritt Gottes Bein auf eine üppig wachsende Flur voller Trauben, Ähren und Knollen – im Hintergrund pflügt ein Bauer. Die Vorstellung, als handele es sich um eine gargantueske Anatomie, deren rechtes Bein im Sinne von Siebenmeilenstiefeln außerhalb des Bildraumes zu denken sei, löst sich angesichts der Wolkenbildung und des umlaufenden Frucht- und Getreidekranzes auf, aus dem sich offensichtlich Trauben gelöst haben und zur Erde fallen, und man wird nachdrücklich auf eine metaphorische Bildwelt verwiesen. GS

658

Meister C. H.
659 Kaiser Leopold I. (1658-1705), Verdienstmedaille auf die Befreiung Wiens von der türkischen Belagerung
1683
Silber; Durchmesser 145 mm;
Ein historisches Ereignis von europäischer Tragweite löste die Prägung und Verleihung dieser gewaltigen und die Silbermasse von 24 Talern fassenden Verdienstmedaille des Kaisers Leopold I. aus: Die siegreiche Beendigung der türkischen Belagerung Wiens von 1683. Es liegt auf der Hand, daß nur Heerführer und sehr hohe Offiziere diese Auszeichnung erhielten, die – und dies noch eine Konzession an den monetären Ursprung der Medaille – ein genaues Vielfaches eines Talergewichtes darstellt. GS

659

Johannes Höhn (um 1637-1693)
660 Siegesmedaille auf die Einnahme von Stralsund durch Friedrich Wilhelm, Kurfürst von Preußen (der Große Kurfürst) (1620-1688) 1678
Silber; Durchmesser 46 mm;
Johannes Höhn aus Danzig durchlief – ein typisches Beispiel polnisch-preußischer Geschichte – eine für das Staatsdenken des 17. Jahrhunderts charakteristische Laufbahn: Die mehrheitlich deutsche Stadt mit ihrem noch hansischen Senat hatte wegen ihrer Untertänigkeit zur polnischen Krone Sitz und Stimme im polnischen Sejm; von Haus aus ein polnischer Untertan, war Höhn nicht nur für den Hof in Warschau tätig, sondern auch für die dänische und schwedische Krone, seit 1663 regelmäßig für den Großen Kurfürsten, der hinsichtlich seiner preußischen Lande polnischer Lehnsuntertan war. Erst der Sohn des Großen Kurfürsten war als König von Preußen souverän. Die Siegesmedaille feiert eine schwedische Niederlage: GS

660

François Chéron (1635-1698)
661 Gedächtnismedaille auf den Maler und Architekten Pietro Berrettini da Cortona (1596-1669) um 1670
Bronzeguß; Durchmesser 73 mm;
François Chéron war einer der erfolgreichsten Medailleure seiner Zeit. Seine Laufbahn führte ihn vom Hofe des Herzogs von Lothringen über die päpstliche Kurie, wo er unter anderem diese Gedächtnismedaille schuf, an den Hof Ludwigs XIV.; ihm wurde schließlich eine Wohnung im Louvre zugewiesen: Wegen seiner Verpflichtungen an der Pariser Münze war

hier seine Anwesenheit wichtiger als in Versailles. Bezeichnend für die Standardisierung des Geschmacks im späten 17. Jahrhundert ist die Verschmelzung klassizistischer Elemente mit einem weitgehenden Realismus und einer barocken Formensprache, etwa in der Betonung vitaler Züge. Die Übereinstimmung Chérons mit dem Dargestellten, einem der größten italienischen Künstler des Seicento, ist hierin ebenso groß, wie mit seinen späteren Förderern Lebrun und Colbert am Hofe Ludwigs XIV. GS

661

Guillaume Dupré (um 1576-1643)
662 Medaille auf Antoine Ruzé, Marquis d'Effiat et de Longjumeau, damals Surintendant des Finances 1627/30
Bronzeguß; Durchmesser 65 cm;
Guillaume Dupré war Bildhauer, Medailleur und Edelsteinschneider – eine seltene Kombination von Qualifikationen. Sie gibt sich sofort auf dem rückwärtigen Medaillenbild eines Höflings Ludwigs XIII. unter Kardinal Richelieu zu erkennen, der durch die Umschrift beteuert, alle ihm aufgetragenen Mühen fielen ihm leicht, und dieses Bekenntnis durch ein mythologisches Bild verstärkt, auf dem Atlas zeitweilig die Last der Erde übernimmt. Das Relief ist von ungewöhnlicher räumlicher Tiefe, die Einzelheiten fast goldschmiedeartig ausgearbeitet. Eine Generation später kam man von einer so reichhaltigen Gestaltungsweise ab. GS

662

663

Daniel Friedrich Loos (1735-1819)
663 Antirevolutionsmedaille auf Louis, Dauphin von Frankreich, (1781-1789) und seine Schwester, Prinzessin Marie Therese Charlotte (1778-1851)
Rückseite im geschlossenen Vorhang.
Silber; Durchmesser 30 mm;

664

Daniel Friedrich Loos (1735-1819)
664 Hochzeitsmedaille auf Friedrich Ludwig Karl, Prinz von Preußen, (1773-1796) und Prinzessin Friederike Karoline Sophie von Mecklenburg-Strelitz (1778-1841), die Schwester der späteren Königin Luise 1793
Silber; Durchmesser 43 mm;
Die Herkunft des Berliner Klassizismus im Bereich der Medaille ist mit zwei Stücken von Daniel Friedrich Loos noch aus der Zeit vor der Jahrhundertwende belegt. Der geschlossene Vorhang verhüllt das Schicksal zweier Kinder Ludwigs XVI. auf seine natürlich-allegorische Weise: Wann wird er aufgezogen? So heißt es in der Umschrift. Es ist ein typisches Dokument der Revolutionszeit, etwas sentimental im Ausdruck und dennoch erschreckend aktuell: Prinz Louis war bereits 1789 umgekommen, was man in Berlin im Lager der Réfugiées noch nicht wissen konnte, und seine Schwester sollte noch bis 1851 leben, was man damals kaum zu hoffen wagte. Das 1793, also im gleichen Jahre geprägte Doppelporträt der Hochzeitsmedaille stellt den Bruder des späteren Königs Friedrich Wilhelm III. von Preußen und die Schwester der späteren Königin Luise dar (siehe 665). GS

665

Leonhard Posch (1750-1831)
665 Das Königspaar Friedrich Wilhelm III. (1770-1840) und Luise (1776-1810) von Preußen
Eisengüsse; jeweils 260x203 mm;
Leonhard Posch stammt aus Tirol. Zunächst als Bildhauer in Salzburg tätig, wurde er 1774 von Maria Theresia nach Wien berufen. Aus gesundheitlichen Gründen beschränkte er sich von da an auf das Modellieren, aber er trat auch als Mechaniker hervor – vielleicht das letzte Glied neuzeitlichen Künstlertums in Verbindung mit Ingenieurwesen seit Leonardo, kaum ein Vorläufer der Konstruktivisten in der Nachfolge Gabos (siehe 535). 1803 war Posch in Hamburg, 1804 bis 1810 in Berlin, wo der Medailleur David Friedrich Loos (siehe 663) sein Schwiegersohn wurde. Aus dieser Zeit stammen die gegossenen Reliefs des preußischen Königspaares, das wie Friedrich Ludwig Karl und Friederike Karoline Sophie (siehe 664) 1793 getraut wurde. Anschließend ging Posch nach Paris, kam aber 1814 mit Hilfe seines Schwiegersohnes nach Berlin zurück, wo er bis zu seinem Tode wirkte. Der Eisenguß paßt materiell wie ideell in das politische Klima des Preußen zur Zeit der Befreiungskriege, die Zeit, als man selbst für Schmuckstücke ›Gold für Eisen‹ gab. GS

Johann Gottfried Schadow (1764-1850)
666 Geburtstagsmedaille auf Johann Wolfgang von Goethe (1749-1832) 1815
Bronzeguß; Durchmesser 93 mm;
Johann Gottfried Schadow trat im wesentlichen als Bildhauer des Berliner Klassizismus hervor. Doch gelegentlich schuf er Stücke kleineren Maßstabs: Porzellanmodelle und diese Medaille. Goethe lobte diese aus Anlaß seines 66. Geburtstages gefertigte Arbeit, weil Schadows ›Kunst und Geschmack hier so freundlich mitgewirkt hat‹. Die Vorderseite zeigt den bereits alternden Dichter und Staatsmann, die Rückseite einen aufsteigenden Pegasus mit griechischer Umschrift. Diese Arbeit ist bereits ein Dokument der Kunst des 19. Jahrhunderts: Über den Klassizismus des ausgehenden 18. Jahrhunderts beleben sich wieder Formen und Gattungen der Renaissance und mit ihnen deren symbolische Sinnfülle. Die Medaille selbst mit ihren knapp 9½ cm Durchmesser und ihrer beachtlichen Stärke greift die Gestalt der Renaissance-Medaille wieder auf, mit dem Pegasus sogar eine dem Benvenuto Cellini zugeschriebene allegorische Rückseite auf den italienischen Humanisten und Kardinal Pietro Bembo (1470-1547). Das Werk wird somit zu einem frühen Dokument des Historismus im 19. Jahrhundert. GS

666

667

668

Jean Bertrand Andrieu (um 1763-1822)
667, 668 Gedächtnismedaillen auf die Erstürmung der Bastille und die Ankunft Ludwigs XVI. in Paris nach der Einberufung der Constituante 1789
Blei, bronziert; Durchmesser jeweils 85 mm;
Jean Bertrand Andrieu gibt auf einem großen Bleiguß im szenischen Reichtum historischer Schaumünzen des 17. und 18. Jahrhunderts (siehe 657) die Erstürmung der Bastille wieder und als Pendant die Rückkunft des Königs Ludwig XVI. aus Versaillesals konstitutiver – nicht mehr absolutistischer – Monarch; niemand plante damals seine Enthauptung. Beide Ereignisse, so folgenschwer sie für die Zukunft waren, sind Ausfluß mittelalterlicher Verfassungsgeschichte, denn historisch gesehen, hat die Beseitigung des Absolutismus den ursprünglichen Zustand der Monarchie wieder hergestellt und der König ist wieder in seine ursprünglich durchaus ungeschützte Regentenposition zurückversetzt worden. GS

669

Jean Bertrand Andrieu (um 1763-1822)
669 Bildnismedaille Napoleon I. (1769-1821) 1804
Blei, bronziert; Durchmesser 68 mm;

Jean Bertrand Andrieu (um 1763-1822)
670 Taufmedaille François Charles Joseph Bonaparte (1811-1832) 1811
Bronze; Durchmesser 68 mm;
Derselbe Künstler, der die Revolution in einer zwar barock weitschweifigen, aber klassizistisch präzisen Art im Detail schilderte, verwandelte sich unter Napoleon in einen offiziellen Hofkünstler mit nicht zu übersehenden monumentalen Neigungen. Ernst und streng entfalten sich die Züge und Gebärden des Herrschers zu symbolischen Akten von unwiderrufbarer Verbindlichkeit. Die Befehlsstrukturen des modernen Staates, in Deutschland noch vor wenigen Jahrzehnten so artikuliert, fanden hier ihren ersten und in einen Personenkult einmündenden Ausdruck. Die Taufe des Königs von Rom, hier in selbstherrlicher Geste ohne Pate und Papst vollzogen – fast möchte man meinen, ohne Priester –, wird somit zu einer symbolischen Handlung Recht setzender Art. GS

670

671

672

Pierre Jean David D'Angers (1788-1856)
671 Bildnisplakette Heinrich Heine (1797-1856)
Bronze; Durchmesser 165 mm;

Pierre Jean David D'Angers (1788-1856)
672 Bildnisplakette Jean Antoine Alavoine (1778-1834)
Bronze 1833; Durchmesser 158 mm;
Pierre Jean David D'Angers war der bedeutendste Bildnismedailleur des 19. Jahrhunderts. Die monumentale Form entlehnte er der italienischen Renaissance-Medaille, aber die skizzenhafte Ausführung und das Gußverfahren (Sandguß) sind modern. Überhaupt artikuliert sich selbst auf dem fast kunstgewerblichen Felde der Plakette ein Modernismus romantischen Ursprungs, wie man ihn sonst nur in der gleichzeitigen Großplastik antrifft (François Rude). Das Bildnis Heinrich Heine muß – dem Alter nach zu urteilen – noch aus dem 1830er Jahren stammen, dem ersten Pariser Jahrzehnt. Das Momentane des Ausdrucks ist individueller Beitrag David D'Angers und Zeitstil zugleich: Während seines Deutschlandaufenthaltes lobte er – eine der wenigen ausländischen Stimmen zur Kunst Caspar David Friedrichs – an Friedrich, er habe es verstanden, den dramatischen Augenblick der Natur zu erfassen. Wie er gehörte David D'Angers zu den wenigen, die den besonderen Status eines Ausdrucks zu erkennen vermochten, sei es in der Landschaft, sei es im Porträt. Wenn es eine Typisierung gibt, dann ist sie individuell im Künstler angelegt; die dargestellte Person, wie auch die des klassizistischen und romantischen Architekten Jean Antoine Alavoine tritt dementsprechend als eine individuelle Realität entgegen. GS

Anton Scharff (1845-1903)
673 Geburtstagsmedaille auf Gottfried Keller (1819-1890) Rückseite mit Orpheusdarstellung 1889
Bronze; Durchmesser 70 mm;

Leonard Charles Wyon (1826-1891)
674 Erinnerungsmedaille auf den Empfang für Indien und die Kolonien des Britischen Weltreichs in der Guildhall in London 1886
Bronze; Durchmesser 76 mm;
Das 19. Jahrhundert ist auch das Zeitalter souveräner Rückgriffe. Die Orpheusdarstellung des Österreichers Anton Scharff geht über Kompositionen der Renaissance auf hellenistische Vorbilder zurück (siehe 605). Die Medaille auf die imperiale Manifestation in der Guildhall von London von Leonard Charles Wyon greift auf Vorbilder des 17. Jahrhunderts zurück (siehe 657), folgt aber einer verbreiteten Gepflogenheit perspektivischer Architekturdarstellung des 19. Jahrhunderts. GS

673

674

Alexandre Charpentier (1856-1909)
675 Bildnisplakette Adolphe Darzens
um 1892
Bronze; 180x130 mm;
Alexandre Charpentier war Bildhauer und Kunstgewerbler. Er gehörte mit Max Liebermann (siehe 213) der Generation von Alfred Lichtwark an und war mit diesem befreundet. Das Feld der Medaille ist mit diesem Bildnis verlassen. Ausgehend von der frei modellierenden Bildniskunst David d'Angers (siehe 671 f.) wird ein Umriß gewählt, der bestätigend, aber auch im Widerspruch zu dem Umriß des Gesichtes antwortet. Die freie Reliefgestaltung, wie sie etwa zur gleichen Zeit Gauguin pflegte, stößt in einen Bereich vor, der das Bild selbst als Gattung in Frage stellt. Eine Generation später wird die Darstellung selbst ›abstrakt‹. GS

675

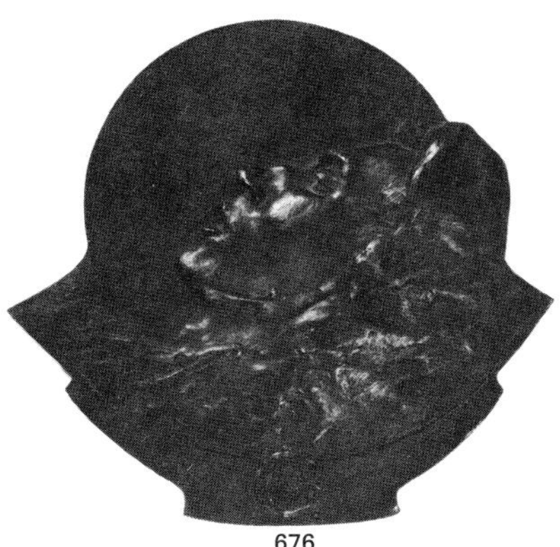
676

Désiré Jean Ringel d'Illsach (1847-1916)
676 Bildnis einer Toten 1890
Bronzeguß; 230x240 mm;
In die gleiche Richtung geht der Elsässer Désiré Jean Ringel d'Illsach, der 1890 das Bildnis einer Toten schuf: Die unregelmäßige Umrißgestaltung der Plakette steht im lebhaften Widerspruch zu der im Gegensinne bewegten Darstellung. GS

François Rupert Carabin (1862-1932)
678 Mädchen mit Katze
Bronzeguß; 110x168 mm;
Die bleierne Satyrmaske von Henri Charles Guérard (1846-1897) bringt ein pittoreskes Element in die Plakettenkunst ein, wie es später in der deutschen Zeitschrift ›Pan‹, aber auch in der Bilderwelt Emil Noldes fortlebt. Wie ein Zufallswurf wirkt die Szene des Elsässers François Rupert Carabin mit dem Atelierakt, der die Statuette einer Tänzerin ergriffen hat und offensichtlich eine Katze damit erschreckt. Die Entstehungszeit, das Zeitalter des internationalen Symbolismus, läßt aber einen tieferen Sinn vermuten, etwa den Gegensatz von Natur und Kunst, Lebensnähe und akademische Lebensferne. GS

677

678

Henri Charles Guérard (1846-1897)
677 Maske
Bleiguß; 116x89 mm;

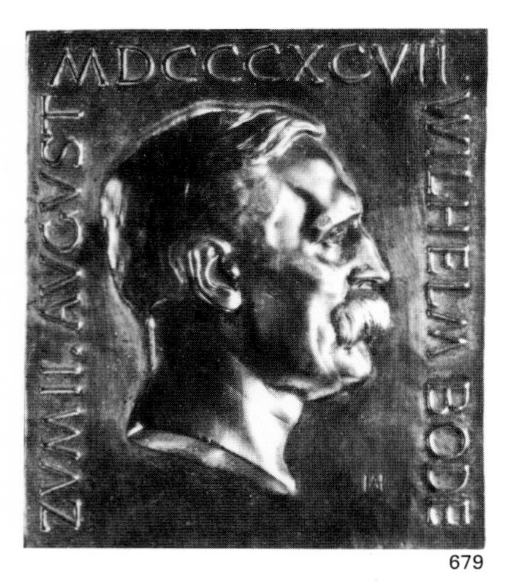

679

Adolph von Hildebrand (1847-1921)
679 Bildnisplakette Wilhelm von Bode (1845-1929) 1897
Bronze, versilbert; 78 x 65 mm;

Hermann Hahn (1868-1942)
680 Bildnisplakette Gustav Pauli (1866-1938)
Bronze; 190 x 152 mm;

Über die freieren Gestaltungen seien nicht die offiziellen Aufgaben der Medaillenkunst vergessen, die nach wie vor wahrgenommen werden. So seien hier die Bildnisse der Kunsthistoriker und Museumsdirektoren Wilhelm von Bode und Gustav Pauli vorgestellt, das erstere von Adolph von Hildebrand, das letztere von Hermann Hahn (1868-1942). Bode war Generaldirektor der Berliner Museen, Pauli ab 1914 der Nachfolger Lichtwarks an der Hamburger Kunsthalle. Wie in der Bildhauerei beider Künstler zu beobachten, setzte sich in Deutschland ein klassizierender Stil durch (siehe 665 und 666). GS

680

681

Benno Elkan (1877-1960)
681 Gedächtnismedaille auf Frank Wedekind (1864-1914) 1914
Bronzeguß; Durchmesser 83 mm;
Einer späteren Generation gehört der Bildhauer Benno Elkan an. Seine Gedächtnismedaille auf den Schriftsteller Frank Wedekind steht am Anfang eines Bildnistyps, der sich bis in die Gegenwart erhalten hat. GS

682

Ernst Barlach (1870-1938)
682 Jubiläumsplakette auf die 25-jährige Amtszeit des Museumsdirektors Justus Brinckmann (1843-1915) 1902
Bronzeguß; 160x241 mm;
Mit dem Bildnis des Kunsthistorikers und des Direktors des Museums für Kunst und Gewerbe in Hamburg, Justus Brinckmann, besitzt die Hamburger Kunsthalle ein Frühwerk des Bildhauers, Medailleurs, Keramikers und Graphikers Ernst Barlach (siehe 527), das dessen Wurzeln im internationalen Symbolismus und Jugendstil zeigt. GS

Ewald Mataré (1887-1965)
683 Medaille auf das 125jährige Bestehen des Kunstvereins Rheinland-Westfalen in Düsseldorf 1956
Gold; Durchmesser 35 mm;

Fritz König (geb. 1924)
684 Paar 1962
Silber, dunkelrot patiniert;
Durchmesser 41 mm;

Selbstverständlich ging die fortschreitende Abstraktion der Bildwelt nicht spurlos an der Medaillenkunst vorüber. Der Reiter auf der Goldmedaille auf das 125-jährige Bestehen des Kunstvereins Rheinland-Westfalen in Düsseldorf von Ewald Mataré zeigt das ebenso wie das von Henry Moore inspirierte Paar von Fritz König auf einer rötlich patinierten Silbermedaille von 1962. GS

683

684

685

Hermann Hahn (1868-1942)
685 Bildnisplakette Max von Pettenkofer (1818-1901) 1899
Bronzeguß; 145x145 mm;
Etwa gleichzeitig findet der Klassizismus Hermann Hahns in seinem Bildnis des Münchner Hygienikers Max von Pettenkofer zu einer kompositorischen Lösung, die heraldisch streng wie technisch einsichtig erscheint. Nicht zufällig stand hier eine altgriechische Prägung aus Amphipolis Pate. Darüberhinaus wirkt die Plakette wie ein Siegel, dessen Wachs von einem Petschaft geprägt worden ist. GS

686

Adolf Ryszka (geb. 1935)
686 Hauch II 1973
Medaille; Bronzeguß; Durchmesser 105 cm;
Adolf Ryszka ist ein polnischer Bildhauer und Medailleur, der – seit 1969 international bekannt – ab 1974 wiederholt zur Zusammenarbeit nach Japan geladen wurde. Am Vorabend dieser jüngsten Entwicklung entstand diese Medaille als ein geradezu meditatives Objekt. An ihr zeigt sich auf eine überraschend zeitnahe Weise die eigentlich nie zu leugnende Nähe zur Goldschmiedekunst. Was seit der Antike die – nicht selten personale – Union von Stempel- und Gemmenschneider war, ist heute die Personalunion von Goldschmied, Ziseleur und Medaillengießer. Das Gebilde auf der reinen Kunstfigur der Vorderseite des großen, aber durchaus handlichen Bronzestücks faßt sensible Modellformen und handfest eingreifende Ziselierspuren zu einer Wahrnehmungseinheit zusammen, weiche Übergänge mit harten und scharfkantigen Schatten miteinander verbindend. GS

Künstlerregister